A Casa das Orquídeas

LUCINDA RILEY

A Casa das Orquídeas

Toda casa tem seus segredos
e todo amor, seu preço.

Tradução

BÁRBARA MENEZES DE A. BELAMOGLIE

Editora Novo Conceito

Publicado, pela primeira vez, na Grã-Bretanha na língua inglesa por Penguin Books Ltd

Título original: Hothouse flower

1ª Impressão — 2012

Produção Editorial
Equipe Novo Conceito
Preparação de Texto: Helô Beraldo (coletivo pomar) e Ana Oliveira
Revisão de Texto: Elisabete B. Pereira
Diagramação: Nhambikwara Editoração

Este livro segue as regras da Nova Ortografia da Língua Portuguesa

Dados Internacionais de Catalogação na Publicação (CIP)
(Câmara Brasileira do Livro, SP, Brasil)

Riley, Lucinda
A casa das orquídeas / Lucinda Riley ; tradução Bárbara Menezes de Azevedo Belamoglie. -- Ribeirão Preto, SP : Novo Conceito Editora, 2012.

Título original: Hothouse flower.
ISBN 978-85-63219-96-1

1. Ficção inglesa I. Título.

12-01162 CDD-823

Índices para catálogo sistemático:
1. Ficção : Literatura inglesa 823

Rua Dr. Hugo Fortes, 1885 – Parque Industrial Lagoinha
14095-260 – Ribeirão Preto – SP
www.editoranovoconceito.com.br

Para meu pai, Donald,
que me inspira sempre.

Sião, muitas luas atrás...

Dizem, em Sião, que quando um homem se apaixona por uma mulher profunda, louca e irremediavelmente, ele é capaz de fazer qualquer coisa para mantê-la ao seu lado, agradá-la, fazê-la feliz e valorizá-la.

Certa vez, houve um príncipe de Sião que se apaixonou com essa força por uma mulher de rara beleza. Ele persistiu e a conquistou, porém, algumas semanas antes do casamento — celebração que incluiria uma festa nacional —, o príncipe ficou preocupado.

Ele sabia que devia, de alguma maneira, provar o seu amor por ela com um ato de heroísmo e poder, que os uniria para sempre. Ele precisava encontrar algo tão raro e belo quanto sua amada. Depois de muito pensar, chamou os três servos em que mais confiava e disse a eles o que deveriam fazer:

— Ouvi histórias sobre a orquídea negra, que floresce no nosso reino, no alto das montanhas do norte. Quero que a encontrem e a tragam para mim, para que eu a dê à princesa no dia do nosso casamento. Aquele que me trouxer a orquídea primeiro será recompensado com um tesouro que o fará um homem rico. Os dois que falharem não viverão para assistir ao meu casamento.

O coração dos três homens, ao se curvarem em frente ao príncipe, se encheram de terror, pois sabiam que estavam diante da morte. A orquídea negra era uma flor mítica, assim como os dragões dourados e cheios de joias que adornavam as proas dos barcos reais, que levariam o príncipe ao templo onde se casaria com a nova princesa. Era uma lenda!

Naquela noite, os três homens voltaram para as suas famílias e se despediram. No entanto, um deles, deitado nos braços da esposa que chorava, era mais esperto do que os outros e tinha ainda mais vontade de viver do que eles. Quando chegou a manhã, ele havia traçado um plano. Partiu para o mercado flutuante, que vendia temperos, sedas e flores. Lá, usou moedas para comprar uma linda orquídea de um rosa muito intenso, repleta de pétalas escuras e aveludadas.

Depois, andou com a flor na direção dos estreitos *klongs*[1] de Bangkok até achar o escriba sentado entre seus rolos de pergaminho na escura e úmida sala de trabalho, nos fundos de sua loja. O escriba já havia trabalhado no castelo, era assim que o servo o conhecia, mas seu trabalho fora considerado indigno devido a algumas imperfeições em sua letra.

— *Sawadee krup*[2], escriba. — o servo colocou a orquídea sobre a escrivaninha. — Tenho uma tarefa para nós dois e, se você me ajudar, posso oferecer riquezas com as quais você apenas sonhou.

O escriba, que havia sido obrigado a escrever por dinheiro para sobreviver desde sua saída do palácio, olhou para o servo com interesse.

— Como faríamos isso?

O servo apontou para a flor.

— Quero que use sua habilidade com as tintas e pinte as pétalas dessa orquídea de preto.

O escriba franziu as sobrancelhas ao olhar o servo e analisou a planta.

— Sim, é possível fazer isso, mas, quando crescerem novas flores, elas não serão negras e você será descoberto.

— Quando crescerem novas flores, você e eu estaremos a muitos quilômetros daqui, vivendo como o príncipe a quem sirvo — respondeu o servo.

O escriba balançou lentamente a cabeça enquanto pensava na proposta.

— Volte aqui ao cair da noite e você terá sua orquídea negra.

O servo voltou para casa e pediu à esposa que arrumasse seus escassos pertences. Prometeu-lhe que, depois, ela poderia comprar o que seu coração desejasse e que ele daria a ela um lindo palácio, muito longe dali.

---

1. Rotas fluviais que servem como ruas e mercado aberto. (N. E.)
2. Cumprimento tradicional tailandês. (N. E.)

Naquela noite, ele voltou à loja do escriba e perdeu o fôlego de alegria ao ver a orquídea negra sobre a escrivaninha. Observou as pétalas e viu que o escriba havia feito um excelente trabalho.

— Está seca — comentou o escriba — e a tinta não sairá nos dedos de quem quiser tirar a prova. Eu mesmo testei. Teste você.

O servo testou e viu que seus dedos não ficaram sujos de tinta.

— Mas não sei dizer quanto tempo irá durar. A umidade da própria planta molhará a tinta. E ela nunca deve ser exposta à chuva, é claro.

— Está boa o suficiente — afirmou o servo, pegando a flor. — Estou indo para o palácio. Encontre-me às margens do rio à meia-noite e lhe darei sua parte.

Na noite de seu casamento com a princesa, e depois de haver compartilhado seu dia de felicidade com o reino, o príncipe entrou em seus aposentos privados.

A princesa estava no terraço, olhando o rio Chaopraya, que ainda estava iluminado com os reflexos dos fogos de artifício disparados para celebrar sua união com o príncipe. Ele foi para perto dela.

— Meu único amor, tenho algo para você. Algo que representa sua raridade e perfeição.

Ele lhe entregou a orquídea negra, que estava dentro de um pote de ouro sólido enfeitado com joias.

A princesa olhou a flor e as pétalas negras como a noite, que davam a impressão de sofrerem sob a pesada cor produzida por sua espécie. A planta parecia cansada, murcha e malévola com sua escuridão antinatural.

Porém, ela sabia o que estava segurando, o que significava e o que ele havia feito por ela.

— Meu príncipe, é primorosa! Onde a encontrou? — ela perguntou.

— Procurei pelo reino, de uma ponta a outra. Tenho certeza de que é única, assim como você.

Ele olhou para ela, com todo o amor que sentia brilhando em seus olhos.

Ela viu aquele amor e acariciou delicadamente o rosto dele, esperando que ele soubesse que era correspondido e que sempre seria.

— Muito obrigada, é linda.

Ele agarrou a mão dela em seu rosto e, ao beijar seus dedos, foi tomado pelo desejo de possuí-la por inteiro. Era noite de núpcias e ele havia esperado um longo tempo por isso. Tirou a orquídea das mãos dela, a apoiou no terraço, abraçou a princesa e a beijou.

— Venha para dentro, minha princesa — ele murmurou em seu ouvido.

Ela deixou a orquídea negra no terraço e o seguiu até o quarto. Um pouco antes do amanhecer, a princesa se levantou e saiu para dar bom-dia à primeira manhã da nova vida dos dois. Ela viu, pelas poças rasas, que havia chovido durante a noite. O novo dia estava nascendo, o Sol ainda estava meio escondido pelas árvores do outro lado do rio.

No terraço, havia uma orquídea rosa e magenta, no mesmo pote de ouro que o príncipe entregara a ela. A princesa sorriu e tocou as pétalas da flor, agora limpas e saudáveis por causa da chuva, muito mais bonita do que a mesma orquídea negra que o príncipe dera para ela na noite anterior. Um suave tom de cinza tingia a poça ao redor dela.

Por fim, ao entender o que acontecera, ela pegou a flor e cheirou seu divino perfume, ponderando sobre o que fazer. Era melhor contar uma verdade para ferir ou uma mentira para proteger?

Alguns minutos depois, ela voltou para o quarto e se aconchegou novamente nos braços do príncipe.

— Meu príncipe — ela murmurou enquanto ele acordava —, a orquídea negra foi roubada durante a noite.

Ele se sentou de repente, horrorizado, pronto para chamar os guardas. Ela o acalmou com um sorriso.

— Não, meu querido, eu acredito que ela nos foi dada apenas por uma noite, a noite em que nos tornamos um só, quando nosso amor floresceu e nos tornamos parte da natureza também. Não podíamos presumir que ficaríamos com algo tão mágico só para nós... E, além disso, ela iria murchar e morrer... E eu não aguentaria.

Ela pegou a mão dele e a beijou.

— Vamos acreditar no poder dela e saber que sua beleza nos abençoou na primeira noite de nossa vida juntos.

O príncipe pensou por alguns instantes. Depois, como amava a princesa com todo o seu coração e estava feliz por ela agora ser inteiramente dele, não chamou os guardas.

À medida que ele envelheceu e a união deles se provou bem-sucedida e abençoada com uma criança concebida naquela noite, e muitas outras depois, ele acreditou por toda a vida que a mística orquídea negra lhes havia emprestado sua mágica, mas não pertencia a eles.

Na noite depois do casamento do príncipe com a princesa, um pobre pescador estava sentado nas margens do Chaopraya, a algumas centenas de quilômetros do palácio real. A linha de pesca estava vazia havia duas horas. Ele se perguntava se os fogos de artifício da noite anterior haviam espantado os peixes para o fundo do rio. Não pegaria nada para vender e sua família passaria fome.

Conforme o Sol subia acima das árvores da margem oposta para jogar sua luz abençoada sobre a água, ele viu alguma coisa brilhar entre os restos de algas verdes que flutuavam pelo rio. O pescador deixou a vara e entrou na água para pegá-la. Agarrou-a antes que flutuasse para longe e puxou um objeto coberto de algas para a margem. Ao remover as algas, que visão! Um pote feito de ouro sólido, decorado com diamantes, esmeraldas e rubis!

Esqueceu-se da vara, guardou o pote em sua cesta e partiu para o mercado de joias na cidade, sabendo, com o coração transbordando de felicidade, que a família nunca mais passaria fome.

[PARTE UM]

Inverno

[CAPÍTULO 1]

Norfolk, Inglaterra

"Tenho o mesmo sonho todas as noites. É como se minha vida fosse lançada para o alto e todos os pedaços caíssem pelo chão de frente para trás, pelo avesso. Fazem parte da minha vida e, ainda sim, estão na ordem errada, são uma visão fragmentada.

Dizem que sonhos são importantes e nos contam algo que estamos escondendo de nós mesmos.

Não estou escondendo nada de mim mesma; bem que queria conseguir fazer isso.

Eu durmo para esquecer. Para encontrar um pouco de paz, pois fico o dia todo lembrando deles.

Não sou louca. Apesar de que, recentemente, tenho pensado muito sobre o que é a loucura. Milhões de seres humanos, cada um único, cada um com seu próprio perfil de DNA, seus próprios pensamentos, uma perspectiva pessoal do mundo dentro da cabeça. E cada ponto de vista é diferente.

Cheguei à conclusão de que o que nós, humanos, podemos compartilhar de verdade são a carne e os ossos, a matéria física com a qual nascemos. Por exemplo, já me disseram várias vezes que cada pessoa reage de maneira diferente à perda e que nenhuma reação é errada. Algumas pessoas choram por meses, anos até. Vestem-se de preto e ficam de luto. Outras parecem indiferentes à perda. Elas a enterram. Seguem a vida como antes. Como se nada tivesse acontecido.

Não tenho certeza de como tem sido minha reação. Não chorei por meses. Na verdade, quase não chorei.

Mas também não esqueci. Nunca esquecerei.

Estou ouvindo alguém lá embaixo. Tenho de levantar e fingir estar pronta para encarar o dia."

Alícia Howard parou o carro no meio-fio. Desligou o motor e subiu o morro até o chalé. Ela sabia que a porta da frente nunca ficava trancada, então, a abriu e entrou.

Parou na sala de estar ainda escura e sentiu um arrepio. Caminhou até as janelas e afastou as cortinas. Depois de afofar as almofadas do sofá, recolheu três xícaras de café vazias e as levou para a cozinha.

Andou até a geladeira e a abriu. Uma garrafa de leite solitária, pela metade, estava na porta. Um iogurte vencido, um pouco de manteiga e um tomate velho ocupavam as prateleiras. Ela fechou a geladeira e verificou o porta-pão. Como suspeitava, estava vazio. Alícia se sentou à mesa e respirou fundo. Pensou em sua cozinha quente e bem abastecida, no cheiro consolador de algo cozinhando no fogão para o jantar, no som das crianças brincando e das suas risadas doces e agudas... O coração de sua casa e sua vida.

O contraste com aquele aposento pequeno e frio não passou despercebido. Na verdade, era uma metáfora adequada à atual vida de sua irmã mais nova: a vida de Júlia e seu coração estavam vazios.

O som de passos rangendo na escada de madeira avisou Alícia de que a irmã se aproximava. Ela a viu aparecer na porta da cozinha e, como sempre, ficou impressionada com a beleza de Júlia. Alícia era loira e tinha pele clara, Julia era morena e exótica. Seu volumoso cabelo castanho-avermelhado emoldurava o rosto de traços delicados, e o peso que perdera recentemente havia apenas destacado os olhos luminosos e arredondados e as altas maçãs do rosto.

Júlia estava vestida de maneira inadequada para o clima de janeiro: uma blusa vermelha de caftan, alegremente bordada com linhas de seda coloridas, e um par de calças pretas e folgadas de algodão, escondendo a magreza de suas pernas. Alícia já podia ver os braços nus de Júlia arrepiados. Ela se levantou e puxou a irmã, relutante, em sua direção, abraçando-a com ternura.

— Querida — ela disse —, parece que você está com muito frio. Devia comprar roupas mais quentes... Quer que eu traga uns agasalhos meus?

— Estou bem — Júlia respondeu, querendo se livrar da irmã. — Café?

— Não tem muito leite, acabei de ver na geladeira.

— Tudo bem, eu tomo puro.

Júlia foi até a pia, encheu a chaleira e a ligou.

— E então, como tem passado os dias? — perguntou Alícia.

— Bem — respondeu Júlia, tirando duas xícaras da prateleira.

Alícia fez uma careta. "Bem" era a resposta pronta de Júlia. Ela a usava para não dar espaço às perguntas.

— Viu alguém essa semana?

— Na verdade, não — disse Júlia.

— Querida, tem certeza de que não quer passar um tempo com a gente? Não gosto de ficar pensando que você está aqui, sozinha...

— Obrigada pela oferta, mas estou bem mesmo — Júlia falou sem prestar atenção.

Alícia suspirou, frustrada.

— Júlia, não parece que você está muito bem. Emagreceu mais. Está comendo?

— É claro que estou. Você quer café ou não?

— Não, obrigada.

— Ótimo.

Júlia colocou o leite de volta na geladeira. Ao se virar, seus olhos âmbar brilhavam de raiva.

— Olha, eu sei que você só está fazendo isso porque se preocupa comigo. Mas, honestamente, Alícia, não sou um de seus filhos e não preciso de babá. Eu gosto de ficar sozinha.

— Mesmo assim — falou Alícia docemente, tentando segurar a impaciência que crescia dentro dela —, vai pegar um casaco. Vamos sair.

— Na verdade, tenho planos para hoje — Júlia respondeu.

— Então, é melhor cancelá-los, preciso de sua ajuda.

— Por quê?

— Papai faz aniversário semana que vem, caso tenha esquecido, e quero comprar um presente para ele.

— E precisa da minha ajuda para isso, Alícia?

— Ele fará 65 anos e talvez se aposente.

— Eu sei, ele também é meu pai.

Alícia se esforçou para manter a compostura.

— Haverá uma venda de móveis e objetos em Wharton Park ao meio-dia. Poderíamos ir lá e ver se compramos alguma coisa para o papai.

Ela viu uma gotinha de interesse nos olhos de Júlia.

— Wharton Park será vendida?

— Sim, você não sabia?

A postura de Júlia se desmontou de repente.

— Não, não sabia. Por quê?

— Acho que é o motivo de sempre: dívidas deixadas de herança. Ouvi dizer que o atual dono vai vendê-la a um rapaz da cidade com mais dinheiro que bom senso. Nenhuma família moderna tem dinheiro para manter um lugar como aquele. E o último lorde Wharton deixou a propriedade cair em abandono. Aparentemente, terão de gastar uma fortuna com a propriedade.

— Que triste — murmurou Júlia.

— Eu sei — concordou Alícia, feliz em ver que Júlia parecia envolvida. — Aquela casa foi muito importante em nossa infância, principalmente na sua. Por isso mesmo acho que deveríamos ver se encontramos algo à venda, alguma memória ou lembrança para o papai. Provavelmente só terá porcarias, as melhores coisas devem ter ido para leilão na Sotherby's, mas, nunca se sabe.

Sem precisar insistir mais, Júlia concordou.

— Tudo bem, vou pegar meu casaco.

Cinco minutos depois, Alícia estava manobrando o carro pela estreita rua principal da bela vila costeira de Blakeney. Ao virar à esquerda, ela seguiu para o leste, no caminho de quinze minutos até Wharton Park.

— Wharton Park... — Júlia murmurou para si mesma.

Eram suas memórias mais vívidas da infância, as visitas ao vovô Bill na estufa, o irresistível aroma das flores exóticas que cresciam lá e sua paciência para explicar o gênero das plantas e de que parte do mundo tinham vindo. O pai dele e o pai do seu pai antes dele trabalharam como jardineiros para a família Crawford, dona de Wharton Park, uma grande propriedade com mil acres de terra fértil e cultivável.

Os pais de Júlia viveram em um confortável chalé da propriedade, cercados pelos vários outros empregados que trabalhavam na terra e na casa, além da própria família Crawford. A mãe de Júlia e Alícia, Jasmine, havia nascido e crescido naquele chalé. Elsie, a avó delas, era exatamente como uma avó deve ser, embora um pouco excêntrica. Ela tinha braços abertos e acolhedores para todos e sempre havia alguma comida deliciosa no fogão da cozinha sendo preparada para o jantar. Toda vez que Júlia pensava no tempo que passara em Wharton Park, se lembrava do céu azul e das magníficas cores das flores que nasciam sob o Sol do verão.

Wharton Park foi famosa por sua coleção de orquídeas. Era estranho imaginar que aquelas flores pequenas e frágeis eram originárias de climas tropicais e, ainda assim, lá estavam elas, florescendo no frio hemisfério norte, em meio às planícies de Norfolk.

Quando era criança, Júlia passava o ano todo esperando pelas visitas de verão a Wharton Park. A tranquilidade e o calor das estufas, confortavelmente localizadas no canto do jardim da cozinha, protegidas dos ventos cruéis que sopravam do Mar do Norte durante o inverno, ficavam em sua memória o ano inteiro. Isso, combinado com a segurança doméstica do chalé dos avós, as transformou em um lugar de paz para ela. Em Wharton Park, nada mudava. Despertadores e agendas não mandavam no lugar, era a natureza que ditava o ritmo. Ela ainda se lembrava do velho rádio de baquelite do avô em um canto da estufa, tocando música clássica de manhã até o anoitecer.

— As flores adoram música... — vovô Bill lhe dizia enquanto cuidava de suas preciosas plantas.

Júlia se sentava em um banco ao lado do rádio e o observava, escutando a música. Ela estava aprendendo a tocar piano e descobrira que tinha uma habilidade natural para o instrumento. Havia um antigo piano de armário na pequena sala de estar do chalé. Muitas vezes, após o jantar, pediam que ela tocasse. Os avós a assistiam com prazer e admiração, e os delicados dedos de Júlia corriam pelas teclas.

— Você ganhou um dom de Deus, Júlia — vovô Bill disse certa noite, os olhos molhados ao sorrir para ela. — Nunca o desperdice, combinado?

No dia em que ela completou 11 anos, vovô Bill a presenteou com uma orquídea.

— É para você, Júlia. O nome dela é *Aerides adoratum*, que significa "filha do ar".

Júlia observou as delicadas pétalas cor-de-rosa e marfim da flor dentro de um pote. Sentiu que eram aveludadas quando as tocou.

— De onde ela veio, vovô Bill? — ela perguntou.

— Do Oriente, das florestas de Chiang Mai, no norte da Tailândia.

— Ah! De que tipo de música você acha que ela gosta?

— Tenho a impressão de que prefere Mozart — riu o avô. — Mas, se você achar que ela está murchando, você pode tentar Chopin.

Júlia cultivara tanto a orquídea quanto seu dom para o piano. Sentava-se na sala de visitas de sua fria casa vitoriana nos arredores de Norwich, tocava para a flor e ela florescia para Júlia ano após ano. Ela sonhava com o lugar exótico de onde a orquídea viera. A flor não estava em uma sala de visitas suburbana, mas nas extensas florestas do Extremo Oriente... Os sons de lagartos e pássaros e os perfumes intoxicantes das orquídeas que cresciam em todas as árvores e nos arbustos aos pés delas.

Ela sabia que, um dia, iria lá e veria tudo aquilo. Porém, naquele momento, a colorida descrição que o avô fazia das terras distantes alimentava sua imaginação e suas brincadeiras.

Quando tinha 14 anos, vovô Bill morreu. Júlia se lembrava claramente do sentimento de perda. Ele e as estufas haviam sido uma certeza na vida ainda curta e já difícil dela, uma influência sábia e gentil, aberta para ouvi-la, talvez mais como um pai do que seu próprio pai havia sido. Aos 18 anos, ela ganhou uma bolsa de estudos na Royal College of Music, em Londres. Vovó Elsie havia se mudado para Southwold com a irmã para lhe fazer companhia e Júlia não visitara mais Wharton Park.

Agora, lá estava ela, com 31 anos, voltando para aquele lugar. Enquanto Alícia falava sobre seus quatro filhos e as várias atividades deles, Júlia reviveu a ansiedade que sentia toda vez que viajava no carro dos pais por aquela estrada, olhando pela janela traseira, esperando que a casa do vigia, que marcava a entrada de Wharton Park, aparecesse ao alcançarem a conhecida curva na estrada.

— Lá está a curva! — disse Júlia quando Alícia quase a ultrapassou.

— Nossa, é mesmo! Faz tanto tempo que não venho aqui que esqueci.

Ao virarem na entrada para carros, Alícia observou a irmã. Podia ver um brilho de expectativa nos olhos de Júlia.

— Você sempre adorou esse lugar, não é? — disse ela, com delicadeza.

— Sim. Você não?

— Para ser sincera, eu ficava entediada quando vínhamos para cá. Mal podia esperar para voltar à cidade e ver meus amigos.

— Você sempre foi uma garota da cidade — comentou Júlia.

— Sim, e olhe para mim agora: 34 anos, com uma casa em uma fazenda no meio do nada, uma ninhada de filhos, três gatos, dois cachorros e um fogão. O que aconteceu com as luzes néon? — Alícia sorriu com ironia.

— Você se apaixonou e formou uma família.

— E foi você que ficou com as luzes — Alícia acrescentou, sem malícia.

— Sim... — a voz de Júlia foi sumindo quando elas viraram na entrada da propriedade. — Lá está a casa, igualzinha a antes!

Alícia olhou para o prédio à sua frente.

— Na verdade, está bem melhor. Esqueci o quanto é bonita.

— Eu nunca esqueci — murmurou Júlia,

Elas seguiram a fila de carros, que iam diminuindo a velocidade na entrada, ambas perdidas em seus próprios pensamentos. Wharton Park havia sido projetada em estilo georgiano clássico para o sobrinho do primeiro primeiro-ministro da Grã-Bretanha, embora ele tivesse morrido antes de a casa ser finalizada. Construída quase por inteiro com pedra de Aislaby, a casa havia desbotado para um amarelo suave nos seus 300 anos de existência.

Seus sete intercolúnios e as escadarias imperiais, que se erguiam da frente do porão até o *piano nobile*, formando um terraço alto com vista para o parque aos fundos, acrescentavam um ar de *glamour* francês. O enorme pórtico sustentado por quatro grandes colunas jônicas e uma estátua de Britannia, em ruínas, confiantemente colocada sobre o ponto mais alto, tinha um ar majestoso e bastante excêntrico.

Wharton Park não era grande o suficiente para ser considerada um palácio. Também não tinha uma arquitetura perfeita nem digna de elogios, as últimas gerações dos Crawford adicionaram algumas construções estranhas, o que comprometeu sua pureza. Entretanto, por esse mesmo motivo, não apresentava a intimidadora rigidez associada a outras grandes casas daquele período.

— Era aqui que costumávamos virar à esquerda — Júlia indicou, lembrando o caminho que pegava ao redor do lago para chegar ao chalé dos avós nos limites da propriedade.

— Depois de irmos ao local da venda, você gostaria de visitar o velho chalé e ver como está? — perguntou Alícia.

Júlia encolheu os ombros.

— Vamos ver, tudo bem?

Homens com casacos amarelos organizavam os carros nas vagas.

— A notícia deve ter se espalhado — comentou Alícia, ao virar o carro no espaço indicado e o estacionar. Ela se virou para a irmã e colocou a mão sobre o joelho dela. — Pronta? — perguntou.

Júlia estava confusa, tomada por tantas memórias. Ao sair do carro e caminhar na direção da casa, até os cheiros eram familiares: grama molhada e recém-cortada, e o leve toque de um aroma que ela percebeu vir dos jasmins plantados ao redor do gramado da frente. As duas seguiram a multidão devagar, escada acima, e passaram pela entrada principal da casa.

[CAPÍTULO 2]

"Tenho 12 anos de novo. Estou em uma sala enorme que sei que é, na verdade, um hall de entrada, mas parece uma catedral para mim. O teto é alto e, ao observá-lo, vejo que está pintado com nuvens e anjinhos gordos e nus. Isso me fascina e olho com tanta atenção que não reparo que há alguém na escada me observando.

— Posso ajudá-la, mocinha?

Levo um susto tão grande que quase derrubo o precioso pote que tenho nas mãos e que é a razão de eu estar aqui para começo de conversa. Meu avô me mandou especialmente para entregá-lo a lady Crawford. Não fiquei feliz porque tenho medo dela. Quando a vi de longe, ela parecia velha, magra e brava. Mas o vovô Bill estava insistindo.

— Ela é muito triste, Júlia. A orquídea pode alegrá-la. Agora, vá! Boa menina!

A pessoa na escada definitivamente não é lady Crawford. É um jovem rapaz, talvez 4 ou 5 anos mais velho que eu, com cabelos cacheados castanho-avermelhados e cheios, que ele usa, na minha opinião, compridos demais para um garoto. Ele é muito alto, mas magro de doer; os braços parecem gravetos pendurados para fora das mangas dobradas da camisa.

— Sim, estou procurando a lady Crawford. Trouxe isso das estufas para ela — gaguejei.

Ele desce tranquilo o restante dos degraus e para na minha frente com os braços esticados.

— Eu levo para ela, se quiser.

— Meu avô disse para eu entregar para ela pessoalmente — eu respondo nervosa.

— Infelizmente, ela está descansando agora. Ela não está muito bem, sabe?

— Eu não sabia — respondo.

Quero perguntar quem é ele, mas não tenho coragem. Ele deve estar lendo meus pensamentos, pois diz:

— Sou parente de lady Crawford, então acho que você pode confiar em mim, não acha?

— Sim, tome — eu entrego a orquídea, aliviada por não ter de entregá-la pessoalmente, mas isso em segredo. — Pode dizer para a lady Crawford que meu avô disse que é uma nova... — me esforço para lembrar a palavra — ... espécie híbrida e acabou de florescer?

— Sim, eu direi — fico parada, sem saber ao certo o que fazer. Ele também. Por fim, ele diz:

— Então, como você se chama?

— Júlia Forrester. Sou neta do senhor Stafford.

Ele ergue uma sobrancelha.

— É claro que sim. Bem, eu sou Christopher Crawford. Kit para os amigos — ele estende a mão que não está segurando a planta e eu o cumprimento.

— Prazer em conhecê-la, Júlia. Soube que você toca piano muito bem.

Minhas bochechas ficam vermelhas.

— Eu acho que não — digo.

— Não precisa ser modesta — ele me censura. — Eu ouvi a cozinheira e sua avó conversarem sobre você hoje de manhã. Venha comigo.

Ele ainda está segurando a minha mão e, de repente, me puxa para o hall e passo por uma série de aposentos vastos e cheios do tipo de móveis formais que fazem a casa parecer uma casa de bonecas em tamanho real. Pergunto-me, sem conseguir evitar, onde eles se sentam para assistir à televisão à noite. Enfim, chegamos a uma sala banhada pela luz do Sol que entrava por três janelas que vão do chão ao teto e estão voltadas para o terraço que leva aos jardins. Há grandes sofás arrumados em volta de uma enorme lareira de mármore e, no canto mais distante, em frente a uma das janelas, há um grande piano. Kit Crawford me leva até lá, puxa o banco e diz:

— Sente. Quero ouvi-la tocar — ele abre a tampa e uma chuva de partículas de poeira voa brilhando sob o Sol da tarde.

— Tem... Tem certeza de que posso? — eu pergunto.

— Tia Crawford dorme do outro lado da casa. Provavelmente não vai ouvir. Vamos! — ele me olha com expectativa.

Insegura, eu coloco as mãos sobre as teclas. Elas são diferentes de quaisquer outras que meus dedos já tocaram. Elas têm o acabamento do mais fino marfim e eu estou tocando em um piano Bechstein de 150 anos. Toco uma nota com leveza e, ainda assim, o eco ressoa pelas cordas, amplificando o som.

Ele está em pé ao meu lado, esperando, de braços cruzados. Percebo que não tenho escolha. Começo a tocar "Clair de Lune", uma peça que aprendi há pouco tempo. É a minha favorita no momento e passei horas praticando. Conforme as notas aparecem sob meus dedos, me esqueço de Kit. Deixo-me levar pelo belo som que o belo instrumento emite. Eu vou, como sempre, para outro lugar, muito, muito longe. O Sol brilha entre meus dedos, aquece meu rosto com sua luz. Toco melhor do que talvez jamais tenha tocado e estou surpresa quando meus dedos tocam as últimas teclas e a peça acaba.

Ouço o barulho de palmas em algum lugar ao fundo e volto para essa sala enorme e para Kit, que está com uma expressão de admiração no rosto.

— Uau! — ele exclama. — Foi maravilhoso!

— Obrigada.

— Você é tão nova! Seus dedos são tão pequenos, como conseguem se mover pelas teclas com tanta rapidez?

— Não sei, eles simplesmente conseguem.

— Sabe que parece que o marido de tia Crawford, Harry, lorde Crawford, era um pianista virtuoso?

— Não, eu... Eu não sabia.

— Bem, ele era. Esse era o piano dele. Ele morreu quando eu era bebê e nunca o ouvi tocar. Você pode tocar mais alguma coisa?

Dessa vez, ele parece interessado de verdade.

— Eu... Eu acho que tenho de ir andando.

— Só mais uma, por favor?

— Tudo bem — eu respondo.

E começo a tocar "Rapsódia sobre um tema", de Paganini. Mais uma vez, me perco na música e estou na metade dela quando ouço uma voz gritar.

— Pare! Pare com isso agora!

Faço o que mandam e olho para a entrada da sala de visitas. Uma mulher alta, magra e de cabelos cinza está lá. Sua expressão é de fúria. Meu coração começa a bater muito rápido.

Kit vai até ela.

— Desculpe, tia Crawford, eu que pedi para Júlia tocar. Você estava dormindo e, por isso, não pude pedir sua permissão. Nós a acordamos?

Um par de olhos frios olhou para ele.

— Não. Vocês não me acordaram. Mas, Kit, essa não é a questão. Você sabe que proíbo qualquer pessoa de tocar naquele piano.

— Sinto muitíssimo, tia Crawford. Não sabia. Mas a Júlia é tão fantástica. Ela tem apenas 11 anos e já toca como uma pianista de concertos.

— Chega! — estoura a tia.

Kit baixa a cabeça e faz um gesto para que eu o siga.

— Mais uma vez, desculpe — ele diz enquanto me esquivo atrás dele.

Ao passar por lady Crawford, ela me para.

— Você é a neta de Stafford? — ela pergunta com os olhos frios, azuis e penetrantes me encarando.

— Sim, lady Crawford.

Vejo seus olhos suavizarem um pouco e parece que ela vai chorar. Ela mexe a cabeça e parece se esforçar para falar.

— Eu... Sinto muito pela sua mãe.

Kit interrompe, sentindo a tensão.

— Júlia trouxe uma orquídea para você. É uma nova flor da estufa do avô dela, não é, Júlia? — ele me encoraja.

— Sim — respondo, segurando o choro. — Espero que goste.

Ela balança a cabeça, concordando.

— Tenho certeza de que vou gostar. Diga ao seu avô que o agradeço.

Alícia estava esperando pacientemente na fila por um catálogo dos objetos à venda.

— Você entrou nessa casa quando era criança? — ela perguntou.

— Sim — respondeu Júlia —, uma vez.

Alícia indicou o teto.

— Meio cafonas esses querubins, não acha?

— Sempre gostei bastante deles — Júlia disse.

— Que casa velha e estranha — Alícia continuou, pegando o catálogo oferecido e seguindo a multidão pelo hall, depois pelo corredor, até chegar a uma sala ampla com painéis de carvalho, em que os itens à venda estavam expostos.

Ela entregou o catálogo à Júlia.

— É uma pena estar à venda, de verdade. Foi a casa da família Crawford por mais de trezentos anos — ela refletiu. — É o fim de uma era e tal. Vamos dar uma volta?

Alícia segurou o cotovelo de Júlia e a guiou até um vaso grego elegante, mas rachado. Pelas reveladoras linhas de musgo na borda interior, obviamente era usado para colocar flores no verão.

— Que tal esse para o papai?

Júlia encolheu os ombros.

— Talvez. Você escolhe.

Ao perceber que o interesse de Júlia diminuía e que ela já estava ficando irritada, Alícia disse:

— Bem, por que não nos separamos e, assim, veremos mais rápido o que está disponível. Você começa desse lado, eu começo daquele e nos encontramos em dez minutos na porta.

Júlia concordou e viu Alícia caminhar para o outro lado da sala. Desacostumada a multidões nos últimos tempos, ela sentiu uma claustrofobia desconfortável. Caminhou para a parte mais vazia do aposento. Em um canto, havia uma mesa com cavalete e uma mulher atrás dela. Júlia se aproximou, pois não tinha outro lugar para ir.

— Esses itens não estão inclusos na venda normal — informou a mulher. — É um bricabraque, na verdade. Pode comprá-los agora, estão marcados com preços individuais.

Júlia pegou uma cópia de *The Children's Own Wonder Book*[3] que tinha os cantos das páginas dobrados. Ela abriu o livro e viu que a data marcada nele era 1926. "Para Hugo, da vovó, com amor." Também havia uma cópia de 1932 de *Wilfred's Annual*[4] e uma de *Marigold Garden*[5], de Kate Greenaway.

Havia algo de comovente naqueles livros; por mais de oitenta anos, as crianças Crawfords leram as histórias deles enquanto cresciam em seu quarto, em algum lugar acima dela. Júlia decidiu comprá-los e preservá-los para as crianças perdidas de Wharton Park.

Havia uma caixa de papelão em más condições cheia de papéis à esquerda da mesa. Júlia os folheou sem interesse. A maioria era de litografias à caneta e à tinta, representando o incêndio de Londres, velhos navios e cavalos feios. Entre elas, havia um envelope marrom gasto. Ela o tirou da caixa.

Dentro do envelope, havia pinturas feitas em aquarela, cada uma retratando um tipo diferente de orquídea. O papel velino creme, em que estavam pintadas, tinha manchas marrons e ela concluiu que eram pinturas de um entusiasta amador, não de um profissional. Ainda assim, pensou, emolduradas e penduradas, poderiam parecer muito especiais. Cada uma tinha o nome latino da orquídea escrito a lápis abaixo do caule.

— Quanto custam esses? — ela perguntou à mulher.

---

3. Algo como: *O livro infantil das maravilhas*. (N. E.)
4. *Anuário de Wilfred.* (N. E.)
5. *O jardim de Marigold.* (N. E.)

A mulher pegou o envelope.

— Não sei. Não tem preço marcado neles.

— Bem, e se eu pagasse vinte libras, cinco por cada um? — Júlia sugeriu.

A mulher olhou para as pinturas de pouco valor. Encolheu os ombros.

— Acho que podemos deixar por dez libras o pacote, não acha?

— Obrigada — Júlia tirou o dinheiro da bolsa, pagou e saiu da sala para encontrar Alícia, que já esperava por ela.

Os olhos de Alícia se iluminaram ao ver o envelope e os livros apertados sob o braço de Júlia.

— Encontrou alguma coisa? — perguntou.

— Encontrei.

— Posso ver?

— Vou mostrar quando chegarmos em casa.

— Certo — Alícia concordou. — Vou dar um lance pelo vaso que vimos mais cedo. É o lote número seis, então, com sorte, não ficaremos aqui por muito tempo. O leilão vai começar a qualquer minuto.

Júlia concordou balançando a cabeça.

— Vou dar uma caminhada enquanto espero por você. Preciso de um pouco de ar fresco.

— Tudo bem — Alícia procurou as chaves na bolsa e as entregou à Júlia. — Só para o caso de eu me atrasar. Do contrário, encontro você na porta da frente em meia hora. Pode ser que você precise me ajudar a carregar meu troféu na escada.

— Obrigada — Júlia pegou as chaves. — Nós nos vemos mais tarde.

Ela saiu da sala e foi ao hall, agora deserto. Parou e olhou para cima, para os querubins no teto. Deu uma olhada para a porta que levava à sala de visitas, lar do grande piano em que ela havia tocado certa vez. Estava aberta, do outro lado do hall.

Hesitou por alguns segundos, mas, pega por uma vontade súbita e incontrolável, entrou na sala. O vasto aposento tinha os objetos cobertos com panos. A mobília sem uso estava exatamente como ela lembrava. Júlia passou por outras salas até chegar, por fim, à porta da sala de visitas

Não havia luz do Sol entrando pelas grandes janelas. O lugar estava dolorosamente frio. Ela passou pela lareira e pelos sofás, um cheiro desagradável de mofo emanava deles, e se dirigiu ao grande piano.

Foi só então que ela viu uma figura alta em pé, de costas para ela, olhando pela janela em frente ao piano. Parte da pessoa estava coberta pela cortina de damasco, cujo tecido externo estava tão fino que lembrava a visão de um corpo com uma pele quase transparente.

Ela congelou no lugar em que estava, pois o reconheceu imediatamente. Ele não se mexeu, ficou como estátua. Não a ouvira. Por compreender que estava invadindo um momento de reflexão íntima, Júlia se virou e tentou sair da sala no maior silêncio possível. Já tinha chegado à porta quando ouviu:

— Posso ajudá-la?

Virou-se de volta.

— Desculpe, eu não deveria estar aqui.

— Não, não deveria.

Ele a encarou. Depois, franziu as sobrancelhas.

— Eu não a conheço?

Havia uns nove metros de sala entre eles, mas Júlia se lembrava do cabelo grosso, encaracolado e castanho-avermelhado, do corpo esguio (que havia ganhado mais peso e crescido pelo menos trinta centímetros desde a última vez que o vira) e da boca arqueada.

— Sim. Eu... Quero dizer, nós nos conhecemos muitos anos atrás — Júlia gaguejou. — Me desculpe. Vou embora.

— Ora, ora, ora... — o rosto dele se desmanchou em um sorriso simpático. — É a pequena Júlia, neta do jardineiro, agora uma pianista de concertos renomada. Estou certo, não estou?

— Sim, sou a Júlia — ela concordou com a cabeça —, embora não esteja certa quanto à parte do "renomada".

Kit ergueu as sobrancelhas.

— Não seja modesta, Júlia. Tenho alguns de seus álbuns. Você é famosa! Uma celebridade! O que está fazendo aqui? Deve passar a maior parte do tempo morando em quartos de hotéis cinco estrelas ao redor do mundo.

Júlia percebeu que ele não tinha ficado sabendo.

— Estou... Visitando meu pai — ela mentiu.

— Bem, estamos honrados — Kit fingiu fazer meia reverência. — Tinha certeza de que você seria famosa. Conto para todo mundo que fui um dos primeiros a ouvi-la tocar “Clair de Lune”. É bem adequado nos reencontrarmos nessa sala, no momento em que a casa está prestes a ser vendida.

— Sim, eu sinto muito por isso — ela respondeu desconfortável.

— Não sinta. É o melhor. Tia Crawford a deixou desmoronar enquanto morava aqui e meu pai não tinha dinheiro ou interesse de arrumá-la. Para ser sincero, vou ter sorte se encontrar alguém que a tire de minha responsabilidade. A reforma custará uma fortuna.

— A propriedade de Wharton Park é sua, então? — ela perguntou.

— Sim, é meu castigo, temo dizer. Como a tia Crawford e meu pai faleceram recentemente, sou o próximo na fila. O problema é que tudo o que herdo são pilhas de dívidas e montanhas de incômodo. Enfim — ele encolheu os ombros —, me desculpe por ser tão negativo.

— Tenho certeza de que uma parte de você deve estar triste.

Eles ainda estavam a nove metros de distância. Kit colocou as mãos nos bolsos das calças e andou até ela.

— Para ser honesto, em termos pessoais, não. Eu só vinha para cá nos feriados quando era criança, por isso não tenho muito apego emocional a esse lugar. E brincar de senhor da mansão não é para mim. No entanto, ter de ser o responsável por tomar a decisão de vender trezentos anos de história da família me rendeu algumas noites de insônia, admito. Mas que escolha eu tenho? A propriedade tem muitas dívidas e tenho de vendê-la para pagar os credores.

— Está vendendo tudo? — ela perguntou.

Kit passou uma das mãos pelo cabelo rebelde e suspirou:

— Consegui negociar o pátio do velho estábulo, onde alguns dos empregados moravam, e outros míseros acres. Há um caminho de saída à parte, até a estrada, que posso tornar transitável, assim não precisarei usar a entrada principal para entrar e sair. Minha nova casa é um chalé em péssimo estado, que não tem aquecimento central e é muito úmido — ele sorriu. — Mas é melhor do que nada e o estou restaurando. Acho que ficará bom quando estiver pronto.

— Era onde meus avós moravam e minha mãe nasceu — contou Júlia. — Nunca achei os chalés do pátio ruins ou reparei na umidade, mas acho que eram assim mesmo.

— É claro! — Kit corou. — Meu Deus, isso me fez parecer arrogante. Me desculpe por ser tão condescendente em relação a eles. Na verdade, o motivo de eu ter lutado para manter o pátio fora da venda foi por eu achar o lugar muito bonito. É sério — ele enfatizou —, estou ansioso para ir morar lá. E espero, quando terminar de restaurar os celeiros e chalés ao redor, poder alugá-los para ter alguma renda.

— Você não tem outro lugar para morar?

— Como você, fiquei no exterior por muito tempo. Não sei por que nunca escolhi uma casa... — a voz de Kit foi sumindo e ele desviou o olhar para a vista do lado de fora das janelas. — E esse pedaço de floresta não me traz boas lembranças. Passei alguns verões bem tristes aqui, na infância.

— Eu costumava adorar ficar em Wharton Park.

— Bem, é uma linda casa antiga e o cenário é magnífico — Kit concordou reticente.

Júlia o observou. Podia ver que ele estava bem bronzeado, mas parecia preocupado e exausto. Sem saber mais o que dizer, ela respondeu:

— Bem, espero que você seja feliz em sua casa nova. Acho melhor eu ir.

— E eu acho que devo ficar no fundo da sala de vendas observando.

Eles caminharam juntos pelos aposentos escurecidos, em direção ao hall.

— E então — Kit perguntou amigavelmente —, onde você está morando agora? Em uma grande cobertura com vista para o Central Park, acredito.

— Nem de longe. Estou em Blakeney, em um chalé pequeno e úmido que comprei há anos, quando todos diziam que eu devia investir em propriedades. Tenho alugado esse lugar há oito anos para turistas em férias.

— Mas com certeza você tem outra casa em outro lugar — Kit franziu as sobrancelhas. — As celebridades não aparecem nas páginas de revistas glamourosas em chalés úmidos de North Norfolk.

— Eu não saio em "revistas glamourosas" — Júlia replicou em sua defesa. — É uma longa história — ela acrescentou, percebendo que eles se aproximavam do hall de entrada. Havia uma pergunta urgente que ela queria fazer. — As estufas ainda estão lá?

— Não sei — Kit encolheu os ombros. — Para ser sincero, ainda não fui ao jardim da cozinha. Havia muito a fazer em outros lugares.

Ao entrarem no hall, Júlia viu a irmã parada perto da porta com o vaso, impaciente.

— Aí está você, Kit!

Uma mulher grande de cabelos castanho-avermelhados e olhos castanhos muito profundos como os dele os abordou.

— Onde você estava? O leiloeiro quer falar com você com urgência sobre um vaso. Ele acha que pode ser da dinastia Ming, ou algo do tipo, e que você deveria tirá-lo da venda e mandar avaliá-lo na Sotherby's.

Júlia viu um traço de irritação aparecer no rosto de Kit.

— Júlia, esta é Bella Harper, minha irmã.

Os olhos de Bella varreram Júlia de cima a baixo sem muito interesse.

— Oi — ela cumprimentou, sem prestar atenção, enquanto prendia seu braço ao de Kit. — Você precisa falar com o leiloeiro agora — disse com firmeza e o puxou pelo hall.

Ele se virou e sorriu para Júlia.

— Foi bom encontrá-la — se despediu e foi embora.

Júlia seguiu o rastro dele e atravessou o hall até chegar à Alícia, que encarava as duas figuras que se afastavam.

— Como você conheceu essa mulher? — perguntou curiosa.

— Quem? — indagou Júlia ao segurar o outro lado do vaso oferecido a ela, enquanto as duas desciam os degraus em direção ao carro.

— A desagradável Bella Harper, é claro. Eu a vi falando com ela há alguns minutos.

— Não a conheço, conheço apenas o irmão dela, Kit.

Elas haviam chegado ao carro e Alícia abriu o porta-malas para colocar o vaso.

— Você fala de lorde Christopher Wharton, o herdeiro de tudo isso?

— Sim, acho que é isso que ele é agora — Júlia concordou. — Mas eu o conheci anos atrás aqui mesmo e foi uma coincidência encontrar com ele hoje.

— Você é uma caixinha de surpresas, Júlia. Nunca me disse que o conhecera quando éramos crianças.

Alícia franziu as sobrancelhas enquanto ajeitava uma velha capa de chuva para enrolar o vaso e o encaixava em um canto.

— Espero que chegue inteiro em casa — disse, fechando o porta-malas.

As duas entraram no carro e Alícia deu a partida.

— Quer tomar alguma coisa e comer um sanduíche no *pub*? — Alícia perguntou. — Daí você pode me contar como conheceu o adorável lorde Kit. Espero que ele seja mais agradável do que a irmã. Eu a encontrei algumas vezes em jantares locais e ela me trata como se eu ainda fosse a neta do jardineiro. Graças a Deus o título passa para o primeiro herdeiro homem. Se Bella fosse homem, nada a seguraria!

— Não... Não acho que Kit seja assim — comentou Júlia com delicadeza. Ela se virou para a irmã e disse: — Obrigada pela oferta, mas, se não se importa, eu gostaria de ir para casa agora.

Alícia viu a exaustão nos olhos da irmã.

— Tudo bem — respondeu —, mas vamos parar no mercado do caminho para eu comprar umas coisinhas para você.

Júlia concordou, fraca demais para argumentar.

Alícia insistiu para que Júlia se sentasse no sofá enquanto ela acendia a lareira e guardava a comida que comprara no mercado do bairro. Dessa vez, Júlia não se importou com a agitação dela. A saída, a primeira em semanas, tinha esgotado suas forças. E voltar a Wharton Park e ver Kit mexeu com algo dentro dela.

Alícia surgiu da cozinha com uma bandeja e a colocou em frente à Júlia.

— Fiz uma sopa para você. Tome, por favor. — ela pegou o envelope azul que Júlia colocara sobre a mesa de centro. — Posso? — perguntou.

— É claro.

Alícia tirou as pinturas do envelope, as colocou sobre a mesa e as observou.

— São lindas — comentou —, é um presente perfeito para o papai. Vai enquadrá-las?

— Se der tempo, sim.

— Você vai nos visitar domingo no almoço de aniversário dele, né? — questionou Alícia.

Júlia balançou a cabeça concordando com relutância enquanto pegava a colher.

— Querida, eu entendo que é difícil, que grandes reuniões de família não são exatamente sua primeira opção de diversão nesse momento, mas todos querem muito ver você. Papai vai ficar arrasado se você não for.

— Eu vou. É claro que vou.

— Que bom — Alícia consultou seu relógio. — Acho melhor eu ir embora; de volta ao hospício! — ela fez uma expressão de impaciência, caminhou até Júlia e apertou delicadamente seu ombro. — Precisa de mais alguma coisa?

— Não, obrigada.

— Certo — Alícia beijou a cabeça da irmã. — Ouça, mantenha contato e tente se lembrar de deixar o celular ligado, por favor. Fico preocupada com você.

— O sinal aqui é muito baixo — disse Júlia —, mas vou deixar o celular ligado — ela ficou olhando Alícia ir até a porta. — E obrigada. Obrigada por me levar de volta a Wharton Park.

— O prazer foi meu, de verdade. Basta me ligar que eu volto. Se cuide, Júlia.

Alícia saiu. Júlia se sentiu sonolenta e sem energia. Deixou a tigela com metade da sopa sobre a mesa, subiu a escada sem forças e se sentou na cama com as mãos juntas sobre o colo.

"Não quero melhorar. Quero me acabar de sofrer como eles sofreram. Onde quer que estejam, pelos menos estão juntos, enquanto eu estou sozinha aqui. Quero saber por que não fui levada com eles, porque agora não estou nem em um lugar nem em outro. Não posso viver nem morrer. Todos querem que eu escolha viver, mas, se eu fizer isso, terei de me desprender deles. E não quero fazer isso. Ainda não..."

[CAPÍTULO 3]

Faltando dois minutos para a uma do domingo seguinte, Alícia organizou a família na sala de visitas.

— Lissy, tome um pouco de vinho, querida — seu marido, Max, colocou uma taça em sua mão e a beijou no rosto.

— Rose, desligue esse iPod agora! — Alícia brigou com a filha de 13 anos, que estava jogada no sofá e de mau humor. — Todos vocês, tentem se comportar, por favor.

Alícia se sentou na proteção da lareira e tomou um gole considerável de vinho. Kate, sua filha de 8 anos, linda e loirinha, se aproximou dela.

— Mamãe, você gostou da minha roupa? — ela perguntou.

Alícia olhou com atenção pela primeira vez a mistura de blusa cor-de-rosa vivo, saia de bolinhas amarelas e meia-calça turquesa. Kate estava com uma roupa esquisita, mas era tarde demais. Ela viu o carro do pai subindo pela entrada.

— O vovô chegou! — gritou James, de 6 anos, animado.

— Vamos lá buscar ele! — berrou Fred, de quatro anos, e foi para a porta da frente.

Alícia viu seus outros filhos o seguirem e um sorriso de felicidade com a alegria deles brincou em seus lábios. As crianças abriram a porta de entrada e se espalharam pelo lado de fora para cercar o carro.

Alguns segundos depois, George Forrester era puxado para a sala de visitas pelos netos. Com 65 anos, ele ainda era um homem bonito, magro e com cabelos cheios, grisalhos apenas nas laterais. Tinha um ar de autoridade e confiança, resultado de anos que se dirigiu ao público.

George era um botânico renomado, professor de botânica na Universidade de East Anglia, e lecionava com frequência na Royal Society of Horticulture e em Kew. Quando não estava compartilhando seus conhecimentos, com frequência estava fora do país, procurando novas espécies de plantas pelo mundo. Eram os momentos em que se sentia mais feliz, ele admitia.

George sempre disse às filhas que havia entrado nas estufas de Wharton Park com a expectativa de ser maravilhado pela famosa coleção de orquídeas que cresciam lá, mas, em vez disso, se apaixonou pela linda jovem (sua futura esposa e mãe de suas duas filhas) que estava na estufa com elas. Casaram-se poucos meses depois.

George caminhou até Alícia.

— Olá, querida, você está bonita como sempre. Como tem passado?

— Estou bem, obrigada. Feliz aniversário, papai — ela disse e ganhou um abraço dele. — Quer uma bebida? Temos champanhe na geladeira.

— Por que não? — os olhos dele se enrugaram com um sorriso. — É bizarro, na verdade, celebrar o fato de eu estar um passo mais perto do túmulo.

— Ai, papai! — Alícia o repreendeu. — Não seja bobo! Todas as minhas amigas ainda são apaixonadas por você.

— Bem, qualquer homem gosta de saber disso, mas nada muda os fatos. Hoje — ele se virou para olhar os netos —, o avô de vocês é um aposentado.

— O que é aposentado? — perguntou Fred.

James, dois anos mais velho e mais sábio, cutucou o irmão na barriga.

— É uma pessoa velha, seu tonto.

— Vou buscar o champanhe — avisou Max, piscando para Alícia.

— E então — George se sentou do lado oposto ao da filha e esticou as longas pernas para frente —, como estão as coisas?

— Agitadas como sempre — suspirou Alícia. — E com você?

— O mesmo — disse George. — Na verdade, estou muito animado. Semana passada, recebi uma ligação de um colega americano que leciona em Yale. Ele está planejando uma viagem de pesquisa para as Ilhas Galápagos em maio e quer que eu vá com ele. Nunca estive lá e sempre quis ir... *A origem das espécies* de Darwin, e tal. Vou ficar fora por uns três meses, veja só, pois me convidaram para algumas palestras enquanto estiver nos Estados Unidos.

— Nenhuma intenção de diminuir o ritmo, agora que está aposentado? — Alícia sorriu.

Fred chegou até George pulando em uma perna só.

— Compramos um presente muito legal para você, vovô. É um...

— Quieto, Fred. É uma surpresa — disse Rose, a adolescente desdenhosa, do sofá.

Max voltou com a garrafa de champanhe aberta e encheu três taças.

— Bem, saúde! — George levou a taça de champanhe aos lábios. — Aos próximos 65 anos — ele deu um gole e perguntou:

— A Júlia vem?

— Sim, ela disse que viria. Só está um pouco atrasada.

— Como ela está? — ele indagou.

— Nada bem — Alícia balançou a cabeça. — Eu a levei para passear no último fim de semana, fomos a Wharton Park, na verdade. Compramos seu presente de aniversário lá. Estavam vendendo tudo. Ela parecia... Bem, talvez um pouco melhor, o que não é muita coisa, mas...

— Que triste — George suspirou. — Me sinto tão... Impotente.

— Todos nós nos sentimos assim, pai — afirmou Alícia com um ar de desespero.

— Primeiro, perder a mãe de vocês aos 11 anos, e agora... — George encolheu os ombros involuntariamente. — Parece tão injusto.

— É horrível — ela completou. — E é muito difícil saber o que fazer ou dizer. Júlia sofreu muito com a morte da mamãe na época, né, pai? É como se ela tivesse perdido as três pessoas do mundo de que mais gostava.

— Ela mencionou se vai voltar para a França? — George perguntou. — Pensei que ela fosse se sentir melhor em sua própria casa, em vez de ficar naquele chalé depressivo o dia todo.

— Não. Talvez ela não consiga encarar as memórias que estão lá. Sei que eu teria dificuldade se essa casa ficasse, de repente — Alícia mordeu o lábio —, vazia.

— Vovô? Você tem uma namorada?

O clima foi aliviado por Kate, que subiu nos joelhos dele.

— Não, minha querida — George riu baixinho —, eu sempre tive olhos apenas para sua avó.

— Bem, eu poderia ser sua namorada se você quisesse — Kate ofereceu com generosidade. — Você deve se sentir sozinho, morando naquela casa grande em Norwich.

Alícia tremeu. Kate tinha o costume infalível de dizer tudo aquilo que os outros apenas pensavam.

— Não me sinto sozinho, querida — George bagunçou o cabelo dela com carinho. — Tenho Semente, meu cachorrinho, e todas as minhas plantas para me fazerem companhia — ele a abraçou. — Mas prometo que, se um dia eu precisar de uma namorada, ligarei para você.

Alícia viu o carro de Júlia serpentear lentamente pela entrada.

— Ela chegou, papai. Vou até lá para recebê-la.

— Certo, meu bem — George concordou, percebendo a preocupação de Alícia.

Enquanto esperava que Júlia saísse do carro, Alícia ficou pensando que, mesmo depois de mais de vinte anos desde a morte de sua mãe, seu pai não havia feito o que a maioria dos homens faz: procurado uma substituta para ela. Alícia se lembrava das divorciadas com olhos de águia rodeando seu pai ainda jovem e atraente, e, mesmo assim, ele nunca mostrara o menor sinal de interesse ou necessidade.

Talvez, relembrando, tenha havido mulheres ocasionais, mas apenas em um nível físico. Ela duvidava que ele tivesse sequer se importado em olhar pelo lado emocional, acreditando e aceitando que ninguém poderia ocupar o lugar de sua alma gêmea, sua cúmplice e botânica: a mãe dela, Jasmine. Talvez, ter uma paixão como aquela o tivesse ajudado a preencher o vazio. Porém, isso iria se repetir com Júlia também?

Júlia saiu do carro, se cobriu com um casaco de lã grande demais para ela e percorreu o caminho até a irmã.

— Oi, querida. O papai já chegou.

— Eu sei. Me desculpe pelo atraso, perdi a noção do tempo — ela respondeu, se defendendo.

— Não se preocupe. Entre — Alícia indicou o presente retangular sob o braço direito de Júlia. — Conseguiu emoldurar as imagens então?

— Sim.

— Júlia! — Max caminhou até a cunhada quando ela entrou na sala. — Que bom ver você! — ele sorriu ao abraçá-la. — Posso pegar isso? — ele ofereceu.

— Obrigada. Oi, papai. Feliz aniversário — ela se curvou para beijá-lo.

— Querida, muito obrigado por ter vindo — George pegou as mãos de Júlia e as apertou.

— Certo, agora estamos todos aqui. Vamos abrir os presentes? — sugeriu Alícia.

— Posso abrir para o vovô? — disse uma voz debaixo da mesa de centro.

— Acho que o vovô consegue fazer isso — Max repreendeu o filho mais novo enquanto pegava o vaso e o entregava a George. — Esse é de todos os Howard. Parece uma bela de uma caneca de cerveja— ele riu, indicando as grandes alças em cada lado do objeto.

George começou a tirar o papel de presente, ajudado por um pequeno par de mãos que havia aparecido, como mágica, de debaixo da mesa de centro.

— É um pote muito grande, vovô — anunciou Fred quando o vaso foi revelado. — Você gostou?

George sorriu.

— É maravilhoso. Obrigado, Alícia e crianças — ele olhou para a filha. — Você disse que era de Wharton Park?

— Sim — ela olhou para Júlia. — Vai dar seu presente ao papai agora?

— É claro — Júlia indicou o pacote na mesa de centro. — Por que não abre?

Júlia não pôde conter a expectativa enquanto o pai abria o presente. Os profissionais que haviam emoldurado as pinturas fizeram um excelente trabalho, usando um paspatur castanho-amarelado e aconselhando Júlia a usar uma moldura simples de madeira preta nos cantos.

—Ora, ora, ora... — a voz de George foi sumindo enquanto ele olhava cada uma. Por fim, falou. — São de Wharton Park também?

— Sim.

George ficou sentado em silêncio, tentando entender algo que o estava deixando intrigado. A família toda o observava em silêncio. Finalmente, Alícia perguntou:

— Você não gostou delas?

George ergueu o olhar para Júlia, não para Alícia.

— Júlia, eu... Adorei, porque, veja... — ele sorriu e, sem que ninguém visse, enxugou uma lágrima dos olhos. — Tenho certeza de que foram pintados pela sua mãe.

A conversa à mesa do almoço foi ocupada por ideias sobre como as pinturas de Jasmine poderiam ter ido parar na venda de Wharton Park.

— Tem certeza absoluta de que eram pinturas da mamãe? — perguntou Alícia.

— Querida — George disse ao comer com gosto o bife assado perfeito preparado por Alícia —, tenho certeza. A primeira vez que coloquei os olhos em sua mãe, ela estava sentada em um canto da estufa de seu avô com seu caderno de desenhos e sua lata de aquarelas. E, mais tarde, quando viajávamos juntos e encontrávamos espécies interessantes, eu fazia anotações e ela pintava as flores. Eu reconheceria o estilo dela em qualquer lugar do mundo. Quando eu voltar para casa, vou estudá-las novamente e comparar com algumas outras pinturas de sua mãe. Mas, Júlia — ele sorriu carinhosamente para a filha do outro lado da mesa —, você não poderia ter me dado nada melhor.

Depois do café, de volta à sala de visitas, Júlia se levantou.

— Vou indo, papai.

George ergueu o olhar.

— Tão cedo?

Júlia balançou a cabeça.

— Sim.

George segurou a mão dela.

— Vá me visitar algum dia, sim? Quero muito conversar com você.

— Sim — concordou Júlia, mas ambos sabiam que ela não iria.

— Muito obrigado pelas pinturas, querida. São mesmo muito importantes para mim — ele acrescentou.

— Acho que devemos agradecer ao acaso, pois eu não fazia ideia — disse Júlia. — Tchau, crianças, nós nos veremos logo — ela acenou.

— Tchau, tia Júlia — responderam em coro.

Alícia segurou a mão da irmã enquanto ela passava pela porta e disse:

— Vamos tomar um café semana que vem?

— Eu ligo para você. E muito obrigada pelo almoço — Júlia a beijou no rosto. — Tchau.

Alícia fechou a porta e suspirou. Um par de braços atrás dela a envolveu pela cintura e a apertou.

— Eu sei, Lissy. Ela ainda está muito mal — lamentou Max.

— Está — Alícia concordou. — Mas ela não se ajuda, fica sentada naquele chalé triste o dia inteiro. Já faz mais de sete meses.

— Bem, não podemos forçá-la em nada — Max suspirou. — Pelo menos ela pronunciou algumas palavras hoje. Bem, se papai vai ficar para o chá, eu lavo a louça. Vá e descanse as pernas, meu amor, e converse com seu pai.

Alícia voltou para a sala de visitas e se sentou, alegre de ver o pai e dois dos filhos brincando juntos com um quebra-cabeça. Rose havia subido sorrateiramente para o quarto e ela ouvia Kate na cozinha ajudando Max. Olhou para a lareira, pensando nas pinturas de orquídeas recém-descobertas e em Júlia.

Quando a mãe delas morreu, tragicamente jovem, de câncer no ovário, Alícia (a mais velha e, já aos 14 anos, muito protetora) havia feito o melhor para ser a mãe da irmã mais nova. George muitas vezes estava fora, lecionando ou colhendo espécimes. Para Alícia, parecia que ele passava o mínimo de tempo que podia em casa. Ela entendia que era o jeito do pai de lidar com a perda da esposa e nunca reclamou de sua ausência.

Depois da morte de Jasmine, Júlia se recolheu em si mesma. Alícia vira a dor da perda estampada no rosto dela. Ainda assim, por mais que tentasse oferecer ajuda e consolo, desde o início Júlia parecia se ressentir da proteção bem-intencionada de Alícia. E, enquanto passava pelos anos difíceis da adolescência, não quis se abrir com a irmã sobre a escola, os amigos ou os namorados, construindo um muro ao redor de seus pensamentos íntimos e passando todo o tempo livre aperfeiçoando a técnica no piano.

Alícia chegara até a sentir que o "conjunto de dentes", como ela chamava o piano de armário do escritório, era seu rival por causa da afeição que Júlia sentia por ele, não por ela. E seu senso de responsabilidade para tomar conta da irmã (havia sido o último pedido da mãe) atropelara suas próprias vontades e necessidades. Aos 18 anos, Alícia havia conquistado uma vaga na Universidade Durham para estudar Psicologia, mas Júlia ainda estava na escola. Embora houvesse uma empregada para cuidar das necessidades domésticas e dormir na casa quando George viajava, ela não sentia que podia deixar Júlia sozinha. Acabara frequentando uma universidade em Norwich e, em seguida, no ano em que Júlia ganhou uma vaga na Royal College of Music e se mudou para Londres, ela conheceu Max.

Sua infância, pouco comum e muitas vezes solitária, havia feito Alícia sonhar com um marido, uma família grande e uma casa confortável para eles. Diferente da irmã, que sofria do mesmo impulso por viagens que o pai, Alícia ansiava por segurança e amor. Max pediu sua mão e eles se casaram seis meses depois. Em um ano, ela engravidou de Rose e, desde então, se concentrara em dar aos filhos tudo que não havia conhecido em seus anos de formação.

Alícia aceitava que seus horizontes houvessem se estreitado por causa de seu passado. O que ela achava difícil de encarar era a antipatia contínua da irmã mais nova. Conforme a carreira de Júlia decolou e ela se tornou uma celebridade do mundo da música clássica, Alícia quase nunca recebia notícias dela. Sete meses antes, Júlia havia precisado dela novamente e Alícia a ajudou no mesmo instante, a levou para Norfolk para tentar consolá-la. Ainda assim, ela sentia a mesma distância e a tensão oculta entre elas. Como há vinte anos, Alícia simplesmente não sabia como chegar à irmã.

— Mamãe, estou fazendo bolinhos para o chá. Onde está a bandeja?

Alícia voltou o olhar e viu Kate na porta da sala de visitas. Despertou de seus pensamentos e se levantou.

— Estou indo, querida, estou indo.

[CAPÍTULO 4]

Quando Júlia acordou na manhã seguinte, ficou deitada, esperando que os pensamentos sombrios atacassem sua mente como sempre faziam. O sentimento de falta de esperança, que, pérfido, invadia os primeiros e escassos segundos positivos, quando ela ainda estava muito consumida pelo sono para se lembrar.

Eles não vieram.

Com isso, em vez de rolar para o lado e tapar as orelhas com as mãos, em uma tentativa inútil de bloquear os pensamentos, decidiu se levantar.

Foi até a janela do quarto e abriu as cortinas.

O chalé, que era simples, com quatro cômodos, havia sido bastante popular entre os turistas por causa da vista fantástica. Posicionado no alto de um morro coberto de grama a apenas alguns segundos da Blakeney High Street, tinha a conveniência de estar na vila, mas a paz e a amplitude de sua posição elevada.

O Sol brilhava sua luz fresca de janeiro na colina banhada de gelo. Abaixo, ficava o porto de Blakeney e o mar. Ela soltou a trava da pequena janela, a abriu por inteiro e respirou profundamente. Naquele dia, pensou Júlia, era possível acreditar que a primavera voltaria.

Fechou a janela tremendo, estava com uma camiseta fina, vestiu o casaco de lã e desceu para preparar um chá.

Na hora do almoço, Júlia percebeu que algo havia mudado. Por mais que tentasse lembrar o que estivera fazendo naquele chalé todos os dias dos últimos meses, não conseguia. Buscou em vão na sua mente o caminho de volta ao confortável torpor, mas ela se recusou a mostrá-lo.

Sentindo-se claustrofóbica, Júlia compreendeu que precisava sair de casa. Vestiu um casaco, um cachecol e galochas, abriu a porta da frente, marchou pela grama e desceu até o mar.

O porto estava deserto. Os pequenos botes trazidos em segurança para a terra, durante o inverno, pareciam inquietos, seus cordames batendo e fazendo barulho, como para lembrar aos donos da utilidade deles no futuro. Júlia deixou o porto para trás e continuou caminhando ao longo da fina faixa de terra no fim da qual focas deitavam pela areia, para a alegria dos turistas que faziam passeios de barco para vê-las.

O vento frio beliscava seu rosto e ela ergueu mais a gola do casaco para se proteger. Continuou em frente, se alegrando por estar totalmente sozinha, com água dos dois lados da faixa de terra que diminuía, como se estivesse se afastando do mundo.

Parou, se virou e desceu por um lado do caminho em direção à água que batia abaixo dela, a poucos centímetros de seus pés. Era fundo ali, fundo e frio o suficiente para se afogar, principalmente na forte correnteza que arrastava tudo para longe e que a varreria depressa da costa. Olhou de um lado para o outro, se certificando de estar sozinha mesmo.

Se ela se jogasse, ninguém poderia pará-la... E a dor acabaria. Na pior das hipóteses, ela dormiria para sempre. Na melhor, iria vê-los novamente. Ela balançou uma galocha além da borda da terra. Poderia ser agora... Agora... O que iria impedi-la? Ela olhou sem esperança para o Sol frio de inverno e, depois, jogou a cabeça para trás e soltou um grito ensurdecedor:

— Por quê? Por quê?

Caiu de joelhos no gelo que derretia, berrou e deu socos no chão com fúria, dor e raiva.

— Por que eles? Por que eles? — ela repetiu até ficar exausta e começar a soluçar.

Ficou deitada, pernas e braços abertos, as lágrimas se misturando à umidade da grama, e chorou o que não havia chorado em sete meses.

Por fim, as lágrimas secaram e ela permaneceu lá, silenciosa e vazia. Depois de um tempo, se ajoelhou, como se estivesse rezando, e falou com eles.

— Eu tenho de... Viver! Tenho de viver sem vocês, de alguma forma... — choramingou. As mãos se abriram para os lados, esticadas com as palmas viradas para o céu.

— Me ajudem, por favor, me ajudem, me ajudem...

Ajoelhou-se novamente e colocou as mãos na cabeça, descansando-a sobre os joelhos.

Tudo o que Júlia conseguia ouvir era a batida rítmica da água ao seu redor. Sentiu o calor fraco do Sol nas costas e se encheu de uma sensação repentina e inesperada de paz.

Ela não fazia ideia de quanto tempo se passara e se levantou. Com a roupa toda molhada, por causa da grama com gelo derretido, as pernas bambas e as mãos adormecidas pelo frio, ela cambaleou de volta para casa pela faixa de terra.

Chegou ao chalé tremendo pelo cansaço da longa caminhada e pela emoção liberada. Estava girando a maçaneta para abrir a porta da frente quando ouviu alguém chamar seu nome:

— Júlia!

Ela olhou para baixo do morro e viu Kit Crawford subindo a passos largos pelo estreito caminho até ela desde a High Street.

— Oi — ela disse, se sentindo desorientada e despreparada para falar com os vivos.

Kit olhava para ela.

— Está ensopada. Mas que raios você esteve fazendo? — ele olhou para o céu procurando uma resposta. — Não estava chovendo, estava?

— Não.

Júlia abriu a porta e suas botas pisaram no pedaço de papel dobrado que Kit havia colocado pela abertura para cartas. Ela se inclinou e o pegou.

— Deixei o número do meu celular — ele apontou para o bilhete. — Mas, como a encontrei, quer bater um papo rápido?

Júlia não estava nada animada e seus dentes começaram a bater.

— Acho que preciso ir direto tomar um banho quente — respondeu, esperando que fosse o suficiente para ele ir embora.

Kit se fez de desentendido e entrou no chalé.

— Sim, seus preciosos dedos estão praticamente azuis. Não podemos permitir que a mais famosa jovem pianista de concertos da Grã-Bretanha tenha os dedos congelados, podemos? — ele fechou a porta e tremeu involuntariamente. — Nossa, está gelado aqui também! Veja, por que não sobe e toma um banho quente enquanto eu acendo a lareira e faço um café?

Júlia se virou e olhou para ele.

— Posso demorar um pouco, preciso de uma boa imersão.

— Não tenho pressa — Kit respondeu, amigável. — Vá!

Júlia se deitou na banheira, dando tempo para que os pés e o cérebro descongelassem, pensando no momento da chegada de Kit. Ela não estava acostumada a ter visitas inesperadas em sua porta e não sabia se gostava disso. Mas ela já tinha decidido que não podia mais continuar como estava, que tinha de fazer o que todos diziam: seguir em frente. Ela podia ter escolhido morrer. Ela tinha escolhido viver.

Colocou as calças *jeans* e o velho casaco de lã, e desceu as escadas. Kit estava sentado no sofá com um pacotinho sobre o joelho. O fogo ardia contente de uma maneira que ela nunca conseguira fazer, por mais que tentasse.

— Então, como você me encontrou? — ela perguntou a Kit, andando de lá para cá perto do fogo.

— Minha irmã Bella, é claro — ele explicou. — Ela conhece todo mundo. Ou devo dizer que ela toma para si a responsabilidade de conhecer todo mundo e, se não conhecer a pessoa, ela conhece alguém que a conheça. Nesse caso, foi sua irmã, Alícia. Eu tentei ligar, mas seu celular parece estar sempre desligado.

Júlia pensou com culpa nas dezessete mensagens que não havia escutado da última vez que ligara o aparelho.

— O sinal aqui não é bom.

— Sem problema. Em primeiro lugar, quero me desculpar pelo outro dia.

— Por quê?

Kit ficou olhando para as mãos.

— Eu não sabia o que tinha acontecido com você. Como eu disse, fiquei no exterior por muitos anos. Voltei para a Inglaterra há apenas alguns meses.

— Quem contou para você?

— Bella, é claro. Aparentemente, saiu em todos os jornais daqui. Por isso ela ficou sabendo. Tenho certeza de que a maioria das notícias tinha invenções, como geralmente acontece nesses casos.

— Eu... Não sei — Júlia suspirou. — Como você pode imaginar, eu não li.

— Não, é claro que não — Kit parecia desconfortável. — Sinto muito, Júlia. Deve ter sido... Deve ser terrível para você.

— Sim.

Para o bem dos dois, Júlia mudou de assunto com rapidez.

— E então, o que você queria me dizer?

O rosto de Kit se iluminou.

— Encontrei uma coisa que pode lhe interessar e à sua família.

— É mesmo?

— Sim, você se lembra de que eu disse que estava reformando os chalés do pátio?

Júlia balançou a cabeça, concordando.

— Bem, minha nova casa realmente é a antiga casa de seus avós. Os encanadores estavam tirando as tábuas do chão e encontraram isso — Kit indicou o pacote sobre seu joelho.

— O que é?

Júlia observou Kit desembrulhar o pacote com cuidado e revelar um caderninho com capa de couro. Ele balançou o caderno na direção dela.

— É um diário. Começa em 1941. Folheei um pouco e conta a vida de um prisioneiro da cadeia de Changi.

Júlia franziu as sobrancelhas.

— É em Cingapura, não é?

— Sim — ele respondeu. — Muitos soldados britânicos, que lutavam na Malásia Britânica na época, acabaram lá por um tempo, como prisioneiros dos japoneses. Você sabe se seu avô foi prisioneiro de guerra?

— O vovô Bill falava muito do Oriente, mas, na maioria das vezes, sobre as lindas flores que cresciam lá — Júlia sorriu. — Ele nunca mencionou Changi.

— Não acho que ele falaria disso com uma garotinha, porém há a possibilidade desse diário ser dele, pelo que você acabou de dizer — concluiu Kit. — E não consigo imaginar de quem mais poderia ser, já que seu avô morou no chalé a vida toda.

— Posso?

Júlia esticou a mão e Kit lhe entregou o diário. Ela abriu a primeira página e viu que o couro havia evitado que o fino papel envelhecesse muito. As palavras ainda estavam bastante legíveis. Uma linda mão havia escrito aquelas letras, com caligrafia elegante em tinta preta.

— Reconhece a letra do seu avô? — Kit perguntou.

— Para ser sincera, não me lembro de ter visto alguma coisa escrita por ele. Era minha mãe que costumava registrar suas observações sobre os diferentes tipos de orquídea que cresciam nas estufas — respondeu Júlia. — Talvez meu pai reconheça a letra. Ou, é claro, minha avó, que está com seus 80 anos, mas ainda é saudável e cheia de energia, pelo que ouço dizer. A pergunta é: se for dele — Júlia ponderou —, por que ele o escondeu?

— Eu li um pouco sobre as experiências de prisioneiros de guerra nas mãos dos japoneses, eles passaram por maus bocados. Talvez seu avô tenha escondido para não entristecer sua avó. Depois que sua família ler o diário, você o empresta para mim? Um relato em primeira pessoa sobre um pedaço da história é sempre fascinante.

— Sim, suponho que seja — concordou Júlia, se sentindo culpada por saber tão pouco sobre o passado do vovô Bill.

Kit se levantou.

— E... Eu ia pedir um favor.

Ele andou até a estante estreita que ficava ao lado da lareira e tirou um livro.

— Acredito que esse seja meu — ele segurava *The Children's Own Wonder Book*, que Júlia comprara por uma libra na venda de Wharton Park.

— Não pode ser seu! Está datado de 1926.

— Sim, é incrível o que a cirurgia plástica consegue fazer esses dias — Kit riu para ela. — Mas, falando sério, na verdade é um livro do meu avô. Você diria que é uma troca justa pelo diário?

— É claro!

— Obrigado, Júlia — Kit pareceu repentinamente envergonhado. — Bem, estou morrendo de fome e estava pensando se poderíamos sair e...

Ele foi interrompido pelo toque do celular.

— Desculpe, é melhor eu atender — ele segurou o telefone perto da orelha. — Alô? Oi, Annie... Não consigo escutar, o sinal é péssimo aqui. O quê? A ligação está ruim, não escuto nada. Vou sair agora e encontro com você aí. Obrigado. Tchau. Desculpe, Júlia. Tenho de ir — Kit se levantou e andou em direção à porta. Depois, se virou para ela. — Quero que me conte as histórias do diário, pode ser?

— Com certeza. E obrigada, Kit, por ter vindo até aqui.

— Não foi nada. A propósito, eu verifiquei as estufas e elas ainda estão de pé, embora só Deus saiba em que estado, levando em conta a bagunça que está o jardim da cozinha. Venha vê-las nos próximos dias, se quiser, antes que o novo proprietário assuma a casa. Tchau, Júlia — ele lhe dirigiu um sorriso rápido e fechou a porta.

[CAPÍTULO 5]

O final da tarde surpreendeu Júlia em um local inesperado: no supermercado da cidade vizinha, Holt. Depois que Kit saíra, ela vagou pelo chalé sem ter o que fazer, tentou descansar e, por fim, decidiu que estava com fome. Mas não com uma fome leve, estava faminta pela primeira vez em semanas. Sentada no estacionamento, ela começou a devorar um sanduíche (dois pães com salsicha e uma barra de chocolate), presumindo que seu apetite havia ganhado impulso com o ar livre e a longa caminhada daquela manhã. Antes, ela sempre tivera uma atitude saudável em relação à comida; um metabolismo rápido e uma agenda agitada de trabalho demandavam os alimentos como combustível. Sempre comeu o que queria e nunca ganhou um quilo extra. Ela não tinha uma balança, mas a forma como suas calças jeans ficaram largas nos quadris naqueles dias indicava que seriam necessários muitos sanduíches para recuperar o que perdera.

Ela jogou a embalagem do lanche no banco do passageiro e partiu em direção à sua casa. No entanto, quando chegou às encruzilhadas próximas a Holt, parou. Agora que ela não sabia exatamente o que estivera fazendo nos últimos sete meses, a ideia de voltar ao pequeno, frio e escuro chalé era desagradável. Assim, em vez disso, virou à direita e seguiu para a confortável casa de fazenda de Alícia.

— Júlia, que surpresa maravilhosa! — o rosto de Alícia se iluminou quando Júlia entrou pela cozinha. — Vejam quem está aqui, crianças. A tia Júlia!

— Eu pensei em... Dar uma passada — Júlia se sentiu desconfortável.

Alícia estava em pé ao lado do fogão servindo o jantar em tigelas para os filhos, que estavam sentados à mesa da cozinha e brigavam por causa de alguma bobagem.

— Estou muito feliz por você ter vindo. Quer comer? É ensopado de feijão — Alícia mergulhou os dedos em uma das tigelas e experimentou. — Tão gostoso quanto parece.

— Não, obrigada. Acabei de comer.

Alícia ergueu uma das sobrancelhas enquanto levava as tigelas à mesa.

— Comeu mesmo?

— Sim! — Júlia afastou o conhecido sentimento de irritação. — Acabei de comer, de verdade. Mas aceitaria uma xícara de chá.

— Coloque a chaleira no fogo e prepare para nós duas — Alícia se sentou ao lado de Fred, que estava resmungando, e pegou a colher para fazer o menino comer.

— Mamãe, feijões são "caca"!

— Fred, quanto mais rápido você comer, mais rápido eles vão sumir — Alícia o deixou sozinho e foi para perto de Júlia. — Você está corada. Na verdade, está melhor hoje do que há muito tempo.

— Obrigada — Júlia se concentrava em derramar a água fervente no bule de chá, se sentindo observada por Alícia. — Dei uma longa caminhada pela manhã. Me fez bem — ela reconheceu.

— Parece que fez mesmo. James! Pare de jogar seus feijões no Fred. Vai pegar cada um que está no chão e comer até o último grão!

Júlia passou uma xícara de chá para Alícia.

— E... Eu recebi uma visita hoje.

— Ah, está falando de Kit Crawford?

— Sim.

— Eu ia falar para você que Bella Harper ligou pedindo seu telefone. Na verdade, ela estava bem disposta a conversar — Alícia foi até a mesa para retirar as tigelas e deu um iogurte para cada filho. — Acho que ela descobriu quem você é e eu subi no conceito dela por ter uma irmã famosa — Alícia ergueu uma sobrancelha. — Bem, chega de falar dessa tonta. O que Kit queria?

— Ele encontrou uma coisa no velho chalé de Bill e Elsie, e quis me dar — Júlia tomou um gole de chá.

— Jura? O quê?

— Um diário, possivelmente escrito pelo vovô Bill. É o relato de um prisioneiro de guerra na cadeia de Changi, em Cingapura. Eu contarei mais quando o tiver lido.

— Que fascinante... — Alícia sussurrou. — Quantos anos o vovô tinha quando escreveu?

— Bem, foi em 1941, então devia ter 20 e poucos. Você sabia que ele tinha sido preso? — Júlia perguntou.

— Não, mas isso não quer dizer que ele não esteve. A pessoa certa para responder a isso é a vovó Elsie. Ela deve saber.

— Você a viu recentemente?

Alícia se sentiu culpada.

— Não, nunca tive tempo para visitá-la, tenho as crianças... Eu devia ter me esforçado mais.

— Ela ainda mora em Southwold? — Júlia quis saber.

— A irmã dela morreu há mais ou menos um ano e agora ela mora lá sozinha. Lembra como ela era obcecada em arrumar nossos cabelos? Presos para cima, para baixo, em tranças, em rabos de cavalo, em cachos... — Alícia riu. — E aquela coleção estranha de perucas guardada no quarto dos fundos do chalé? Ela passava horas penteando aquelas perucas, como uma criança brincando de boneca. Ela sempre quis ser cabeleireira, né?

— É, e odiava meu cabelo por ser pesado demais para cachear, mesmo quando ela colocava aqueles "rolinhos" de um dia para o outro — Júlia sorriu com carinho ao lembrar daquilo. — Vou visitá-la.

Alícia foi até o armário e abriu uma das gavetas. Tirou uma agenda de endereços e a folheou.

— Aqui estão o endereço e o telefone dela. Vá mesmo, Júlia — ela insistiu. — Com você morando na França e eu ocupada até o pescoço com as crianças, não temos sido netas modelo, né?

— Não, não mesmo! — Júlia concordou. — E, quando eu a vir, decidirei se entrego ou não o diário a ela. Como Kit disse, o vovô Bill deve ter escondido o diário dela porque o que está escrito pode ser revelador.

— Bem pensado! — Alícia caminhou até a mesa para arrumá-la. — Vocês! Lavem as mãos e o rosto. Depois, têm meia hora para ver televisão até a Rose chegar e vocês terem de ir tomar banho. Podem ir! Vão!

Os três não precisavam de um segundo aviso. Saíram correndo da cozinha e Júlia ajudou Alícia a encher a lavadora de louças.

— Você e Kit tiveram um bom papo?

— Sim, troquei o livro *The Children's Own Wonder Book* pelo diário com ele — Júlia sorriu. — Ele passou muitos anos fora, no exterior. Não sabia nada sobre... O que aconteceu comigo. Quero dizer, até a irmã contar para ele.

— Talvez seja bom — sugeriu Alícia. — Ele é muito atraente, não acha?

— Não "acho", não. Bom, preciso ir embora.

Alícia percebeu, pela mudança súbita na expressão de Júlia, que havia ultrapassado o limite e brigou consigo mesma.

— Vou anotar o número do telefone de Elsie — ela o escreveu em um papel de recados. — Pronto — disse, e o entregou para Júlia. — Depois você me conta tudo o que acontecer lá, hein?

— Claro! Obrigada pelo chá. Tchau.

Ela entrou no carro, bateu a porta com muito mais força do que era necessário e dirigiu com rapidez para casa. Rangia os dentes, frustração com o infalível hábito da irmã de chateá-la. Ela sabia que Alícia queria apenas ajudar, cuidar dela, como quando eram mais novas. Porém, a proteção dela só fazia Júlia se sentir diminuída.

Alícia era, e sempre fora, capaz, bem-sucedida na vida. A "menina de ouro", como o pai sempre a chamava. Ela conseguia jogar inúmeros pratos para o alto e girá-los ao mesmo tempo, sempre com o sorriso estampado no rosto. E tudo com serenidade, que era sua marca registrada, e sem ficar com um fio de cabelo loiro e brilhante fora do lugar.

Júlia crescera sob sua sombra, apenas se esforçando para organizar sua própria vida. Ela era solitária, não ligava para a aparência e passara com dificuldade nas provas do colégio por causa das incontáveis horas gastas em frente ao piano. Sempre soube que não poderia nem começar a competir com a perfeição de Alícia. Além disso, Alícia sempre fora mais próxima do pai, enquanto Júlia era colada na mãe. Todos costumavam comentar o quanto Júlia se parecia com a mãe, não apenas no lado físico, mas na sua natureza artística e etérea. Sua infância havia acabado no dia da morte da mãe.

Quando Júlia chegou ao chalé, atiçou o fogo com agressividade, tentando voltar à sua glória anterior, mesmo que diminuída. O problema era que Alícia se preocupava de verdade com os outros, Júlia não podia dizer o contrário, o que a fazia se sentir ainda mais deslocada e culpada. Sabia o quanto Alícia se esforçara para suprir a falta da mãe quando era mais nova e o quanto ela própria, em troca, fora difícil de lidar. Mas ninguém podia ocupar o lugar de sua mãe... Nunca. Ela apenas queria que Alícia tivesse parado de tentar, tivesse entendido que ela precisava de uma irmã com quem compartilhar a dor, não uma “mãe substituta”, ainda que bem-intencionada, que nunca preencheria o lugar de quem ela perdera.

E, naquele momento, o destino havia conspirado: ela precisava da ajuda de Alícia novamente. Como sempre, Alícia estendeu a mão para ela imediatamente e nunca a censurou pela falta de contato desde que ela saíra de casa aos 18 anos e, depois, se mudara para a França.

Porém, voltar para aquele lugar (Júlia suspirava com tristeza) era como se a história se repetisse. A vida dela em ruínas, comparada, de novo, à vida perfeita de Alícia, combinada com a necessidade sufocante da irmã de protegê-la. E (o que era ainda mais irritante) Alícia muitas vezes colocava em palavras os pensamentos que Júlia sabia estar escondendo de si mesma.

Ela se sentou no sofá com o diário nas mãos, determinada a se concentrar em outra coisa. Abriu-o na primeira página, mas não conseguiu prestar atenção nas palavras. Em vez disso, ficou olhando o fogo.

"Ele é muito atraente, não acha?"

Júlia suspirou. O comentário de Alícia e sua própria reação exagerada a forçavam a pensar no porquê.

Sim... Naquela manhã, perto do mar, ela havia aceitado que precisava seguir em frente, que não tinha escolha. No entanto, até mesmo uma insinuação de que seguir em frente quase com certeza incluiria, em algum momento, um homem, era um passo grande demais. No mundo semiescurecido em que habitara nos últimos meses, não havia pensamentos sobre o futuro.

E como poderia, se o futuro estava acabado?

Ela levantou e caminhou devagar em direção à cozinha. Abriu a geladeira, agora lotada com todo tipo de comida, e tirou uma massa pronta. Pensou, irritada, se deveria tirar uma foto e a enviar para Alícia, quem sabe pararia de importuná-la.

Ao levar o prato para a sala de estar, ela identificou a fonte de sua raiva com a irmã. Ela se sentia... Culpada. Culpada porque, apesar de não ter a intenção, quando Kit estivera lá, ela havia gostado da companhia dele. E, sim, ela o achava um homem atraente.

Depois do jantar, Júlia pegou o diário, mas estava distraída demais para ler. O dia tinha sido longo e cheio de emoções. Ela subiu para o quarto e, pela primeira vez desde que seu mundo explodira, Júlia dormiu e não teve pesadelos.

Na manhã seguinte, ela já estava de pé e no andar de baixo às 8 horas. Uma xícara de chá, dessa vez com leite, e uma tigela de cereais e frutas secas davam forças à sua determinação de encarar a vida novamente. Ela resgatou o celular da gaveta, o ligou e subiu para o banheiro, o único lugar do chalé que recebia um bom sinal.

Ela tinha dezenove mensagens de voz, algumas de dois meses antes. As mais recentes eram de Alícia, do pai, de Kit e havia várias de Olav, seu agente.

Sua empregada da França também havia entrado em contato, pedindo que ligasse de volta imediatamente. Havia algum problema com a casa, mas Agnès falava tão rápido em francês que Júlia não entendeu onde era o vazamento. Ela se sentou na borda da banheira e fez uma lista das outras pessoas que ligaram, a mão tremendo por causa do medo de falar sobre personagens do seu passado. Naquele dia, ela lidaria com a empregada e o agente. Os outros podiam esperar.

Ela desceu novamente, se jogou no sofá e fechou os olhos. Forçou-se a pensar no terraço coberto de vinhas de sua linda casa, localizada no alto do morro na antiga vila de Ramatuelle, com as águas azuis escuras do Mediterrâneo brilhando bem abaixo dela.

Suspirou, sabia que as memórias que evitava com tanta determinação não poderiam mais ser ignoradas se pretendesse iniciar a jornada de volta à vida. E, além disso, talvez ela precisasse começar a relembrar aqueles momentos preciosos, guardá-los na memória com carinho e não resistir a eles...

"O Sol se põe enquanto eu o observo, sua cor brilhante dourada e avermelhada fazendo com que a água abaixo dele pareça pegar fogo. O som do 'Concerto para piano nº 3', de Rachmaninov, passeia pelo terraço, alcançando o auge enquanto o Sol mergulha com graça no mar.

É meu momento favorito do dia aqui, quando a própria natureza parece estar parada, assistindo ao espetáculo do rei do dia, a força de que ela depende para crescer e florescer em sua jornada para o sono.

Conseguimos ficar aqui com muito menos frequência do que eu gostaria, por isso o momento é ainda mais precioso. O Sol se foi agora; assim, fecho meus olhos e ouço Xavier tocar. Já toquei esse concerto centenas de vezes e estou impressionada com as diferenças sutis, as nuances que fazem essa ser a interpretação dele. É mais forte, mais masculina, como deveria, é claro.

Estou de folga, sem compromissos até a metade da próxima semana, mas Xavier tem de partir para um concerto em Paris amanhã, e, por conta disso, esta é a nossa última noite juntos aqui. Ele acabou de tocar e agora irá aparecer no terraço com uma taça de vinho *rosé* da adega local. E ficaremos sentados falando de nada ou de tudo, aproveitando a tranquilidade de nossa rara solidão.

O coração da nossa vida, a energia que nos une, está dentro da casa. Quando dei banho em nosso filho, Gabriel, e o coloquei para dormir, me ajoelhei em silêncio ao lado do berço observando a tensão deixar seu rosto e ele cair no sono.

— *Bonne nuit, mon petit ange* — sussurrei ao sair na ponta dos pés e fechar a porta com cuidado.

Estou feliz por poder ficar mais uma semana aqui com ele. Algumas mães têm o prazer de ver seus filhos vinte e quatro horas por dia, notar cada sorriso, cada nova habilidade que aprendem no caminho para a vida adulta. Eu as invejo por isso, pois não tenho esse luxo.

Enquanto observo o céu escurecer, contemplo a pergunta que vaga em minha mente desde o dia em que ele nasceu, imaginando se deveria ter dado um intervalo na minha carreira para acompanhar seu crescimento. No entanto, não consigo seguir adiante com meus pensamentos, pois aqui está Xavier com a prometida taça de vinho *rosé* e uma tigela de azeitonas frescas.

— Bravo! — eu digo quando ele me beija a cabeça e ergo a mão para acariciar seu rosto.

— *Merci, ma petite* — ele responde.

Conversamos em francês, já que o inglês dele é pior que meu terrível sotaque em francês. Além disso, o francês é a língua do amor.

Ele se senta na cadeira ao meu lado e joga as longas pernas para cima da mesa. Seu cabelo, como sempre acontece quando ele ensaia, está levantado nas pontas, o que lhe dá a aparência de um bebê enorme. Estendo o braço e arrumo os fios. Ele segura minha mão e a beija.

— É triste eu ter de partir amanhã. Talvez no próximo ano possamos planejar tirar todo o verão de folga para ficarmos aqui juntinhos.

— Eu adoraria — respondo, assistindo, pelo canto dos olhos, à Lua se revelar e assumir o lugar do Sol, se tornando a rainha da noite.

A pele já pálida de Xavier fica mais branca à luz do luar. Nunca me canso de olhar para ele. Ele é tão extraordinário. Se eu sou uma criatura do dia, do Sol, com a pele e os olhos escuros, ele é da noite, da Lua.

Seus traços dramáticos e aquilinos, herdados da mãe russa, nunca poderiam ser descritos como uma beleza clássica. O nariz, para começar, é longo demais, e os olhos, de um azul glacial, são muito próximos. A testa é marcada e alta e os cabelos negros e grossos têm uma textura de palha. Os lábios são a única parte perfeita do rosto, femininos por serem carnudos (almofadas cheias e cor-de-rosa), e, quando abrem, revelam em seu sorriso dentes brancos, grandes e fortes.

Seu corpo tem as proporções erradas: as pernas, que poderiam passar por pernas de pau de tão longas, carregam um torso curto, o que faz com que os braços compridos e os grandes dedos elegantes e talentosos pareçam ter sido transplantados para o corpo errado. Ele é enorme se comparado a mim, uns bons trinta centímetros mais alto. Não há um quilo de gordura nele e tenho certeza de que ficará assim pelo resto da vida. A energia, que até no sono não o deixa descansar (já que ele se mexe e se vira ao meu lado, se contorce sem parar e grita contra um inimigo imaginário), consumirá qualquer excesso da meia-idade que os hormônios se importem em produzir.

E eu amo cada milímetro dele, corpo e alma, desde o dia em que o ouvi tocar a 'Sonata para piano em si bemol maior', de Schubert, na competição Tchaikovsky de piano, em Leningrado. Eu ganhei. Ele ficou em segundo lugar.

Olho para o seu rosto querido, tão familiar para mim e, ainda assim, sempre fascinante, porque ainda há muita profundidade a ser explorada. Sou tão menos complexa que ele. Eu toco piano com brilhantismo, dizem. Apenas porque consigo. Da mesma maneira, posso sair do palco e voltar a ser uma pessoa normal. Xavier, entretanto, carrega sua música para todo lugar e sempre pensa em uma maneira de aperfeiçoar a próxima peça.

Acredito de verdade que, se transformassem todos os pianos do mundo em lenha para queimar, ele se atiraria no topo da fogueira.

Já rimos do fato de eu ser a celebridade e não ele. Porém, nós dois sabemos que eu fico muito mais bonita em um vestido do que ele, que eu toco de maneira mais fotogênica... Sou "menina" e, por isso, mais comercial.

No entanto, eu sei que ele é o gênio, que ele pode pegar os *Études* de Chopin e acrescentar um toque de mágica, uma faísca que os torna definitivamente seus. Também sei que um dia o mundo reconhecerá isso e eu ficarei feliz em aceitar o segundo lugar. Tenho certeza de que minha habilidade ao piano progrediu ainda mais por causa dele. E eu o adoro. Ele é meu piano. Ele é minha fogueira. E, se ele não estivesse mais aqui, eu me jogaria sobre aquele fogo de bom grado."

[CAPÍTULO 6]

Júlia percebeu que seu rosto estava molhado de lágrimas. Ela sabia que viriam muitas outras, conforme continuasse se forçando a relembrar.

— Xavier — disse o nome dele em voz alta pela primeira vez. — Xavier, Xavier... — e ficou repetindo o nome, sabendo que, quando conversasse com a empregada ou com seu agente, eles com certeza o falariam também; queria praticar o controle de suas emoções para quando os ouvisse.

Subiu para tomar um banho, se vestiu e se sentou na borda da banheira de novo, tomando coragem de apertar os números que a jogariam de volta em sua vida.

Agnès, a empregada, não atendeu ao celular e Júlia agradeceu pela suspensão temporária da tarefa. Deixou uma mensagem e pediu para que Agnès ligasse de volta.

Próximo na lista: o agente, Olav. Ela verificou a hora no relógio, dez e meia. Olav podia estar em qualquer lugar do mundo; ele tinha escritórios em Nova York, Londres e Paris. Ao discar o número, ela torceu para ser atendida pela caixa postal também, mas era raro ele não a atender, mesmo que fosse no meio da noite.

O telefone começou a chamar e ela esperou, prendendo a respiração. Ele atendeu após três toques.

— Júlia, querida! Que bom que você ligou! Até que enfim — ele acrescentou intencionalmente.

— Onde você está? — ela perguntou.

— Em Nova York — ele respondeu. — Um cliente meu tocou com a Orquestra Sinfônica de Nova York no Carnegie, essa noite. Nossa, não foi nada bom. Bem, querida, vamos falar de você. Tenho centenas de e-mails sem resposta na minha mesa agora, pedidos por sua presença em Milão, Paris, Londres e tal, vindos do pessoal de sempre. Eu disse que você está em um ano sabático, mas, Júlia, meu bem, eles não vão continuar insistindo para sempre.

— Eu sei, Olav — ela respondeu se desculpando.

— Essa gente trabalha com uma antecedência de um ano e meio a dois anos. Se não aceitarmos um convite logo, levará três anos até que você possa voltar a tocar. Tem ideia de quando estará pronta para me dar um sim?

Embora Júlia estivesse grata por Olav não ter tomado o caminho da compaixão e ter falado logo de início do seu maior amor, os negócios, ela não sabia como responder.

— Não. Para ser sincera, não pensei muito nisso.

— Você tem acesso à internet aí, querida? Posso lhe passar os convites para você examinar e ver se algum lhe atrai.

— Não tenho, meu *laptop* ainda está na França.

Houve uma pausa na conversa.

— Você ainda está em Norfolk? — ele perguntou.

— Sim.

— Bem, então, tenho uma ideia melhor. Estarei em Londres na próxima semana. Podemos almoçar no Claridge's e entrego os e-mails impressos pessoalmente.

Júlia podia ouvir páginas sendo viradas do outro lado da linha. Enfim, ele perguntou:

— Na próxima quinta-feira está bom? Também vou entregar vários cheques que chegaram nos últimos sete meses. Como eu disse na mensagem, é uma quantia significativa. Não depositei para você como normalmente faria, pois não sabia o que você ia fazer com sua antiga conta conjunta.

— Obrigada — Júlia engoliu em seco. — Na próxima quinta-feira está ótimo.

— Excelente! Vai ser bom ver você, querida. Agora, como são 4h30 da manhã aqui e vou para Tóquio amanhã, é melhor eu dormir um pouco.

Vamos marcar ao meio-dia ao lado do restaurante. Até lá, meu bem. Mal posso esperar — a linha ficou muda.

Júlia respirou aliviada por ter feito aquele contato inicial. Ela sabia que poderia desmarcar o encontro da semana seguinte, mas seu recém-nascido e ainda frágil otimismo não permitiu que ela recusasse de início. Além disso, tinha de ser prática. Estava vivendo do dinheiro de sua conta na Inglaterra, dos cheques do aluguel do chalé dos últimos oito anos. Na última vez em que havia olhado, mais de um mês antes, sobravam apenas algumas centenas de libras. Ela não havia conseguido ligar para o banco na França em que ela e Xavier tinham suas contas, onde estavam a maior parte de seus ganhos. Ela teria de preencher vários formulários para mudar as contas apenas para o nome dela e, até então, não estivera pronta para aceitar que Xavier havia partido. Sabia que tinha de voltar à França para resolver sua vida, mas fazer uma ligação era uma coisa, um confronto físico era outra.

Como não queria bloquear o progresso que tivera naquela manhã (um passo de cada vez), Júlia decidiu sair para caminhar. Quando estava vestindo o casaco, alguém bateu à porta.

— Oi, querida, sou eu, papai.

Surpresa, Júlia foi abrir a porta.

— Me desculpe por me intrometer — disse George, ao passar pela entrada. — Alícia disse que você quase não sai. Posso voltar depois se agora não for uma boa hora.

Júlia pensou no quanto o pai estava deslocado naquela sala, parecia Gulliver em Lilliput.

— Não, agora está ótimo — ela respondeu, tirando o casaco enquanto ele se sentava. — Quer tomar um café?

— Não, obrigado. Acabei de tomar. Eu estava nos brejos de Salthouse pegando a muda de uma planta incomum, que um dos meus alunos de doutorado encontrou por lá, então pensei em passar por aqui, era caminho de casa — George observou a filha. — Não vou perguntar como você está porque sei, por experiência própria, que isso é irritante. Mas acho que você está melhor, não tão cansada. Alícia fica me dizendo que está preocupada porque você não come. Você está comendo?

Júlia sorriu um sorriso triste.

— Pai, pode olhar minha geladeira se quiser. Fui ao supermercado ontem mesmo.

— Assim, sim! Sabe, eu entendo. Passei por algo parecido, embora não tenha sofrido a perda de uma de minhas filhas. E o Gabriel era tão doce. Deve ser insuportável para você, minha querida.

— Tem sido sim — a voz de Júlia ficou presa na garganta.

— Tudo o que posso dizer, sem parecer complacente, é que as coisas melhoram, mas leva um tempo... Não para superar, porque é óbvio que você nunca supera de verdade, mas para... — George procurou a palavra certa — se ajustar.

Júlia o olhou em silêncio, sabia que ele tinha mais a dizer.

— E, em algum momento, você supera a parte mais difícil — ele continuou. — Quando você acorda um dia e a escuridão não é tão escura quanto antes, se é que me entende.

— Sim — Júlia concordou. — Acho que... Bem, algo aconteceu ontem e hoje... Enfim, hoje de manhã... — ela se esforçava para expressar o que sentia. — Você está certo, a escuridão não é tão escura quanto antes.

Ficaram sentados em silêncio por alguns momentos, confortáveis em se compreenderem. Por fim, Júlia disse:

— Você veio me ver por algum motivo em especial?

— Na verdade, sim — respondeu George. — Está quase na hora do almoço. O que você me diz de cruzarmos a estrada até o White Horse para tomar vinho e comer um peixe recém-pescado?

Júlia atropelou seu impulso imediato de dizer não.

— É uma boa ideia, papai.

Dez minutos depois, estavam acomodados em uma mesa confortável perto da lareira. George pediu dois pratos de peixe e fritas, e trouxe as taças de vinho do bar.

— É um ótimo *pub* — ele comentou —, bem local, principalmente no inverno, sem turistas se aglomerando — por impulso, ele estendeu a mão e apertou o braço da filha. — Júlia, tenho tanto orgulho de você. Sei que você vai conseguir. Continue, querida. Você terá dias bons e ruins, mas continue seguindo em frente.

— Vou tentar, papai, de verdade — ela respondeu, sentindo um nó na garganta.

— Bem — George limpou a garganta —, o que eu queria mesmo era conversar sobre aquelas pinturas de orquídeas que você me deu. Eu as comparei com outras de sua mãe e não há dúvida de que foram feitas por ela. Provavelmente quando ela era muito jovem.

— Estou tão feliz por tê-las encontrado, papai — disse Júlia. — Com certeza era o destino.

— Sim, mas há outra coisa interessante sobre as pinturas ou, pelo menos, sobre uma delas — George bebeu um gole de vinho. — Sei que, quando criança, sua mãe passava horas nas estufas com seu avô, como você fez depois dela. Para passar o tempo, ela se sentava e pintava as flores. Bem, identifiquei três das orquídeas, que são comuns na Inglaterra e poderiam ter sido cultivadas pelo seu avô. As três são do gênero *Cattleya*. William Cattley, um homem que podemos chamar de "pai" das orquídeas britânicas, foi o primeiro horticultor bem-sucedido no cultivo de orquídeas epifíticas aqui, no início do século 19, e a maioria das orquídeas que vemos no país são descendentes delas. Porém, a quarta orquídea que sua mãe pintou, bem, é outra história.

— É mesmo? — disse Júlia quando o almoço deles foi servido.

— Sim. Se a pintura estiver bem feita, e, tendo trabalhado com ela por quinze anos, presumo que esteja, a orquídea pintada é uma *Dendrobium nigum* — George quebrou a massa de cerveja em volta do peixe. — Ou sua mãe copiou a figura de um livro, o que é possível, é claro, e, para ser sincero, é o mais provável, ou — ele acrescentou entre as garfadas — ela estava sendo cultivada na estufa do Bill na época.

Júlia começou a comer também.

— Então, se estava sendo cultivada na estufa...?

— Bem, deixa eu explicar melhor para você: o último espécime de *Dendrobium nigum* foi vendido em leilão por quase 50 mil libras. É uma flor incrível. Só foram encontradas nos morros de Chiang Mai, na Tailândia. É o que existe de mais próximo de uma orquídea negra, embora sua cor real seja um rosa escuro. Os botânicos nunca foram capazes de cultivá-la fora de seu *habitat*, o que a torna muito valiosa. Eu ficaria impressionado se essa planta tivesse encontrado um caminho até as estufas de Wharton Park na década de 1950.

— O vovô Bill não pedia para a mamãe datilografar as anotações dele e elas não ficaram com você quando ele morreu? — perguntou Júlia. — Deve ter alguma informação lá.

— Foi o que pensei também — concordou George. — Estou desde domingo vasculhando os papéis, mas, até onde vi, nada disso foi mencionado — ele colocou a faca e o garfo ao lado do prato vazio. — Seu avô tinha mais de duzentas espécies diferentes de orquídeas nas estufas. Não achei registro dessa ainda, mas vou continuar procurando.

— Mudando um pouco de assunto — disse Júlia —, a Alícia comentou sobre o diário que Kit Crawford encontrou sob as tábuas do chão do velho chalé deles?

— Sim, por alto. Parece ser o relato de um prisioneiro de guerra na cadeia de Changi. Se vai me perguntar se Bill esteve em Changi durante a guerra, tenho de dizer que não faço ideia — afirmou George. — A única pessoa que saberia é Elsie, sua avó. Recebi um cartão de Natal dela e ela ainda está firme e forte com seus 87 anos. Por que não vai visitá-la?

— Vou sim, pai — completou Júlia. — Alícia me passou o telefone dela, vou lá em breve.

— Que bom! E você, tem mais novidades? Além, talvez, de pensar se vai querer ficar mais tempo naquele chalé depressivo?

— Eu sei... — Júlia concordou. — Mas foi apenas nos últimos dois dias que realmente percebi o quanto lá é desagradável.

— E não tem lugar para um piano... — George acrescentou com delicadeza.

— Não quero um piano — Júlia disse com veemência —, mas, se vou ficar aqui por um tempo, posso pedir para Agnès me mandar um pouco das minhas coisas lá da França.

— É assim que se fala, querida. Certo — George deu um tapa na mesa —, preciso ir. Tenho uma pilha de e-mails para responder e uma palestra para preparar para amanhã de manhã.

Júlia esperou pelo pai na entrada do *pub* enquanto ele pagava a conta e os dois caminharam juntos pela estrada e morro acima, até o chalé.

— Querida, foi um prazer almoçar com você — ele a abraçou. — Se cuide e, por favor, mantenha contato.

— Prometeto.

Ele concordou com a cabeça e caminhou tranquilamente até o carro.

[CAPÍTULO 7]

Na manhã seguinte, Júlia ligou para Elsie, que ficou muito contente em falar com ela, o que fez a neta se sentir ainda mais culpada por não ter se esforçado para manter o contato. Combinaram de tomar chá no sábado seguinte em Southfold. Depois disso, ela se vestiu, colocou o casaco e partiu para as estufas de Wharton Park, satisfeita por sair em vez de enfrentar um longo dia de solidão no chalé.

Ela via como um bom sinal o fato de achar o silêncio da casa tão mais difícil de aguentar do que parecera até então. Porém, se não queria enlouquecer com aqueles dias vazios, havia chegado a hora de fazer planos para o futuro.

Júlia virou à direita na entrada de Wharton Park, admirando as faias marrom-avermelhadas que contornavam a área de estacionamento dos dois lados do caminho de entrada. Havia também um velho carvalho sob o qual, dizia a lenda, Anna Bolena certa vez beijara Henrique VIII.

Quatrocentos e cinquenta metros depois, ela virou novamente à direita e dirigiu pela estrada esburacada que a levaria ao pátio. Mais para frente do pátio, estava o jardim da cozinha, lugar onde estavam as estufas. Sentindo uma sombra da animação e da ansiedade que vivia quando era criança, percebeu que era muito importante para ela que as estufas ainda estivessem lá.

Júlia estacionou o carro no pátio e saiu, sentindo o ar gelado. Lembrava-se daquele lugar como um ambiente agitado: além das famílias que viviam no entorno, os estábulos também ficavam ali. Havia cavalos entrando e saindo, e fardos de feno sendo transferidos e jogados nos celeiros o tempo todo, que quase acertavam os filhos dos trabalhadores que jogavam futebol no centro do pátio. Tinha sido um mundo dentro de outro mundo, que agora estava silencioso e deserto. Então, ela andou pelo caminho de grama alta em direção ao jardim da cozinha. A porta azul ainda estava lá, mas coberta de hera. Com esforço, Júlia conseguiu abri-la.

As longas fileiras de cenouras, ervilhas, repolhos e pastinacas cultivadas com tanto cuidado não existiam mais. Em seu lugar, havia um emaranhado de ervas daninhas e urtigas intercaladas com a imagem estranha e triste de um repolho murcho. Júlia se dirigiu ao pequeno pomar, que ficava no fundo do jardim da cozinha e bloqueava a vista para as estufas. As várias macieiras, pereiras e ameixeiras, algumas muito velhas, continuavam lá, com os galhos tortos, rígidos e nus; frutas derrubadas pelo vento estavam no chão, virando adubo.

Júlia passou pelas árvores e viu os telhados das estufas despontarem por cima dos arbustos, que haviam crescido ao redor delas. Atravessou o caminho para chegar à porta de entrada, mas ela tinha caído porque estava em uma pilha de madeira podre e vidro quebrado. Júlia passou pelo entulho para entrar na estufa. Estava vazia, exceto pelas mesas que a costumavam contornar e a fila de ganchos de ferro pendurados em um suporte alto. O chão de concreto estava coberto de musgo e ervas daninhas invadiam o espaço por debaixo da estrutura.

Júlia caminhou devagar até o final da estufa e, no canto, estava o banco no qual ela costumava se sentar. Embaixo dele, com as partes metálicas muito enferrujadas, estava o velho rádio de baquelite do vovô Bill.

Ela se ajoelhou e pegou o aparelho. Seria impossível consertá-lo, mas precisava levar o rádio consigo. Ela o acomodou perto do peito como um bebê e girou os botões em uma tentativa inútil de ressuscitá-lo.

"— As orquídeas adoram música, Júlia. Talvez substitua os barulhos da natureza que elas escutavam em sua terra natal — vovô Bill me diz enquanto mostra como salpicar as delicadas pétalas com um *spray*. — E calor e umidade, para imitar o ambiente com o qual estão acostumadas.

A maioria das pessoas acha as estufas insuportavelmente abafadas, com a forte luz do Sol brilhando pelas janelas de vidro, o que, combinado com a natural falta de brisa, joga a temperatura bem acima do que é comum em um dia úmido na Inglaterra.

Eu adoro, pois odeio usar várias roupas para me aquecer. Parece meu *habitat* natural e o vovô Bill parece também não se importar com o calor. Além disso, com esse calor os deliciosos perfumes das flores permeiam o ar.

— Essa é uma *Dendrobium Victoria Regia*, às vezes classificada como *Dendrobium* azul, mas, como você pode ver, é lilás — ri o vovô. — Uma orquídea azul de verdade ainda não foi descoberta. Essa aqui cresce nas árvores do sudeste asiático. Você consegue imaginar? Jardins inteiros suspensos no ar...

E o vovô Bill fica com aquele olhar, como costumo dizer, e, embora eu peça para ele contar mais, ele não conta.

— A *Dendrobium* gosta de descansar no inverno, penso nisso como uma hibernação. E não quer ser alimentada. Quer apenas ser borrifada com água suficiente para evitar que murche.

— Como aprendeu do que elas gostam, vovô? — perguntei certa vez. — Você foi para a escola de orquídeas?

Ele balançou a cabeça e riu.

— Não, Júlia. Aprendi muito com um amigo meu que viveu no Oriente e cresceu cercado por elas. E o resto descobri por tentativa e erro, observando com atenção como elas reagiam ao que eu fazia. Atualmente, sei o que planto porque há informações na embalagem que acompanha as flores, mas, quando eu era garoto, costumava receber engradados vindos de longe e nunca sabíamos o que estávamos cultivando até que a planta florescesse — ele suspirou. — Aqueles dias eram emocionantes de verdade. Embora eu perdesse mais do que conseguia cultivar.

Sei que o vovô Bill é famoso no mundo das orquídeas por conseguir cultivar algo chamado de plantas híbridas. As dele são bastante incomuns e, com frequência, horticultores renomados vêm ver a última leva que floresceu. Ele é muito modesto, não gosta de falar sobre isso, diz que seu trabalho é cuidar das flores e não se gabar das plantas de que cuida. A vovó Elsie não pensa assim. Às vezes, eu a escuto dizer que Bill trouxe muito dinheiro para Wharton Park, com todos os visitantes que vêm ver as estufas e comprar as plantas à venda, e que ele deveria receber mais por isso.

Eu não presto atenção quando ela fica dizendo essas coisas. Não quero que nada perturbe a paz do meu paraíso especial. Quando estou longe daqui e me sinto triste, busco este lugar em pensamento e encontro consolo."

Júlia, então, voltou para a triste realidade do que havia sido e não era mais. Percebeu que estava tremendo de frio e não queria mais ficar por lá. Girando sobre os calcanhares, caminhou depressa para fora da estufa e se apressou para cruzar a cozinha e chegar ao carro. Quando abriu a porta, viu Kit sair de um dos estábulos. Ele acenou para ela e se aproximou.

— Oi, Júlia. Suponho que tenha vindo ver o triste fim de uma das antigas glórias de Wharton Park — ele disse.

— Não fale assim — Júlia suspirou. — Me sinto tão mal. As estufas estão completamente vazias, não sobrou nada! — ela balançou a cabeça, desolada. — Você não sabe para onde foram todas as orquídeas, sabe?

— Não sei. Queria saber. Meu pai foi um proprietário ausente por muito tempo. E tia Crawford, por algum motivo, tremia ao pensar nelas. Lembra aquele dia que você trouxe a orquídea para ela? Então, quando você saiu, ela devolveu o vaso para mim e pediu para eu me livrar dele — Kit ergueu as sobrancelhas. — Não me pergunte o porquê. Não faço ideia. Você vai ficar feliz em saber que eu a guardei no meu quarto e a levei para casa quando fui embora. Ela floresceu durante muitos anos.

— Que estranho — Júlia ponderou —, e triste!

— Com certeza — Kit concordou. — E Deus sabe o que mais sumiu dessa propriedade junto com todas aquelas orquídeas. Quanto mais cedo eu passar esse lugar adiante, melhor. De qualquer forma — a expressão de Kit se iluminou —, quer dar uma volta e ver o velho chalé do seu avô? Estou indo para lá.

— Por que não? — respondeu Júlia.

Eles andaram até o chalé, logo atrás do pátio, escondido em seu jardim de mil metros quadrados. Júlia já podia ouvir o barulho de batidas e de coisas sendo quebradas vindo de lá.

— Espero que não ache que ele também está destruído, mas não tinha mesmo condições de alguém morar nele. E, enquanto eu ainda tenho os últimos empregados da propriedade trabalhando para mim, pensei que eles poderiam fazer algo útil.

— O que acontecerá a eles quando o novo dono assumir? — questionou Júlia.

— Serão recontratados, a maioria, e é provável que fiquem muito mais felizes trabalhando para um patrão presente do que ficaram nos últimos vinte anos. Vamos entrar? Já aviso que está muito diferente.

Quando Júlia entrou, esperava ver um hall escuro e estreito, e um lance de escada íngreme logo à frente. Em vez disso, se viu dentro de um vasto espaço vazio.

— Sou alérgico a teto baixo — ele se desculpou, indicando a altura. — Meço 1,91 metro... Por isso, o tirei.

O teto não foi a única coisa que Kit tirou. A distribuição do interior, que antes abrigava todos os cômodos necessários, como cozinha, quartos e banheiro, havia sumido. Ela olhou para cima, para aquele que costumava ser o teto do quarto e, no ponto mais alto, viu quatro claraboias recém-colocadas. A única característica preservada era o espaço da grande lareira, na qual ela havia se aquecido quando criança.

— Eu... Com certeza... Está diferente — ela conseguiu dizer.

— Ainda falta entrar na parte de cima. Eu usei o espaço do sótão para aumentar a altura do teto aqui do andar de baixo. E estou transformando o velho anexo lá fora em cozinha e banheiro. Sei que é radical, mas ficará perfeito para mim quando estiver pronto.

— Você com certeza o trouxe para o novo milênio — Júlia murmurou. — É difícil pensar que é o mesmo chalé.

Ele olhou para ela.

— Você está chateada, não está?

— É claro que não.

Mas eles dois sabiam que ela estava chateada.

— Júlia, por que você não vem comigo até a casa para comer um sanduíche? Sinto que devo isso a você, já que maculei sua herança.

— Não é minha herança — ela disse. — Mas, sim, eu...

— Oi, meu bem. Desculpe pela demora.

Uma mulher atraente, de cabelos castanho-avermelhados, apareceu atrás deles. Ela beijou Kit no rosto com carinho e sorriu para Júlia.

— Júlia, essa é Annie. Ela está me ajudando a fazer os projetos para o chalé e criando planos para transformar o resto do pátio em casas para alugar... Isso enquanto espera que seu próprio projeto dê frutos — Kit indicou a barriga saliente de Annie e pôs o braço ao redor de seus ombros. — Não falta muito, falta? — ele perguntou afetuoso.

— Não, apenas quatro semanas, graças a Deus.

Os olhos claros e verdes de Annie piscaram para Júlia. Ela tinha um toque de sotaque americano.

— Vou ficar feliz quando nascer. Você tem filhos? — ela perguntou.

Os olhos de Júlia se encheram de lágrimas e ela ficou parada em silêncio. Como poderia responder?

— Júlia é uma pianista de concertos renomada — Kit a salvou, entendendo a situação de imediato. — Nos conhecemos em Wharton Park há anos e fui uma das primeiras pessoas para quem ela tocou. Não é, Júlia? — os olhos dele transbordavam de compreensão.

Aquele intervalo deu à Júlia uma chance de se recuperar. Ela conseguiu concordar com a cabeça e limpar a garganta.

— Sim. Preciso ir para casa. Foi um prazer conhecer você, Annie, e... Boa sorte.

— Foi um prazer.

— Foi sim. Tchau, Kit. Até breve — ela se virou e correu para o carro antes que ele a alcançasse.

[CAPÍTULO 8]

Para o sábado seguinte, os meteorologistas previam neve. Júlia decidiu ignorar os avisos, queria passar o dia fora do chalé, e partiu após o almoço em direção a Southwold, para seu encontro com a avó.

Ela ligou o rádio para quebrar o silêncio e reconheceu na mesma hora as assustadoras notas da seção intermediária do "Concerto nº 2", de Rachmaninov. Imediatamente, desligou o aparelho. Havia algumas coisas que, mesmo depois da epifania dos últimos dias, ainda eram insuportáveis. A pergunta inocente de Annie a derrubara e ela chorara por duas horas. Aquela reação era o motivo pelo qual se escondera por tanto tempo; estar sozinha era uma alternativa melhor que enfrentar um mundo cheio de visões, cheiros e pessoas, que, mesmo bem-intencionadas, com certeza diriam ou fariam algo que a lembraria de sua tragédia.

Até então, ela sabia que não conseguiria lidar com aquilo, que comentários como o de Annie a deixariam muito mal. Porém, encarar a dor era o próximo passo no caminho para a recuperação. Suas emoções precisariam de tempo para se estabilizar e ela aprenderia, aos poucos, a lidar com o mundo de formas e sons lá fora. E também com as lembranças que ele trazia. Como tudo, isso fazia parte de um processo e ela não poderia esperar que sua reabilitação acontecesse do dia para a noite.

Conforme Júlia se aproximava dos arredores de Southwold, sentiu uma renovada confiança por estar lá, a noventa e seis quilômetros do santuário do chalé: era a prova de sua melhora radical nos últimos dias. E sabia que ver a avó não lhe traria dor. Ela seria lançada de volta aos últimos anos de um tempo povoado apenas por memórias acalentadoras. Era um território seguro e ela realmente estava ansiosa para rever Elsie.

Júlia consultou as orientações que havia anotado sobre o percurso. Ela as seguiu e foi parar em uma rua sem saída rodeada por árvores e, depois, na entrada de uma pequena casa muito bem cuidada.

Pegou a bolsa, que tinha o diário de Changi, e caminhou até a porta para tocar a campainha. Ouviu o toque eletrônico baixinho e, segundos depois, a avó estava na porta de braços abertos para recebê-la.

— Júlia!

Ela foi abraçada por aquele colo amplo, que cheirava a perfume de capim-azul e talco.

— Deixa eu dar uma olhada em você — Elsie segurou Júlia pelos ombros e deu um passo para trás. Depois, bateu palmas com alegria. — Puxa! Como você ficou bonita! Você se parece tanto com sua mãe quando tinha sua idade. Agora entre, meu anjo, entre.

Júlia seguiu Elsie para dentro da casa. O lugar era pequeno, mas estava perfeitamente limpo, arrumado e brilhante. Elsie a levou para uma pequena sala de visitas, mobiliada com um conjunto de três peças estofadas em Dralon[6] rosa, apertadas em torno de uma lareira a gás.

— Vamos tirar seu casaco e você pode se sentar e se aquecer enquanto preparo uma bebida quente bem gostosa para nós duas. Café ou chá?

— Uma xícara de chá seria ótimo. Obrigada, vovó — respondeu Júlia.

— Certo, e eu preparei uns bolinhos de que você gosta também — Elsie olhou para ela. — A comida da vovó vai lhe fazer muito bem.

Júlia sorriu.

— Você está certa. Vai mesmo.

Elsie foi para a cozinha ao lado e ligou a chaleira. Júlia se sentou em uma poltrona e se rendeu rapidamente ao conhecido casulo de segurança que a avó sempre representara.

---

6. Fibra sintética da Bayer muito usada na década de 1960. (N. E.)

— E então — disse Elsie, que voltou com uma bandeja cheia e a colocou sobre a mesinha de centro —, como está minha neta famosa?

— Estou bem, vovó. E é muito bom ver você. Sinto muito por não ter vindo antes. Não tenho saído muito ultimamente.

— Você passou por muitas coisas, meu anjo, e eu sabia que viria quando estivesse pronta — Elsie bateu de leve na mão de Júlia, compreensiva e solidária. — Bem, estou colocando bastante açúcar no seu chá. Você parece seu avô quando ele voltou da guerra. Era quase um esqueleto. Pronto... — ela passou uma xícara para Júlia e, depois, começou a passar quantidades generosas de manteiga e geleia nos bolinhos. — É minha geleia caseira especial de ameixa-de-damasco. Lembra o quanto gostava dela? Consegui cultivar uma árvore de ameixa-de-damasco no minúsculo pedaço de terra e ar puro a que chamam de jardim por aqui... — Elsie apontou a pequena área gramada visível pela janela. — E ela está dando frutos lindos, está sim!

Júlia observou os olhos brilhantes de Elsie. Não havia aquele ar de envelhecimento na avó. Será que, quando alguém se torna velho aos olhos de uma pessoa muito jovem, o envelhecimento parece menos óbvio? Júlia mordeu um bolinho e saboreou o gosto familiar.

Elsie olhou para a neta, satisfeita.

— Não perdi a mão, perdi? Aposto que são os melhores bolinhos que você já provou, mesmo com toda aquela comidinha francesa chique.

Júlia riu.

— Não, vovó. Você não perdeu a mão.

Ela viu que Elsie estava franzindo as sobrancelhas enquanto observava algo no alto de sua cabeça

— Vejo que não está comendo, senhorita. Seu cabelo perdeu todo o brilho — Elsie estendeu a mão, segurou uma mecha do cabelo de Júlia e a esfregou entre as pontas dos dedos. — Seco como um osso. Você precisa de um bom corte e um pote de condicionador. E um pouco de comida decente dentro desse corpo. "Tsc, tsc, tsc". É o que eu digo a todas as minhas clientes: o que você coloca na boca vai parar na cabeça.

Júlia encarou Elsie surpresa.

— Suas clientes? Você está trabalhando como cabeleireira agora?

— Estou! — ela confirmou com alegria. — No lar de velhinhos, às quintas-feiras pela manhã. Eles quase não têm mais cabelo — Elsie riu —, mas eu adoro ir lá mesmo assim. Finalmente tenho a carreira que sempre sonhei!

— Você ainda tem todas aquelas perucas? — Júlia quis saber.

— Não, não preciso mais delas, agora que tenho trabalho de verdade — Elsie dirigiu o olhar para a neta. — Você devia me achar estranha, né? Gastava horas penteando as perucas... É o que eu sempre quis fazer — ela suspirou. — E eu era muito boa nisso, de verdade. A dona da casa me pedia para arrumar os cabelos dela e dos hóspedes de Wharton Park. Bem, a vida toma rumos engraçados, não?

— Sim, vovó. E você, está bem?

— Como você vê — Elsie examinou sua larga cintura —, ainda gosto da minha comida. Dá mais trabalho agora, no entanto, já que só eu como. Sua tia-avó morreu no início do ano passado, agora só eu faço barulho pela casa.

— Fiquei muito triste ao receber a notícia, vovó — Júlia terminou um bolinho e pegou outro do prato.

— Bem, pelo menos ela não sofreu. Ela se deitou certa noite e simplesmente não acordou. É a forma que eu escolheria para mim também, quando eu me for — Elsie lidava com a morte de maneira otimista, como a maioria das pessoas idosas. — Ela me deixou a casinha, já que não tinha filhos. Essas construções modernas são muito melhores do que aqueles chalés desconfortáveis e úmidos em que eu costumava morar. Estão sempre quentes, têm água aquecida para o banho todos os dias e um vaso sanitário com uma descarga que nunca falha.

— É muito aconchegante mesmo — disse Júlia, com gentileza. — Você não se sente sozinha?

— Ah, não! Sou muito ocupada. Tenho meu trabalho como cabeleireira e não passa um dia em que eu não vá a um dos meus clubes ou saia para visitar meus amigos. Nós ficávamos tão isolados em Wharton Park, Júlia, tínhamos apenas os outros empregados da casa como amigos. Aqui, tenho uma cidade inteira cheia de aposentados!

— Fico contente em ver que você está tão feliz, vovó — comentou Júlia. — É óbvio que não sente falta de sua vida em Wharton Park.

Elsie ficou com uma expressão pesada.

— Ora, isso não é verdade, meu anjo, porque sinto muita falta de seu avô. Mas, não, eu não sinto falta da vida que tinha lá. Lembre que comecei a trabalhar na casa grande aos 14 anos. Acordava às 5 horas e ia dormir à meia-noite, se tivesse sorte e os patrões não planejassem um jantar ou tivessem hóspedes. Trabalhei assim por mais de cinquenta anos da minha vida — ela balançou a cabeça. — Não, Júlia, eu aproveito minha aposentadoria, não se engane. Bem, chega de falar de mim! Agora você já sabe que estou bem e feliz. Como estão seu pai e sua irmã?

— Como sempre — Júlia respondeu. — Papai ainda trabalha demais e está prestes a partir para o outro lado do mundo em um projeto de pesquisa. Alícia tem uma grande família para cuidar, o que a mantém ocupada.

— Aposto que sim, ela me manda fotos às vezes. Ela sempre me convida para ir à casa dela, mas eu não gosto de incomodar. Além disso, não dirijo e não gosto de trens. Talvez um dia, quando eles tiverem tempo, venham me visitar aqui, como você fez hoje.

— Prometo vir mais vezes. Principalmente agora que voltei ao país — Júlia acrescentou.

— Você está por aqui, então? É permanente?

— Não sei — suspirou Júlia. — Tenho algumas pendências a resolver, mas, até agora, não quis pensar em nada.

— Não, meu anjo — Elsie olhou para ela com compaixão. — Tenho certeza que não. Mas você disse que tinha uma pergunta para me fazer.

— Sim — Júlia começou. — Não sei se você ouviu dizer que Wharton Park está sendo vendida.

O rosto de Elsie continuou impassível.

— Sim, ouvi — respondeu.

— Kit Crawford, o herdeiro, ficará com o pátio e vai morar no seu velho chalé.

Elsie jogou a cabeça para trás e deu risada, uma risada profunda e alta que ressoou pelo seu corpo todo e a fez tremer. Por fim, ela enxugou os olhos.

— Mestre Kit, ou, devo dizer, lorde Kit, irá morar no velho chalé do jardineiro? — ela balançou a cabeça. — Ah, você me faz rir!

— É verdade — insistiu Júlia. — Ele teve de vender a propriedade porque ela está com muitas dívidas e precisa de muito dinheiro para ser recuperada. Além disso, era um chalé adorável — ela comentou, se defendendo.

— Pode ser, mas pensar, na minha época, que lorde Crawford se mudaria para nossa casa simples me faz rir, ah, faz! — Elsie pegou um lenço e assoou o nariz. — Desculpe, meu anjo — ela disse —, continue sua história.

— Bem, o que acontece é que, quando os encanadores estavam colocando novos canos, tiveram de tirar algumas tábuas do chão — Júlia procurou no fundo da bolsa e tirou o diário — e encontraram isso.

Elsie olhou para o objeto e Júlia logo percebeu que ela o reconhecia.

— É um diário — ela falou, afirmando o óbvio.

— Sim — foi tudo o que Elsie conseguiu dizer.

— Sobre alguém na prisão de Changi, em Cingapura, durante a guerra.

— Eu sei sobre o que é, Júlia — lágrimas espontâneas brotaram dos olhos de Elsie.

— Vovó, sinto muito! Não queria chatear você. Não precisa ler nadinha. Eu queria apenas confirmar que foi escrito pelo vovô Bill. Ele esteve lá, não esteve? No Oriente, durante a guerra? Estive pensando que algumas coisas que ele me dizia nas estufas, quando eu era mais nova, provavelmente comprovam que ele esteve. Embora nunca tenha dito onde e quando — ela completou em seguida, vendo o rosto pálido da avó.

Por fim, a velha senhora concordou balançando a cabeça.

— Sim, ele estava lá — ela falou devagar.

— Em Changi?

Elsie confirmou.

— Então, esse diário é dele?

Houve uma pausa antes que Elsie perguntasse:

— Júlia, você leu o diário?

— Não, eu queria, mas... — ela suspirou. — A verdade é que achei que poderia ser doloroso e, agora, eu, egoísta, já tenho dor suficiente em mim.

— Eu entendo — a avó concordou.

Elsie se levantou bruscamente e caminhou devagar até a janela, por onde se via flocos grandes de neve cobrirem a grama do pequeno jardim. O céu já escurecia, embora passasse um pouco das 16 horas. De costas para a neta, ela falou:

— O tempo está piorando. Você fica aqui essa noite?

— Eu... — até aquele momento, Júlia não havia pensado em ficar. Ela olhou a neve, pensou no caminho para casa, no chalé desagradável e no óbvio desconforto da avó. E balançou a cabeça, em sinal afirmativo. — Sim, fico.

Elsie se virou.

— Que bom! Agora vou preparar o jantar para nós. Penso melhor enquanto trabalho. E preciso pensar — acrescentou, quase que apenas para si mesma. — Por que não assiste à televisão enquanto isso? — apontou para o controle remoto e saiu da sala.

Quarenta e cinco minutos mais tarde, depois de Júlia ter assistido a um desinteressante concurso de talentos (e ter se divertido com ele mais do que achava que devia), Elsie voltou para a sala de estar com uma bandeja.

— São quase 18 horas e eu sempre me permito tomar um vinho Noilly Prat aos sábados — ela indicou seu copo. — Tenho um vinho tinto que uma amiga trouxe. Não sei se é bom, mas você quer um pouco?

— Por que não? — respondeu Júlia, feliz porque Elsie estava com o rosto mais corado.

— A torta de carne e batata já está no forno para jantarmos mais tarde — ela balançou a cabeça, passando uma taça para a neta e tomando um gole de sua bebida. — Eu pensei um pouco também, enquanto picava os ingredientes, e estou mais calma agora.

— Sinto muito, vovó, não queria mesmo chatear você. Eu devia ter percebido que seria doloroso — Júlia tomou um pouco de vinho. — Passei muito tempo pensando em mim mesma e preciso começar a me lembrar dos sentimentos dos outros.

Elsie deu uma batidinha amigável na mão de Júlia.

— É claro que você tem pensado em si mesma. Você passou por uma situação muito dura, meu anjo, mas tudo tem um fim. Você não me chateou, de verdade. Ver isso — ela apontou para o diário — foi um pequeno choque. Pensei que Bill o tivesse jogado no fogo. Bem que eu disse que alguém iria encontrá-lo e as consequências não seriam boas... — ela olhou para um ponto distante. Júlia esperou com paciência que a avó falasse. — Bem — Elsie se recuperou —, suponho que você esteja imaginando qual é o problema, no que estou pensando. A verdade é que o diário foi encontrado e entregue a você. Eu poderia mentir. Tenha certeza de que eu pensei nisso, mas não acho certo. Pelo menos, não mais.

— Vovó, me conta, por favor. Se for um segredo, você sabe que vai ficar entre nós. Eu sempre guardei segredos, desde novinha.

Elsie sorriu e acariciou o rosto da neta.

— Sei que sim, meu anjo, e sei que não contaria nada para ninguém. O problema é que não é tão simples. É um daqueles segredos, sabe, de família, que, se revelados, vão trazer tristeza para várias pessoas.

Júlia ficou ainda mais intrigada.

— Mas só tem eu, papai e Alícia na família.

— Bem — Elsie ponderou —, às vezes, esses segredos afetam mais do que apenas uma família, né? De qualquer forma, acho que o melhor é começar a história do início e ver para onde ela nos leva, não acha?

Júlia concordou.

— Vovó, faça o que achar melhor. Fico feliz em ouvir o que a senhora tem para contar.

Elsie balançou a cabeça, concordando.

— Já vou avisando que posso demorar um pouco para lembrar, mas acho que essa história começa comigo, quando eu estava aprendendo a ser uma dama de companhia em 1939, na casa grande. Ah — Elsie bateu palmas —, você não reconheceria Wharton Park, Júlia! O lugar era tão vivo, sempre agitado com a família Crawford e seus amigos. Eles davam festas na casa quase todas as semanas na temporada de caça. E, certo fim de semana, alguns amigos chegaram de Londres e eu fiquei encarregada de cuidar da filha deles de 18 anos, Olívia Drew-Norris. Ela foi a minha primeira "senhorita" — os olhos de Elsie se iluminaram só de lembrar daquilo. — Júlia, nunca vou esquecer o momento em que entrei naquele quarto decorado em um rosa pálido e a vi pela primeira vez...

[CAPÍTULO 9]

Wharton Park

Janeiro de 1939

Olívia Drew-Norris caminhou até a janela do grande quarto ao qual tinha sido levada e olhou para fora. Suspirou profundamente ao ver a cena cinza que se apresentava.

Era como se, desde que desembarcara na Inglaterra, dois meses antes, alguém tivesse resolvido limpar as cores vivas e quentes de sua palheta visual e as tivesse substituído por um cenário embaçado e barrento, pintado em marrom e cinza. A simplicidade da vista, com a névoa já cobrindo o topo dos campos, embora ainda fosse um pouco depois das 15 horas, fazia com que ela se sentisse fisicamente com frio e mentalmente vazia.

Ela tremeu e saiu de perto da janela.

Olívia sabia que seus pais estavam contentes por voltar à Inglaterra. Eles conseguiam gostar daquela ilha úmida e desagradável porque a tinham na memória como lar. Para Olívia, era diferente. Ela nunca saíra da Índia antes. E, tendo finalmente chegado à Inglaterra, não conseguia entender como todas as conversas que ouvira (no clube ou durante o jantar na casa dos pais, em Poona) se referiam com nostalgia àquele país. Até onde sabia, não tinha nada de interessante lá. Todos reclamavam do calor na Índia, mas, pelo menos, não tinham de vestir seis camadas de roupa de baixo para dormir e, depois, deitar em lençóis gelados que cheiravam a umidade, esperando que a circulação voltasse aos seus pés. Olívia estava sofrendo com uma gripe permanente desde que saíra do navio.

Ela ansiava pelos aromas e sons de sua terra natal... Romãs maduras, incenso, o óleo usado por sua *ayah* em seus cabelos longos e negros, o doce som da cantoria dos servos na casa, as crianças rindo nas ruas poeirentas da cidade, os comerciantes no mercado gritando as mercadorias... Tudo formava uma imagem colorida e barulhenta de muito contraste com essa terra silenciosa e desoladora.

E, mesmo após toda a preparação e a animação de voltar para "casa", Olívia nunca se sentira mais desanimada ou triste em toda a sua vida. O pior era que ela poderia ter ficado na Índia quando seus pais voltaram para a Inglaterra. Se ela tivesse prestado mais atenção aos avanços daquele coronel de rosto corado e permitido que ele a cortejasse, ela poderia estar em Poona naquela hora. Mas ele era bastante velho, tinha pelo menos 45 anos, e ela tinha 18.

Além disso, ela sobrevivera às noites quentes e secas, quando era impossível dormir, sob a influência dos romances ingleses de Jane Austen e das irmãs Brontë. Eles haviam alimentado sua crença de que o "amor verdadeiro" um dia seria encontrado. Nos meses seguintes, deveria passar uma temporada em Londres, onde seria apresentada aos rapazes certos. E, entre eles, ela desejava com fervor, encontraria o seu senhor Darcy.

Esse era o único brilho naquele nevoeiro de desolação e era também, Olívia pensava com crueldade, pouco provável de acontecer. Os jovens britânicos que conhecera até então não a enchiam de confiança no futuro. Seus rostos pálidos, a imaturidade e a aparente falta de interesse em qualquer coisa além de atirar em faisões não a fez gostar de nenhum deles. Talvez fosse porque ela passara grande parte da vida entre adultos, por causa do azar de fazer parte de um grupo muito pequeno de senhoritas e jovens senhores no círculo social de Poona. Havia crescido basicamente com os amigos dos pais, frequentando jantares e festas, andando a cavalo e jogando tênis. E sua educação fora incomum também, embora Olívia a visse como um bônus. Os pais haviam contratado os serviços do tutor do senhor Christian, ex-aluno de Cambridge, que fora ferido e saíra do exército na Primeira Guerra Mundial, mas decidira se estabelecer em Poona. O senhor Christian havia escolhido a filosofia como linha de estudo na Trinity College e, ao achar uma mente jovem e bem-disposta, encontrara a oportunidade de enchê-la com conhecimentos que ela não teria recebido em um internato inglês para meninas. Ele também a ensinara a jogar xadrez em um nível quase profissional e a blefar no *bridge*.

No entanto, nas semanas anteriores, Olívia percebera que sua sofisticação cultural não a ajudaria na Inglaterra. Suas roupas, que pareciam modernas na Índia, estavam irremediavelmente fora de moda. Ela havia insistido para que a costureira da mãe subisse as bainhas, para que ficassem mais perto dos joelhos do que dos calcanhares, como todas as senhoritas que vira em Londres. E, quando saiu para fazer compras na Derry & Toms com a mãe, comprou em segredo um batom vermelho vivo. Ela não diminuiu as saias e comprou o batom porque era muito vaidosa, mas porque não queria chamar a atenção mais do que já chamava.

E lá estavam eles, em mais uma casa enorme, gelada e úmida, para passarem o fim de semana. Seu pai aparentemente frequentara a escola com o lorde Christopher Crawford, o anfitrião. Como de costume, ele passava dias caçando e a mãe, ou mamãe, como estava aprendendo a chamá-la, se sentava na sala de visitas, tomava chá e tinha conversas educadas com a dona da casa. Olívia se sentava ao seu lado, se sentindo deslocada.

Alguém bateu com leveza na porta.

— Entre — ela disse.

Um rosto doce com um par de olhos castanhos brilhantes apareceu. A menina vestia um uniforme de empregada fora de moda, que parecia grande demais para ela.

— Licença, madame, meu nome é Elsie e estou aqui para ajudá-la. Posso desfazer sua mala?

— É claro.

Elsie entrou no quarto e ficou parada, indecisa e nervosa.

— Licença, madame, está um pouco escuro aqui. Posso iluminar o quarto? Mal consigo ver a senhora — ela soltou uma risadinha tímida.

— Sim, por favor — respondeu Olívia.

A menina andou a passos largos até o abajur ao lado da cama e o acendeu.

— Pronto — ela disse. — Está melhor agora, não?

— Sim — Olívia se levantou da cama e se virou para a menina. — Escurece tão cedo aqui! — ela sentiu os olhos da empregada a observando e disse: — Há algo errado?

A empregada deu um pulo.

— Desculpe, madame, eu só estava pensando em como é bonita. Nunca vi uma menina tão bonita quanto você. Você parece uma daquelas atrizes dos filmes.

Olívia ficou muito surpresa.

— Obrigada — ela disse. — É muito gentil de sua parte, mas não tenho tanta certeza de que sou tão bonita.

— Bem, eu acho que é — Elsie confirmou. — E, madame, desculpe se eu não a atender direito, é a primeira vez que trabalho como dama de companhia, sabe? — Elsie fez força para pegar a mala de Olívia e a colocar sobre a cama. Depois, a abriu. — Agora, se me disser o que quer usar para o chá da tarde, posso preparar para a senhorita. Depois, levarei o vestido que usará no jantar para passá-lo e arejá-lo.

Elsie olhou para Olívia esperando uma resposta. Olívia apontou para seu novo vestido rosa com gola redonda e grandes botões brancos enfileirados na frente.

— Este para agora e o de brocados azuis para mais tarde.

— Está certo, madame — Elsie concordou, desdobrando os vestidos com cuidado e os estendendo sobre a cama. — Tenho certeza de que o azul combinará com seu tom de pele, ficará lindo. Devo pendurar o resto das roupas no guarda-roupa?

— Você é muito gentil. Obrigada, Elsie.

Olívia se sentou desconfortável no banco forrado com tecido ao lado da cama enquanto Elsie andava ocupada pelo quarto. Quase não prestava atenção em seus empregados na Índia, apenas aceitava a posição deles como servos. Porém, estava incomodada com aquela garota, que provavelmente tinha a sua idade.

Seu pai havia reclamado com veemência, ao chegarem à velha casa em Surrey, sobre como era difícil arrumar empregados naqueles dias. Havia muito menos meninas nesse serviço, ele dizia, pois preferiam trabalhar como secretárias em escritórios e nas novas lojas de departamento que eram abertas por todo o país. "As meninas não querem mais servir", ele havia murmurado. No entanto, pelo que observara nas visitas às propriedades do interior de amigos dos seus pais, Olívia vira que a emancipação feminina estava muito mais adiantada nas grandes cidades.

— Certo, madame, vou descer para passar seu vestido de noite e voltarei após o chá para preparar seu banho e acender a lareira. Há mais alguma coisa que eu possa fazer?

— Não, obrigada, Elsie — ela sorriu. — E, a propósito, por favor, pode me chamar de Olívia.

— Obrigada, madame... Quero dizer, senhorita Olívia — Elsie respondeu, correu até a porta e a fechou ao sair.

Naquela noite, antes do jantar, Elsie provou ser bastante boa para arrumar cabelos.

— Você deixaria que eu o prendesse, senhorita? — ela perguntou, escovando as grossas ondas douradas do cabelo de Olívia. — Acho que vai combinar com você, vai dar um ar sofisticado, à Greta Garbo. Treinei na minha irmã antes, então, sei que consigo fazer.

Olívia se sentou no banco em frente ao espelho e disse:

— Está bem, Elsie, eu confio em você — afinal, ela pensou, posso soltar o cabelo depois.

— Adoro arrumar cabelos, queria aprender direito, mas o salão mais próximo fica a 24 quilômetros daqui e não há transporte. Há somente um ônibus por dia, que parte da casa do vigia às 11 horas. Bem, não é para mim, né? — Elsie confidenciou enquanto suas mãos talentosas escovavam, enrolavam e prendiam o cabelo de Olívia em um penteado alto e sofisticado.

— Você não pensa em se mudar para a cidade? — Olívia questionou.

Elsie pareceu horrorizada.

— O quê? E deixar minha mãe com todos meus irmãos e minhas irmãs? Ela precisa de minha ajuda. Pronto! — Elsie deu um passo para trás para admirar seu trabalho. — O que a senhorita acha?

— Obrigada, Elsie — Olívia sorriu. — Ficou muito bom mesmo.

— Não me agradeça, senhorita Olívia, foi um privilégio. Agora posso ajudar a senhorita com o espartilho?

— Você é um amor, Elsie — disse Olívia, tímida. — Para ser sincera, não faço ideia de como vestir isso. Nunca usei espartilho e com certeza vou me atrapalhar toda.

Elsie o pegou na cama e o examinou.

— É o novo espartilho "cintura de vespa" — ela comentou, admirando-o. — Eu vi na revista *Woman's Weekly*. Ele deixa a mulher com a silhueta perfeita de uma ampulheta, pelo menos é o que dizem. Certo, eu acho que sei como vestir isso na senhorita. Vamos conseguir juntas, não se preocupe — ela consolou a garota.

Depois de colocado o espartilho, e de Olívia estar totalmente convencida de que não restara espaço nem para uma azeitona (muito menos para um jantar com quatro pratos), Elsie deslizou o vestido de brocados azul-escuros pelo corpo da senhorita e o abotoou nas costas. Olívia ajeitou a saia, que se abria abaixo de sua recém-apertada cintura, e se olhou no espelho. O cabelo, o espartilho e o vestido haviam feito uma transformação. Não era mais uma garotinha que olhava para ela do espelho, mas uma mulher.

— Ah, senhorita Olívia, você está tão linda! Essa cor combina perfeitamente com você. Vai ganhar muitos olhares essa noite, tenho certeza. Espero que possa se sentar ao lado do mestre Harry, o filho do patrão. Todas nós somos apaixonadas por ele — Elsie admitiu. — Ele é tão bonito.

— Conhecendo minha sorte, não sentarei. Com certeza sentarei ao lado do velho major barrigudo que conheci no chá da tarde. — Olívia sorriu e ergueu as sobrancelhas, e as duas meninas compartilharam um momento de compreensão, que ultrapassava as barreiras sociais.

— Pelo seu bem, espero que não, senhorita Olívia. Boa diversão!

Olívia se virou para a porta aberta.

— Obrigada, Elsie, você tem sido extremamente gentil. Contarei tudo para você mais tarde — ela piscou e saiu do quarto.

Olívia não era o único membro da casa que se aborrecia com o jantar daquela noite. O nobre Harry Crawford já havia decidido que, quando assumisse Wharton Park, não haveria mais festas na temporada de caça. A sensação de matar um ser vivo indefeso lhe revirava o estômago. Depois de ter se esforçado para colocar as abotoaduras (seu empregado fora enviado para ajudar o velho major a se vestir), Harry arrumava a gravata-borboleta em frente ao espelho e se perguntava quantas outras pessoas sentiam que nasceram na vida errada. Na dele, o "dever" era tudo. E, embora muitos dos que trabalhassem para ele em casa e no futuro regimento tivessem inveja da vida que ele levava, Harry trocaria de lugar com qualquer um deles sem hesitar. Ele sabia que ninguém se importava com seus sentimentos. Sua vida fora decidida muito antes de ele ser concebido. Ele era um mero canal de continuidade e nada mudaria.

Pelo menos os dois anos de terror em Sandhurst haviam acabado. Faltavam apenas duas semanas para que ele se juntasse ao Quinto Batalhão Real de Norfolk, o antigo regimento do pai, em seu primeiro posto de oficial. Por ter atingido a mais alta posição, o lorde Christopher Crawford agora trabalhava em um departamento consultivo do governo.

Havia rumores de guerra... Essa ideia fazia Harry suar frio. Chamberlain estava fazendo tudo o que podia e todos esperavam uma resolução pacífica, porém, como seu pai tinha acesso a informações confidenciais sobre a situação, e não às fofocas das ruas, Harry sabia que a paz seria pouco provável. O pai havia dito que a guerra estouraria em até um ano e Harry acreditava nele.

Harry não era covarde. Não rejeitava a ideia de dar a vida pelo seu país. No entanto, a atitude dos colegas, que se animavam com a ideia de botar os *krauts*[7] para correr (um eufemismo descuidado para a morte e

7. No original em alemão: chucrutes, um apelido ofensivo dado aos alemães. (N. E.)

a destruição em larga escala), não era compartilhada por ele. Guardava sua visão pacifista para si mesmo, ela não era muito bem-aceita no refeitório dos oficiais. No entanto, com frequência ele ficava acordado na estreita cama durante a noite, imaginando se, uma vez diante de um *kraut* do outro lado do cano de sua arma, ele seria capaz de puxar o gatilho para se salvar.

Sabia que havia muitos que pensavam assim. O problema era que eles não tinham um general de alta patente como pai, nem uma história de 250 anos de heroísmo familiar nas costas.

Harry percebera, havia muito tempo, que os genes do pai com certeza não estavam presentes nele. Ele se parecia muito mais com a mãe, Adrienne, em termos de personalidade: gentil e artístico, mas também na tendência a ataques súbitos de depressão, quando o mundo ficava negro e ele lutava para encontrar um sentido na vida. A mãe chamava esses momentos de seu *petit mal* e se recolhia na cama até se livrar deles. Como oficial do exército, Harry não tinha essa opção. Sua falta de bravura para tudo que dizia respeito ao serviço militar nunca fora discutida com o pai. Na verdade, a conversa entre eles era limitada a um animado "bom dia", ou a um "o tempo está muito bom", ou a um ocasional "peça a Sable que me sirva um uísque, meu velho".

O pai poderia ter sido qualquer um dos comandantes com os quais lidara em Sandhurst. A mãe sabia, é claro, o que Harry sentia em relação à sua vida e a seu futuro, mas ele entendia que ela não tinha como ajudar. Então, não discutiam o assunto. Ainda assim, ela fora capaz de lhe dar a única coisa que lhe consolava: quando Harry tinha 6 anos, e contra a vontade do pai, Adrienne empregara um professor de piano para lhe ensinar o básico do instrumento. E fora lá, sentado com os dedos nas teclas de marfim, que Harry havia encontrado algum sentido para a vida. Desde então, tinha se tornado um pianista muito, muito bom. Em parte porque, tanto na escola quanto em casa, era possível se esconder atrás do livro de música, ou na sala de visitas, e se manter ocupado e fora de perigo.

Seu professor de música em Eton, ao perceber seu talento, havia sugerido que se inscrevesse para um teste na Royal College of Music. O pai não permitiu que ele o fizesse. O garoto iria para Sandhurst. Tocar piano era para diletantes e não era carreira para o futuro lorde Crawford.

E foi isso o que aconteceu.

Harry continuara a praticar sempre que podia, embora, em Sandhurst, pudesse apenas tocar, durante as refeições, peças modernas de Coward ou Cole Porter (Chopin não estava na programação).

Quando os surtos de escuridão o atacavam, Harry, às vezes, desejava uma reencarnação, estar em um mundo onde pudesse utilizar sua paixão e seu talento. Talvez, ele suspirava, se ele vencesse a guerra, estaria um passo mais perto do seu objetivo.

[CAPÍTULO 10]

Quando Olívia entrou na sala de visitas, teve a nova e agradável sensação de que sua chegada era observada com aprovação. Lorde Crawford foi o primeiro a se aproximar dela.

— Olívia, certo? Ora, ora, como aquele Sol da Índia transforma botões em perfeitas flores. Aceita uma bebida?

— Muito obrigada — ela respondeu ao pegar um copo de gim oferecido por um mordomo na bandeja.

— Estou muito contente por você ser minha vizinha de mesa hoje, querida — lorde Crawford comentou, lançando um aceno de cabeça discreto ao mordomo, que lhe respondeu com um aceno também discreto. Mesmo que Olívia não estivesse destinada a se sentar ao lado dele antes, agora estava. — E então, o que está achando da Inglaterra? — ele perguntou.

— É emocionante ver pessoalmente o país sobre o qual ouvi tantas histórias — Olívia mentiu sem dificuldade.

— Minha querida, fico feliz que tenha dedicado um tempo para nos visitar em nossa pacata e rural Norfolk. Você veio para uma temporada, seu pai me disse.

— Sim — Olívia concordou.

— Um belo espetáculo — Christopher riu. — Um dos melhores da minha vida. Agora, me deixe apresentar minha esposa. Ela não estava disposta essa tarde, mas está recuperada para a noite — ele a guiou até uma mulher magra e elegante. — Adrienne, conheça Olívia Drew-Norris, que, com certeza, partirá o coração de muitos rapazes nessa temporada, como você fez anos atrás.

Adrienne, a lady Crawford, se virou em direção a Olívia. Estendeu sua delicada mão branca e, em uma paródia do cumprimento masculino, seus dedos se tocaram.

— *Enchantée* — disse Adrienne, sorrindo para ela com aprovação. — Você é mesmo uma destruidora de corações.

— É muito gentil de sua parte, lady Crawford.

Olívia começava a se sentir como uma vitela premiada sendo exibida em uma feira, esperando para ser julgada. Torcia para que isso não fosse uma amostra da temporada de debutantes que estava à sua frente.

— Por favor, pode me chamar de Adrienne. Tenho certeza de que seremos boas amigas, *n'est-ce pas*?

Lorde Crawford olhou a mulher com carinho.

— Que belo espetáculo, que belo espetáculo! Deixarei Olívia nas suas mãos competentes, meu amor. Talvez você possa lhe dar algumas dicas.

Ele saiu para dar as boas-vindas a dois convidados que chegavam. Olívia aproveitou o momento para admirar a beleza de Adrienne. Embora madura, pelo menos com 40 e poucos anos, ela tinha o corpo de uma menina magra e jovem, e um rosto com belos traços, com maçãs altas e marcadas sob uma pele perfeita, cor de marfim. Sua feminilidade exemplar lembrava uma *maharani* indiana, em vez de uma aristocrata inglesa típica, cujo corpo geralmente era preparado para suportar a crueldade do clima britânico, com quadris largos para gerar todos os filhos de que precisava para continuar a linhagem da família.

Adrienne era tão elegante, tão frágil, que Olívia pensava que ela combinava mais com um salão de Paris que com uma gelada casa de campo inglesa. E, na verdade, sua mãe lhe dissera que Adrienne era francesa. A julgar pela maneira como ficava com um simples vestido de noite preto, enfeitado apenas por um colar de pérolas, ela representava o chique sem esforço de sua terra natal.

— Então, Olívia, você está de volta a esse terrível país, que tem um clima horroroso e pouca luz do Sol, *n'est-ce pas*? — Adrienne afirmou essa opinião com muita naturalidade e Olívia ficou espantada com sua franqueza.

— Estou mesmo achando difícil me acostumar à mudança — ela respondeu com o máximo de diplomacia que pôde.

A pequena mão de Adrienne descansou sobre a dela.

— *Ma chérie*, eu também fui criada em um lugar cheio de calor e luz. Quando deixei nosso castelo na França para vir à Inglaterra, pensei que não aguentaria. Você é como eu. Posso ver em seus olhos o quanto sente saudades da Índia.

— Sinto mesmo — ela suspirou.

— Bem, posso prometer apenas que ficará mais fácil — Adrienne ergueu os ombros de maneira elegante. — Agora, vou apresentar a senhorita ao meu filho, Harry. Ele tem a sua idade e lhe fará companhia enquanto eu interpreto a anfitriã perfeita. *Pardon, chérie*, vou procurá-lo e o trarei aqui.

Enquanto observava a dona da casa deslizar pela sala, Olívia se sentiu desarmada pela avaliação compreensiva de Adrienne. Ela estava acostumada, em ocasiões assim, a ter conversas frívolas. Qualquer forma de pensamento íntimo, ou, pior, de emoção, era censurada na sociedade britânica. Isso ela aprendera no clube em Poona. A conversa com Adrienne, embora curta, servira de consolo.

Harry havia recebido ordens da mãe para fazer companhia à garota "indiana". Obediente, ele se dirigiu a ela, que estava do outro lado da sala. A alguns passos dela, viu os lábios de Olívia se abrirem em um sorriso. Sua beleza suave e loira de repente se animou, cheia de brilho sob sua pele cor de creme. Harry, que geralmente não prestava atenção ao charme físico das mulheres, percebeu que ela era o que seus colegas de exército chamariam de "estonteante".

Ele se aproximou. Ela o viu e disse:

— Você deve ser o Harry, encarregado por sua mãe de conversar comigo — seus olhos turquesa pareciam cheios de divertimento enquanto ela falava.

— Sim, mas garanto que será um prazer — ele olhou para o copo vazio dela. — Posso lhe trazer outra bebida, senhorita Drew-Norris?

— Seria perfeito, obrigada.

Harry chamou o mordomo e, quando Olívia colocava o copo vazio na bandeja e pegava outro, ela disse:

— Me desculpe se eu fui muito direta. Não tive a intenção. Sinto pena de você, é só, por ter de conversar com incontáveis pessoas que não conhece.

Olívia estava surpresa com sua coragem e culpava o gim. Ela olhou para Harry, o "lindo" Harry, como Elsie o descrevia, e concordou com ela. Harry conseguia reunir as melhores qualidades físicas dos pais: tinha a altura do pai, a estrutura óssea delicada e os olhos castanhos luminosos da mãe.

— Garanto, senhorita Drew-Norris, que conversar com você não é um aborrecimento. Você, pelo menos, está abaixo dos 17 anos, o que sempre ajuda. E, para ser honesto, é pouco comum por aqui.

Olívia riu da reação de Harry à sua tagarelice.

— *Touché*. Ainda que, com esse terno, você possa ser confundido com seu pai.

Harry encolheu os ombros, sorrindo.

— Ora, senhorita Drew-Norris, acho que está fazendo piada comigo. Não percebe que a guerra está chegando a essas belas ilhas e todos têm de fazer sacrifícios? Para mim, isso significa usar o antigo terno do meu pai, mesmo sendo três números acima do meu.

O semblante de Olívia se fechou.

— Acredita mesmo que haverá uma guerra?

— Sem dúvida — Harry balançou a cabeça, afirmando.

— Eu concordo, mas papai se recusa a aceitar — ela acrescentou.

— Tenho certeza de que, depois de um dia caçando com meu pai, ele começou a acreditar — Harry ergueu as sobrancelhas.

— Duvido que *herr* Hitler possa ser acalmado — suspirou Olívia. — Ele quer dominar o mundo e o movimento jovem parece tão obcecado quanto ele.

Harry olhou para ela surpreso.

— Se me permite dizer, senhorita Drew-Norris, você está muito bem informada. Isso é raro em uma senhorita.

— Acha inadequado uma mulher discutir política? — ela perguntou.

— De forma alguma. Na verdade, acho muito animador. A maioria das garotas simplesmente não se interessa por isso.

— Bem, tive a sorte de ter como tutor, na Índia, um homem que acreditava que as mulheres tinham tanto direito à educação quanto os homens. — Olívia olhou para o horizonte e ficou, subitamente, triste. — Ele me mostrou o mundo e minha importância nele.

— Nossa, esse rapaz parece desperdiçado em Poona. Gostaria de ter tido esse tipo de inspiração em Eton. Mal podia esperar para ir embora daquele lugar — Harry acendeu um cigarro, fascinado. — E você continuará estudando?

Olívia balançou a cabeça, se lamentando.

— Nem imagino o que mamãe e papai diriam se eu sugerisse isso. Ficariam horrorizados: “O quê? Uma intelectual na família?”. Não, vou me casar, quero dizer, supondo que alguém me queira.

Harry a olhou com genuína admiração.

— Senhorita Drew-Norris, garanto que isso não será um problema.

Ela lançou um olhar para ele.

— Mesmo se não for o que quero?

Harry suspirou ao apagar o cigarro em um cinzeiro.

— A maioria de nós não tem o que quer. Mas tente não ser tão pessimista. Eu acredito que virão mudanças, principalmente para as mulheres. E, talvez, a única vantagem da perspectiva de guerra é que ela vai alterar ainda mais o *status quo*.

— Espero que seja verdade — disse Olívia. — E você? — ela perguntou, lembrando de repente que a regra de ouro aprendida desde o berço era nunca dominar a conversa, em especial com um cavalheiro.

— Eu? — Harry encolheu os ombros. — Sou um mero soldado, de folga no momento, mas temo que não será por muito tempo. Acabamos de receber ordens para dobrar meu novo batalhão, chamando recrutas de todo o exército.

— Acho quase impossível entender como a vida aqui segue normal — Olívia indicou um dos convidados da festa, que estava rindo alto de alguma piada.

— Bem, é o espírito britânico, não é? — Harry comentou. — O mundo pode estar caminhando para o fim, mas, em casas como esta, tudo corre como se nada estivesse acontecendo. E, em alguns aspectos, agradeçamos a Deus por isso.

— Senhoras e senhores, o jantar está servido.

— Bem, senhorita Drew-Norris — disse Harry —, foi um prazer. A propósito, tome cuidado com a bala no faisão. O preparo da comida aqui não é totalmente cuidadoso — ele piscou para ela. — Talvez nos encontremos antes de você partir.

Olívia passou o jantar respondendo às terríveis brincadeiras de lorde Crawford e se comportando como a jovem senhorita que fora criada para ser. Ela arriscou um olhar casual para Harry na outra extremidade da mesa. Viu que ele também cumpria seu dever, distraindo a esposa do major do exército. Mais tarde, quando os homens se retiraram para a biblioteca e as mulheres, para a sala de visita e o café, Olívia fingiu estar exausta e pediu licença. Adrienne apareceu ao seu lado quando ela subia as escadas.

— *Ma chérie*, você está doente? — ela perguntou preocupada.

Olívia balançou a cabeça.

— Não, apenas uma dor de cabeça.

Adrienne a segurou pelos ombros e sorriu.

— Foi esse tempo frio que gelou seus ossos tropicais. Pedirei a Elsie que reacenda o fogo da lareira e leve um pouco de chocolate quente para você; nos vemos amanhã. Talvez você aceite passear comigo pelo jardim para que eu possa mostrar algo que poderá fazer você se lembrar de sua casa.

Olívia concordou, feliz com a preocupação sincera de Adrienne.

— Obrigada.

— *Je vous en prie*. Você gostou de conversar com meu filho, Harry? — ela perguntou.

— Gostei muito, obrigada — Olívia sentiu o rosto ficar quente e torceu para que Adrienne não tivesse reparado.

Adrienne fez um gesto de aprovação.

— Sabia que gostaria. *Bonne nuit, ma chérie.*

Olívia subiu as escadas cansada. Ela estava mesmo com dor de cabeça. Ainda não estava acostumada com as bebidas alcoólicas, mas, principalmente, queria um tempo sozinha para pensar e se lembrar com prazer da conversa com Harry.

Ela vestiu a camisola com rapidez, uma arte que havia aperfeiçoado desde que chegara ao clima frio da Inglaterra. Enquanto pulava na cama e se aconchegava sob as cobertas, ouviu uma batida na porta.

— Entre.

O rosto iluminado de Elsie apareceu. Ela segurava uma bandeja com uma caneca de chocolate quente.

— Sou eu, senhorita Olívia — ela atravessou o quarto e colocou a bandeja sobre o criado-mudo próximo à Olívia. — Feito com a receita especial de mamãe — ela sorriu. — Com umas gotas de conhaque para afastar o frio.

— Obrigada, Elsie.

Olívia pegou a caneca quente e a segurou com as duas mãos enquanto observava Elsie reacender a lareira.

— Teve uma noite agradável, senhorita?

— Oh, sim, Elsie, tive sim — ela sorriu.

Elsie virou as costas para a lareira e viu o sorriso de Olívia. Seus olhos brilharam.

— E conheceu o jovem mestre Harry?

— Sim.

Olívia sabia que outra regra de ouro era não fofocar com os empregados, principalmente quando eram empregados de outro patrão, mas a tentação de discutir Harry era grande demais.

— Achei que é... Um homem pouco comum.

— E tão bonito quanto eu disse? — questionou Elsie.

Quando Olívia não respondeu, Elsie olhou para o chão.

— Desculpe, senhorita, não estou me comportando bem. Não devo fazer perguntas pessoais.

— Elsie, juro que você está se saindo muito bem — Olívia a tranquilizou. — E, depois de amanhã, provavelmente nunca mais nos veremos. Mas — ela respirou fundo —, se você quer saber a verdade, achei Harry... Um amor!

Elsie bateu palmas.

— Ah, senhorita Olívia! Sabia que você acharia isso! Sabia que gostariam um do outro.

Olívia deu um gole em sua bebida.

— Elsie, esse é o melhor chocolate quente que já provei.

— Obrigada, senhorita — respondeu Elsie ao caminhar para a porta. — Virei pela manhã para abrir as cortinas. Durma bem.

Quando Elsie deixou o quarto, Olívia se encostou nos travesseiros macios bebendo o chocolate quente. Depois, fechou os olhos e começou a reviver a conversa com Harry do início até o fim.

[CAPÍTULO 11]

Na manhã seguinte, Olívia tomou o café da manhã sozinha na sala de jantar, já que os convidados haviam saído cedo para caçar e sua mãe e Adrienne estavam tomando café no quarto. Depois, sem nada melhor para fazer, foi até a biblioteca escolher um livro. Como o material de leitura era precioso e raro em Poona, Olívia ficou embasbacada com as opções nas estantes que iam do chão ao teto. Ela pegou um exemplar de *Rumo ao farol*, de Virginia Woolf, e se acomodou em uma confortável poltrona de couro perto do fogo.

O som de música distante, mas audível, chamou sua atenção. Alguém estava tocando piano e Olívia reconheceu a "Grande Polonesa", de Chopin. Ela se levantou e saiu da biblioteca, seguindo a direção da música, deixando que sua audição a guiasse até a porta da sala de visitas.

Parou onde estava, ouvindo a bela interpretação de uma de suas peças favoritas, fechando os olhos enquanto o som emanava do outro lado da sala. Quando as últimas notas passaram por ela, abriu os olhos e olhou por trás de um vaso chinês alto, cheio de flores, que havia bloqueado sua visão do pianista.

Olívia levou um susto ao ver que era Harry. Sentiu-se uma intrusa e o observou se sentar com as mãos sobre o colo, olhando pela janela para o parque lá fora. Por fim, ele suspirou, se levantou e a viu.

— Por Deus, senhorita Drew-Norris! Não percebi que tinha plateia — ele caminhou até ela, envergonhado e com as mãos nos bolsos.

— Eu estava na biblioteca e ouvi a música e... — ela encolheu os ombros. — ... resolvi segui-la.

— Você gosta de música clássica?

— Ah, sim! Principalmente quando é tocada dessa maneira. Você é muito bom — disse Olívia, corando um pouco. — Onde aprendeu?

— Minha mãe contratou um tutor quando eu era mais novo e eu continuei na escola. Porém, como você e a universidade, as velhas teclas de marfim não estão nos meus planos para o futuro. Uma pena — ele acrescentou, triste.

— Bem, deveriam — Olívia afirmou com determinação. — Não sou especialista, mas você é tão bom quanto as gravações que ouvi na Índia.

— É muito gentil de sua parte dizer isso — ele se virou e olhou pela janela. Depois, perguntou: — Gostaria de caminhar comigo? O Sol parece ter conseguido sair de trás das nuvens hoje.

— Acho que deveria passear com sua mãe, mas ainda não a vi hoje.

— Não, e duvido que a veja. Tenho quase certeza de que está na cama com enxaqueca. Ela sofre muito com elas, especialmente depois de ficar acordada até tarde como ontem. O que me diz: você coloca um casaco e se encontra comigo no terraço em cinco minutos?

Olívia correu até o quarto para pegar o único casaco que trouxera, muito mais adequado à cidade que para andar pelo campo. Harry esperava por ela, fumando um cigarro encostado na balaustrada que levava aos jardins. Ela parou ao lado dele cheia de timidez. Ele apontou para uma das árvores.

— Consegue ver embaixo dela? Há um sinal de vida, flores da primavera — ele indicou os degraus. — Vamos?

Eles desceram a ampla escadaria e chegaram ao jardim.

— Gosta do nosso Versalhes em miniatura? — Harry apontou para o jardim formal, imaculado e lindamente planejado ao redor deles. As cercas vivas decoradas com cuidado contornavam os cantos e, no centro, havia uma elegante fonte, com a estátua de um menino no topo. — Mamãe queria criar um espaço que lembrasse sua terra natal, a França. Ela fez um trabalho maravilhoso. Você tem de ver esse jardim no verão, quando todas as flores se abrem. É uma explosão de cores.

— Posso imaginar — sussurrou Olívia ao caminhar em direção à fonte.

— Você perdeu por pouco a mimosa — disse Harry, apontando para os arbustos protegidos sob o terraço. — Ela floresce entre janeiro e março, e o aroma é celestial. Nosso jardineiro duvidava que fosse crescer aqui, é uma planta que prefere o clima temperado do sul da França, mas, é claro, mamãe ganhou a aposta e ela floresceu.

— Ela obviamente tem talento para jardinagem. E o desenho do jardim é perfeito.

Olívia se virou para observar toda a cena e, depois, seguiu Harry por um dos muitos caminhos que se afastavam da fonte.

— Sua mãe disse que talvez tivesse alguma planta no jardim que me faria lembrar da Índia — Olívia comentou, quebrando o que parecia ser um silêncio longo demais.

— Ah, acho que falava das estufas! Nosso jardineiro, Jack, que estava mais acostumado a cultivar tulipas que flores exóticas, está há alguns anos tentando cuidar dos bulbos que são enviados para mamãe dos jardins de Kew. Podemos vê-las, se quiser.

— Quero sim — Olívia aceitou, ansiosa.

— É uma boa caminhada, mas seremos rápidos. O Sol pode ter ido embora, mas ainda está um frio agradável. Você vai voltar para casa com seus pais hoje à noite? — ele perguntou.

— Não, não diretamente. Primeiro, vamos a Londres para decidir sobre o período que passarei lá com minha avó. Ela quer muito estar envolvida na temporada e, como mamãe passou bastante tempo fora do país, poderá dar conselhos sobre o protocolo.

— Pode não ser tão ruim quanto acha, sabia, senhorita Drew-Norris?

— Olívia, por favor — ela insistiu.

— Olívia — Harry corrigiu. — Fui a uns bailes alguns anos atrás e são bem divertidos.

— Espero que sim, embora não esteja muito animada para ir a Londres. A atmosfera é muito tensa lá... Todos esperam que algo horrível aconteça — ela olhou para Harry esperando uma reação e ele balançou a cabeça concordando. — E você deve ter lido sobre a falta de empregos e a confusão nas ruas.

— É claro — Harry confirmou. — É um momento muito confuso para se viver. Honestamente, ficarei aliviado quando souber a nossa situação.

— Bem, nunca sabemos nosso futuro; pode até me livrar desse debute — riu Olívia. — Ele não acontecerá se houver uma guerra, certo?

— Que horror! — disse Harry amigável, acendendo um cigarro e oferecendo um a ela, que o recusou. — Nem a guerra poderia atrapalhar esse momento, com certeza.

Os dois sorriram em uma confortável cumplicidade.

— Bem, se a guerra vier, eu, particularmente, não vou sentar e tomar chá — ela respondeu com convicção. — Vou me inscrever para fazer alguma coisa. Não tenho certeza ainda, mas mamãe e papai não podem me impedir de salvar meu país, podem?

— Esse é o espírito, Olívia! Agora, entre aqui.

Harry abriu a porta de madeira azul que levava ao jardim da cozinha. Eles andaram por fileiras de repolhos, cenouras, batatas e rabanetes plantados com perfeição até uma estufa na extremidade do jardim, protegida por uma alta parede de tijolos vermelhos. Harry abriu a porta da estufa e os dois entraram.

O aroma penetrante das flores combinado ao calor fizeram Olívia flutuar de volta à sua terra natal. Ela inalou os cheiros evocativos e examinou a exuberância de cores à sua frente.

— Ah, Harry! — disse em êxtase quando começou a andar pelas longas fileiras de plantas. Depois, se virou para ele. — É um paraíso!

Harry pôde ver os olhos de Olívia cheios de lágrimas. Ela se inclinou e pegou uma delicada planta amarela; a segurou entre as mãos e a cheirou.

— É uma plumeria, que costumava crescer do lado de fora da janela do meu quarto em Poona. Eu ficava lá todas as noites respirando seu aroma — ela enterrou o nariz nas flores novamente. — Não sabia que podia ser cultivada aqui.

Harry ficou comovido com a reação emocionada dela e percebeu como havia sido um choque para Olívia chegar à Inglaterra depois de viver por anos entre plantas como aquela, abundantes em seu *habitat* natural.

— Bem, pode levar a plumeria com você, não é, Jack? — Harry se virou para o jardineiro de meia-idade, cujo rosto estava envelhecido e marcado por anos de trabalho ao ar livre.

— É claro que sim, mestre Harry — ele respondeu, sorrindo. — Há muitas mais de onde essas vieram! Consegui pegar o jeito de cultivar essas plantas agora, consegui sim. Dá bastante trabalho — ele murmurou. — Olhe em volta o quanto quiser, senhorita. É um prazer ter aqui alguém que gosta das flores.

Olívia andou pelas fileiras de lá para cá, aproximando o nariz das flores e tocando as pétalas aveludadas.

— Você fez um trabalho simplesmente fantástico, Jack — ela comentou. — Essas flores devem apreciar o clima inglês tanto quanto eu.

— Bem, eu as cultivo há quinze anos e posso não ser um botânico treinado, mas sei do que elas gostam ou não. E meu filho, Bill, aqui — continuou Jack, indicando o jovem alto e bonito que regava alguns vasos mais à frente na estufa —, tem jeito para cuidar delas, não é mesmo, Bill?

O jovem se virou e confirmou com a cabeça.

— Gosto muito mais delas do que dos repolhos — ele riu. — A melhor parte é quando recebemos um novo bulbo e não fazemos ideia do que nascerá dele.

— Ele será um bom substituto, mestre Harry. Tem talento — Jack confirmou. — Desde que não seja convocado. Dizem que já vão recrutar no exército daqui — Jack olhou para ele. — É verdade, mestre Harry? — ele perguntou, com a preocupação transparecendo nos olhos.

— Não sei dizer, Jack — Harry respondeu com diplomacia. — Acho que todos nós estamos vivendo um momento muito sombrio agora.

Jack se virou para Olívia.

— Pelo menos a estufa ficará segura comigo se a guerra vier, senhorita. Os alemães explodiram minha perna em pedaços da última vez, então, não vão me querer de novo.

— Bem, Jack, Bill... — Harry acenou com a cabeça para os dois. — Vocês estão fazendo um trabalho maravilhoso por aqui. Parabéns.

— Diga à sua mãe para descer quando tiver tempo. Um dos novos bulbos que me deu acabou de florescer e quero que ela veja — Jack tocou em seu boné.

— Tenha um bom-dia, mestre Harry. E você, senhorita, aproveite a plumeria.

— Muito obrigada, farei isso — disse Olívia. — É mesmo muito gentil de sua parte me dar a flor.

— Imagina, cuide bem dela — disse Jack enquanto Harry a levava para fora da estufa.

— Você foi um amor por me trazer até aqui, Harry — Olívia comentou entusiasmada. — Me sinto renovada.

— O prazer foi meu, mesmo — Harry falou, carinhosamente. — É bem especial, não?

Eles voltaram pelo jardim da cozinha até a casa em silêncio. Harry acendeu outro cigarro, deu algumas baforadas e depois o apagou com o pé. Ele suspirou.

— Eu estava pensando... Se a guerra começar mesmo, todas as famílias dessa propriedade serão afetadas. Veja o Bill, por exemplo. Ele está cortejando a Elsie, uma das empregadas da casa.

Olívia sorriu.

— Eu conheci a Elsie. É uma jovem adorável e conquistou um rapaz bonito.

— Não será tão bonito se os *krauts* explodirem metade do rosto dele — Harry murmurou enquanto subiam os degraus do terraço e se virou para Olívia. — Me desculpe por ser tão inoportuno, mas fico imaginando o que acontecerá com a propriedade se todos os jovens trabalhadores forem convocados.

— As mulheres terão de assumir o lugar deles — Olívia abriu um grande sorriso.

Harry sorriu com o comentário e fez uma meia reverência para ela.

— Bem, boa solução, senhora Pankhurst[8]. Foi um prazer lhe mostrar nossos humildes jardins. E, agora, acho melhor procurar os caçadores antes que notem que não estou por perto.

— Por que você não saiu cedo com o restante dos homens? — ela quis saber.

— Disse que tinha de cuidar de alguns assuntos, mas, para ser sincero, qualquer desculpa serve. Caçar não é para mim — ele estendeu a mão. — Pode ser que não a veja antes de você ir embora. Se cuide, Olívia, e tenha uma viagem segura de volta à poluição. Foi um grande prazer conhecer você.

Ela o cumprimentou e sorriu.

— Foi um prazer também, Harry.

Harry balançou a cabeça, colocou as mãos nos bolsos e desapareceu dentro da casa.

8. Emmeline Pankhurst (1858-1928) foi responsável pela luta a favor do sufragismo na Inglaterra. (N. E.)

[CAPÍTULO 12]

Ficou combinado entre lady Vare, avó de Olívia, e os pais da moça, que Olívia moraria em Londres durante uma estação. A casa da família em Surrey não era o local adequado para deixar uma debutante, já que ficava muito longe das luzes e do brilho de Londres. Assim, duas semanas depois de partir de Wharton Park, Olívia chegou com as malas à casa da avó na Cheyne Walk.

A casa era de outra época: lotada de móveis vitorianos e pesadas cortinas de brocado, com paredes cobertas por um papel de William Morris muito estampado. Olívia a achou opressiva e ficou feliz por ser instalada no quarto andar, em um pequeno conjunto de aposentos, onde, pelo menos, havia um pouco de luz. Pela manhã, ela abria as cortinas e as janelas e olhava o rio Tâmisa para controlar a sensação de claustrofobia.

A primeira parte do processo de se tornar uma debutante era se cadastrar no palácio de Saint James. As meninas só poderiam ser apresentadas à corte se fossem apadrinhadas por uma dama que tivesse sido apresentada também. Como a mãe de Olívia fora uma debutante, poderia ter sido sua madrinha sem problemas. Porém, lady Vare não considerava esta opção. Então, a mãe de Olívia cedera à determinação de sua mãe de assumir o comando e fora para a casa em Surrey, deixando os preparativos do debute de Olívia totalmente nas mãos da avó.

Entre as infinitas provas de roupa, Olívia era deixada sozinha com muita frequência, o que significava que ela tinha tempo demais para pensar em Harry Crawford e em Wharton Park. Os dois dias lá se tornaram quase um alento em sua memória. Ela revivia as conversas que teve com ele, saboreando o fato de Harry ter lhe tratado como uma igual intelectualmente. Era um contraste marcante em relação à sua vida atual em Londres, onde não se sentia mais do que uma boneca sendo arrumada. Ela sabia que, quando a temporada começasse, seus dias ficariam cheios até tarde com um exaustivo ciclo de bailes, almoços e jantares, que faziam parte de sua entrada na sociedade e da busca por um homem adequado.

A injustiça de tanta opulência (a festa toda) ter como pano de fundo o desemprego, a pobreza e a confusão não passou despercebida por Olívia. Enquanto era levada de um lado a outro no velho carro da avó, ela olhava pela janela as pobres almas que viviam nas ruas e aqueciam as mãos em fogueiras miseráveis, os homens que marchavam pelo Parlamento segurando faixas em que pediam ajuda ao governo para alimentarem os filhos famintos.

Ela se sentia isolada pelo seu privilégio e por não fazer parte das mudanças no pensamento da época. Estava presa no velho mundo enquanto queria participar do novo. Às vezes, ela passeava pela orla do Tâmisa, jogando moedas para homens e mulheres sem-teto sob as pontes, se sentindo envergonhada e desconfortável com suas roupas quentes e opulentas.

Certa tarde, logo depois de visitar Lenare, para que o famoso fotógrafo pudesse eternizá-la no tradicional vestido branco de debutante, Olívia ouviu uma batida na porta. Era a empregada da avó.

— A patroa perguntou se a senhorita lhe faria o favor de tomar chá com ela na sala de estar lá embaixo.

Quando Olívia entrou na sala, lady Vare estava sentada com a postura rígida em uma poltrona de couro de encosto alto perto da lareira.

— Vamos nos sentar, Olívia, por favor. Como sua apresentação está próxima, queria conversar sobre as pessoas que você pode conhecer durante a temporada. Antigamente, não era necessário ser cuidadoso com ninguém. Mas... — lady Vare torceu o nariz em sinal de desgosto. — Infelizmente, os padrões caíram e há um certo elemento que não é mais companhia apropriada para uma senhorita como você. Os estrangeiros, para começar. Porém, conversei há pouco tempo com a mãe de uma menina que está sendo apresentada e descobri que há um grupo de mulheres consideradas rápidas. Olívia — ela disse e sacudiu o dedo indicador na direção da neta, com um olhar severo —, você deve ficar longe delas.

— Mas, vovó, como vou saber quem são essas "rápidas"? — os olhos de Olívia estavam arregalados e inocentes como deveriam.

— Elas usam batom e fumam cigarros.

Olívia tentou não rir. Pelo olhar da avó, parecia que ela ia dizer que essas meninas carregavam facas nas bolsas de festa.

— Ficarei atenta, vovó, prometo. Espero deixar a senhora orgulhosa de mim.

Lady Vare balançou a cabeça com graça.

— Tenho certeza de que ficarei, Olívia. E, agora, me dê licença. Tenho negócios para resolver.

Olívia foi se deitar aquela noite querendo que os três meses seguintes acabassem logo, para que pudesse, enfim, começar a seguir em frente com sua vida.

A noite da apresentação passou sem problemas e foi, na verdade, mais agradável do que Olívia poderia imaginar. Enquanto ela era levada de carro pela alameda até o palácio de Buckingham, havia uma multidão de pessoas desejando boa sorte às debutantes ao longo da rua e centenas de pessoas ao redor dos portões do palácio. As pessoas mandavam beijos para ela, pediam ao chofer que acendesse as luzes internas do carro para que pudessem ver seu vestido e aplaudiam Olívia. Ela ficou impressionada por eles parecerem não desaprovar nem invejar sua situação privilegiada.

O carro em que estava seguiu a longa fila que entrava no pátio interno do palácio de Buckingham. Sua principal preocupação, ao subir as grandes escadas e passar pelos empregados do palácio, que usavam perucas empoadas, era o risco de sujar o vestido branco e as luvas de pele de cabrito. Embora considerasse sua apresentação um momento relativamente sem importância em sua vida, não conseguia se livrar do frio na barriga ao esperar na antessala para ser apresentada ao rei e à rainha.

— Isso é muito chato! — disse uma jovem de aparência extravagante e cabelos muito negros atrás dela. Era magra como um cabo de vassoura e usava o que sua avó chamaria de batom inapropriado.

— Qual é seu número?

— Sou o 16.

— Vou depois de você. Não é entediante? — perguntou a número 17, parecendo adequadamente aborrecida. — Tão ultrapassado.

Olívia queria concordar, mas, como deveria entrar na sala do trono em dois minutos, ignorou a garota e tentou se concentrar no que precisava fazer. Depois, todas estavam muito mais relaxadas. A apresentação de Olívia correra bem. Ela não havia tropeçado ou caído aos pés do rei e da rainha nem cambaleado para frente e para trás durante a caminhada. As meninas conversavam e devoravam o banquete oferecido pela Lyons. Todos pareciam se conhecer e Olívia ficou pelos cantos, se sentindo esquisita e deslocada.

— Coragem, está quase acabando — sussurrou uma voz atrás dela. — Nós nos encontramos mais cedo, sou Venetia Burroughs. E você é?

Era a número 17.

— Olívia Drew-Norris — ela respondeu.

— Puxa! Estou morrendo de vontade de um cigarro — Venetia completou. — Quando acha que vamos ser liberadas?

Venetia jogou para trás os cabelos, que chamavam a atenção por não estarem presos em um penteado alto, diferente de Olívia e da maioria das garotas.

— Não faço ideia. Eu olharia no relógio, mas é tão trabalhoso tirar essas luvas — afirmou Olívia.

Venetia ergueu as sobrancelhas.

— Ah, é mesmo! — ela olhou pela sala e apontou as meninas. — Todas nós parecemos noivas do Drácula, não acha?

Olívia riu. Sabia que Venetia devia ser uma das garotas "rápidas" sobre as quais a avó a tinha alertado. Ela ficou intrigada.

— Ah, que se dane! Vou fumar — Venetia tirou um cigarro da bolsa de festa e o acendeu. — Nossa, agora está melhor — ela disse, exalando com ostentação.

Olívia ficou parada ao lado dela, nervosa, percebendo as garotas ao redor se virarem na direção da fumaça. Venetia deu de ombros com dramaticidade.

— O que vão fazer? Vão me prender e me jogar na torre? O próprio rei fuma como uma chaminé. Quer um? — ela ofereceu a caixa à Olívia.

— Não, obrigada. Não fumo.

— Não aprova ou não fuma? Então — Venetia falou lentamente —, não a vi nos bailes da tarde ou almoços pré-temporada. De onde você veio?

— Da Índia— respondeu Olívia.

— É mesmo? Que exótico! — ela olhou Olívia de cima a baixo. — Você é muito bonita, sabia? Deve fisgar um bom partido nessa temporada, se é o que quer. Diria que você está entre as cinco melhores.

— Não tenho certeza do que quero— comentou Olívia com confiança.

Venetia a olhou com um novo respeito.

— Jura? E o que faz aqui?

— O mesmo que você, imagino — Olívia respondeu. — Estou fazendo o mesmo que nossas mães fizeram e mantendo a tradição.

— É verdade, é verdade — Venetia balançou a cabeça com aprovação. — Mas tenho a intenção de me divertir nesse processo muito mais do que minha mãe. E, como você, não estou louca para me amarrar. Meu lema é: se tenho de passar por isso, devo aproveitar o máximo que puder. Concorda?

Naquele momento, uma bela garota de cabelos escuros, olhos brilhantes e um vestido que emanava a moda francesa, em vez dos modelos de costureiras inglesas exclusivas que a maioria das meninas usava, se juntou a elas.

— Querida — a garota abraçou Venetia. — Por favor, estou ofegante. Seja boazinha e me dê um trago.

— É todo seu, Kick. Por que não o termina por mim?

Olívia viu a linda menina americana sorrir.

— Obrigada. Você vai ao Ritz? Vamos sair em vinte minutos. O papai disse que viria depois também.

— Talvez, Kick — disse Venetia casualmente. — Vou ver o que mais está rolando.

— Certo, meu bem. Até a próxima — Kick ergueu uma sobrancelha, se virou e deu uma olhada em Olívia — Quem é essa? — questionou, com uma atitude mais real do que a do rei e da rainha a quem foram apresentadas.

— Olívia Drew-Norris. E eu acho — sussurrou Venetia em tom de conspiração — que ela pode ser uma de nós.

— Bom-om.

A maneira inglesa de falar soou estranha saindo de uma boca americana.

— Nós nos veremos por aí, Olívia.

E ela partiu. Os olhos de Venetia seguiram Kick enquanto ela cruzava o salão. Todos os outros olhos pareciam acompanhá-la também.

— Você sabe quem ela é, não? — Venetia encarou Olívia.

— Sim, a reconheço dos jornais — disse Olívia. — É Kathleen Kennedy.

— É a rainha não coroada da temporada, meu amor. Todos a amam.

— Posso entender — suspirou Olívia. — Ela é bonita demais.

— E moderna. É como uma lufada de ar puro. E gostou de você — Venetia apertou o braço de Olívia. — Ela vai fazer a temporada ser divertida. Você precisa conhecer "mama". É como eu chamo a minha mãe. A propósito, o porquê é entediante, mas acho que você vai gostar dela. Você vai ao baile de Tip Chandler amanhã no Savoy?

— Sim, com certeza — confirmou Olívia.

— Vai ser divertido. Geraldo vai tocar com sua maravilhosa orquestra. — Venetia piscou quando uma garota acenou para ela do outro lado do salão. — Preciso correr, querida, fazer a ronda. Até amanhã.

Olívia chegou à casa da avó naquela noite e, pela primeira vez, se sentiu animada com a temporada que viria.

[CAPÍTULO 13]

Elsie acordou feliz por ver o Sol de maio entrar pela fina cortina de algodão que cobria a janela. Tinha sido um inverno tão triste, com névoas vindas do mar que se recusavam a ir embora durante quase o dia todo até escurecer, e o clima era muito frio. Elsie se sentia um pouco triste nos últimos tempos, tendo voltado a ser uma empregada na parte inferior da casa. Não houve mais festas e, assim, não apareceram mais senhoritas de quem poderia cuidar. Seu salário "do andar de cima", de 1 libra, 1 *shilling* e 6 *pence*, voltara para o valor de 1 libra, o que significava 450 gramas a menos de manteiga por semana para sua família.

A casa estava quieta porque o lorde estava passando a maior parte do tempo em Londres, tendo reuniões sobre a guerra. E a esposa havia passado por um inverno especialmente ruim, sofrendo uma série de mal-estares, inclusive uma gripe, e toda a casa ficou preocupada com sua saúde. A patroa sempre fora uma flor delicada e, quando não estava bem, nada ficava certo na casa.

Elsie pulou da cama, provocando um gemido de desagrado da irmã mais nova com quem divida o quarto, e abriu as cortinas. Isso provocou mais um gemido vindo da outra cama, quando a irmã se virou para o lado e colocou o travesseiro sobre a cabeça.

Elsie observou o Sol e viu que deveria ser um pouco mais de 5 horas. Tinha uma hora até começar a trabalhar e queria separar e preparar suas melhores roupas para mais tarde. Era sua folga de meio período e, à tarde, Bill a levaria ao Regal em Cromer. Iriam assistir a *Adeus, Mr. Chips*, com Robert Donat, e ela o encontraria às 13h30 no pátio, onde Bill dissera que teria uma surpresa para ela.

Elsie não podia deixar de imaginar que fosse uma aliança. Tinha acabado de fazer 18 anos e eles flertavam havia mais de um ano. Estava na hora, ela pensava. Em especial porque Bill havia se alistado recentemente no exército e iria para o quartel da unidade de reserva militar em Dereham, duas noites por semana, para treinar com vassouras e pás como se fossem armas. E se ele fosse chamado e mandado ao exterior para lutar? Elsie perdera dois tios em Somme e sabia o que a guerra podia significar. Se dependesse dela, se casaria com ele o mais rápido possível, pois, então, não teria mais de argumentar quando Bill tentasse ir mais longe nas vezes em que se beijavam e se abraçavam na floresta. Mas Bill sabia que devia esperar até se casarem.

Ela já havia estudado o confortável chalé do jardineiro que Bill herdaria dos pais em alguns anos. Era afastado do pátio, tinha seu próprio jardim e o dobro do tamanho do chalé habitado por sua família, em que oito pessoas se apertavam. Sua mãe ficaria feliz se ela fosse embora, desde que continuasse contribuindo com as finanças da família, mas Bill ganhava um salário duas vezes maior do que o dela. E a patroa parecia gostar muito dele porque Bill tinha o dom de cultivar suas belas flores. Sempre que visitava a estufa e Bill apresentava uma nova espécie que havia brotado, ela lhe entregava um ou dois *shillings*. Ao longo dos anos, aqueles *shillings* foram acumulados e Elsie sabia que Bill tinha uma boa reserva secreta sob as tábuas do chão do quarto. Quando se casassem, era quase certeza que conseguiriam pagar um bom jantar no salão da vila. Queria que fosse o melhor casamento já visto no pátio.

Ao perceber que estava desperdiçando momentos preciosos sonhando, Elsie abriu a gaveta e colocou o chapéu, a saia e a blusa na cadeira. Ela mesma havia feito a saia de uma toalha de mesa azul-escura que a senhora Combe, a governanta, jogara fora. Foi feita segundo o novo modelo, mais curto: apenas tocava seus joelhos, era justa na cintura e caía em pregas pelos quadris. Ela estava muito satisfeita com o resultado e esperava que fosse incentivar Bill a fazer a coisa certa. Vestiu o uniforme, desceu correndo a escada e deu um bom-dia para a mãe, que mexia um mingau no fogão.

— Quer um pouco?— perguntou a mãe.

Elsie balançou a cabeça.

— Voltarei para o almoço, mas não esqueça que sairei o resto do dia.

Antes que a mãe pedisse ajuda com os irmãos mais novos ou que pedisse algum favor quando estivesse em Cromer, Elsie abriu a porta.

— Tchau, mãe! — acenou com alegria e fechou a porta.

Ao caminhar pelo pomar, Elsie espiou a estufa para ver se Bill já havia chegado. Ela gostava de olhar para ele sem que ele percebesse e o viu pela janela, curvado sobre uma planta. O rosto do rapaz era a imagem perfeita da concentração. Mal podia acreditar na sorte de ter encontrado alguém tão bonito e inteligente quanto ele.

A família às vezes acusava Elsie de ter ideias acima de seu nível social, mas não era o caso. Tanto ela quanto Bill eram jovens, saudáveis e trabalhadores, e ela queria que os dois aproveitassem ao máximo as oportunidades que aparecessem. Ela também sabia que tinha sorte, um teto para morar e um trabalho por toda a vida, já que tinha visto no cinejornal Pathé tantas pessoas nas cidades passando fome nas ruas. E, quando se casassem e os filhos começassem a nascer, Elsie sabia que ficaria grata pela segurança dada por Wharton Park.

Além disso, ela venerava a dona da casa, como o restante dos empregados. Elsie sabia que sua patroa era diferente das grandes damas que comandavam outras propriedades. Lady Crawford não dominava pelo medo, como confidenciavam empregadas de outras casas durante as visitas. Ela comandava com gentileza e compreensão. Poucas vezes os empregados a haviam decepcionado ou ficado abaixo das expectativas. Ela dava instruções com uma voz doce e gentil, e fazia todos sentirem que estavam lhe fazendo um favor. E, nas raras ocasiões em que algo não estava do jeito que ela indicara, o erguer de uma sobrancelha ou uma leve expressão de desagrado nos lábios da patroa eram suficientes para que o culpado ficasse triste por dias. Ela realmente parecia se importar com os funcionários. Elsie se lembrava de uma ocasião, quando era criança, em que estava sentada à mesa da grande cozinha enquanto a mãe ajudava a preparar a comida para a festa anual de Wharton Park, no jardim. Ela estava tendo problemas para conseguir escrever e a patroa havia entrado na cozinha, olhado com atenção as travessas de bolinhos e pão de ló e, depois, vendo Elsie sentada à mesa, caminhara até ela.

— É Elsie, *n'est-ce pas*?

Elsie não entendia as palavras engraçadas que a patroa às vezes usava, mas havia concordado de qualquer forma.

— Sim, senhora.

— O que você está fazendo?

Ela vira as palavras mal formadas no caderno de Elsie.

— Estou copiando, senhora, daqui, mas não entendo algumas palavras — Elsie respondera com sinceridade.

— Ah, o idioma inglês! É tão complicado. Deixa eu ver...

E ela se sentara ao lado de Elsie e passara vinte minutos a ajudando. Diziam que a patroa gostaria de ter tido mais filhos, mas não pôde. Dar à luz Harry afetara muito sua saúde e não vieram mais bebês. Elsie sabia que morreria se ela e Bill não pudessem ter uma ninhada saudável de filhos. Famílias grandes eram o sentido da vida, não é verdade?

Wharton Park estava bem à frente, suas várias janelas brilhando ao Sol da manhã. Elsie adorava a casa, a solidez e a segurança que pareciam emanar das paredes de construção forte. Outras coisas mudariam, ela sabia disso, mas a casa grande estava lá havia quase três séculos e, quase com certeza, resistiria a mais três. Ao contornar a lateral de Wharton Park para chegar à entrada dos empregados, Elsie tirou as botas para colocar os chinelos usados na casa e entrou na cozinha.

— Chegou cedo pela primeira vez, senhorita — comentou a senhora Combe, que estava sentada à mesa examinando as listas do menu. — A chaleira está fervendo. Tome uma xícara de chá e depois vá à sala de jantar polir a prataria. A patroa quer ver a senhorita às 10 horas. Acho que é para falar do grande baile que dará para a senhorita Penélope, a sobrinha dela, na próxima semana.

Elsie sentiu um arrepio de animação.

— Um baile? — questionou — Não fiquei sabendo.

— E por que ficaria? — a senhora Combe rebateu. — A patroa tem de pedir permissão a você antes de fazer planos?

Elsie sabia que a governanta a estava provocando. Ela era muito trabalhadora e a senhora Combe tinha poucas reclamações a fazer. Além disso, era quase parte da família, pois era prima em segundo grau da mãe de Elsie.

— Será uma grande festa, senhora Combe? Quantos convidados virão? — Elsie perguntou com ansiedade.

— É o baile de debutante da senhorita Penélope, então, tenho certeza de que a patroa vai se esforçar, já que não tem uma filha para apresentar. Vou saber dos detalhes no final da semana, mas, ouça o que digo, mocinha: junho será um mês bem agitado em Wharton Park. E eu, particularmente, vou ficar muito feliz com isso — a senhora Combe suspirou de prazer. — Esse lugar precisa de uma festa e de um pouco de animação.

— Você quer dizer que as outras debutantes virão de Londres para o baile? — Elsie quis saber.

A senhora Combe confirmou com a cabeça.

— Ficarão em casas do condado, mas aqui também ficará lotado.

Os olhos de Elsie brilharam e ela bateu palmas de alegria.

— Ah, senhora Combe, pode imaginar? Todas aquelas lindas meninas bem aqui! Eu as vi serem apresentadas no palácio no Cinejornal Pathé quando Bill me levou a Cromer no mês passado.

— Não se anime, mocinha. Temos trabalho a fazer e, como você não preparou aquela xícara de chá, presumo que não a queira. Assim, suba para a sala de jantar e vá polir as colheres de prata. Esteja limpa e arrumada antes de se encontrar com a patroa na biblioteca às 10 horas em ponto.

— Sim, senhora Combe — Elsie respondeu obediente.

Às 10 horas, Elsie se apresentou corretamente do lado de fora da porta da biblioteca. Bateu e ouviu uma voz dizer "*Entrez*". Elsie entrou.

— Por favor, Elsie — Adrienne indicou a cadeira à sua frente.

— Sente-se. Então — ela sorriu —, soube pela senhora Combe que você tem talento para arrumar cabelos.

Elsie corou.

— Ah, não, senhora, não muito. Gosto dos estilos modernos e os copio.

— *C'est parfait*! — ela bateu palmas. — Você soube, é claro, do baile que vou oferecer para minha sobrinha no próximo mês.

— Sim, senhora — Elsie balançou a cabeça.

— Teremos muitas senhoritas aqui, meninas sofisticadas acostumadas com o melhor em Londres, onde tudo está na porta de casa, inclusive as cabeleireiras. Algumas trarão as próprias empregadas, outras, não. Você aceitaria oferecer seus serviços como estilista de cabelos nessa noite?

— Oh, senhora! — Elsie estava embasbacada. — Como a senhora disse, elas estão acostumadas com o melhor, eu sou apenas amadora. Mas vou dar o máximo de mim para que tudo saia perfeito.

— *Voilá*! Então, está combinado. Direi que temos uma moça que poderá ajudar as debutantes com seus penteados antes do baile.

— Sim, senhora, obrigada. Farei o melhor para não a decepcionar.

— Sei disso, Elsie — Adrienne sorriu. Ela se levantou devagar e caminhou até a janela. Depois, soltou um grande suspiro e disse: — Quero que essa festa seja muito especial — então, se virou para Elsie e completou —, pois pode ser a última que ofereço nessa casa por um longo tempo, se a guerra vier. Pode ir agora.

— Obrigada, senhora.

Adrienne a observou enquanto ela saía da sala. Elsie era uma boa menina, de quem ela gostava. E também aprovava o relacionamento da garota com Bill, o filho do jardineiro. Ela se perguntava se algum deles, no início de suas jovens vidas, tinha ideia das nuvens de tempestade que se juntavam sobre eles. Christopher dissera que não demoraria muito para a guerra eclodir, pois o poder de Hitler e o apoio a ele cresciam a cada dia. Era apenas uma questão de tempo e então...

Adrienne perdera o irmão na Primeira Guerra. Teve sorte de continuar com o marido. Agora, via a possibilidade de perder o filho. Era um pensamento que não suportava. Sabia, por experiência própria, que fortuna e privilégio não significavam nada no campo de batalha, na loteria de quem vive e de quem morre. Tanto seu filho quanto o filho do jardineiro, Bill, cedo ou tarde seriam mandados para a luta. E, depois, somente Deus poderia escolher. E não havia nada que ela pudesse fazer.

Os britânicos não demonstravam as emoções. Adrienne havia tentado bastante aperfeiçoar a técnica, mas falhara. Era francesa e aprendera que é melhor mostrar as emoções do que as deixar guardadas. Mas, em momentos como aquele, talvez fosse mais fácil se distanciar dos sentimentos. E a vontade de proteger o filho era mais do que podia aguentar. Ela sabia que Harry não era um soldado nato e era forçado a levar uma vida que nada tinha a ver com sua personalidade e habilidade. E ainda podia morrer por isso.

Adrienne parou de pensar naquelas coisas nefastas. Sabia que tinha de expulsar as emoções de sua mente antes de ser consumida por elas. Harry não podia vê-la com medo. Sua energia tinha de ser direcionada à organização do baile de debutante da sobrinha, o evento da temporada. Decidiu passear pelo pátio, até a estufa, e discutir com Jack e Bill as flores de que precisariam para os vários arranjos que planejara.

[CAPÍTULO 14]

Em Londres, Olívia observava o convite para o baile de debutante de Penélope Crawford com muito menos animação do que sentiria algumas semanas antes. No começo, pensava em Harry Crawford sem parar, mas, recentemente, com a temporada a todo vapor, Olívia fora levada pela onda do agitado circuito social, ou "circo", como Venetia e suas outras amigas o chamavam.

Ela caminhou exausta pela sala de jantar para tomar o café da manhã com a avó, levando o convite para Wharton Park para mostrar a ela. Lady Vare tomava sua habitual xícara de café após a refeição, usando seu turbante e lendo o *Telegraph*. Ela observou a entrada de Olívia com um olhar repreensivo.

— Olívia, sei que seus horários estão atribulados, mas não é aceitável se atrasar para as refeições. Quando eu estava em seu lugar, qualquer atraso e ficava com fome até o almoço.

— Me desculpe, vovó — disse Olívia enquanto a empregada a servia com ovos e bacon ressecados. — Fiquei fora ontem, no baile dos Henderson. Fomos jantar no Quaglino's tarde da noite.

Olívia olhou a comida do prato e desejou não ter tomado aquele último drinque de gim e vermute. Um martelo batia pregos em suas têmporas e ela desviou o olhar do bacon frio e endurecido.

— Eram 3 horas quando a ouvi chegar — lady Vare a repreendeu com seriedade. — Espero, Olívia, que você esteja prestando atenção no que eu disse no início da temporada e não esteja tentada a entrar na turma errada.

— Ah, não, vovó! — Olívia mentiu. — Tenho certeza de que você aprovaria as pessoas que estavam comigo ontem. John Cavendish, o marquês de Hartington, estava lá com o irmão mais novo, Andrew.

Olívia sabia que isso impressionaria a avó, já que John Cavendish era o herdeiro da propriedade de Devonshire, que incluía a Casa Chatsworth. No entanto, ela não lhe contou que eles haviam feito tanto barulho no restaurante que o *maître* lhes pedira para se retirarem e que, depois de saírem do restaurante rindo como crianças mal comportadas, eles haviam continuado a festa na casa de alguém em Mayfair.

— E há algum rapaz que tenha mostrado interesse por você? — lady Vare perguntou.

A verdade é que ela tinha conhecido muitos rapazes que a avó chamaria de nobres "adequados", todos ansiosos para dançar com ela, convidá-la para jantar com seu grupo ou pedir que os acompanhasse ao clube noturno para o qual iam depois do baile. Ainda assim, como a avó sugerira, tudo estava diferente naquela época. Seu novo círculo de amizades incluía muitos rapazes, mas ela os via como amigos e não futuros maridos em potencial. Com o fantasma da guerra pairando sobre eles, muitos reconheciam que, se e quando chegasse a hora, suas vidas mudariam para sempre. E, antes de embarcarem para a possível morte, queriam viver os dias como se fossem o último. Mas essa não era a resposta a dar para a avó.

— Sim, havia alguns rapazes que pareciam interessados — disse Olívia ao dispensar o prato intocado.

A empregada o retirou e ofereceu o muito bem-vindo café.

— Posso perguntar quem?

— Bom — respondeu Olívia despreocupada —, Angus MacGeorge, dono de metade da Escócia e muito divertido. E Richard Ingatestone, cujo pai é membro importante da marinha. E...

— Bem — lady Vare interrompeu —, talvez seja uma boa ideia convidar ambos para um chá aqui, Olívia. Quero conhecer esses dois melhor.

— Pode deixar, vovó, mas todos estão muito ocupados e têm compromissos marcados com semanas de antecedência.

Rapidamente, ela ergueu o convite e disse:

— Haverá um baile no próximo mês em Wharton Park para Penélope Crawford. Ofereceram um quarto na casa para eu passar a noite.

— Eu costumava achar os bailes do campo muito entediantes. Tem certeza de que vale o esforço, Olívia querida? Afinal, Penélope Crawford está apenas tomando emprestada a casa do tio para a ocasião — lady Vare comentou. — A família dela não tem um tostão. Charles, o pai, foi morto em uma trincheira na Primeira Guerra. Duvido que o baile seja bem frequentado.

Olívia deu um gole no café.

— Na verdade, vovó, fui com mamãe e papai a Wharton Park logo após o Natal. Gostei bastante de lá; então, posso responder que sim?

— Desde que não interfira em nenhum evento da cidade e que você me dê a lista de convidados para eu examinar. Então, sim, você pode — lady Vare se levantou da mesa, desprendeu a bengala do canto do móvel e perguntou: — Você vai ficar para o almoço?

— Não, tenho um compromisso no Berkeley e, depois, preciso pegar um vestido que rasguei na semana passada na costureira. Ele me disse que vai estar pronto até hoje à tarde, para que eu o use à noite.

A avó concordou com a cabeça, calma.

— Então, eu a vejo amanhã no café da manhã — ela disse enquanto saía da sala. — No horário certo, por favor.

— Sim, vovó, é claro — Olívia respondeu. Aliviada, ela enterrou a cabeça entre as mãos e massageou as têmporas, tentando controlar a dor de cabeça.

No início, ela havia pensado que não ter a mãe ao seu lado durante a temporada seria uma desvantagem. Porém, o fato de a avó ser velha e estar cansada demais para servir de dama de companhia se revelou uma benção. Ela tinha liberdade total para fazer o que quisesse e com quem quisesse. O grupo com o qual estava se misturando seria visto como inadequado pela avó, mas, apesar disso, Olívia estava se divertindo como nunca.

Venetia tomara Olívia sob sua asa. Tornaram-se muito amigas e Venetia a apresentara ao elemento mais interessante da temporada daquele ano. Apesar de terem a reputação de serem "rápidos", as garotas e os rapazes que conhecia eram cultos, inteligentes e politizados. A maioria deles, como ela, estava passando pela temporada por obrigação. Portanto, em vez de gastarem jantares discutindo as cores de seus vestidos para o baile da noite seguinte, as meninas costumavam refletir sobre o que queriam fazer com suas vidas. O que não envolvia, necessariamente, casar logo e ter filhos, mas talvez frequentar a universidade ou, se a guerra cruzasse seu caminho, ter um papel ativo nela.

O lugar favorito de Olívia em Londres era a casa de Venetia na Chester Square. Estava sempre cheia de pessoas excêntricas, tiradas do cenário de intelectuais boêmios do qual os pais de Venetia faziam parte.

Ferdinand Burroughs, pai de Venetia, era um conhecido pintor de vanguarda, por quem a mãe de Venetia, Christina, uma dama de nascimento e vinda de uma das mais importantes famílias do país, havia se apaixonado e com quem havia se casado, o que a fez cair em desgraça. Christina Burroughs era tudo o que Olívia gostaria que sua mãe fosse: tinha cabelos bem pretos, compridos até a cintura (embora Olívia tivesse quase certeza de que eram tingidos), usava uma maquiagem dramática e fumava cigarros com uma piteira de jade.

Venetia dissera a Olívia que, quando a mãe contou à família que iria se casar com um jovem artista pobre, ninguém aceitou. Assim, Christina teve de fugir de Londres para ficar com Ferdinand e eles viveram praticamente na miséria por anos, até que as pinturas de Ferdinand começaram a ser vendidas. A casa em Chester Square fora deixada para Christina por uma tia-avó, a única da família que parecia ter alguma simpatia por sua situação difícil. Dessa forma, o casal conseguiu um teto para morar, mas não tinha dinheiro para gastar com o interior do imóvel, por isso, as cortinas estavam mofadas, os móveis vinham de brechós e, por falta de empregados, o lugar todo precisava de uma boa limpeza e muito desinfetante.

— Papa é muito rico agora, sabe? Suas pinturas são vendidas por centenas de libras e ele poderia comprar o que quisesse — Venetia contara. — Mas meus pais gostam da casa do jeito que está. E eu também — ela havia acrescentado, se defendendo.

Venetia estava participando da temporada só para chatear a família da mãe, que não concordava que a filha de um pintor comum fosse apresentada à corte.

— Mas, como eu fui apresentada, não há nada que possam fazer para me impedir, querida — Christina comentara com uma risada nervosa certa vez, quando tomava um martini com as garotas antes de um baile. — Letty, minha irmã, está horrorizada. É claro, a filha dela, a horrível Deborah, é debutante nessa temporada também. Nunca esquecerei a expressão de Letty quando me viu no baile da rainha Charlotte. Eu pensei que ela fosse desmaiar de tanto horror — Christina riu, acariciando o cabelo de Venetia. — E, é claro, para piorar, minha filha é linda e a dela é cheia de espinhas, está acima do peso e é muito burra.

Olívia muitas vezes pensava que Venetia era mais mãe de Christina do que Christina era dela. Talvez, por ter uma vida tão excêntrica, Venetia tivesse sido forçada a desenvolver um grau de sabedoria e praticidade contrário à sua idade. Ela era uma mistura intrigante de boemia e bom senso, e Olívia a adorava.

Venetia mencionava casualmente nomes de personalidades inspiradoras, como Virginia Woolf, que, na companhia de Vita Sackville, sua amante, costumava tomar chá na casa de Venetia quando ela era criança. O *glamour* do Grupo de Bloomsbury e a ligação dos Burroughs a ele fascinavam Olívia. Mesmo estando, em sua maioria, dispersos, os pensamentos radicais ainda marcavam presença na casa e Venetia era apaixonada pelos direitos das mulheres e a luta por igualdade. Já havia decidido que não adotaria o nome do marido quando, e se, chegasse a se casar.

Para Olívia, a temporada havia, até então, unido o melhor de dois mundos diferentes: uma diversão maravilhosa, mas, ainda assim, com novos amigos que pensavam como ela. Sua mente curiosa fora estimulada e aberta, e, por ironia, ela agora temia o fim da temporada, pois teria de decidir seu futuro.

Voltar à casa dos pais em Surrey e ficar esperando para ser tirada de seu aconchego por um marido "adequado" simplesmente não era uma boa opção. Ela começaria a receber uma pequena renda ao completar 21 anos, mas, pelos dois anos e meio seguintes, dependia financeiramente dos pais. A menos que conseguisse um emprego... Olívia subiu para seus aposentos. Precisava se trocar, já que almoçaria na casa de Venetia.

Ferdinand Burroughs, o pai da amiga, havia voltado para casa no dia anterior, vindo da Alemanha, onde fizera desenhos do poder crescente do Terceiro Reich para uma série de pinturas que queria concluir. Como Olívia só ouvira falar de Ferdinand pela filha que o adorava, estava ansiosa para conhecê-lo pessoalmente. Talvez até ouvisse em primeira mão sua experiência com a ameaça representada pelos nazistas. Depois de prender o chapéu e colocar as luvas, pegou a bolsa e partiu para Chester Square.

Quando Venetia a cumprimentou, seu rosto estava pálido e as sobrancelhas, franzidas de ansiedade.

— O que aconteceu? — perguntou Olívia, seguindo-a pelo hall até a cozinha, que era o lugar usado pela família para receber convidados no verão, já que se abria para o belo jardim murado nos fundos da casa.

— Gim? — perguntou a anfitriã.

Olívia olhou para o relógio, ainda eram 11h30. Ela balançou a cabeça.

— Não, obrigada, querida. Não depois da noite passada.

— Eu normalmente não beberia, mas papa voltou ontem à noite e está tão perturbado — Venetia se serviu de uma dose generosa de gim e a bebeu em um gole. — Ele estava falando com a mama, e, pelo que ouvi, coisas horríveis estão acontecendo na Alemanha e não são noticiadas do jeito adequado em nenhum jornal daqui. Ele disse que são horrendas, horrendas! — os olhos dela se encheram de lágrimas. — Papa chegou até mesmo a ver uma sinagoga, nos arredores de Munique, ser incendiada por um grupo de jovens nazistas. Ah, Olívia, parece que *Herr* Hitler quer varrer os judeus da face da Terra!

— Não pode ser verdade — Olívia caminhou até a amiga e a abraçou.

— É sim, é sim! — Venetia soluçou no ombro dela. — Mama está lá em cima com ele agora. Ele está arrasado. Correu tanto perigo e nós nem sabíamos!

— Bem, querida, pelo menos ele está seguro em casa agora.

— Graças a Deus— concordou Venetia, limpando os olhos. — As coisas que ele viu... Disse que nunca as conseguiria pintar. É tão violento, tão cheio de ódio. Você sabia que é ilegal um ariano e um judeu fazerem amor? Isso para não falar de se casarem! E que milhares de sinagogas foram incendiadas nos últimos dezoito meses? Eles não podem ter rádios e as crianças estão proibidas de frequentar escolas onde estudem crianças arianas.

Olívia ouvia em choque e em silêncio. Por fim, disse:

— Mas por que o mundo não sabe disso?

A amiga balançou a cabeça.

— Não tenho ideia, nem papa. Ele disse que fará o que puder para espalhar a notícia ao mundo por meio de amigos com influência na política — ela agarrou o braço de Olívia. — Ah, querida, sei que tentamos não pensar nisso, mas é real e vai acontecer. E o mais assustador é que ninguém sabe como tudo vai acabar.

[CAPÍTULO 15]

Harry Crawford acordou se sentindo muito grato por estar em casa e por, ao contrário de muitos soldados que não sabiam qual seriam seus destinos nos meses seguintes, saber que seu destino estava garantido: assumiria o treinamento de um grupo local de novos recrutas para o Quinto Batalhão Real de Norfolk. Isso significava que, ao menos pelas semanas seguintes, ele poderia aproveitar o ápice do verão em sua própria casa e dormiria em sua própria cama.

Por conta dessa sorte, ele virou piada entre os colegas, alguns dos quais seriam enviados para locais bem menos agradáveis. Muitos se perguntavam se seu pai tivera influência com as pessoas certas, mas Harry duvidava. Com a ameaça de os alemães entrarem marchando pela Tchecoslováquia a qualquer momento, era difícil que os pensamentos do pai estivessem voltados para o conforto do filho.

Harry ergueu o vidro da janela, se curvou para fora e respirou o aroma fresco e doce dos jasmins plantados pela mãe em grandes fileiras ao longo do terraço, se deliciando com um raro momento de paz. Ele preferiria que o baile da prima Penélope não fosse bem no seu primeiro dia em casa. Mais tarde, teria de fazer sua parte e acompanhar garotas horrorosas pela pista de dança. Porém, era bom ver o velho lugar ganhar vida novamente. E ele sabia o quanto o evento era importante para sua mãe.

Quando Harry chegou ao andar inferior, a casa estava em alvoroço. Mais empregados haviam sido chamados para ajudar com os preparativos. Móveis eram arrastados pelo hall e cadeiras e mesas extras eram colocadas no salão de baile para acomodar os 150 convidados do jantar. Após a refeição, os convidados seriam levados para a sala de visitas ou para o terraço, se a noite estivesse quente, enquanto as mesas e cadeiras seriam retiradas do salão e a banda se instalaria para que o baile começasse.

Harry abriu caminho pelo caos e foi para o salão de baile feliz porque, em resposta às preces da mãe, o imprevisível clima inglês parecia que ficaria bom o dia todo. Jack e o filho, Bill, apareceram no terraço empurrando carrinhos de mão cheios de flores coloridas.

— Precisam de ajuda, rapazes? — ele ofereceu.

— Obrigado, mestre Harry, mas nós damos conta. Sei que o senhor chegou ontem. É melhor ir com calma — disse Jack, tirando o chapéu.

Harry o ignorou e começou a descarregar as flores no terraço.

— Fiquei sabendo que você foi convocado pelo Quinto Batalhão de Norfolk, Bill — ele continuou.

— Sim, senhor, mestre Harry.

— Bem, parece que nos conheceremos melhor. Estou encarregado de treiná-los até ficarem prontos para a batalha. Nós nos veremos no quartel Drill em Dereham na segunda-feira. Será bom ter um rosto conhecido e você pode me apresentar ao resto do pessoal.

Bill estampou um largo sorriso.

— Nós ficaremos contentes em ter o senhor por lá.

Jack virou o carrinho de mão.

— Bill, vá dizer à patroa que as flores estão aqui e eu vou buscar o resto. Ela vai querer ver onde ficarão melhor. Você sabe que a senhora é específica quando se trata das flores — Jack piscou para Harry.

— Obrigado pela ajuda, senhor. Nós nos veremos mais tarde com certeza.

Olívia e Venetia deixaram Londres às 10 horas da manhã. Venetia havia pegado emprestado o carro dos pais e jurara a Olívia que dirigia bem, o que não era verdade. Olívia passou as cinco horas seguintes temendo por sua vida enquanto a amiga serpenteava pelo lado contrário da via, deixava o carro morrer e, depois, trocava para a marcha errada e evitava, por pouco, diversas colisões.

A habilidade de Olívia para ler mapas era pouco melhor que a de Venetia para dirigir. Elas entraram em muitas curvas erradas, que geraram mais manobras perigosas da motorista. E, em vez da viagem de quatro horas e meia que imaginaram, estavam ainda a pelo menos uma hora de Wharton Park e não chegariam a tempo para o chá da tarde. Ao menos o campo estava muito mais bonito e Olívia tinha quase certeza de que estavam na estrada certa.

— Será que não vamos despencar da margem dessa ilha e cair no Mar do Norte? — questionou Venetia. — Não acredito no quanto essa viagem está demorando e estou acabada. Papa sempre diz que é alérgico ao ar puro, acho que ele não sai da cidade desde que nasci. Acho que vou seguir seu caminho — ela acrescentou com petulância.

Olívia ergueu as sobrancelhas e ignorou o comentário. Venetia estava criticando tudo, mas ela sabia que, quando a amiga visse Wharton Park, sentiria que a viagem valera a pena. Uma hora e meia depois, viraram na longa entrada que levava à propriedade. O Sol estava se pondo, lançando um brilho suave no parque.

Venetia ainda reclamava porque estava com fome, suas costas doíam e seus pés estavam machucados de tanto trocar as marchas. Olívia baixou a janela e respirou o aroma da tarde quente e agradável.

— Lá está a casa — ela avisou quando o imóvel ficou visível. — Não é linda demais? — acrescentou, sonhadora.

Venetia, sem querer fazer elogios e apenas para se fingir de boba, perguntou:

— A luz elétrica já chegou aqui?

— Não seja maldosa, Venetia, é claro que sim! Além disso, estamos em 21 de junho, o dia mais longo do ano. Quase não precisaríamos de luz, mesmo que não houvesse — Olívia respondeu. — Bem — continuou, enquanto Venetia parava o carro bruscamente em frente à casa —, se quiser passar o fim de semana de mau humor, vá em frente.

Acho esse lugar um paraíso e estou pronta para me divertir, mesmo que você não esteja.

Naquele momento, a porta da frente foi aberta e um jovem, que ela reconheceu vagamente, desceu correndo os degraus até elas.

— Oi, senhorita Drew-Norris — disse o rapaz quando ela saiu do carro e ajeitou o vestido amassado. — É bom ver a senhorita de volta em Wharton Park.

Então, Olívia reconheceu Bill, o filho do jardineiro que ela vira na estufa durante a visita anterior.

— Como estão as flores? — perguntou, sorrindo para ele. — Minha plumeria está linda no peitoril de minha janela em Londres.

— Elas estão ótimas, senhorita Drew-Norris. Obrigado por perguntar.

— Mal posso esperar para ver os jardins — Olívia comentou, ofegante. — Harry disse que ficam magníficos no ápice do verão.

— É verdade, e você escolheu o momento exato para nos visitar. Todas as plantas ainda estão frescas e em botão. Quando chegarmos à metade de julho, vão parecer cansadas e murchas. Senhorita Drew-Norris, a senhorita trouxe algo que deva ser levado do carro para a casa? Vou levar as malas e, se puder me dar as chaves do carro, o estaciono para vocês.

— O carro é meu, na verdade — Venetia contornou o automóvel e balançou as chaves na cara de Bill. Ela sorriu para ele de maneira sedutora. — Pode estacioná-lo, por favor.

— É claro, senhorita — concordou Bill, abrindo o porta-malas e retirando duas maletas.

Enquanto ele as levava para dentro da casa, Venetia disse:

— Isso é o que chamo de cenário. Ele é uma graça. Quem é?

— Pode se comportar, por favor? — Olívia a repreendeu, mas estava sorrindo. — É o filho do jardineiro. Você tem passado muito tempo lendo *Lady Chatterley*. Agora, venha, estou doida por uma xícara de chá!

Às 19 horas, Adrienne estava parada no terraço com uma taça de champanhe na mão. A noite estava tão perfeita! E era em noites como aquela que Wharton Park disputava o prêmio de beleza com sua terra natal na Provença. A delicadeza de uma noite no interior inglês, quando terra e céu pareciam se fundir e o aroma da grama recém-aparada se misturava ao cheiro das rosas, tinha uma magia especial.

Dentro da casa tudo estava pronto. O salão de baile estava maravilhoso, com quinze mesas postas com toalhas brancas perfeitas e copos de cristal antigos, e, no centro de cada uma delas, havia um vaso com flores frescas da estufa.

Adrienne adorava momentos assim. Tudo estava preparado, mas o baile ainda não começara e todos se enchiam de otimismo, sabendo que ele corresponderia as suas expectativas.

— Mamãe, você está deslumbrante — Harry surgiu atrás dela, lindo com sua roupa de festa.

— *Merci, mon chéri.* Estou tirando alguns segundos para aproveitar esta noite perfeita.

Harry acendeu um cigarro e olhou o magnífico jardim.

— Está tão tranquilo... A calmaria antes da tempestade — ele sorriu.

Adrienne se virou para ele, colocando a mão carinhosamente no ombro do filho.

— Quase não o vi desde que chegou. Como você está, meu amor?

— Estou bem, mãe.

— E feliz? — ela perguntou, embora soubesse a resposta.

— Eu estou... Aceitando que sou apenas uma peça da engrenagem e não controlo o universo. O que tiver de ser será — ele suspirou — e devemos apenas seguir em frente.

— Meu Harry... — Adrienne suspirou. — Queria que o mundo fosse diferente, mas não é. *Mon Dieu*! — Adrienne cobriu a boca com as mãos. — Estou muito sentimental e preciso parar com isso agora! Tenho tanta sorte de ter você aqui! Vamos aproveitar esse tempo juntos.

— E sem medo! — ele sorriu para ela, pensando no quanto a amava.

— Seu primo Hugo não pôde vir hoje. Ele também está treinando um batalhão no País de Gales. Então, em vez de seu pai conduzir a pobre

Penélope na primeira dança, você deve fazer isso, Harry. Fui vê-la com o vestido de festa há alguns minutos — Adrienne ergueu os ombros com elegância. — Embora seja quase impossível fazer milagres, com o vestido que escolhi e o penteado feito por Elsie conseguimos, pelo menos, deixá-la apresentável.

— Então você deve ter mesmo feito mágica, mãe — ele respondeu, pensando na prima baixa, gorda e sem traços atraentes.

— Talvez ela desabroche quando ficar mais velha — Adrienne segurou a mão de Harry e a apertou. — Tenho de ir, *chéri*, vou procurar seu pai. Da última vez que eu o vi, estava lá em cima escolhendo uma camisa. Ele nem acredita na sorte de receber todas as jovens debutantes aqui em casa. Está muito animado! — Adrienne ergueu uma sobrancelha. — Vamos deixar seu pai se divertir, *n'est-ce pas*?

Harry a observou cruzar o terraço. Ela estava radiante naquela noite, em um vestido de seda amarelo alaranjado que acentuava seu corpo perfeito e pequeno. Os cabelos negros estavam presos em um coque e brincos grandes de gotas de diamante enfatizavam seu longo e elegante pescoço. Harry relembrou a conversa que tiveram e se perguntou se era um problema sua mãe ser tão bonita. Era difícil imaginar alguma garota que se igualasse a ela. Ele pensava, às vezes, se sua falta de interesse nas mulheres vinha disso. O sentimento mágico que outros homens chamavam de amor, ou alguns de seus colegas do exército descreviam de maneira mais básica e física, ainda não aparecera para ele.

Olívia Drew-Norris, a menina da Índia que conhecera alguns meses antes, fora a que chegara mais perto de sua ideia de uma mulher atraente. Ela estava lá naquela noite, ele sabia, talvez dançasse com ela.

Ouviu o som distante de pneus passando sobre os cascalhos na entrada, o que indicava a chegada do primeiro convidado. Com seu momento de contemplação terminado, ele voltou para dentro da casa para cumprir com sua obrigação.

[CAPÍTULO 16]

— Puxa, Olívia! Você está maravilhosa! — Venetia havia entrado no quarto de Olívia para ver se ela estava pronta para descer. — Você está radiante! Esse vestido é novo? O rosa combina perfeitamente com sua pele e eu adorei os botões de rosa em seus cabelos. Quem o arrumou para você?

— Elsie, a empregada. Ela é um doce e muito boa também. Quer que ela arrume seus cabelos?

Venetia jogou os cabelos negros, cheios e soltos sobre o ombro e balançou a cabeça.

— Não se preocupe, querida. A aparência de princesa não é para mim. O que você acha do meu vestido? — ela perguntou.

Na intenção de zombar das convenções mais uma vez, Venetia usava um vestido justo e dourado que acentuava seus grandes seios. Estava linda, mas muito inadequada para uma casa de campo inglesa.

— De tirar o fôlego — disse Olívia. — É tão... Você!

— Encontrei no guarda-roupa da mama. E vou usar essa maravilha no resto da temporada — Venetia riu. — Você me conhece, querida, sempre passando por cima de metros de tule, enquanto danço e piso nos pés dos pobres rapazes — ela apontou para a porta. — E então, vamos?

— Com certeza! — Olívia sorriu.

As duas garotas deram os braços, caminharam juntas pelo largo patamar e desceram a escadaria principal que levava diretamente ao hall de entrada, de onde emanava uma confusão de vozes. Venetia examinou a multidão abaixo dela.

— Nossa! Deve ter sido uma noite muito chata em Londres. Todo mundo está aqui.

Adrienne as viu e foi até elas.

— Olívia, *ma chérie*, você está linda demais! Com certeza é *la belle de la soirée*!

— Obrigada, Adrienne — agradeceu e corou de constrangimento.

Como Venetia estava ao seu lado, a apresentou sem demora.

— Essa é minha amiga Venetia Burroughs.

Adrienne absorveu o impacto do vestido dourado e do cabelo solto de Venetia, e abriu um largo sorriso.

— E você, você é linda também. Eu admiro as pessoas que querem chocar os outros e é o que você quer fazer, *n'est-ce pas*? — ela beijou Venetia dos dois lados do rosto. — *Bienvenue, chérie*, e aproveite a noite.

— Uau! — murmurou Venetia quando elas saíram para o terraço, onde todos se reuniam sob o clima quente da noite. — Ela me pegou, não? Como ela mesma diria, *elle est formidable*!

— Adrienne tem o hábito de saber imediatamente quem somos — disse Olívia, pegando duas taças de champanhe da bandeja de um garçom que passava. — Pessoalmente, acho que ela é muito gentil e bonita.

— Ela é, com certeza — concordou Venetia quando um jovem usando colete vermelho a abraçou. — Teddy, você conseguiu sair do bar do Ritz para vir até aqui? Estou espantada!

— Minha cara Venetia — o jovem respondeu, ao mesmo tempo em que suas mãos passeavam sem restrições pelo corpo dela —, posso dizer que você está estonteante nesse vestido? Oi, Olívia — ele cumprimentou —, você está linda também.

— Obrigada — ela balançou a cabeça e Teddy se virou para conversar com Venetia, lançando olhares furtivos para o decote dela.

Olívia atravessou o terraço e parou perto da balaustrada, com vista para o parque. Como Harry dissera, os jardins ficavam maravilhosos no ápice do verão.

— Senhorita Drew-Norris! Olívia. É você, né? — uma voz familiar atrás dela a fez se virar. — Devo dizer que você está linda como um sonho.

— Oi, Harry — Olívia podia sentir o calor subindo pelo seu rosto. Embora tivesse convencido a si mesma de que a imagem que preservara dele, nos meses anteriores, fosse exata, ele, na verdade, era muito mais bonito ao vivo.

— E então, como está a temporada?

— Bem mais divertida do que eu pensei que seria. Fiz ótimos amigos.

— Bom-om. E já se acostumou com a Inglaterra agora? — ele questionou. — Você com certeza parece mais feliz do que da última vez em que a vi.

— Sim — ela respondeu —, acho que sim. E, em noites como essa — completou e apontou para o parque à sua frente —, é difícil resistir ao charme do país.

— Concordo — Harry afirmou, balançando a cabeça. — E você tem ideia do que vai acontecer com sua vida quando a temporada acabar?

— Não, ainda não. De qualquer forma, não vamos pensar nisso hoje. Quero aproveitar minha volta a Wharton Park e essa noite divina. Como você está, Harry?

— No momento, tenho um verão inteiro para passar em casa e quero aproveitar ao máximo — ele sorriu para ela. — É muito bom vê-la, Olívia. De verdade.

— Olívia, querida, como está?

Um homem que Harry não conhecia apareceu ao seu lado. Ele usou a deixa para se retirar.

— Se me dá licença, Olívia, preciso cumprir com meu dever e circular pela festa. Vejo que há algumas moças, inclusive minha prima, tomando um chá de cadeira — Harry apontou para uma garota gordinha sem companhia no terraço. — Com certeza nos veremos mais tarde — ele saiu com tranquilidade para salvar Penélope de ficar esperando para sempre, mas, antes, uma figura familiar bateu em seu ombro.

— Harry! Meu camarada! Como está?

— Sebastian! — Harry trocou um aperto de mão caloroso com seu velho amigo. — Faz tempo que não nos vemos. Quatro de junho em Eton há alguns anos, não foi?

— Acho que sim! — Sebastian tirou os óculos de lentes muito grossas e os limpou. — Imaginei que você estaria aqui hoje. Como você está? Sandhurst é tão horrível quanto você pensava?

— Pior! — brincou Harry, feliz por Sebastian ser um dos únicos amigos com quem podia fazer aquele comentário. Eles tinham se conhecido em Eton e o garoto asmático, devorador de livros e com péssima visão, chamado Sebastian, acabou grudado ao menino musical e extremamente tímido que Harry fora. Os dois haviam sofrido com a provocação dos outros alunos e, apesar de terem pouco em comum, encontraram afinidade na posição de excluídos.

— Já acabou, graças a Deus. Agora, resta apenas esperar pela guerra e um tiro na perna — Harry acrescentou, com tristeza.

— Bem, pelo menos é um destino do qual fui salvo — Sebastian recolocou os óculos. — Ninguém em sã consciência me colocaria junto a uma arma! Para início de conversa, como eu saberia para onde apontar a maldita?!

— Eu não ia querer você em meu batalhão, amigo, mas também não sei se seria uma boa ideia você me ter no seu, para ser sincero — Harry sorriu, pegou duas taças de champanhe de uma bandeja e entregou uma a Sebastian. — E então, o que tem feito?

— Estou trabalhando com meu pai em sua empresa de comércio. Estou aprendendo o negócio no escritório de Londres e, em breve, vou viajar para tocar a empresa no escritório principal de Bangkok. Meu pai estava muito ansioso para voltar para casa depois de vinte anos como expatriado. Mesmo que o retorno signifique enfrentar a incerteza que se acumula por essas bandas.

— Eu que o diga — murmurou Harry, abatido.

— O máximo de contato que terei com a guerra, se ela chegar até lá, será organizar alguns navios para transportar tropas e suprimentos do Extremo Oriente. Estou animado. Dizem que as meninas siamesas são lindas.

— Parece que você vai partir no momento certo — comentou Harry com inveja. — Sairá da enorme confusão que é a Europa. Não acho que a guerra vá chegar em Bangkok.

— Não, mas nunca se sabe, né? — respondeu Sebastian. — Me sinto culpado por não poder dar uma contribuição mais tangível ao meu país, mas talvez seja uma pequena compensação por ter recebido um par de olhos estragados e um peito sem utilidade.

Harry deu um leve toque no ombro do amigo, percebendo que Penélope ainda estava sozinha.

— Preciso ir, camarada, me escreva e passe seu novo endereço.

— Com certeza. Foi muito bom ver você, Harry — disse Sebastian com afeto. — Tente ficar vivo se o pior acontecer, combinado? Vou escolher algumas garotas siamesas para você!

Durante o jantar, Olívia teve a companhia de sua animada mesa de amigos, a maioria conhecidos de Londres. À sua esquerda, estava Angus, o proprietário de terras escocês, que parecia gostar dela, e, à direita, Archie, o visconde Manners. Diziam, em Londres, que Archie "jogava no outro time". Olívia não tinha experiência suficiente para opinar.

Depois do jantar, eles foram levados para o lado de fora enquanto as mesas eram retiradas do salão. Olívia ficou no terraço com Archie, fumando um raro cigarro oriental. Archie olhou para o parque, banhado pelo brilho fraco da noite, e suspirou.

— Mal posso suportar essa beleza. Como Blake diz muito bem, sabemos que partirá logo depois de chegar.

A banda começou a tocar e as pessoas voltaram para o salão de baile.

— Espero que não se chateie demais se eu não a tirar para dançar. Eu tenho dois pés esquerdos e não quero machucar você, Olívia — confessou Archie. — Fique à vontade para achar outro acompanhante.

— Estou me sentindo bem aqui, de verdade.

— Bem, não vai ficar aqui por muito tempo. Já vejo um cavalheiro se aproximar de nós.

E era verdade, Harry cruzava o terraço na direção dos dois. Parou perto deles, de repente desconfortável.

— Não estou incomodando, estou?

— De maneira alguma — respondeu Olívia, um pouco ansiosa demais. — Venha e conheça Archie. Archie, esse é Harry Crawford, filho do dono da casa.

Os dois homens se encararam por algum tempo, antes de Harry estender a mão para Archie.

— É um prazer conhecê-lo.

— Para mim também, Harry — Archie sorriu pela primeira vez na noite.

Olívia acabou quebrando o silêncio que se instalara.

— Archie e eu nos divertimos muito no jantar, discutindo os grandes poetas românticos. E, é claro, Archie é poeta também.

— Você escreve poesias? — Harry perguntou.

— Escrevo sim. Para mim mesmo, é claro. Não iria submeter outra pobre alma a elas. Temo que sejam muito sentimentais.

— Parece bem o meu estilo — sorriu Harry.— Sou fã de Rupert Brooke.

A expressão de Archie se iluminou.

— Que coincidência! Eu também. Fiquei entediando a pobre Olívia sem parar falando dele durante o jantar. — Archie fechou os olhos e começou a recitar: — "Amorosamente, dia que amei, fecho os olhos seus,/E acaricio sua testa macia e dobro suas mãos magras falecidas/Os véus cinza da meia-luz crescem; a cor pereceu/Eu o carrego, um peso leve, até as areias na mortalha envolvidas..."

Harry continuou.

— "Onde está o barco que o espera, perto das grinaldas feitas pelo mar/Decorado pela névoa, com todas as algas cinza da água coroadas."

Eles sorriram um para o outro, reconhecendo o prazer de uma paixão compartilhada.

— Um dia, quero ir a Syros para ver o túmulo dele — comentou Archie.

— Eu tive a sorte de visitar o Old Vicarage em Grantchester. É maravilhoso poder ver a casa em que Brooke passou a infância — acrescentou Harry.

Olívia os ouviu conversarem com animação e se sentiu deixada de lado. Por sorte, Venetia chegou. Olívia podia ver que ela estava um pouco embriagada.

— Olá, meu bem — ela disse, olhando Harry de cima a baixo com um brilho nos olhos. — Quem é esse?

Harry ainda estava concentrado na conversa com Archie, assim, Olívia sussurrou:

— Harry, o rapaz de quem falei.

Venetia balançou a cabeça em sinal de aprovação.

— Ele é... Um sonho! E se você não o quiser — ela riu —, eu fico com ele. Harry — ela interrompeu a conversa —, sou Venetia Burroughs, a melhor amiga de Olívia, e ouvi falar muito de você — ela o beijou dos dois lados do rosto. — Sinto que já o conheço.

Olívia podia morrer de vergonha naquele momento. Harry parecia muito espantado pelo cumprimento exuberante, mas recuperou a postura e disse:

— Venetia, é um prazer conhecê-la.

— O prazer é meu, Harry. Ficarei esperando por uma dança mais tarde. E, por falar em dança, voto para que todos nós entremos. Está ficando frio aqui fora.

— Boa ideia — disse Harry. Ele sorriu com carinho para Olívia. — Vim convidar a senhorita para dançar. Você me concede essa honra? — ele estendeu o braço para Olívia, que o aceitou, corando de alegria. Depois, olhou para Archie. — Vamos conversar mais em outro momento.

— Talvez, antes que eu vá embora.

— Espero que sim — respondeu Harry.

Em seguida, com Olívia presa ao seu braço, ele se virou e entrou no salão. Enquanto Olívia dançava uma e outra música com Harry, ela pensou em Londres e em quantas vezes sonhara que ele a pegasse em seus braços. E lá estava ela com ele, em Wharton Park, o lugar que elegera como o seu favorito da Inglaterra, em uma linda noite de verão. Mais tarde, eles saíram para tomar um pouco de ar puro.

— Bem — ele começou, acendendo um cigarro —, acho que podemos dizer que a noite foi um grande sucesso, não acha?

Olívia olhava para as estrelas no claro céu da noite.

— Perfeita — ela murmurou, contente.

— E minha mãe parece mais feliz do que nunca — concluiu Harry. — Ouça, a banda está tocando minha música favorita de Cole Porter, "Beguin the Beguine" — Harry começou a cantarolar. — Uma última dança, senhorita Drew-Norris? — ele perguntou, colocando o braço em volta da cintura dela.

— Já que insiste, capitão Crawford.

Os dois balançaram juntos ao som da música. Olívia apoiou a cabeça no peito de Harry e se entregou ao momento.

— Olívia, adorei dançar com você hoje. Obrigada — disse Harry. Depois, ele se curvou e a beijou nos lábios.

Adrienne, que havia ido ao terraço para admirar o céu da noite, os observou e se permitiu um sorriso secreto de prazer.

[CAPÍTULO 17]

Olívia voltou para Londres no dia seguinte envolta em um leve manto de felicidade. Por fim, entendera o que era aquela magia. Ela trocara confidências com Venetia na viagem de volta. A amiga havia bufado de desdém quando Olívia dissera que Harry era "o homem certo".

— Querida, por favor! Como você sabe? Foi o primeiro rapaz que beijou. Você está louca!

Olívia balançou a cabeça em desafio.

— Não, não estou. Sei como me sinto e, às vezes, acontece desse jeito. Veja seu pai e sua mãe, tinham 18 e 19 anos quando se conheceram e se apaixonaram.

— *Touché*, mas isso foi antigamente. E, além disso, você sempre disse que não queria se casar até ser bem mais velha. Você ainda nem fez "aquilo" — acrescentou Venetia. — Como pode saber sem ter feito?

Olívia sabia que Venetia tinha feito "aquilo". E não apenas com um rapaz. E não parecia pensar muito sobre isso. Nesse assunto, as opiniões delas eram diferentes demais. O argumento de Venetia de que o corpo era dela e poderia fazer o que quisesse com ele, sem culpa, não era compartilhado por Olívia. Fosse por sua criação ou por sua natureza, ela tinha convicção de que sua virgindade permaneceria intacta até que ela se casasse com o homem que amasse.

— Para mim, não importa — Olívia respondeu sem forças. — Isso é secundário.

— Puxa, Olívia! Pensei que nos últimos meses eu tivesse conseguido incutir um pouco de feminismo em você. E aí está, já planejando seu casamento. E não diga que não é verdade — Venetia sacudiu o dedo enquanto o carro derrapava perigosamente para o centro da pista —, pois sei muito bem que é.

Depois de duas semanas flutuando de alegria e sem interesse na rodada final de festas e outros eventos que encerravam a temporada (antes que todos deixassem Londres como uma nuvem de moscas em busca do clima mais quente da Riviera), Olívia ainda não tivera notícias de Harry.

Depois da euforia, veio a incerteza e a dor. Olívia caiu em um mau humor ao imaginar que Venetia poderia estar certa em sua avaliação e que, para Harry, o beijo não tivesse significado nada além de um fim agradável para a noite.

Ela fora convidada, com Venetia, para passar um mês em uma casa de campo em Saint Raphaël pertencente aos pais de Angus, o proprietário de terras escocês. Ela sabia que Angus gostava muito dela e havia deixado claras suas intenções. Visitá-lo na casa da família significaria que aceitava o interesse dele.

— Bem, eu vou, independentemente de você — Venetia havia declarado. — A atmosfera aqui está péssima. Papa está trancado no estúdio e mama está zangada porque ele se recusa a receber convidados em casa. E isso foi antes de eu sair pela porta dos fundos e tropeçar no abrigo antiaéreo que está estragando nosso lindo jardim.

As duas estavam caminhando na direção do Ritz, tendo acabado de sair de Dudley House, em Park Lane, depois do baile de Kick Kennedy.

— Não é justo, é, Venetia? — insistiu Olívia. — Angus é muito divertido, mas não quero que pense que gosto dele desse jeito.

— Querida, tudo vale no amor e na guerra — Venetia olhou para ela. — E, atualmente, vale tudo mesmo. Além disso, garotas bonitas nasceram para partir alguns corações por aí. Dizem que a casa de campo de Angus é fabulosa. E o que você vai fazer se não vier? — ela acrescentou. — Vai passar o verão se remoendo por causa de seu amor e esperando os alemães soltarem bombas?

Elas saíram da rua principal e andaram até a entrada lateral do Ritz.

— Pelo amor de Deus, se recomponha e se divirta enquanto pode.

Quando Venetia começou a subir os degraus do Ritz, Olívia olhou para a esquerda e viu uma figura familiar sair de uma porta e andar rapidamente pela rua, para longe delas. Ela segurou no ombro da amiga com o coração acelerado.

— Acho que acabei de vê-lo.

— Quem?

— Harry, é claro.

Venetia parou no último degrau e soltou um longo suspiro.

— Olívia, meu bem, está ficando maluca? O que Harry faria em Londres?

— Tenho certeza de que era ele — ela afirmou, determinada.

Venetia a segurou pelo braço.

— É óbvio que você tomou muitos martinis no baile da Kick. Venha, querida, coragem. Você está começando a ficar chata.

Depois de mais três dias de agonia, Olívia acordou de uma noite mal dormida e percebeu que era quase inegável que Venetia estava certa sobre Harry. Naquele dia, aceitaria o convite de Angus, iria para a França e curaria seu coração partido. Pelo menos o clima estaria agradável, seria bom sair de Londres, e, como a alternativa era voltar para Surrey, ela achou que fosse a melhor opção. Iria ligar para Angus e dizer que o visitaria em Saint Raphaël. Quando estava saindo para a casa de Venetia e para fazer os preparativos da viagem à França, o telefone tocou.

— Aqui é a operadora, você tem uma ligação do número 6521, Cromer. Posso transferir?

— Sim, obrigada. Alô, aqui é Olívia Drew-Norris.

— Olívia! Exatamente a pessoa com quem eu queria falar. Aqui é Adrienne Crawford, de Wharton Park.

— Adrienne, que prazer falar com você! Estão todos bem aí?

— Sim, claro, tudo está perfeito. Exceto pelo fato de eu me sentir um pouco solitária. Estava pensando se você tem planos para agosto. Se não tiver, que tal vir passar uns dias aqui comigo? Poderíamos caminhar juntas pelos jardins e aproveitar o delicioso clima do verão. Sei que Harry vai adorar encontrar você. Ele está trabalhando tanto, pobrezinho, treinando um batalhão inexperiente para a noite de estreia.

Olívia se sentou na cadeira perto do telefone, assustada com o convite.

— Eu... — ela sabia que tinha de decidir rapidamente. E ela já tinha decidido. — Eu adoraria voltar aí, Adrienne. É muito gentil de sua parte me convidar.

— *C'est parfait*! Está marcado então. Quando você pode vir?

— Combinei de visitar meus pais em Surrey, mas posso voltar no início da próxima semana. Está bom?

— Perfeito — respondeu Adrienne. — Pedirei ao nosso motorista que a busque em Surrey, se ajudar. O trem é tão cansativo.

— Obrigada.

— Estou muito ansiosa para ver você na semana que vem, Olívia. E é muito gentil de sua parte aceitar me fazer companhia.

— Imagina. Wharton Park é meu lugar preferido no mundo — Olívia respondeu com sinceridade. — Até logo.

— *À bientôt, chérie.*

Olívia desligou o telefone e pressionou as mãos contra o rosto para esfriá-lo. Podia sentir a adrenalina correr pelo seu corpo e acelerar seu coração. Um mês inteiro em Wharton Park... Com Harry. Ela fechou a porta da frente e, literalmente, foi dando pulinhos até a casa de Venetia.

Venetia não pareceu tão animada com a notícia como Olívia esperava. Olívia atribuiu a reação ao egoísmo da amiga e a ela ter de ir sozinha para a França.

— Você disse que foi a mãe dele que telefonou? — Venetia criticou. — Você acha que ele é um filhinho da mamãe? Parece meio afeminado para mim.

Olívia não ia ficar de mau humor.

— É claro que é a dona da casa que tem de fazer o convite, é o protocolo. Além disso, eu adoro Adrienne e Wharton Park — ela acrescentou, se deliciando ao pensar nisso.

— Você é louca em trocar a Riviera por um mausoléu frio no meio do nada — suspirou Venetia. — Mas pensarei em você enquanto estiver dando uns mergulhos no Mediterrâneo e tomando coquetéis sob o Sol.

"E eu não terei nem um pingo de inveja", Olívia pensou com alegria.

No dia seguinte, Olívia fez as malas, agradeceu à avó e partiu para a casa dos pais em Surrey. As duas noites que passou lá foram difíceis e desconfortáveis. Seus pais continuavam iguais ao que sempre foram, mas Olívia estava muito diferente. Era quase como se ela tivesse se desenvolvido mais do que eles nos últimos meses. Longos momentos de silêncio os atingiam durante as refeições quando Olívia se esforçava para encontrar assuntos que tivessem em comum. Mesmo quando conseguia, eles pareciam discordar dela em tudo.

Na noite antes de ela partir para Wharton Park, ela ficou sentada com a mãe na sala de visitas, tomando café depois do jantar.

— Então — sua mãe falou, concentrada no tricô —, devo entender que existe uma afeição entre você e Harry Crawford.

— Ele é um rapaz muito gentil, sim. Mas está ocupado treinando um batalhão, por isso duvido que eu o veja com frequência na casa.

— Você não respondeu à minha pergunta, Olívia — sua mãe tirou os olhos do tricô.

Olívia respondeu com cautela:

— Nós nos damos muito bem, mãe.

Sua mãe sorriu.

— Quando o conheci, em janeiro, ele parecia um bom rapaz. Queria apenas dizer que seu pai e eu aprovamos.

— Mãe!

Olívia corou por conta da maneira como o assunto era deduzido. Em parte por estar constrangida, mas também por ouvir seu próprio desejo dos lábios de outra pessoa.

— Isso é muito precipitado.

— Mesmo assim, vejo que você gosta bastante dele. Sempre que diz o nome dele, seu rosto se ilumina.

Olívia se rendeu.

— Sim, é verdade.

— Meu Deus, quanto dinheiro poderíamos ter economizado em sua temporada se tivéssemos percebido que o rapaz certo estava bem debaixo de nossos narizes em janeiro! Lady Crawford nos convidou, seu pai e eu, para uma visita de fim de semana a Wharton Park. Foi muito gentil. Sugeri que fôssemos no final de agosto. Até lá, podemos ter boas notícias. O mundo está tão incerto agora, Olívia — ela suspirou. — Aproveite a felicidade enquanto pode, combinado?

Mais tarde, Olívia caminhou lentamente para o quarto no andar de cima, surpresa pela honestidade emocional da mãe. Talvez a guerra iminente tivesse aflorado nas pessoas a necessidade de dizer o que sentiam.

Na manhã seguinte, Olívia acordou às 6 horas. Às 8 horas, estava vestida e com as malas prontas. Fredericks, o motorista dos Crawford, chegou às 9 horas em ponto. A mãe a acompanhou até a porta.

— Escreva para mim, querida, para me contar como está — ela beijou a filha nos dois lados do rosto.

— E se divirta muito!

— Pode deixar, mãe — Olívia abraçou a mãe espontaneamente. — Você e papai se cuidem também.

Adrienne cumprimentou Olívia na entrada de Wharton Park.

— *Ma chérie*, você deve estar exausta! Entre. Sable pegará sua bagagem e mostrará seu quarto. É o mesmo em que você ficou da outra vez. Descanse um pouco antes do jantar, não tenha pressa. Christopher está em Londres e Harry não chega antes das 22 horas. Ou mais tarde, algumas vezes.

Depois de ser levada ao quarto por Sable, Olívia se admirou ao lembrar que antes o achara frio e feio. Com o Sol do fim de tarde lançando um brilho tranquilo pelo belo papel de parede florido, ela subiu na cama pensando no quanto gostava de lá. E, cansada com a tensão e ainda mais com a viagem, caiu logo no sono. Acordou com uma batida na porta. Elsie, a empregada, espiou para dentro do quarto.

— Olá de novo, senhorita Olívia. Como é bom vê-la! Vou ser sua dama de companhia enquanto estiver aqui. A patroa me pediu para acordar a senhorita, pois já passa das 19 horas. Acho que não vai conseguir dormir à noite se não se levantar agora. Posso entrar?

— É claro. Nossa! — Olívia sorriu, feliz por ver o conhecido rosto iluminado de Elsie. — Não percebi que dormi tanto.

— Preparei um banho para a senhorita. Se quiser ir se refrescar, posso desfazer suas malas. O jantar será servido às 20 horas e a patroa disse que é informal; e então, posso escolher algo bonito para a senhorita usar?

— Pode sim. Obrigada, Elsie — Olívia afastou as cobertas e saiu da cama. — Então, me diga, você e Bill já marcaram a data do casamento?

— Sim. Em pouco mais de quatro semanas, serei a senhora William Stafford — ela disse com orgulho. — Talvez a senhorita ainda esteja aqui. Adoraria que fosse à igreja e visse meu casamento. A patroa foi muito gentil e me deu um rolo de renda. Minha tia está fazendo o vestido. Oh, senhorita, estou tão animada!

A felicidade de Elsie era contagiosa e Olívia não pôde conter uma pontada de inveja.

Às 19h55, Olívia desceu as escadas e encontrou Sable esperando por ela no hall de entrada.

— A patroa está lá fora no terraço, senhorita Drew-Norris. Me siga.

Ela o seguiu e, quando pisou do lado de fora, viu uma pequena mesa preparada para duas pessoas no canto do terraço. Velas grandes, protegidas do vento por recipientes de vidro, lançavam um brilho suave no anoitecer.

— Olívia, venha e se sente — Adrienne apontou a outra cadeira.

— Espero que esteja quente o suficiente para você aqui fora. Trouxe um xale, caso você sinta frio, mas eu gosto de comer aqui fora quando posso. Na França, quase nunca comíamos dentro de casa entre maio e setembro. Agora, tome um pouco de vinho *rosé*, um vinho cor-de-rosa que produzimos nos vinhedos de nosso castelo na Provença. Peço que mandem uma dúzia de caixas durante o ano. Quer experimentar?

Olívia se sentou.

— Adoraria — ela disse. — Obrigada.

Adrienne pediu a Sable que servisse o vinho.

— Jantaremos em quinze minutos, Sable. *Merci*.

— Muito bem, madame.

O mordomo acenou com a cabeça e desapareceu para dentro da casa.

— *Santé* — Adrienne ergueu a taça na direção de Olívia e as duas tomaram um gole.

Olívia provou o vinho e gostou. O vinho branco era muito ácido e, o vinho tinto, muito pesado para ela. Esse parecia a combinação perfeita.

— É bom, não? — Adrienne perguntou.

— Muito bom mesmo.

— Minha família costumava beber esse vinho em canecas enormes, recém-saído de nossa adega — Adrienne suspirou. — É, bem... É apenas outra coisa de que sinto falta.

— Mas você é feliz aqui na Inglaterra, não é? — Olívia perguntou.

— Sim, é claro, mas esse ano estou um pouco triste. Sempre passamos o mês de agosto no castelo de minha família. Porém, com Christopher tão ocupado em Whitewall e Harry treinando os recrutas, não consegui ir sem eles. Christopher acredita que a guerra é iminente.

— Em Londres, é impossível ignorar os preparativos. Vi sirenes para ataques aéreos serem erguidas ao longo da orla no dia em que parti.

— Tenho certeza. — Habilidosa, Adrienne mudou para assuntos mais aprazíveis. — Você precisa me contar da temporada. Foi tudo o que você imaginou que seria?

— Na verdade, foi melhor. Conheci pessoas maravilhosas que não eram nem de longe tão chatas como eu pensei que seriam.

— Como sua amiga Venetia Burroughs? Ela é diferente, como você. Então — disse Adrienne quando Sable chegou trazendo um carrinho cheio de bandejas de prata —, me conte a quais bailes você foi. Foram tão lindos quanto eu lembro?

Durante um jantar com sopa de agrião fresco e uma salada preparada com ingredientes frescos e viçosos do jardim da cozinha, Olívia divertiu Adrienne com todas as anedotas interessantes sobre suas experiências de que podia se lembrar.

— *Voilá*! — Adrienne bateu palmas de alegria. — É tudo muito parecido com a época em que fui debutante. E, é claro, tenho certeza de que muitos rapazes ficaram encantados com você. A pergunta é: você ficou encantada com algum deles?

— Eu... Não. Pelo menos nenhum que eu achasse especial.

— Bem, estou certa de que não vai demorar para você se sentir assim — Adrienne percebeu o desconforto da convidada. — Olívia, gostaria que se sentisse em casa aqui. Pode pedir a Fredericks, nosso motorista, que a leve a qualquer lugar, quando quiser. E talvez possamos ir às praias juntas. Há muitas por perto e você verá como Norfolk é bonito. Harry estará em casa nos fins de semana para lhe fazer companhia. Ele está cansado, pobrezinho, mas ficou muito feliz quando eu contei que você viria para cá. Vai ser bom para ele ter uma companhia jovem. Agora, acho que está na hora de dormir, não? — Adrienne se levantou, caminhou até Olívia e a beijou nos dois lados do rosto. — Boa noite, querida, durma bem.

— Durma bem, Adrienne — Olívia também se levantou. Logo em seguida, disse: — Gostei muito dessa noite.

As duas entraram na casa e passaram pelas diversas salas que levavam ao hall de entrada.

— Elsie vai levar uma bandeja de desjejum ao seu quarto amanhã, no horário que você preferir. Nós vamos nos encontrar às 13 horas para o almoço. Depois, vamos passear pelos jardins e eu vou lhe mostrar a estufa. Pode pegar o livro que quiser na biblioteca. Há uma casa de verão protegida atrás do caramanchão das rosas, à esquerda do jardim murado, onde costumo me sentar para ler.

— Obrigada, Adrienne. Você é muito gentil — Olívia respondeu enquanto subiam juntas as escadas.

— E você é muito gentil de vir me visitar. *À bientôt*, Olívia. Durma bem.

[CAPÍTULO 18]

Nos dias seguintes, Olívia entrou em uma rotina tranquila. Passava as manhãs lendo na casa de verão e, depois do almoço, passeava com Adrienne antes do descanso da tarde. Elas jantavam juntas no terraço, conversando sobre arte, literatura e a França, por cuja cultura Adrienne era muito apaixonada.

Olívia achava que a beleza do cenário e o ritmo vagaroso da vida em Wharton Park estavam aquietando sua mente a um estado de paz quase catatônico. A guerra iminente e o que ela faria com sua vida, se houvesse uma, sumiram de sua mente com a mesma facilidade com que as teias de aranha nas muitas rosas do jardim se dissolviam em seus dedos.

Certa tarde, Adrienne dirigiu até a costa. Olívia quase ficou admirada ao ver a beleza da praia de Holkham descortinada à frente delas como um palco casto e dourado. Elas fizeram um piquenique nas dunas e Adrienne cochilou após o almoço com o chapéu de palha sobre o rosto para proteger sua pele de marfim dos raios solares.

Olívia foi até a água para mergulhar, sem muita confiança, a ponta dos pés na água gelada e salgada. Não estava tão frio quanto ela imaginava e, com o vento soprando em seus cabelos, o Sol brilhando e o esplendor da praia deserta ao redor delas, Olívia imaginou que poderia mesmo viver naquela parte da Inglaterra.

Quando voltaram a Wharton Park, Olívia cruzou o hall para escapar até o quarto e tirar o vestido molhado e amassado. Porém, um rosto familiar e muito sonhado descia as escadas na direção dela.

— Olívia, que maravilha ver você! — ele a beijou com carinho nos dois lados do rosto e ela se arrependeu, na mesma hora, de seu estado desgrenhado. Harry ainda vestia o uniforme militar e estava impressionantemente bonito.

— Oi, Harry, como está?

Ele virou os olhos para cima.

— Ah, nem bem nem mal, eu diria... Mas você está ótima!

Olívia corou.

— É mesmo? Sua mãe e eu acabamos de voltar da praia e acho que estou meio bagunçada.

— Bem, para mim, você está perfeita. Adoro tirar as teias de aranha com a brisa do mar. O que você diz de irmos amanhã, se você não se importar de voltar lá? Tenho o fim de semana de folga e quero aproveitá-lo.

Havia uma leveza, quase uma euforia, em Harry, que Olívia nunca vira antes.

— Parece divertido. E, agora, se me der licença, eu realmente preciso tirar esse vestido molhado.

— É claro — ele concordou. — Até o jantar, Olívia.

— Sim — ela respondeu e tropeçou na escada. — Até mais tarde.

Naquela noite, Olívia pediu a Elsie que arrumasse seus cabelos com a frente enrolada para cima e presa, e o resto solto em cachos enormes e dourados. Ela escolheu seu vestido azul favorito e se olhou no espelho.

— Está parecendo uma pintura — comentou Elsie com admiração. — O mestre Harry vai acompanhar as senhoritas essa noite, não?

— Acredito que sim.

Olívia estava muito nervosa para se permitir uma fofoca. Ela desceu as escadas, saiu para o terraço e viu que Adrienne e Harry já estavam lá.

— Harry acabou de me contar que vocês combinaram de ir à praia juntos amanhã — Adrienne esboçou um sorriso de aprovação. — Olívia, querida, o ar fresco lhe faz muito bem. Você está linda hoje — ela entregou à Olívia uma taça de vinho *rosé* colocada em uma bandeja de prata que estava sobre a mesa. — E, amanhã, Christopher estará em casa, por isso, no domingo, faremos um almoço para os vizinhos e você poderá conhecer todos eles. Vamos nos sentar?

A noite foi muito agradável. Harry foi atencioso com Olívia, fazendo perguntas sobre a temporada e também sobre Londres. Adrienne se retirou cedo, fingindo cansaço, e os dois foram deixados sozinhos no terraço. Olívia se esforçou ao máximo para superar os tremores de ansiedade e manter a postura.

— Estou muito feliz por você estar aqui, Olívia. É maravilhoso, para minha mãe, ter uma companhia em Wharton Park enquanto não pode visitar a família na França, principalmente porque meu pai está passando muito tempo fora. Ela gosta tanto de você — ele comentou.

— E eu dela — Olívia confirmou.

— E a beleza dessa parte do mundo está mais atraente aos seus olhos do que antes? — Harry sorriu para ela e os dois compartilharam a lembrança perfeita de sua primeira conversa.

— Ah, sim! Estou adorando. Sua mãe me converteu por inteiro.

— Ela é ótima em persuadir os outros — Harry ergueu as sobrancelhas. — Mas fico feliz por você gostar daqui. É um lugar muito especial.

— E, para você, deve ser ainda melhor passar esse tempo em casa — disse Olívia.

— É sim — Harry concordou. — Faz com que a coisa toda seja mais suportável. De qualquer forma... — ele apagou o cigarro. — Está na hora de eu dormir. Estou exausto. Você também?

Harry ofereceu a mão e ela aceitou, se levantando. Ele a soltou logo que começaram a andar pela casa e subiram as escadas.

— Boa noite, Olívia — ele a beijou com educação nos dois lados do rosto —, durma bem — e caminhou lentamente para seu quarto.

Olívia deitou na cama confusa por Harry não ter tentado dar outro beijo nela. Porém, se consolou: ainda era o início de suas férias na propriedade e o primeiro dia de folga de Harry havia semanas. Ela devia lhe dar um tempo.

Na manhã seguinte, Harry parecia de muito bom humor enquanto dirigia para a costa.

— Não vou entediar você indo para Holkham novamente. Pensei em fazermos uma viagem a Cromer. Almoçar e passear pela costa — ele sugeriu.

A visão que Olívia tivera de si mesma deitada nos braços de Harry sobre as dunas de areia evaporou na mesma hora. Ela tentou não deixar que a decepção estragasse o tempo precioso que tinha com ele.

Eles passaram um dia agradável juntos, embora não fosse exatamente o que Olívia imaginara. Durante o almoço, no restaurante de um hotel, Harry a divertiu com histórias dos inexperientes recrutas de seu batalhão, alguns deles vindos da propriedade de Wharton Park.

— Fiquei especialmente impressionado com Bill Stafford, namorado de Elsie — Harry comentou, acendendo um cigarro. — Não há dúvida de que tem talento para o exército. Ele tem um ar de autoridade calmo que faz com que os outros o ouçam. Será um soldado bem melhor do que eu jamais seria depois de um longo treinamento.

— Tenho certeza de que não é verdade, Harry.

— Temo que seja, minha querida — ele suspirou, e, triste, apagou o cigarro no cinzeiro. — Bem, vamos voltar?

O jantar, naquela noite, foi servido na sala de jantar, em homenagem à chegada de lorde Crawford de Londres. Adrienne brilhava de felicidade por ter seus dois homens à mesa com ela e o clima era contagiante. Depois, Olívia se juntou a eles para jogar *bridge*. Ela e Christopher venceram, uma cortesia do senhor Christian e de sua cuidadosa instrução.

No final da noite, Harry a acompanhou até o andar de cima e, mais uma vez, ela borbulhava de animação pelo momento do beijo de boa noite. Porém, novamente, ele ofereceu apenas um beijo casto no rosto antes de ir para o quarto.

No dia seguinte, havia vinte pessoas para o almoço, grupo formado pelos amigos e vizinhos de lorde e lady Crawford. Olívia gostou do almoço, já que estava acostumada à companhia de pessoas mais velhas, mas tinha a estranha sensação de que estava sendo exposta para obter a aprovação dos outros. Ela esperava ter se comportado bem. Harry agiu como nos dias anteriores: atencioso, mas distante. Naquela noite, deitada na cama, Olívia decidiu, resignada, mas triste, que era hora de começar a fazer planos para o futuro sem o incluir neles.

Conforme o fim do verão corria na direção do mês de setembro, os campos foram despidos de seus encantos e o cheiro de restolhos queimados impregnou a propriedade. Olívia, entediada, lia com voracidade, fazia longos passeios pelo parque e, muitas vezes, visitava Jack na estufa. Não via Harry desde o almoço de domingo, pois ele passara o fim de semana anterior em Londres. Sua óbvia contradição a deixava mais determinada a mudar o foco para o que faria quando partisse de Wharton Park dentro de poucos dias. Teria ido embora mais cedo, mas Elsie, de quem se tornara uma boa amiga, havia implorado para que ela ficasse para seu casamento e Olívia concordara.

Três dias antes do casamento de Elsie, Christopher chegou de Londres inesperadamente. Ele e Adrienne ficaram trancados no escritório a maior parte da tarde. Olívia estava lendo na biblioteca quando Adrienne, pálida, a encontrou.

— Ah, minha querida! — Adrienne colocou as mãos no rosto. — Christopher me disse que o governo britânico recebeu informações de que a *Kriegsmarine*[9] ordenou a todos os navios mercantes com bandeira da Alemanha que voltem aos portos do país imediatamente, esperando a invasão da Polônia. Não vão honrar o pacto de não agressão entre a Alemanha e a União Soviética — ela se sentou abruptamente em uma cadeira com a cabeça entre as mãos. — Chegou, Olívia. Chegou.

9. Nome da Marinha alemã durante o nazismo. (N. E.)

Olívia se levantou no mesmo instante e foi consolá-la.

— Tenho certeza de que *Herr* Hitler não fará isso. Ele sabe o que isso significa?

— Ele sabe o que isso significa e é o que quer, o que sempre quis. Christopher acredita que até amanhã de manhã a invasão alemã na Polônia terá começado. E então, é claro, a Grã-Bretanha deve declarar guerra — Adrienne agarrou a mão de Olívia. — Não podemos deixar que Elsie saiba disso antes que seja necessário. Deixemos que aproveite mais algumas horas de preparativos. Você não deve dizer nada a ninguém até que a notícia se espalhe pelo país, entende?

— É claro, Adrienne. Não vou dizer uma só palavra, prometo.

— Espero apenas que eles possam aproveitar o dia do casamento como qualquer outro casal. Devem sentir que têm um futuro, mesmo que não tenham — os olhos de Adrienne estavam cheios de lágrimas. Ela pegou um lenço de renda e as enxugou. — *Mon Dieu*! Já chega! Preciso me recompor. Me desculpe, querida. Às vezes é ruim saber demais. Christopher deve voltar para Londres agora mesmo, mas queria compartilhar as notícias pessoalmente.

Naquela noite, Adrienne ficou acordada para esperar o retorno de Harry. Quando ele chegou, ela o levou à biblioteca e serviu um pouco de armanhaque para os dois.

— Mãe, eu soube — Harry falou, vendo a preocupação no lindo rosto dela. — Por favor, tente não entrar em pânico, nada está confirmado ainda e ninguém sabe como tudo vai ser e que implicações terá. Não é nem de longe um choque para nós que temos informações, é claro. Os dados foram lançados quando Hitler entrou na Tchecoslováquia. Estamos nos preparando há meses e acho que meus companheiros ficarão felizes quando souberem da situação e puderem colocar em ação o que aprenderam.

Adrienne levou a mão à testa.

— Não acredito que terei de viver outra guerra. A última levou tantas pessoas que eu amava e conhecia... — ela olhou para ele. — Meu Harry... — Adrienne ergueu os ombros, impotente, e o filho foi consolá-la.

— Mamãe, por favor, tente não se chatear — ele implorou enquanto ela soluçava em seus braços.

Foi um dos poucos momentos de sua vida em que desejou ter uma mãe inglesa do tipo que não demonstra as emoções. Vê-la sofrer tanto era uma dor muito grande para ele.

— Mas o que vou fazer aqui, Harry? Quando você for para a guerra e seu pai estiver em Londres? E a maioria dos homens jovens da propriedade sair daqui? Como cuidarei de Wharton Park sozinha?

— Você tem a companhia de Olívia — Harry sugeriu.

— Oras! — Adrienne gesticulou com a mão delicada. — Ela não vai ficar aqui quando a guerra começar. Por que ficaria? — suas emoções avivadas a fizeram falar a verdade. — Observei vocês dois juntos, Harry, e vejo que ela o ama, mas você... Não acho que goste dela da mesma maneira. Sim, e eu admito que a convidei para ficar aqui para ver se havia atração entre vocês. Agora sei que estava errada. E, como ela só está aqui por sua causa, vai embora e vou ficar sozinha.

Harry estava muito espantado, chocado pelo que a mãe dizia.

— Você acha que Olívia está apaixonada por mim? — perguntou, admirado.

Esse questionamento deixou Adrienne nervosa.

— É claro! Está escrito no rosto dela, você não vê? E ela é uma menina tão adorável, tão esperta, tão inteligente, tão incomum para uma mulher inglesa. Sim, eu tinha planos para vocês... Porque, é claro, você é o único herdeiro e... Ah! — ela colocou as mãos no rosto quente. — Não quero nem dizer isso em voz alta, mas, se você não sobreviver à guerra, não haverá um herdeiro para Wharton Park. Tudo ficará para o sobrinho de seu pai, Hugo, e nossa linhagem acabará depois de trezentos anos.

— Por Deus! — Harry tirou os braços dos ombros dela e andou pela biblioteca, bebendo o armanhaque em goles pequenos. — É verdade! Se eu não voltar, então... — sua voz foi sumindo.

— Harry, me desculpe, de coração. Não estou respondendo por mim mesma hoje. Por favor, me perdoe e esqueça o que eu lhe disse.

Ele se virou para olhá-la.

— O que você disse é a simples verdade. Olívia é encantadora e eu a adoro. E você também gosta dela. Ela faria companhia para você, se...

— Não, Harry! Não escute o que eu disse! — Adrienne pediu, em agonia. — Eu vi o que não existia. Eu pensei...

— Talvez você tenha razão — Harry balançou a cabeça, concordando. — Mas eu sou homem e pouco sensível para perceber os sinais.

— Talvez, mas se lembre de que o amor não pode ser fabricado. Se não existe, não há como mudar essa ausência — Adrienne o observou por alguns momentos e, depois, se levantou. — Estou com uma dor de cabeça forte, tenho de ir para a cama.

— É claro que precisa, mamãe, foi um dia difícil para todos nós.

Adrienne caminhou até a porta, parou e se virou para olhar o filho.

— Acredite que não quero que faça nada que contrarie seu coração. Não é o jeito francês de lidar com as coisas nem o meu. Boa noite, meu querido. Vamos esperar por um dia melhor amanhã.

Depois que ela saiu, Harry se serviu de mais armanhaque e se sentou na confortável poltrona de couro para pensar.

[CAPÍTULO 19]

Na manhã seguinte, 1º de setembro de 1939, foi anunciado no rádio que as tropas de Hitler haviam entrado na Polônia. Dois dias depois, na véspera do casamento de Elsie e Bill, Chamberlain falou para a nação, confirmando que um estado de guerra existia entre Grã-Bretanha e Alemanha.

Talvez, por causa do desastre iminente e do alívio de saber que a guerra agora estava acontecendo, havia um ar de expectativa que pareceu impregnar a propriedade inteira. Enquanto Olívia guardava seus pertences na mala, alguém bateu na porta.

— Entre — ela disse.

Harry estava lá.

— Me desculpe pelo incômodo, Olívia, mas você foi convidada para o casamento de Elsie, não foi?

— Sim, fui — ela concordou com frieza.

A confirmação da guerra e a constante ambiguidade no comportamento de Harry haviam limitado qualquer pensamento amoroso que ela pudesse estar guardando. Queria apenas seguir com sua vida.

— Seria muito pedir para acompanhar você na cerimônia e na festa? Preciso de um pouco de alegria. Gosto muito de Elsie e de Bill, em especial, e uma celebração como essa parece ser perfeita.

Olívia olhou para ele surpresa. Ao perceber que não poderia recusar o pedido, disse:

— É claro, se é o que deseja. A cerimônia é às 14 horas.

— Então, a encontrarei lá embaixo às 13h30 e podemos caminhar juntos até a igreja — ele olhou para a mala na cama atrás dela. — Está se preparando para ir embora?

Olívia confirmou.

— Sim, amanhã vou para a casa dos meus pais em Surrey. Depois, vou direto para Londres para me alistar. Vou me juntar ao Serviço Naval Real das Mulheres, se me aceitarem.

— Que maravilha, Olívia! Mas sentiremos sua falta aqui.

— Duvido — respondeu Olívia, sentindo vontade de contrariá-lo e mal se importando com ele.

— Garanto que sim, todos nós ficaremos tristes ao vê-la partir. Às 13h30, então?

— Sim — ela balançou a cabeça e voltou a preparar a mala. O comportamento de Harry a deixava confusa mesmo.

Olívia e Harry se sentaram no fundo da igreja e viram Elsie brilhar de orgulho e felicidade em seu belo vestido de renda enquanto entrava na igreja para encontrar seu futuro marido.

Todos choraram quando os dois proclamaram seus votos, pois sabiam que a vida deles juntos logo seria interrompida. Era um momento de reflexão e, ao olhar na direção de Harry, ela viu que ele também estava emocionado.

Na festa, Olívia observou, com admiração, Harry sentado à mesa de cavaletes cercado pelos homens que trabalhavam para ele, fazendo brincadeiras e piadas como se fosse um deles. Era fácil ver o quanto eles respeitavam o jovem que um dia seria seu patrão e o quanto gostavam dele. Era um lado de sua personalidade que ela não havia visto antes e seu coração amoleceu um pouco.

Depois do almoço do casamento, chegou o momento dos discursos e Jack, pai de Bill, perguntou se o mestre Harry estava preparado para se levantar e propor um brinde ao feliz casal. Houve aplausos enquanto Harry tentava chegar à frente da festa e subia no estrado.

— Senhoras e senhores, tive a honra de conhecer Bill e Elsie desde pequenos — ele começou. — Quem pensaria que aquelas duas crianças sapecas, que eu sempre pegava roubando maçãs no pomar, acabariam se casando? E eles nunca me ofereceram uma maçã!

Muitas gargalhadas encheram o lugar.

— Devido à nada agradável situação em que nos encontramos agora, pude conhecer Bill muito bem nas últimas semanas. Gostaria de garantir à sua querida esposa que as habilidades dele com a vassoura melhoraram muito — Harry sorriu para Elsie. — E posso dizer a ela que, quando trocarmos a vassoura por uma arma de verdade, não haverá pessoa melhor para me proteger! Elsie, você tem um homem corajoso. Trate-o bem e aproveite sua companhia enquanto pode.

Os olhos de Elsie se encheram de lágrima e ela apertou a mão do novo marido.

— Eu juro que farei isso, mestre Harry.

Harry ergueu seu copo.

— Ao Bill e à Elsie.

— Ao Bill e à Elsie! — os convidados responderam em peso enquanto Harry descia do estrado ao som de aplausos.

Jack bateu palmas e pediu silêncio.

— Vamos também dar três vivas ao mestre Harry, a quem um dia teremos orgulho de chamar de patrão, e à jovem senhorita Olívia, que foi tão gentil com nossa Elsie. Muito obrigado por terem vindo. E, talvez, devamos perguntar — Jack continuou e sorriu com malícia — quando irão marcar a data, né?

Mais aplausos e gritos fecharam o discurso de Jack quando Harry voltou para perto de Olívia.

— Senhoras e senhores, peguem seus parceiros e que comece a dança! — anunciou Bill.

Harry se sentou ao lado de Olívia. Olhou para ela e havia um brilho nos olhos da garota.

— Uau! Acho que gostam de você.

— E eu acho que gostam de você, Harry. Você foi absolutamente maravilhoso lá em cima — disse Olívia generosa, tentando quebrar a tensão criada pelo comentário direto de Jack.

Ele estendeu a mão para ela.

— Vamos dançar? — ele a convidou.

Ela sorriu.

— Por que não?

Uma hora depois, Harry e Olívia saíram do salão abafado para o alívio do ar da noite, que esfriava com rapidez. Olívia foi convidada para dançar por todos os homens e acompanhara Jack, Bill e até Sable, o mordomo, pela pista de dança.

Harry segurou a mão dela enquanto caminhavam em direção à casa. O coração dela deu um salto quando ele fez isso, mas ela decidiu apenas aproveitar o momento e não pensar muito naquilo.

— Sabe, você é muito boa com os empregados. É um dom que a minha mãe também tem.

— Obrigada — disse Olívia, olhando ao seu redor e tentando absorver a beleza da propriedade pela última vez. — Será triste ir embora — ela admitiu. — Passei a amar esse lugar.

O Sol estava se pondo e eles passavam pelas plantações de milho recém-colhido e entravam no parque.

— Sabe, Olívia — Harry falou em voz baixa —, às vezes um homem não vê o que está bem debaixo do seu nariz.

Olívia o encarou surpresa.

— O que você quer dizer?

— Bem, hoje pela manhã, quando a vi fazer a mala, percebi, de repente, o quanto gostei de ter você aqui em casa e o quanto vou sentir sua falta.

Olívia ergueu uma sobrancelha fazendo pouco caso.

— Muitíssimo obrigada por dizer isso, Harry, mas você quase não me viu.

— Não, mas sabia que você estava aqui.

Olívia não respondeu. Não fazia ideia do que dizer. Eles entraram nos jardins formais e caminharam até a fonte. De repente, Harry se virou para ela e a abraçou. Depois, beijou sua boca com paixão. Olívia ficou espantada. Era a última coisa que esperava, mas não pôde deixar de gostar do toque dos lábios dele nos dela. Por fim, ele parou de beijá-la e a segurou nos ombros enquanto olhava para ela.

— Olívia, não quero que vá embora, quero que fique aqui em Wharton Park.

— Eu... Harry, eu... Não posso — ela balbuciou.

— Por que não? — ele quis saber.

— O que eu faria? Preciso voltar para Londres e me alistar.

— Querida Olívia, haverá um esforço de guerra aqui em Norfolk, sabia? — ele riu.

— Harry, não é essa a questão. Eu...

— Case comigo.

Ela o encarou como se ele tivesse enlouquecido por completo. Não conseguia pensar em nada para responder. Depois, Harry se ajoelhou e tomou as mãos dela.

— Olívia, não sei o que você sente por mim, mas, se puder me aceitar, eu ficaria muito feliz caso esteja preparada para passar o resto da vida aqui em Wharton Park.

Olívia finalmente conseguiu soltar algumas palavras.

— Desculpe, Harry, estou em choque. Não achei que você — ela afirmou, engolindo a seco — gostasse assim de mim. Por que agora, de repente?

— Talvez eu não tenha percebido como me sentia até conversar com minha mãe ontem e ver você fazer sua mala de manhã. Querida, por favor, diga que sim. Prometo cuidar de você. E, juntos, tenho certeza de que protegeremos Wharton Park para a próxima geração.

Ela olhou para ele, para aquele lindo rosto que ela acreditara de verdade que nunca seria seu. E todo o amor que sentira, e tentara desesperadamente esmagar, reacendeu.

— Por favor, diga sim antes que meu joelho rache nesse cascalho — ele brincou, sorrindo como um garotinho. — Querida, por favor? — repetiu.

Olívia vasculhou seu coração, mas percebeu que era inútil encontrar razões para recusar o pedido. Ela o amava. E não havia nenhum outro motivo que importasse.

— Sim, Harry — ela disse. — Aceito me casar com você.

Ele se levantou, a tomou nos braços e a puxou para perto de seu corpo. Depois, a beijou de novo.

— Ah, minha querida! Estou tão feliz! Venha, vamos entrar e procurar minha mãe. Mal posso esperar para contar a ela.

Foi somente mais tarde, naquela noite, depois de ter se deitado na cama exausta por causa da extraordinária virada na situação e da celebração com champanhe ao lado de Adrienne, que Olívia percebeu que Harry não dissera uma única vez que a amava.

[CAPÍTULO 20]

O casamento do honrado Harry Crawford e da senhorita Olívia Drew-Norris foi marcado para o início de dezembro. Harry estava longe de casa com o batalhão, encarregado de proteger as praias vulneráveis da costa de Norfolk, construindo postos de vigilância e barricadas de arame farpado, e enterrando minas. Ele ficaria nessa tarefa até janeiro pelo menos, antes de novas ordens serem enviadas sobre a futura posição do batalhão. Outros batalhões já haviam sido mobilizados do outro lado do oceano; assim, Harry e todos em Wharton Park, muitos dos quais tinham parentes no Quinto Batalhão Real de Norfolk, estavam agradecidos pela suspensão momentânea da ação.

Adrienne sugerira que Olívia esperasse até depois do casamento para se alistar no Serviço Naval Real das Mulheres.

— Você terá muito tempo depois, querida, mas não agora. Você vai se casar e ser a futura lady Crawford! Você precisa participar dos preparativos comigo e se divertir.

A proximidade das núpcias evitou que Adrienne entrasse em uma crise emocional, já que a festa a ajudava a se distrair. Ela estava determinada, mesmo com notícias cada vez mais sérias chegando do exterior todos os dias, a celebrar esse casamento com tudo o que tivesse direito.

De sua parte, Olívia tinha a leve sensação de ter voltado ao começo da temporada; sua vida parecia mais uma rodada de visitas a costureiras (uma viagem a Londres, com Adrienne, havia garantido um vestido de alta-costura para ela do próprio Norman Hartnell). E havia listas de convidados para fazer, tanto da festa de noivado quanto do casamento, e convites a enviar. Um casamento da alta sociedade como aquele geralmente era planejado ao longo de um ano inteiro, mas Olívia e Adrienne tinham a maioria das coisas sob controle.

Os pais de Olívia estavam, é claro, pulando de alegria. Haviam visitado Wharton Park para comemorar a novidade no fim de semana. Tanto o pai dela quanto Christopher fizeram discursos após o jantar, declarando que aprovavam a união e desejando felicidade ao jovem casal.

Olívia sentia pena da mãe, que, mais uma vez, parecia ter sido afastada da organização dos preparativos do casamento da filha. Ela havia aceitado essa condição com sua graciosidade costumeira, comentando com Olívia que lorde e lady Crawford estavam pagando por tudo, o que era ótimo, pois a pensão recebida do exército pelo pai dela não daria nem para os vestidos das damas de honra, menos ainda para o restante.

Na noite anterior ao casamento, foi oferecido um jantar na casa para amigos e parentes próximos das duas famílias. Venetia viera com um grupo de amigos de Olívia de Londres. Ela se sentou na cama de Olívia enquanto a futura noiva colocava sua maquiagem na penteadeira.

— Não posso deixar de me sentir um pouco ofendida por você ter me decepcionado, Olívia querida. Pensei que tivéssemos um pacto de evitar casamentos e aqui está você, entrando em uma igreja poucos meses depois! Tem certeza mesmo de que Harry é "o homem certo"?

— Eu o adoro demais, e adoro Wharton Park — disse Olívia com firmeza.

— Você sabe que ficará presa a essa casa para sempre, não sabe? E com certeza deverá ter um herdeiro, e pelo menos mais um filho como garantia.

— Gosto de crianças — Olívia protestou. — Eu quero filhos.

— E tem certeza absoluta de que Harry a ama?

— É claro que me ama — Olívia respondeu de repente, pois o comentário de Venetia tocara em um ponto fraco. — Por que ele se casaria comigo se não me amasse?

Depois do jantar, Olívia andou pelo patamar da escada na direção do quarto, exausta. Ela deu um pulo quando duas mãos a pegaram pela cintura.

— Olá, minha menina querida, como você está? — Harry encostou o rosto no pescoço dela. Olívia sentia o cheiro de álcool no hálito dele.

— Estou um pouco nervosa — ela admitiu. — E você?

— Acho que vou ficar feliz quando tudo isso acabar e pudermos começar nossa vida como senhor e senhora Crawford. Você não?

— Sim.

Ele deu um beijo leve na testa dela.

— Aproveite sua última noite de liberdade, querida. Nós nos veremos amanhã na igreja.

Alguns minutos depois, quando Olívia se deitava na cama, o frio na sua barriga percorreu todo o seu corpo. Ela não estava nervosa por causa da cerimônia de casamento. Naquela mesma hora, na noite seguinte, ela e Harry entrariam na suíte principal com vista para o parque e a porta seria fechada atrás deles.

Ela sabia, é claro, o que esperar. Venetia se divertira esclarecendo as imagens para ela. Mas, por mais que tentasse, achava difícil imaginar aquele grau de intimidade com Harry. Não fazia ideia se ele era inocente como ela; esperava que não fosse, assim, pelo menos um deles saberia o que fazer. Conformou-se pensando que aquilo era um rito de passagem que todas as mulheres casadas tinham de enfrentar. E, além disso, Olívia pensou, enquanto adormecia, que essa era a única maneira de trazer bebês para esse mundo.

O dia seguinte amanheceu claro e agradável. Elsie chegou ao quarto de Olívia com uma bandeja de café da manhã às 8 horas. Ela estava explodindo de animação.

— Não tenha pressa, senhorita, tenho tudo sob controle — ela apontou para um papel. — Fiz um cronograma para nossa manhã, assim, nós duas saberemos o que fazer.

Olívia se sentiu tranquilizada pela presença calma de Elsie.

— Você é fantástica, de verdade. Obrigada — agradeceu enquanto Elsie colocava a bandeja sobre suas pernas.

— Ah, quero muito ver a senhorita com o vestido — comentou Elsie, indicando o maravilhoso modelo de cetim creme colocado em um manequim no canto do quarto. — A patroa disse que virá vê-la após o café da manhã. Depois, vou preparar um banho para você e arrumarei seu cabelo.

Às 9 horas, bateram na porta do quarto.

— Entre.

Adrienne apareceu segurando uma grande caixa de couro. Ela beijou Olívia dos dois lados do rosto.

— Querida, hoje é o dia mais feliz da minha vida, de verdade. Ver meu filho se casar com uma mulher que amo como se fosse minha filha... O que mais uma mãe pode querer? Venha e deixe eu mostrar o que trouxe para você.

Adrienne andou até o banco, sentou-se e deu uma batidinha no lugar ao seu lado para que Olívia se sentasse ali. Ela abriu a caixa e revelou um incrível colar de diamantes e grandes brincos em formato de gota que formavam um conjunto.

— São para você, Olívia, para que os use hoje. Todas as noivas da família Crawford os usaram nos últimos duzentos anos. Você deve guardá-los e entregá-los para a noiva de seu filho quando ele for se casar.

— São lindos — Olívia respondeu em um sussurro. — Obrigada, Adrienne.

— Não me agradeça, querida — ela disse ao se levantar. — Não peço mais nada, além de que continuemos as boas amigas que já somos. Agora, preciso supervisionar os preparativos e esperar ansiosa para lhe dar as boas-vindas à nossa família formalmente, mais tarde.

Às 11h30, Olívia estava vestida e pronta. Elsie olhou para ela com admiração.

— Ah, senhorita Olívia, você está tão bonita que acho que até eu me casaria com você! — ela riu ao passar para Olívia as longas luvas de cetim branco.

— Obrigada. Estou extremamente nervosa — Olívia sacudiu os braços. — Venha me dar um grande abraço, acho que preciso de um.

Insegura, para não estragar o vestido da noiva, Elsie abraçou sua patroa.

— Obrigada por ter cuidado de mim com tanto carinho nessas últimas semanas — disse Olívia. — Pedi à Adrienne que continuasse sendo assim no futuro.

— Quer dizer que serei sua dama de companhia? Para sempre? — os olhos de Elsie estavam arregalados de surpresa.

— Sim. Quem seria melhor? Desde que você goste da ideia também. E ganhará alguns *shillings* a mais.

— Ah, senhorita, eu adorei! Muito obrigada — disse Elsie, com a voz vacilante. — Agora, é melhor descer, todos estão esperando a senhorita lá embaixo.

— Sim — Olívia precisou de alguns segundos para se recompor. — Me deseje sorte, Elsie.

Elsie observou Olívia caminhar até a porta.

— Boa sorte, senhorita — ela sussurrou quando Olívia saiu do quarto.

Sempre que Olívia pensava no dia de seu casamento, ela se esforçava para se lembrar das coisas. Ela podia ver Harry resplandecente com o uniforme militar completo, esperando por ela perto do altar. E a guarda de honra organizada pelo batalhão quando eles saíram da igreja como um casal. Da festa, que aconteceu no salão de baile, Olívia conseguia se lembrar de um mar de rostos, alguns conhecidos seus de Londres e muitos que nunca vira antes. Ela não tinha memória do que havia comido (provavelmente muito pouco, considerando seu espartilho) nem dos discursos.

Ela se lembrava da primeira dança com Harry, enquanto todos aplaudiam, e, depois, de ter dançado com lorde Crawford, com seu pai, Angus e Archie.

Às 22 horas, os convidados se reuniram no hall para se despedirem do casal, que subia para o quarto. Como Harry retornaria imediatamente ao batalhão, os planos de lua de mel foram deixados para mais tarde. Harry segurou o braço de Olívia e a beijou no rosto no momento em que ela jogou o buquê do alto da escada. Todos aplaudiram quando uma garotinha de 5 anos o pegou.

— Tudo bem, querida? — Harry perguntou ao conduzi-la pelo corredor na direção contrária de seu antigo quarto.

— Acho que sim — ela respondeu nervosa.

Ele abriu a porta de seus novos aposentos e eles entraram. Harry fechou a porta e se jogou na grande cama, cujos cobertores já estavam puxados.

— Bem, não sei você — ele disse e colocou as mãos atrás da cabeça —, mas eu não quero nunca mais passar por isso. Estou totalmente exausto.

Olívia também estava muito cansada, mas se sentia desconfortável para deitar com ele na cama. Por fim, se afundou em uma poltrona próxima à lareira recém-acesa. Ele a observou de sua posição elevada.

— Você não precisa de Elsie para tirar tudo isso? Não sei se sou um especialista.

— Talvez você possa aprender — ela sugeriu com timidez, desencorajada pela atitude prática que ele assumira.

Ele pulou da cama e foi até ela.

— Levante e vamos dar uma olhada então — ele ordenou.

Ela o obedeceu e se virou de costas para o marido, para que ele examinasse os botões de pequenas pérolas que consumiram vinte minutos do tempo de Elsie para serem fechados de manhã. Ele balançou a cabeça.

— Não sei, tenho medo. Vou fazer o seguinte, querida, vou procurar Elsie e volto quando ela terminar de libertar você desse vestido — ele sorriu e saiu do quarto na mesma hora.

Olívia não sabia se chorava ou ria da insensibilidade dele. Alguns minutos depois, Elsie apareceu na porta.

— O mestre Harry disse que a senhorita precisava da minha ajuda e eu não estou surpresa. Esses botões são um pesadelo até para os dedos mais ligeiros — Elsie começou a desabotoar o vestido e Olívia esperou em silêncio.

— A senhorita está bem? — ela perguntou. — Está tão calada.

— Eu... Ah, Elsie...

Para sua vergonha, lágrimas começaram a rolar pelo seu rosto.

— Senhorita, não chore agora, por favor. Só está cansada, é isso, e emocionada. Eu também chorei na noite de meu casamento, se quiser saber.

Elsie pegou um lenço do bolso e o entregou à Olívia.

— Não estrague seu belo rosto para o mestre Harry com lágrimas. Serei o mais rápida possível e, depois, a senhorita voltará para os braços dele.

— Obrigada, Elsie, você deve ter razão — Olívia concordou, assoando o nariz. — Só estou sendo boba.

— Todas nós ficamos nervosas na noite do casamento, senhorita — comentou Elsie enquanto soltava o último botão e Olívia tirava o vestido. — Mas o mestre Harry vai cuidar de você, sei disso — ela acrescentou, entregando à Olívia a camisola. — Pronto, vista isso e eu vou pendurar o vestido em seu antigo quarto. Vou dizer ao mestre Harry que a senhorita está pronta quando eu descer. Tudo bem, senhorita?

— Sim — Olívia concordou. — Obrigada, Elsie.

Elsie pegou o vestido de noiva, o pendurou em um braço e foi para a porta. Abriu-a e, então, se virou, sorriu com timidez e completou:

— E eu prometo que não será tão ruim quanto a senhorita acha. Até amanhã, senhorita Olívia. Boa noite.

Mais calma, Olívia se sentou em uma cadeira, esperando que Harry aparecesse. Dez minutos depois, bocejando, ela decidiu deitar, se perguntando onde ele poderia ter ido. A tensão da espera estava acabando com Olívia, mas ela não podia sair do quarto e procurá-lo. Com certeza ele estava vindo. Meia hora depois, ainda nenhum sinal dele. A exaustão daquele dia acabou por vencê-la, ela fechou os olhos e dormiu.

Em algum momento da noite, ela ouviu a porta ser aberta e sentiu um peso no colchão quando Harry se deitou ao seu lado. Ela esperou, atormentada pelo suspense, para ver se ele iria se aproximar e tocá-la. Ele não fez isso. Alguns minutos depois, Olívia o ouviu roncar baixinho.

Olívia acordou cedo no dia seguinte com uma sensação de medo no peito. Ela sabia que, sem dúvida, a noite anterior não fora o que deveria ter sido.

Harry ainda dormia ao seu lado, assim, ela saiu da cama e andou na ponta dos pés pelo tapete até o aposento ao lado. Os aposentos privados compreendiam o quarto, uma sala de estar, um banheiro e um quarto de vestir para cada um. O dela tinha um guarda-roupa e, o de Harry, uma pequena cama.

Olívia sabia que era normal marido e mulher terem quartos de dormir separados, embora seus pais nunca tivessem tido esse luxo em Poona, pois a casa deles era muito compacta. Ela olhou para a cama e se sentou nela, imaginando com tristeza se Harry teria preferido passar a noite lá.

Vestiu-se rapidamente, desconfortável ao pensar que Harry podia surpreendê-la e vê-la seminua. Ao voltar em silêncio para o quarto, ela viu que ele ainda dormia. Hesitou perto da porta, sem ter certeza do que fazer. Se descesse, todos estranhariam o fato de ela ter acordado tão cedo na primeira manhã da vida de casada. Porém, se ficasse lá... Ela teria de encarar uma situação desconfortável com o marido. Mas ela perdeu a chance de decidir, já que Harry se mexeu e a viu parada em frente à porta.

Ele sorriu para ela, esfregando os olhos.

— Oi, querida. Dormiu bem?

Ela encolheu os ombros em silêncio. O desespero estava estampado em seu rosto. Ele abriu os braços.

— Venha e me dê um abraço.

Olívia não se mexeu.

— Venha, querida, não vou morder você.

Ela caminhou insegura até ele e se sentou com a postura ereta no canto da cama.

— Deve estar imaginando onde fui ontem à noite.

— Sim.

— Bem, alguns rapazes me viram quando eu voltava pelo corredor e me pediram para os acompanhar em um drinque, para celebrar. Eu sabia que estava exausta, então, quis deixar você descansar — ele segurou a mão dela e a apertou. — Querida, você está chateada, não está?

— É claro que estou, Harry! Era nossa noite de núpcias, pelo amor de Deus! — ela gritou sem conseguir segurar a frustração.

— É verdade. Me desculpe — ele se sentou e acariciou as costas dela. — Sabe, querida, temos a vida inteira juntos para nos conhecermos. Não temos pressa, certo?

— Acho que não — ela respondeu, sem convicção. — Eu apenas... Não quero que mais ninguém saiba.

— Bem, eu não vou contar nada, juro. Vamos com calma, tudo bem?

De alguma maneira, Olívia conseguiu enfrentar aquele dia, se mantendo ocupada, evitando perguntas de Venetia e Adrienne, e tentando parecer tão contente e satisfeita quanto uma mulher recém-casada deveria estar.

Naquela noite, quando todos os convidados já haviam ido embora e Olívia se recolhera aos seus aposentos, Harry entrou no quarto. Ele se sentou na cama e segurou a mão dela.

— Querida, acho melhor eu dormir no meu quarto de vestir hoje. Tenho de acordar ao amanhecer e não quero incomodar você — ele se inclinou até ela e lhe deu um beijo no rosto. — Boa noite, durma bem — ele se levantou e saiu do quarto.

Olívia não conseguiu dormir até a madrugada, com o estômago revirado, sabendo que alguma coisa estava terrivelmente errada.

[CAPÍTULO 21]

Nas duas semanas antes do Natal, Harry não tentou iniciar nenhuma intimidade no quarto. Na verdade, Olívia quase não via o novo marido. Ele chegava, às vezes, depois da meia-noite, dormia um pouco no quarto de vestir e saía no dia seguinte às 6 horas. Nos fins de semana, ele também trabalhava.

Olívia sentia que não deveria reclamar, pois sabia que a guerra estava avançando. Um submarino militar alemão já havia afundado o navio de guerra britânico HSM Royal Oak e jovens rapazes desapareciam toda semana da propriedade para treinar em tempo integral com seus batalhões.

Ela torcia apenas para que, quando Harry conseguisse folga nos dois dias do Natal, eles passassem um tempo juntos. E, na pior das hipóteses, pudesse discutir o relacionamento e seus problemas óbvios.

Por sorte, devido à ausência de homens, havia muitas tarefas para que ela se mantivesse ocupada na propriedade. Como Bill não podia mais ajudar Jack, Olívia cuidava do jardim da cozinha e regava as flores na estufa. Trabalhar ao ar livre, no frio congelante, adormecia seus pensamentos e evitava que ficasse se preocupando. Mas ela tinha dificuldade em se mostrar alegre. Sentia que não podia pedir conselhos a ninguém, embora quisesse muito.

Adrienne, percebendo a tristeza da nora e a atribuindo ao fato de Harry passar tanto tempo longe nas primeiras semanas de casado, sugeriu que ela convidasse seus amigos de Londres para uma visita um pouco antes do Natal. Até Harry se alegrou com a proposta.

— É uma ideia maravilhosa, querida. Tenho certeza de que você convidará Venetia. Ela é uma garota divertida que anima qualquer festa. E que tal aquele poeta, Archie? E Angus, seu amigo escocês?

Os amigos de Olívia chegaram na data combinada, cheios de histórias de horror sobre Londres e o iminente racionamento. Venetia chegou vestindo seu uniforme do Serviço Naval Real das Mulheres, dizendo à Olívia que estava passando por um treinamento ultrassecreto, do qual não podia comentar nada.

Depois do jantar, as duas se sentaram perto da lareira na biblioteca para o que se transformou em um típico momento de colocar a conversa em dia. Venetia olhou a amiga com desaprovação.

— Querida, para alguém que vive no campo, você está com uma aparência de doente. Não está grávida, está? — ela riu.

A observação descuidada de Venetia fez Olívia chorar.

— Puxa! Sinto muito, eu disse alguma coisa errada?

— Não... Sim... Ah, Venetia, é horrível demais para colocar em palavras!

Venetia se aproximou dela e colocou os braços sobre seus ombros.

— Tenho certeza de que não pode ser tão ruim assim, seja lá o que for. Você não está doente, está, querida?

— Não, não estou doente... Eu... — Olívia não sabia como começar. — A questão, Venetia, é que eu... Eu ainda sou... Virgem!

A amiga olhou para ela admirada.

— Como pode? Ah, querida, me conte tudo. Talvez eu possa ajudar você nessa questão.

Então, chorando e fazendo muitas pausas, Olívia contou sua triste história. Venetia comentou:

— Eu não entendo — disse Venetia com sinceridade. — Estou espantada porque a maioria dos homens parece passar a vida tentando conseguir o que Harry tem à disposição com sua mulher toda noite.

— Não fale assim! — disse Olívia. — Sei disso. A questão é: por quê?

— Você perguntou para ele?

— Não. Fico dizendo a mim mesma que preciso fazer isso, mas... Não tenho coragem.

— Bem, você precisa mesmo conversar com ele, querida, porque não é normal — Venetia implorou. — Além disso, você é tão encantadora, é difícil imaginar que um homem possa resistir a você.

Olívia abriu um sorriso.

— Obrigada, Venetia, mas é sério, não sei o que fazer. Minha sogra fica fazendo insinuações sobre quando virá o próximo herdeiro de Wharton Park e, é claro, sei que não há possibilidade de isso acontecer. Talvez — ela suspirou — eu simplesmente não seja o tipo dele.

— Agora você está sendo boba — Venetia a consolou. — Você é o tipo de todo homem. Precisa tentar lembrar que esse é, quase com certeza, um problema do Harry, não seu — Venetia andou pela biblioteca, pensando. Por fim, parou e se virou para Olívia. — Talvez ele apenas seja exageradamente tímido. Você terá de pular nele.

— Ah, não! Eu não conseguiria.

Venetia bocejou.

— Bem, querida, se tudo falhar, você pode se tranquilizar com o fato de que ele provavelmente não ficará muito tempo aqui. Estão mobilizando pessoas até não poder mais e há grandes chances de Harry ser mandado logo para a França. Então, é claro — ela sorriu —, você pode arranjar um amante. Você é uma mulher casada, no final das contas, e é de praxe. Agora, meu bem, tenho de dormir um pouco. Tive uma noite louca em Londres e estou exausta. Conversaremos mais pela manhã. Não há nada de errado com você, eu juro. Boa noite, querida, tenha bons sonhos.

Depois de refletir sobre o que a amiga dissera, Olívia pensou que ela talvez tivesse razão e Harry fosse apenas tímido demais. Decidiu que não havia nada a fazer além do que Venetia sugerira, isto é, pular no marido.

Naquela noite, vestida com seu penhoar mais bonito, e antes de perder a coragem, Olívia passou pela sala de estar até o quarto de vestir de Harry. Porém, quando abriu a porta, a cama estava vazia. Olhando a hora no relógio ao lado dela, viu que passava da meia-noite. Intrigada para saber onde ele estava desde que havia deixado a mesa do jantar mais cedo, ela saiu do quarto, cruzou o corredor e desceu a escada na ponta dos pés.

Todas as luzes estavam apagadas e Sable fechara a casa, o que normalmente significava que todos haviam se retirado. Atravessando o hall de entrada, ela parou ao ver uma faixa de luz embaixo da porta da biblioteca. Arrastou-se em direção a ela, virou a maçaneta sem fazer barulho e abriu a porta.

Olívia engasgou de susto. Harry estava parado perto da lareira de costas para ela. Ela via que Archie tentava beijar seu marido sem parar, ignorando a presença dela. Ficou ali por mais alguns segundos vendo como Archie o agarrava e como seus lábios procuravam a boca de seu marido...

Sentindo o estômago se revirar, ela prendeu a respiração, disparou pelo corredor até o banheiro mais perto e vomitou várias vezes.

Após uma noite quase sem dormir, Olívia, devastada, acordou para a véspera do Natal. Ficou feliz com a distração de ajudar Adrienne a decorar a tradicional árvore de Natal, tirada do jardim de Wharton Park e colocada no hall de entrada. Músicas da estação tocavam em um rádio ao fundo e todos, à exceção de Olívia, pareciam repletos da alegria da festa. Ela tirou forças do fundo da alma, mordendo com força o lábio uma e outra vez para não cair em prantos por sua tristeza.

Venetia, Archie e Angus estavam prontos para voltarem a Londres na hora do almoço. Olívia se escondeu no quarto, incapaz de pensar em ver Archie e ter de ser educada. Venetia foi procurá-la.

— Querida, estou muito preocupada com você. Está péssima hoje. Se precisar de mim, sabe onde estou — ela disse ao dar um beijo de despedida em Olívia.

— Obrigada — ela engoliu em seco.

Não tinha coragem de contar para Venetia o que vira na noite anterior.

De alguma maneira, ela conseguiu enfrentar aquele dia e o tradicional momento de abrir os presentes depois do jantar. Assim que pôde, Olívia foi para a cama e se deitou, profundamente triste, encolhida sob os lençóis para se proteger do frio, que, naquela noite, parecia roer seus ossos.

Uma hora depois, Harry entrou no quarto.

— Querida, você está acordada?

Como ela não respondeu, ele deu a volta na cama. Ela sentiu o rosto dele se inclinar sobre ela. Sentou-se ereta e gritou:

— Não! Não toque em mim!

Harry se afastou, chocado com a reação dela.

— O que é isso?

Ela pulou da cama, desesperada para se afastar dele.

— Sei que não posso fazer nada quanto ao fato de ter me casado com você. Que boba eu fui! Mas, eu imploro, prometa que nunca mais tentará tocar em mim outra vez. Você... É repulsivo!

Harry se virou e a seguiu enquanto ela ia até a lareira tremendo de frio e raiva.

— Querida, por favor, se acalme. Do que está falando?

Ela olhou diretamente para ele com nojo nos olhos.

— Eu o vi com ele — ela disparou. — Ontem à noite, na biblioteca.

Harry desviou o olhar e, depois, disse:

— Entendo.

— Durante essas semanas, fiquei me perguntando por que você não queria sua esposa como todo marido deve querer, por que nunca tentou me tocar... Estava desesperada, pensando que era um problema meu, que eu estava fazendo alguma coisa errada. E, é claro — Olívia deu uma risada cruel —, você nunca ia me querer, não é? Sou do sexo errado!

Ela o observou sem pena quando ele afundou em uma poltrona e colocou a cabeça entre as mãos.

— Olívia, eu sinto tanto. Você não devia ter visto o que viu...

— E você não devia ter feito o que eu vi! Como pôde, Harry? Nessa casa! Qualquer um podia ter entrado e visto, como eu!

— Juro que nunca havia acontecido antes e nunca mais acontecerá. Eu... Nós... Nós estávamos bêbados... Nos deixamos levar...

— Por favor, me poupe de desculpas, Harry — Olívia torcia as mãos, desesperada. — Está tentando me dizer que não conseguiu resistir a outro homem? — ela parou para avaliar seu comportamento, sabendo que corria o risco de ficar histérica.

— Querida...

— Não me chame de "querida"! Eu não sou sua "querida", ele é! — ela começou a soluçar e se jogou na cama. — Harry, como você pôde ser tão cruel? Como pôde se casar comigo sabendo o que você é?

— Eu não sabia... Eu não sei... Olívia, talvez você não entenda, mas, na escola...

— Não me importo com o que aconteceu na escola! — ela olhou para ele enojada. — Você está casado agora, tem uma esposa! Como pôde permitir que eu desperdiçasse minha vida com você, sabendo que gosta de homens e nunca poderia me amar? Sei que você é tímido, mas não pensei que fosse cruel.

— Por favor! Eu juro, Olívia, que gosto de você. Depois da noite passada, eu sei que... Aquilo que você viu... Não é para mim, de verdade.

— Que conveniente dizer isso agora que foi descoberto. Sabia que você pode ser expulso do exército em desgraça por isso? E seus pais, seus pobres pais — ela balançou a cabeça. — Sua mãe fica me perguntando quando vou ter o herdeiro da casa. Harry — ela disse, com suas forças esgotadas —, como posso suportar isso?

— Querida, por favor, não chore — ele fez menção de se aproximar, mas ela ergueu os braços à sua frente.

— Eu disse para não me tocar!

Harry voltou para a poltrona e afundou nela. Eles ficaram em silêncio durante um tempo.

— Sabe — ele acabou dizendo —, não é tão incomum um homem lutar para saber... Quem ele é, Olívia. E, eu juro, querida, depois da noite passada, sei quem sou. E, por favor, se me permitir, quero compensar você por isso, quero fazer nosso casamento dar certo. Sei que o que aconteceu foi errado, mas realmente fiz aquilo com a melhor das intenções, se você ao menos me deixasse explicar...

— Por favor — Olívia tremeu —, me poupe dos detalhes. Me desculpe por não querer entrar em seu mundinho sujo — e soltou um longo suspiro. — Acho que, quando nós dois estivermos calmos, devemos discutir o que fazer. Tenho de decidir se consigo viver assim — ela olhou para o marido. — Se eu não conseguir, Harry, você me dará o divórcio?

Harry parecia horrorizado.

— Nunca tivemos um divórcio na família.

— Talvez nunca tenham tido um homossexual na família! — Olívia pronunciou a palavra de maneira seca, viu Harry se encolher e ficou satisfeita.

— Por favor, pare de falar isso, Olívia! — ele implorou. — De verdade, não é o que sou. Sim, pensei por um tempo que era possível, por isso precisei descobrir a verdade. Mas, é sério, querida, acredite em mim, eu não sou. Tantas coisas ficaram mais claras para mim hoje. E foi por isso que a procurei essa noite, para consumar nosso casamento.

— Quanta nobreza de sua parte, Harry — Olívia se sentiu exausta de repente —, mas não consigo acreditar em você. Não acho que me ame e queria nunca ter me apaixonado por você. Agora, por favor, teremos outro longo dia amanhã e vou tentar dormir um pouco — ela olhou para ele. — E quero que me prometa uma coisa.

— Qualquer coisa, Olívia querida, mesmo.

— Quero que me prometa que não vai se aproximar de mim nem me tocar enquanto penso no que fazer.

— É claro — ele concordou com tristeza. — Eu entendo.

[CAPÍTULO 22]

Nas semanas seguintes, Olívia não precisou se preocupar em ser tocada por Harry. Ele quase nunca estava em casa. Ficava fora com o batalhão, trabalhando noite e dia para compor as defesas da costa de North Norfolk. O racionamento de comida começou intensamente e o ministro da agricultura fez uma visita para discutir os campos sem cultivo que deveriam ser entregues sob custódia para aumentar a produção.

Olívia visitara a estação de recrutamento local para se alistar no Serviço Naval Real das Mulheres. Porém, quando souberam que ela morava em Wharton Park, a líder havia sugerido que ela procurasse a líder local do Exército Mulheres da Terra, para ver se seria mais adequado para ela.

— Muitas garotas precisarão de abrigo nas propriedades locais do condado, inclusive na sua. Pelo posicionamento da propriedade, vai ver que é exatamente o que o Exército Mulheres da Terra precisa.

Olívia se encontrou com a mulher em questão, que ficou animada com a perspectiva de ter alguém de idade próxima à das meninas e que já morava em uma grande propriedade. Olívia assumiu o cargo de secretária organizadora da área, encarregada de fazer contato com as fazendas locais para discutir sobre quantas meninas precisariam de alojamento e onde as alojar.

Entre essa função e a tentativa de ajudar Adrienne a cuidar da casa, cuja equipe de funcionários diminuíra muito, Olívia estava bastante ocupada. Não ter um único segundo para pensar a ajudou a enterrar o sofrimento pelo que havia acontecido e a ferida aberta no seu coração. Não era hora de pensar em si mesma ou no futuro. Havia um conforto irônico na situação e ela conseguiu viver um dia de cada vez. Além disso, pelo menos ela sabia os motivos do marido e isso ajudava muito.

Harry fizera tudo o que podia, no pouco tempo que tinha, para convencer Olívia de seu amor. Ele copiou, com sua bela caligrafia, seus poemas românticos favoritos e os deixou para ela por debaixo da porta do quarto. Mandou entregar flores da estufa para ela todo dia e, assim, os aposentos se enfeitaram permanentemente com os aromas deliciosos. Encomendou pacotes de livros dos quais ele sabia que ela gostava e pediu que fossem trazidos de Londres. Era exatamente o tipo de comportamento que ela havia esperado dele quando estavam flertando. Porém, naquele momento, não significava nada. Seu coração estava adormecido.

As garotas do exército que ficariam em Wharton Park chegaram de ônibus no início de março. Olívia fora alertada pela representante do Exército Mulheres da Terra de que muitas das meninas eram de cidades industriais e não faziam ideia do trabalho que fariam. Ela havia escolhido três chalés dos empregados no pátio para acomodá-las. Esses chalés estavam desocupados havia muitos anos e precisavam de reforma. Eram úmidos e escuros, mas Olívia, com a ajuda de Elsie e de outros, passou a limpá-los, arrumá-los e torná-los lugares decentes para se morar.

Na noite em que as garotas do exército chegaram, se agruparam na cozinha, todas espantadas com o tamanho da casa. Olívia comeu com elas, ouvindo histórias sobre os lugares de onde haviam vindo e como era horrível o uniforme que tinham de usar.

— Você tinha de experimentar essas camisas da Aertex[10], senhora Crawford — disse uma garota com um forte sotaque da Birmingham. — Elas pinicam um bocado.

— E são grandes demais para nós — comentou outra menina. — Eu acho que as calças foram feitas para homens, não para mulheres. Vamos ficar lindas amanhã, não vamos, garotas?

---

10. Tradicional tecelagem inglesa. (N. E.)

Todas riram e Olívia ficou feliz em ver que elas pareciam um bom grupo. Ela fora avisada pela representante sobre as brigas que podiam surgir com garotas que não se conheciam e eram alojadas juntas.

Depois da ceia, Olívia se levantou e bateu palmas para pedir silêncio.

— Meninas, em primeiro lugar, quero lhes dar as boas-vindas a Wharton Park. É uma propriedade linda, que fica em uma parte encantadora do país, e vocês têm sorte em estarem aqui. O senhor Combe explicará como vocês serão organizadas nas terras, mas eu queria falar sobre os preparativos domésticos agora. Pão, leite e ovos serão levados aos chalés no café da manhã. O trabalho começará às 8 horas e vocês devem se reunir no pátio, onde o senhor Combe e sua equipe distribuirão as tarefas do dia. Haverá um intervalo de quinze minutos pela manhã e, ao meio-dia, será servido um sanduíche para o almoço onde quer que vocês estejam trabalhando. As tarefas da tarde recomeçam às 13 horas e terminam às 17 horas, e o jantar será oferecido na cozinha às 18 horas. Gostaríamos que, entre às 17 e às 18 horas, vocês se lavassem e se trocassem, e não viessem para cá vestindo os uniformes sujos — Olívia sorriu.

— Vou usar meu vestido de festa e uma tiara para tomar chá aqui, senhora, não se preocupe — disse uma garota de voz estridente, para gargalhada geral.

— Vocês terão um dia de folga por semana — Olívia continuou — e será em sistema de escala. Há um ônibus para Cromer que sai da entrada da frente às 11 horas da manhã, se quiserem ir à cidade comprar suprimentos. Ele volta às 16h30. Há uma cópia desse regulamento em cada um dos chalés. Muitas de vocês não estão acostumadas a morar no interior — ela acrescentou. — Não há belas casas e luzes brilhantes em sua porta. Sugiro que organizem entre vocês divertimentos para as noites, jogos de adivinhação, de tabuleiro e coisas assim — Olívia viu a falta de entusiasmo com sua sugestão e, assim, continuou rapidamente. — Também decidimos fazer uma competição de tricô em Wharton Park. Minha sogra, lady Crawford, está organizando meias, chapéus e cachecóis para serem levados de Norfolk para as tropas no exterior. Se não souberem tricotar, vamos ensiná-las. E a garota que produzir mais itens em um mês ganhará — ela abriu uma sacola de papel que estava na mesa e tirou o conteúdo — isto!

As garotas ficaram admiradas com o par de meias de náilon que Olívia segurava. Ela ficou aliviada ao ver que a técnica de oferecer uma recompensa tivera sucesso. Quando Olívia saiu da cozinha, Adrienne, que não passara bem nas últimas semanas e quase não deixara o quarto, estava no hall de entrada.

— Você gostaria de tomar um drinque comigo na biblioteca, Olívia? — ela perguntou. — Sinto que preciso de um.

— É claro — ela concordou, embora estivesse exausta depois do longo dia e fosse a última coisa que sentia vontade de fazer. Como Sable fora designado para dirigir um trator, Adrienne serviu as bebidas.

— Gim? — ela ofereceu à Olívia.

— Seria ótimo — Olívia aceitou, se largando em uma cadeira.

— Como foi com as meninas? Como elas são? — Adrienne perguntou nervosa, passando a bebida para a nora e se sentando em sua frente.

— Parece ser um bom grupo, mas ainda não sei. Não têm um pingo de experiência, mas vão aprender — disse Olívia. — E qualquer luz no fim do túnel...

— Sim — Adrienne concordou. — E quaisquer que sejam as dificuldades que enfrentemos aqui, não se comparam ao que nossos meninos vão passar. E não demorará muito, Olívia — ela suspirou. — Mas pelo menos você e Harry tiveram mais tempo que a maioria.

— Sim, tivemos — Olívia comentou sem prestar atenção.

Adrienne olhou para a nora.

— Querida, não quero me intrometer, mas está tudo bem entre vocês?

— Sim — respondeu Olívia, sentindo um arrepio de apreensão com a sensibilidade de Adrienne para perceber as situações. — Estamos aproveitando o tempo que temos.

Adrienne encarou Olívia procurando sinais em seu rosto.

— Sim. Talvez seja porque vocês se veem tão pouco, como você disse. Mas eu senti, quando os vi juntos, que parece existir uma... Distância entre vocês.

— Tenho certeza de que está certa, Adrienne — Olívia continuou o pensamento iniciado pela sogra. — Mas tivemos algumas horas juntos nas últimas semanas.

— Sim, quem sabe se Harry conseguisse uma folga, vocês pudessem viajar. Afinal, vocês não tiveram lua de mel.

A ideia de ficar sozinha com Harry, presa em algum lugar, deixou Olívia enjoada.

— Adrienne, acho que nós dois percebemos que nossa prioridade é a guerra. Temos uma vida toda pela frente.

— É muito nobre pensar assim, Olívia. E... — Adrienne tremeu — rezemos para que esteja certa.

A Alemanha invadiu a Dinamarca e a Noruega em abril, e a campanha britânica começou ao mesmo tempo. Ainda assim, apesar do grave cenário de guerra e da tensão para adivinhar quando as tropas alemãs invadiriam as praias britânicas, Olívia descobriu que gostava da nova vida. O exército das mulheres a mantinha ocupada e ela se tornara especialista em reuniões de boas-vindas e em resolver os problemas das meninas que chegavam ao condado. As garotas alojadas em Wharton Park eram, na maioria, boas meninas, e, quando levava os sanduíches para elas na hora do almoço, Olívia muitas vezes se sentava com o grupo, desfrutando das conversas alegres. Quando não estava cuidando das meninas, ou lidando com um trator quebrado, ou devolvendo um porco fujão ao chiqueiro, ela ficava em casa com Adrienne. O salão de baile se tornara uma estação de coleta para centenas de balaclavas, cachecóis e meias que as mulheres de Norfolk estavam tricotando para mandar aos rapazes. Ironicamente, Wharton Park estava mais viva do que fora antes da guerra, com garotas chegando e saindo, e mulheres no salão de baile montando caixas para as roupas de lã.

Olívia acabou percebendo que Adrienne era muito delicada. Ela alegava uma dor de cabeça ao menor sinal de problema e se retirava para o quarto, às vezes por dias. Olívia temia em pensar o que teria acontecido à propriedade se ela não estivesse lá. E, cada vez mais, os empregados da casa a procuravam para pedir instruções.

Conforme a primavera chegava, a guerra no papel deu lugar para a guerra de verdade quando a Alemanha invadiu a França. Os alemães continuaram seu domínio sobre a Europa nos Países Baixos e, depois, avançaram para Oeste através da Bélgica.

Harry se mudou com todo o batalhão para a escola interna local, em Holt. Devido à ameaça agora muito real de invasão, já que a Alemanha se aproximava do Canal da Mancha, as defesas da costa de Norfolk estavam em alerta total.

No final de maio, a batalha de Dunquerque começou. Olívia passava as noites encolhida sobre o rádio nos chalés das garotas do exército, ouvindo as notícias. Duas das meninas, Bridge e Mary, conheciam jovens envolvidos na batalha. Dois dias depois, o locutor anunciou que Dunquerque estava sendo evacuada e que as tropas britânicas estavam sendo retiradas. Não havia mais brincadeiras e conversas, já que todos na propriedade esperavam apreensivos para saber se a ação daria certo.

Quando Winston Churchill, o novo primeiro ministro, fez seu pronunciamento noturno à nação e informou que cerca de 338 mil homens haviam sido resgatados das praias e portos de Dunquerque, houve comemoração e choro, embora todos soubessem que fora uma derrota horrível.

— Por favor, permita que Charles seja um deles — chorou Mary no ombro de Olívia. — Eu daria tudo para que ele ficasse bem e a salvo.

Olívia decidiu que as garotas precisavam de um pouco de diversão e conseguiu dois jarros de cidra para que elas comemorassem. Elsie, sem ter Bill por perto, se tornara muito amiga de Mary e se unira às garotas do exército como guia nas excursões a Cromer.

Olívia viu Elsie sentada quieta em um canto. Foi até ela.

— Elsie, você está tão abatida. Está tudo bem?

— Para ser sincera, não, senhorita Olívia. Estou sentada aqui, ouvindo a transmissão e pensando que, em breve, serão o meu Bill e o seu Harry.

Não sei como resistirei sem ele quando ele se for — Elsie enxugou uma lágrima no olho. Olívia a abraçou.

— Tente não se preocupar, Elsie — ela consolou a amiga, se sentindo culpada porque a ideia de que seu próprio marido partiria lhe provocava pouca emoção. — Harry disse que Bill é o melhor soldado do batalhão e um passarinho me contou que ele está prestes a virar sargento — Olívia colocou o dedo em frente à boca —, mas não diga a ninguém que eu lhe contei.

O rosto de Elsie se iluminou.

— Ah! É verdade, senhorita Olívia? Se ele for promovido, será o dia de maior orgulho da minha vida — ela anunciou, feliz.

[CAPÍTULO 23]

Em meados de junho, quando Olívia acordou em meio à beleza de Wharton Park totalmente florescida sob o orvalho, ela ouviu no rádio que a França havia se rendido à Alemanha.

Hitler estava em Paris, supervisionando seu mais novo troféu, e ela se perguntava quanto tempo levaria para acontecer uma batalha pela Grã-Bretanha, como dissera o senhor Churchill na transmissão pela manhã.

Enquanto ia para o jardim da cozinha colher a quantidade diária de frutas e legumes para alimentar a todos na propriedade, ela pensou no quanto era difícil imaginar o tipo de morte e destruição em larga escala que ela vira com as meninas no cinejornal havia dois dias. Quando entrou na cozinha com duas cestas pesadas de alimentos frescos, ela encontrou Harry, magro e exausto, sentado à mesa e tomando uma xícara de chá.

— Oi, querida — ele abriu um sorriso fraco. — Adivinha. Ganhei o dia de folga.

— Nossa!

Olívia continuou a retirar as frutas e os legumes das cestas. A perspectiva de Harry ficar em casa não a animava. Na verdade, era bem o contrário.

— Tenho certeza de que você quer se deitar e dormir.

— Na realidade, pensei que poderíamos usar o dia para sairmos e fazermos algo juntos. O que acha de um piquenique na praia?

A senhora Jenks, a cozinheira, que estava junto à pia, sorriu e disse:

— Sim, mestre Harry, leve sua esposa para passear. Ela está administrando esse lugar sozinha há semanas, até onde sei. Ela precisa de um intervalo tanto quanto o senhor — a cozinheira olhou para Olívia com admiração. — O senhor fez uma ótima escolha. Ela é maravilhosa, é sim. Todos nós achamos — ela acrescentou, para que não restassem dúvidas.

Olívia corou ao ouvir os elogios e começou a inventar desculpas descontroladamente.

— Mas eu preciso levar os sanduíches para as meninas e...

— Se acalme! Deixe comigo, senhora Crawford, e saia para passear com seu marido.

Ao perceber que fora vencida, Olívia se rendeu.

— Vou até o andar de cima tirar essas calças.

— Eu a encontrarei no carro em dez minutos, querida — Harry disse.

— Meu Deus, estou muito feliz por sair daquele lugar por algumas horas — Harry sussurrou ao dirigir para longe da casa. — Está um dia lindo e tenho comida de piquenique preparada pela senhora Jenks no porta-malas. Pensei em irmos a Holkham. É provavelmente a única praia que não foi completamente destruída por arames farpados e balões de barragem.

Ele olhou para a esposa esperando sua opinião. Olívia concordou com um movimento da cabeça, em silêncio. Eles estacionaram perto da praia e foram para as dunas. Harry carregava a cesta de piquenique. O lugar estava deserto, não se via ninguém. Harry se jogou na areia, se virou e fechou os olhos por causa do Sol.

— Que maravilha! — ele disse. — Isso sim é que é vida! Aqui é possível imaginar que a guerra é um pesadelo que tive na noite passada.

Olívia se sentou sobre a areia a uma certa distância dele. Ela não respondeu. Olhou para o mar, querendo que aquele dia acabasse o mais rápido possível. Quando se virou, ela viu que o marido a observava.

— Quer ir até o mar? — ele perguntou.

— Se você quiser.

Eles se levantaram e andaram juntos na direção da água.

— Queria dizer, Olívia, que você tem feito um trabalho maravilhoso em casa. Realmente não sei o que teria acontecido se minha mãe estivesse sozinha lá. Ela tem uma saúde tão delicada e se chateia com muita facilidade. Sei que você assumiu a maior parte da administração do lugar.

— Estou gostando — ela admitiu. — Tem sido ótimo me manter ocupada.

— Você tem um talento natural e todos em Wharton Park a adoram — ele sorriu para ela com carinho. — Assim como eu.

— Ah, Harry! — Olívia ficou irritada de repente. — De verdade, não precisa mais fingir.

Eles continuaram andando em silêncio. Um pouco antes de chegarem ao mar, Harry parou e se virou para ela.

— Olívia, eu... Eu tenho pensado muito sobre quando nos conhecemos. Antes que aquilo acontecesse. Lembro-me de pensar que você era a garota mais inteligente que eu já tive o prazer de conhecer. Não é boba, burra e vaidosa, como muitas das mulheres que encontrei antes, mas uma garota com inteligência real e integridade. Acho que você também gostou de mim, né?

— É claro que gostei, Harry — Olívia concordou em voz baixa.

— Lembra como costumávamos provocar um ao outro e rir juntos?

— Sim...

— E, talvez — ele disse, com pressa —, eu devesse ter lhe falado naquela hora que você era a garota mais linda que eu já vira.

Olívia balançou a cabeça, frustrada.

— Harry, por favor, pare! Entendo o que está tentando fazer, mas é tarde demais!

— Querida, por favor, com as coisas nesse ponto, será muita sorte se tivermos outra chance de ficarmos juntos para eu poder me explicar! Eu imploro, Olívia, preciso pelo menos dizer o que aconteceu comigo. Por favor, podemos nos sentar?

Olívia viu o desespero nos olhos dele e mudou de ideia.

— Bem, não vejo no que isso pode fazer diferença, mas, sim, se é o que quer, prometo ouvir.

Os dois se sentaram sobre a areia.

— Vou contar desde o início. Concordo, como você disse, que provavelmente não fará diferença, mas, pelo menos, você merece saber.

— Por favor, Harry, diga logo.

— Muito bem. E, eu juro, não espero que me entenda. É apenas uma explicação honesta. Certo?

Era visível que Harry estava organizando seus pensamentos.

— Tentei lhe dizer naquela noite que quando os meninos ficam juntos no colégio interno, que, devo dizer, é um lugar horrível para passar nossos anos de formação, às vezes, por pura solidão e desespero, eles passam a gostar uns dos outros.

Olívia não pôde evitar que seu corpo tremesse ao pensar nisso. Harry continuou.

— Eu estava especialmente desesperado e com muitas saudades de minha mãe. Havia um garoto na minha turma com quem eu me dava bem e nós nos aproximamos. Não de um jeito físico, devo acrescentar. Mas era o que eu tinha de mais parecido com um relacionamento íntimo. Ele me demonstrava afeto, Olívia, parecia se importar comigo. E eu imaginava, na época, vou ser muito honesto, que eu tinha me apaixonado por ele. O que me levou a imaginar, pelo resto da adolescência, se eu era mesmo, como você certa vez falou diretamente, um homossexual.

Ele esperou uma resposta dela. Olívia baixou os olhos, não tinha nada a dizer. Harry continuou.

— Esse sentimento foi, é claro, exacerbado em Sandhurst. Como você sabe, estou bem longe de ser um soldado nato e comecei a acreditar de verdade que minha falta de vontade de lutar e ser agressivo combinada ao meu amor pelo piano era causada por minha falta de masculinidade. Quando a conheci, admito que estava muito confuso — disse Harry. — Tinha pouca experiência com mulheres e, com certeza, nenhuma intimidade. Para ser muito sincero, elas me assustavam bastante. Não entendia o que queriam e não sabia como agradá-las. Então — ele suspirou —, conheci Archie no baile de Penélope. E ele se parecia comigo de tantas maneiras: sua sensibilidade, seu amor pelas artes, e, é óbvio, eu percebi logo que ele era homossexual. Ele me deu muita abertura e eu viajei a Londres algumas vezes para encontrá-lo.

— Eu sabia que fora você quem eu vi em Londres uma vez — Olívia o interrompeu —, quando eu estava indo para o Ritz tarde da noite. Você estava subindo a escada de um clube mais à frente.

Harry concordou balançando a cabeça.

— Sim, eu estava lá. Archie havia me apresentado para alguns de seus amigos. Ele tomara como certo, desde o início, que eu era um deles. E se esforçou bastante para me persuadir — Harry abaixou a cabeça. — Quando ele veio ao nosso casamento, tentou me convencer a não me casar com você, disse que era um grande erro. E, para ser franco, Olívia, eu estava tão confuso naquele dia que não sabia o que pensar. Archie enchera minha cabeça com histórias de terror sobre como eu não seria capaz de cumprir minhas funções de marido com você na noite de núpcias — ele olhou Olívia nos olhos. — Tinha muito medo de que ele estivesse certo. Ah, meu Deus, Olívia! Acredite quando digo que sinto muitíssimo pelo que aconteceu naquela noite. Eu estava absolutamente apavorado.

Apesar de sua determinação de não acreditar em nenhuma palavra dita por Harry, quando Olívia olhou para seus olhos tristes e assustados, não pôde deixar de sentir que estavam cheios de sinceridade. Se ele não estava dizendo a verdade, era um talentoso contador de histórias.

— Naquela noite — Harry prosseguiu com a missão de contar tudo —, quando eu a deixei no quarto com Elsie, enquanto a esperava sair de lá, fui até a biblioteca tomar um pouco de conhaque para ganhar coragem. Archie me encontrou e disse que me amava. Pedi a ele que me deixasse em paz... Eu estava muito irritado e terrivelmente confuso — Harry suspirou. — Enquanto você esperava por mim no quarto, imaginando o que acontecera, eu estava andando pelo parque com uma garrafa de conhaque. E isso, minha querida, juro que é verdade, pela vida de minha mãe.

— Entendo — sem conseguir olhar para ele, Olívia se concentrava em passar a areia macia entre os dedos.

— Como você sabe, três semanas depois, no Natal, Archie reapareceu. Eu estava no auge de minha confusão, não via uma saída. Eu olhava para você, para sua graça, bondade, beleza. Ainda assim, estava muito confuso e machucado por causa do que eu havia feito.

— Então você sabia que o que fizera era errado? — perguntou Olívia. — Ou, pelo menos, o que você não fizera?

— É claro que sim, querida! Só não sabia como consertar. E, na noite em que você me viu, eu tinha acabado de dizer ao Archie que nunca mais queria vê-lo, que estava convencido de que amava você e queria ser um bom marido. Ele ficou muito bravo, e, então, me agarrou e me beijou.

— De onde eu vi, você não estava se esforçando para afastá-lo — corrigiu Olívia.

— Se tivesse esperado mais alguns segundos, teria visto eu tentar me livrar dele. Ele estava literalmente me sufocando — havia lágrimas nos olhos de Harry. — Eu odiei aquilo! Pareceu errado e antinatural e, quer você acredite ou não, eu sou homem.

Olívia o observou enquanto ele estava ao seu lado, desesperado. Achou melhor ficar quieta até saber o que queria dizer. Harry recuperou a compostura. Segurou a mão dela com firmeza e se virou para olhá-la nos olhos.

— E, por fim, querida, queria apenas dizer que, não só minha admiração e respeito por você cresceram com rapidez nos últimos meses, mas, com eles, meu amor. E, como não estou mais confuso sobre quem sou e não tenho Archie sussurrando em meu ouvido, meus desejos físicos naturais apareceram. Olívia, entendo que você possa me achar repulsivo, mas devo dizer agora que quero estar com você. Assim como um homem normal quer sua bela mulher.

Ele estendeu a mão para acariciar o rosto dela. E ela não se encolheu.

— Você é tão bonita — ele disse com delicadeza. — E eu sinto muito.

— Ah, Harry, eu... — ela soltou um suspiro profundo enquanto ele continuava o carinho. Sentia-se assustadoramente confortável e tranquilizada por ele. — Aquilo quase me destruiu — ela sussurrou.

Harry se aproximou mais da esposa e colocou um braço sobre os ombros dela.

—Eu sei, minha menina querida. Entendo o quanto a machuquei e sei que talvez nunca possa apagar essa dor. Mas, Olívia, se você me perdoar e me der uma última chance, eu gostaria muito de fazer nossa relação dar certo — ele implorou. — Juro por tudo o que me é valioso que não a decepcionarei.

Ela começou a chorar e, sem conseguir parar, escondeu o rosto no peito de Harry. Ele a abraçou com força.

— Olívia, você é forte, corajosa e bela. O que mais um homem pode querer em uma esposa? Sei quanta sorte tenho e farei de tudo para não perder você.

— Ah, Harry! Eu o amei tanto. Mas o problema é: como posso acreditar que você me ama? Que não disse tudo isso para salvar sua pele? Como posso confiar em você?

— Porque, minha querida — ele disse enquanto passava a mão pelos cabelos dela —, você já viu que acho impossível esconder a verdade.

Ela riu.

— Está certo. Era tão óbvio que algo estava muito errado, mesmo antes de nos casarmos.

— Viu? Não sei esconder as emoções e sempre será assim. Olívia, não sei quanto tempo vou ter até ser mandado para o exterior. Na melhor das hipóteses, serão alguns meses. Na pior, alguns dias. Não queria pressionar você, mas também não queria deixar nossa situação assim. Não suportaria a ideia de ter destruído sua vida e que, mesmo que eu não voltasse, você achasse difícil confiar em outro homem por causa do que fiz com você.

Olívia absorveu essas palavras, entendeu o que significavam e o que ele estava dizendo.

— Por isso, mesmo que você me diga agora ou nos próximos dias que nunca poderá me perdoar, pelo menos sentirei, quando partir, que fiz a coisa certa ao lhe contar a verdade. E, o que quer que você tenha pensado ou ainda pense, eu a amo, querida, de verdade.

Foi a vez de Harry chorar e Olívia deitou a cabeça dele sobre seus joelhos enquanto ele derramava lágrimas e revelava como se sentia em relação à sua iminente transferência para o exterior.

— Embora eu tenha de alegrar meus homens com histórias sobre camaradagem e anedotas que teremos quando a luta acabar, sei como a guerra é. E não é a morte que me assusta, é o medo de saber que posso morrer a qualquer momento. Na melhor das hipóteses, haverá uma explosão e eu não vou perceber nada. Na pior, posso levar dias agonizando. De qualquer forma, você acaba, vira só mais um nome em um memorial. Estou apavorado, Olívia. E muito cansado de ter de ser forte pelos outros.

Quando ele parou de chorar, Olívia sugeriu que eles voltassem para as dunas e comessem um pouco do que haviam trazido. A senhora Jenks mandara também uma garrafa de vinho dos vinhedos franceses de Adrienne. Harry a abriu e deu à esposa uma taça.

— Por favor, não beba à minha saúde. Nesse momento, daria tudo para enxergar mal, ter pés chatos ou asma — ele sorriu. — Talvez eu seja um covarde.

— É claro que não, Harry, você está apenas desabafando o que todos os outros homens em sua posição sentem, mas nunca dizem.

— Eu a amo, Olívia — as palavras soaram naturais para ele. — A pergunta é: você consegue acreditar em mim?

Ela esperou bastante antes de responder, procurando a verdade nos olhos dele. E ficou impressionada ao encontrá-la. Por fim, disse:

— Sim, Harry, acredito.

[CAPÍTULO 24]

Southwold

"Fico olhando os flocos de neve dançarem como anjinhos gordos caídos do céu do outro lado da janela. A neve está ativando as luzes de segurança de Elsie e, de vez em quando, elas se acendem, iluminando os flocos grossos e brancos, e apresentando um cenário surreal para a história que Elsie acabou de contar.

Embora a história pareça ter pouco a ver comigo até agora e, no momento, eu não consiga entender sua importância, ela me consolou de alguma forma. Ouvir a maneira como outros, inclusive minha avó, lidaram com o medo de perder pessoas queridas, e sobre a complexidade da vida entre as paredes de Wharton Park, me mostra que não sou a única que já sofreu.

Talvez a diferença seja que eu não recebi nenhum aviso, nenhum momento em uma praia varrida pelo vento em que pudesse corrigir o que estava errado, ganhar paz, falar a eles do meu amor e me despedir...

Não houve expectativa nem preparativos. E, diferente de todas as mulheres que viram os maridos partirem para a guerra e buscaram conforto umas com as outras em entendimento mútuo, sinto não ter ninguém a quem recorrer.

Senti-me só.

O mundo continuou ao meu redor como se nada tivesse mudado. Duas vidas acabadas, sem 'Dia da Memória' para elas. Apenas uma esposa e uma mãe em luto solitário.

Ainda assim... Não vivi as dificuldades da guerra e, pelo menos, meus meninos não passaram pelo medo aterrorizante de encontrarem a morte, como o pobre Harry Crawford e vovô Bill. E se meus preciosos meninos sofreram no final, posso apenas rezar para que tenha sido piedosamente rápido.

Disseram-me, certa vez, que a morte é tão natural quanto o nascimento, parte do ciclo infinito de alegria e dor para os humanos. Virá para nós todos e nossa incapacidade de aceitar nossa própria mortalidade e a daqueles que amamos também faz parte da condição humana.

Qualquer que seja a maneira como a morte vem, a perda é inaceitável para quem fica."

Júlia afastou os pensamentos negativos.

— E o que aconteceu depois, vovó?

— Bem, Olívia voltou da praia de Holkham mudada. Voltou a dar risada, a sorrir... Era como se o Sol tivesse voltado para sua vida — Elsie lembrou. — Podíamos ver a felicidade irradiando dos dois. Quando estava em casa, Harry não dormia mais no quarto de vestir. E eu costumava observá-los caminhando pelo parque de mãos dadas. Eram como qualquer outro casal apaixonado. É claro que não durou muito para nenhum dos dois, mas pelo menos tiveram algumas semanas juntos. E, quando Harry partiu com Bill para o exterior, Olívia estava a caminho de ter uma família.

Júlia ergueu uma sobrancelha.

— Ela estava grávida. Então, ele não era homossexual?

Elsie suspirou e balançou a cabeça com tristeza.

— Não, ele não era, Júlia, e eu posso jurar para você que não, dado o que aconteceu depois. De certa forma, para o bem de Olívia, talvez fosse melhor o contrário e toda a tragédia seria evitada.

— O que quer dizer, vovó? — Júlia perguntou, confusa. — Tenho certeza de que tiveram um final feliz.

— Ah, Júlia — Elsie olhou para ela com carinho —, nem todo mundo tem um, como você sabe bem! O melhor que podemos esperar é ter momentos de felicidade e aprender a aproveitá-los enquanto podemos. Ao menos Olívia e Harry tiveram os deles, embora curtos — Elsie bocejou. — Desculpe. Estou muito cansada agora, depois de falar tanto. Preciso me deitar um pouco.

— É claro. Posso preparar uma bebida para você? — Júlia sugeriu quando Elsie se levantou do sofá e desligou a lareira a gás.

— Seria ótimo. Tem chocolate no armário — Elsie apontou para a cozinha enquanto caminhava pelo corredor até o quarto.

— Levarei para você — disse Júlia. Ela preparou um chocolate e o levou ao quarto em que Elsie estava deitada resplandecente sob uma colcha de cetim rosa.

— Obrigada, meu anjo — disse Elsie quando Júlia colocou a bebida na mesa de cabeceira.

— Hoje em dia não tenho ninguém para me trazer uma bebida quente antes de dormir.

Júlia se curvou para beijar a testa de Elsie.

— Boa noite, vovó, e obrigada por compartilhar sua história comigo.

— Bem, é triste dizer, mas é apenas o começo dela. Podemos conversar mais amanhã. A cama já está pronta para você no outro quarto. Durma bem, meu anjo, bons sonhos.

Júlia saiu do quarto de Elsie e andou lentamente para o outro aposento. Ela se despiu e se cobriu com o edredom estampado com ramos e flores, deixando a cortina aberta para ver a neve cair. Ela adorava observar os flocos, adorava o silêncio e a calma que traziam.

Xavier crescera em Moscou e a neve para ele era como a chuva em Norfolk: comum e irritante. Ela o havia levado para lá uma vez... Júlia mudou de posição e forçou sua mente a buscar outros pensamentos.

Ela ainda não estava pronta para voltar.

Júlia acordou e sentiu o cheiro do bacon chiando na frigideira. Pegou o celular na mesa de cabeceira e viu as horas. Eram quase dez. Ela encostou nos travesseiros e suspirou, mal acreditando que dormira até tão tarde. E que dormira a noite inteira. Ouviu alguém bater na porta.

— Entre.

Elsie espiou para dentro do quarto.

— Bom dia, meu anjo. Tem um café da manhã inglês completo sendo preparado para você. Ficará pronto em dez minutos. Venha depois de tomar uma ducha e se vestir.

Júlia obedeceu, mas, apesar de ter dormido, ainda se sentia inexplicavelmente cansada. Foi até a cozinha, se sentou e tomou um café da manhã do tipo que, naqueles dias, não seria normal ela aceitar. Ainda assim, cinco minutos depois, o prato estava limpo e Elsie lhe servia mais bacon.

— Você sempre gostou de cafés da manhã assim, não é, meu anjo? — ela sorriu.

— Devia ser o ar puro de Wharton Park. Lembro que não parava de comer quando estava lá — Júlia concordou.

— Que tal você tentar fazer isso de novo? — Elsie apontou para os braços magros de Júlia.

—É sério, vovó, estou melhorando bastante, eu juro — Júlia olhou além de Elsie para o lado de fora da casa e viu que a neve já começava a derreter. —Talvez eu deva me mexer enquanto estou me sentindo bem — sugeriu Júlia.

— Sim — Elsie estava ocupada lavando a louça.

— Você está muito cansada para me contar mais?

As mãos cheias de espuma pararam por um momento enquanto Elsie pensava.

— Bem, fiquei um pouco exausta, é verdade. Talvez você possa voltar em outro momento e eu contarei o final da história.

— É claro que posso. Tenho apenas uma pergunta, vovó. O que aconteceu com o bebê que Olívia teria depois de Harry partir para a guerra?

As mãos cheias de espuma pararam completamente.

— Ela sofreu um aborto aos cinco meses, pobrezinha. Foi tempo suficiente para sentir o bebê começar a chutar. Ela ficou de coração partido. Eu sempre dizia para ela ir devagar, não ficar correndo e trabalhando por muitas horas como fazia. Adrienne, a patroa, ficou arrasada quando Harry partiu e Olívia assumiu a maior parte da administração da propriedade.

Sei que algumas mulheres conseguem colher nabos até o momento de o bebê sair delas, mas Olívia, por mais que gostasse de parecer forte, era uma dama. Aquele bebê significava tudo para ela, significava mesmo. Era o herdeiro de que Wharton Park precisava.

— Mas quando Harry voltou da guerra, Olívia devia estar com 20 e poucos anos ainda, o que lhe dava bastante tempo para ter outro bebê.

Elsie virou de costas para a louça, olhou para a neta e balançou a cabeça.

— Desculpe, meu anjo. São perguntas para um outro momento.

— É claro — Júlia aquiesceu, se sentindo culpada por querer saber mais.

— Eu gostaria de ficar com o diário se puder. Eu nunca o li — murmurou Elsie.

— É mais seu do que de qualquer outra pessoa. Deve ficar com ele.

— Não é bem verdade, meu anjo... — a voz de Elsie foi sumindo e Júlia viu quando ela claramente tentou se recompor. — Bem, vamos guardar para a próxima vez, combinado? Muito bem, querida, é melhor você tomar seu rumo. Vou pegar um casaco para você.

Elsie ficou parada na porta e observou Júlia tirar o carro de ré da entrada da casa. Ela acenou alegremente quando o automóvel começou a ganhar velocidade e, depois, desapareceu. Elsie fechou a porta, foi para a sala de estar e pegou o diário da mesa de centro. Segurou-o entre as mãos e olhou para cima, como se rezasse:

— Ah, Bill... — ela sussurrou. — Queria que você estivesse aqui para me dizer o que fazer. Não sei o que é certo contar para ela. Não sei mesmo — ela se sentou com o diário no colo. Depois, o abriu e começou a lê-lo.

No caminho de volta, Júlia começou a se sentir muito mal. Ao se aproximar de casa, o corpo todo começou a doer e teve enxaqueca. Depois de estacionar o carro e caminhar cansada até a porta da frente, ela entrou no chalé e se jogou no sofá. Sabia que o lugar estava frio demais e que deveria ligar os aquecedores guardados na potência máxima, além de acender a lareira. Mas não tinha energia para fazer nada disso. Por fim, juntou suas forças para subir a escada, pensando que, talvez, um breve repouso a deixasse recuperada. Encontrou alguns comprimidos para dor de cabeça no armário do banheiro. Engoliu-os com um copo de água que havia ficado no quarto e caiu na cama.

Naquela noite, Júlia sofreu os perturbadores sonhos alucinantes causados por uma febre alta. Quando acordou, mal conseguia lembrar onde estava, na França, em Moscou, em Wharton Park, nas estufas do vovô Bill...

Estava fraca demais para fazer qualquer coisa além de cambalear até o banheiro e tomar um pouco de água para aplacar a sede violenta, o que a deixou tão fraca que teve de rastejar de volta pelo corredor para chegar ao quarto.

Em algum lugar de sua mente, ela sabia que devia ligar para Alícia ou pedir para o pai vir ajudá-la, porém, nos sonhos, o celular sempre estava fora do alcance. Ou, se ela conseguia pegá-lo, ele caía de suas mãos em um profundo desfiladeiro. E Xavier estava lá, com certeza era ele! Sim...

— Júlia! Júlia! Acorde!

Ela sentiu um braço delicado balançá-la e abriu os olhos. Sua visão estava embaçada e o rosto à sua frente parecia flutuar, embora estivesse certa de que conhecia a voz.

— Júlia, o que aconteceu? Por favor, você consegue falar comigo?

A voz parecia nervosa. Júlia se concentrou em focar a visão e enxergou o homem parado perto dela. Com muito esforço, ela pronunciou a palavra "Kit".

— Graças a Deus! — a voz dele estava marcada pelo alívio. — Pelo menos você me reconhece. Júlia, você tomou alguma coisa? Diga o que foi, é muito importante.

Júlia fechou os olhos, sentindo que acabaria desmaiando se não fizesse isso, e conseguiu balançar a cabeça.

— Não, não, não tomei nada... Apenas... Sinto-me muito mal e quente.

Kit encostou a mão fria em sua testa.

— Meu Deus, você está ardendo! Quando isso começou?

— Ontem à noite — Júlia disse. — De repente, senti-me péssima.

— Está com dor?

— No corpo todo... Horrível... Tonta... Dor na cabeça...

— Certo — Kit tirou o celular do bolso. — Tenho quase certeza de que é uma gripe, mas vou chamar um médico agora para averiguar.

— Não se preocupe... Ficarei bem... Eu... — Júlia começou a falar e parou. Estava muito cansada para discutir.

Meia hora depois, um médico de idade terminou de examinar Júlia.

— Bem, minha querida, como lorde Crawford sugeriu, você está com uma gripe pesada. Vou descer e falar com ele — avisou o doutor, guardando o termômetro na bolsa. — Ele parecia bastante preocupado quando abriu a porta para mim.

Kit andava de um lado para o outro na sala de estar, ansioso.

— Não é nada sério, lorde Crawford. Como você suspeitava, é uma gripe, mas a senhorita está com uma febre muito alta. Há alguém que possa vir para cá cuidar dela? Ela não pode ficar sozinha até a temperatura estar sob controle.

— Ela tem uma irmã, vou tentar falar com ela. Imagino que deva receber o tratamento normal: antitérmico a cada quatro horas e, se a febre não baixar, recorrer ao antigo, mas confiável, método de usar esponjas com água morna — Kit disse. — E ela deve tomar o máximo de líquidos que conseguir.

— Exato.

O médico o observou.

— O senhor estudou Medicina, lorde Crawford?

— Sim, um pouco — ele concordou. — Obrigado por ter vindo com tanta rapidez.

— Foi um prazer como sempre, lorde Crawford. Eu gostava muito da saudosa lady Crawford. É tão triste ela não estar mais entre nós, mas talvez tenha sido melhor. A vida dela não estava muito boa perto do fim.

— Não — reconheceu Kit, se sentindo desconfortável por não ter se importado em comparecer ao funeral.

— Bem, deixarei a moça em suas habilidosas mãos. Tenha um bom-dia, lorde Crawford.

Quando Júlia acordou, não fazia ideia de quanto tempo se passara. Sabia apenas que se sentia um pouco melhor, que a vista estava clara e que as dores que atacaram os músculos do seu corpo haviam diminuído. Com vontade de usar o banheiro, ela afastou as cobertas com a mão trêmula e colocou os pés no chão. Ergueu-se sobre eles e conseguiu apenas chegar à porta do quarto antes de afundar no tapete, sentindo que iria desmaiar. Ouviu passos na escada e uma batida na porta.

— Júlia, você está bem?

A porta foi aberta e bateu no joelho dela. Júlia se esforçou para movimentar seu corpo fraco e deixar Kit entrar.

— Que raios você está fazendo aqui?! — ele perguntou enquanto passava a mão na testa dela.

— Estava tentando ir ao banheiro — ela murmurou, constrangida.

— Hum. Bem, pelo menos parece que você não tem mais febre. Venha, vou levantá-la.

Júlia não tinha escolha a não ser deixar que Kit a erguesse e a levasse como uma inválida pelo pequeno corredor até o banheiro. Ele abriu a porta e, quando parecia que iria entrar também, ela disse:

— Estou bem, de verdade.

— Vou esperar aqui para ajudar você quando sair. E não tranque a porta. Se você desmaiar, terei de entrar.

— Sim, obrigada — Júlia sussurrou ao fechar a porta do banheiro.

Quando reapareceu, Kit, que havia se retirado respeitosamente para o quarto, veio para perto dela e a ajudou a voltar para a cama. Depois de Júlia estar acomodada, ele se sentou no canto da cama e olhou para ela, examinando seu rosto.

— O doutor Crawford deduz que a paciente deve finalmente ter superado a pior parte — ele sorriu, pegou um copo ao lado da cama e o colocou na boca dela. — Beba, por favor. Tem bastante glicose e ajudará a devolver suas forças.

Júlia quase engasgou com o gosto açucarado.

— Eca... — ela murmurou. — É horrível!

— Mas muito melhor do que energético. Pelo menos foi o que o médico disse.

Júlia encostou a cabeça graciosamente no travesseiro.

— Que dia é hoje?

— Acredito que seja quinta-feira, já que ontem foi quarta-feira.

Júlia quase engasgou.

— Quer dizer que fiquei na cama por três dias?

— Sim, senhora Forrester, ficou. Reclamando, gritando e se revirando feito uma maluca. Certa noite, você fez tanto barulho que quase a internei.

Júlia corou.

— Ah, meu Deus, Kit, sinto muito! Você não ficou aqui o tempo todo, ficou?

— Não o tempo todo — ele respondeu, galante. — Alícia não podia ficar por causa dos filhos. Eu poderia ter levado você ao hospital local com os velhinhos, mas achei que seria muito cruel.

— Ai, Kit... — Júlia resmungou. — Cuidar de mim, com tudo o que está acontecendo em sua vida, era a última coisa de que você precisava.

— Na verdade, foi uma ótima desculpa para sair de Wharton Park por alguns dias. Além disso, concluí a primeira fase de meu diploma de Medicina em Edimburgo antes de abandonar o curso. Você ficará tranquila ao saber que não estava nas mãos de um completo amador.

— Obrigada... — Júlia sentiu as pálpebras pesarem. Ela fechou os olhos e começou a adormecer.

Kit a olhou sorrindo, tirou uma mecha de cabelo da testa dela, saiu na ponta dos pés e fechou a porta.

[CAPÍTULO 25]

À noite, Júlia conseguiu se sentar na cama e tomar um pouco de sopa da tigela oferecida por Kit.

— Está muito boa, não? — ele observou enquanto a ajudava a comer. — Alícia a trouxe mais cedo, quando você estava dormindo. Ela disse que voltaria à noite quando Max chegasse em casa e pudesse cuidar das crianças. Ela estava muito preocupada com você. Todos nós estávamos.

— Bem, por favor, fique à vontade para voltar à sua casa agora — Júlia respondeu, se sentindo culpada. — Estou bem melhor.

— O quê? E perder a primeira conversa lúcida que tive nos últimos quatro dias? Não — ele balançou a cabeça —, temo que você vai ter de me aturar até estar curada.

Alguém bateu na porta da frente.

— Deve ser Alícia — disse Kit. — Está bem para vê-la? — ele quis saber.

— Sim! Eu disse que estou me sentindo melhor.

— Certo — ele ergueu uma sobrancelha. — Parece que passamos para a fase mal-humorada de sua doença — Kit foi até a porta, suas pernas longas percorreram o caminho em dois passos. — Vou buscar sua irmã.

Alícia apareceu no quarto alguns segundos depois, com o belo rosto fechado em uma expressão preocupada.

— Júlia, graças a Deus você está bem! Ficamos tão preocupados — ela caminhou até a cama e abraçou a irmã. — Como você está?

— Melhor — Júlia balançou a cabeça. — Definitivamente.

Alícia se sentou no canto da cama e segurou a mão dela.

— Que bom! Você estava muito doente, pobrezinha. E acho que seu sistema imunológico enfraqueceu por causa, bem... Do trauma.

— É provável — Júlia concordou, sem querer usar sua preciosa energia em uma discussão. — E obrigada pela sopa. Foi muito gentil de sua parte trazê-la para mim.

Alícia ergueu as sobrancelhas.

— Por Deus, não foi nada! Você deve agradecer ao Kit, ele foi maravilhoso. Quando percebeu que eu não poderia vir por causa das crianças, ele se ofereceu para ficar com você aqui. Eu fui uma mera assistente nesse drama todo.

— Estou me sentindo muito culpada por ter dado tanto trabalho — Júlia suspirou. — Trabalho parece ser meu sobrenome agora, não é?

— Ora, vamos, Júlia, nada de autoindulgência, por favor — Alícia a repreendeu. — Ninguém pode evitar uma doença. Todos nós a amamos e queremos cuidar de você. E, quando você melhorar, espero que possa me contar o que a vovó disse sobre o diário.

Júlia concordou balançando a cabeça, pensando que parecia fazer uma década desde que estivera em Southwold com Elsie e voltara àquela Wharton Park de 1939.

— É claro que sim. Foi fascinante.

— Mal posso esperar para ouvir a história toda. Há alguma coisa que eu possa trazer para você amanhã? O que quer comer? — Alícia perguntou.

— Não muita coisa — Júlia balançou a cabeça. — Acabei de conseguir engolir um pouco de sopa. Talvez eu passe a comer pão em algum momento.

— Vou preparar um pão fresco — decidiu Alícia. — Kit também precisa de comida. Amanhã estou de volta! — ela se inclinou e beijou a irmã. — É tão bom vê-la melhor, querida! Continue assim.

— Vou tentar — ela respondeu, dando um aceno fraco quando Alícia saiu do quarto.

Alícia desceu e viu Kit preparar a lareira.

— Ela está muito melhor, ainda bem. E obrigada. Você foi um grande amigo, Kit — ela completou, agradecida.

— Sem problemas. Gostaria de uma tacinha de vinho antes de sair? Eu adoraria ter uma conversa lúcida — ele riu.

Alícia olhou rapidamente para o relógio.

— Pode ser. Eu deveria voltar, mas tenho certeza de que Max aguenta mais um pouco.

— Ótimo — Kit se levantou quando o fogo começou a arder. — Vou pegar duas taças.

Alícia se sentou na poltrona próxima à lareira e Kit trouxe uma garrafa, a abriu e lhe deu uma taça.

— Saúde — ele disse, pegando sua taça. — À Júlia, que ela continue se recuperando.

— Com certeza — Alícia concordou. — Coitadinha, ela passou por uma péssima fase, para dizer o mínimo.

— Acredito que sim. Posso perguntar o que aconteceu de verdade?

Alícia tomou um gole de vinho.

— O marido e o filho de Júlia morreram em um acidente de carro no sul da França, no verão do ano passado. O pior foi que — Alícia tremeu involuntariamente — o carro saiu da estrada, explodiu na encosta de um morro e iniciou um incêndio na floresta. Não foi possível identificar os corpos deles formalmente. O que significa que ela não teve a chance de colocar um ponto final na história. Sem corpos não há funeral.

— Por Deus... — ele sussurrou. — Pobre Júlia! Quantos anos tinha o filho dela?

— Quase 3 anos. Ele se chamava Gabriel e era... — as palavras ficaram presas na garganta dela e os olhos se encheram de lágrimas — ...um anjinho — Alícia tomou mais um gole de vinho. — Perder um marido é terrível, mas perder um filho ao mesmo tempo... Não sei como Júlia tem aguentado. Quero dizer, ela não tem, mas... Ninguém sabe como chegar até ela. Ela estava fechada no sofrimento. Tenho me sentido tão... Inútil. Não sei o que dizer ou fazer, e a maioria das coisas que tento parece errada. Desculpe — Alícia enxugou os olhos rapidamente —, não sou eu quem deveria estar chorando. A tragédia aconteceu com a minha irmã. É que eu fico muito triste por ela e não sei como a ajudar ou consolar.

— A resposta é que não há como ajudar a Júlia — Kit serviu mais vinho para Alícia. — Todos querem fazer alguma coisa, mas, na verdade, ninguém pode fazer nada. O carinho que oferecemos, por amarmos a pessoa que está sofrendo, só faz essa pessoa se sentir culpada por não poder retribuir. O que lhe coloca mais pressão para melhorar. E, é claro, ela não consegue lidar com isso e, assim, se esconde ainda mais dentro de si mesma — Kit olhou para o fogo e suspirou. — Alícia, acredite. Fique ao lado de sua irmã, mas entenda que só a Júlia pode ajudar a Júlia.

— Você parece conhecer esse sentimento.

— Conheço — Kit concordou brevemente. — E você só precisa dar um tempo a ela. Na minha opinião, pelo pouco que vi, diria que ela está quase conseguindo. A Júlia é uma sobrevivente, Alícia. Sairá dessa, tenho certeza.

— O problema é que — Alícia suspirou — Júlia idolatrava Xavier, seu marido. Nunca vi uma mulher adorar um homem como ela. Na verdade — ela confidenciou —, eu o achava convencido e arrogante. Era pianista também, mas era uma estrelinha e Júlia gostava de mimá-lo. Ainda assim, ele não tinha metade do talento dela. Acho que gosto não se discute, certo?

— Não. E parece que ele a fazia feliz.

— Parece que sim — Alícia concordou. — E eu ficava feliz por ela conseguir abrir suas emoções para alguém, ao menos. Sempre me preocupei porque achava que ela nunca conseguiria, depois de termos perdido nossa mãe. A Júlia mudou, Kit, de verdade. Ela se afastou de mim, de nosso pai, de tudo, exceto de seu amado piano. Dessa vez, bem, ela se afastou até dele.

— Você perguntou o por quê?

— Eu acho que sei — Alícia comentou com tristeza. — Ela tinha acabado de realizar um recital em Paris do "Concerto nº 2", de Rachmaninov, quando recebeu a ligação que deu a notícia de que os dois tinham morrido — Alícia tremeu. — Posso apenas presumir que esse seja o motivo. A associação entre piano e dor.

— E culpa, é claro — Kit acrescentou. — Ela provavelmente achou que deveria estar com eles quando morreram.

— Você está certo. Sei que Júlia detestava deixar o Gabriel em casa quando fazia um recital. Ela estava, como muitas mães trabalhadoras, dividida entre o filho e a carreira.

— E por que ela voltou para Norfolk? — Kit perguntou.

— Fui a Paris no dia seguinte. Quando cheguei lá, não sabia o que fazer. Não podia deixar Júlia sozinha na França, mas também não podia ficar lá por causa de meus filhos. Júlia estava em estado de choque e não tinha condições de tomar decisões claras, então, eu a trouxe para a minha casa. Depois, ela insistiu em vir para o chalé, embora eu tenha implorado para que ela ficasse conosco.

— Ela precisava de solidão. Eu entendo. Cada um reage de uma maneira diante das tragédias. E nenhuma maneira é errada — Kit acrescentou. — Eu perdi uma pessoa e, para dizer o mínimo, não fiquei nada bem depois. O que foi que John Lennon disse mesmo? — Kit olhou para o teto buscando inspiração. — Ah, sim! "A vida acontece enquanto você está ocupado fazendo outros planos." Não há nada mais verdadeiro. Nenhum de nós tem controle sobre nada e, apesar de geralmente ser necessária a dor para percebermos isso, quanto mais cedo aprendermos, mais cedo tentaremos viver um dia de cada vez e aproveitar a vida ao máximo.

— Você é muito sábio, Kit — Alícia comentou, admirada. — Para mim, não ter o controle é assustador. De qualquer forma, é melhor eu ir para casa e assumir o controle — ela sorriu e se levantou. — Se dependesse do Max, meus filhos seriam uns selvagens.

Kit também se levantou.

— Agradeço por ter me contado mais sobre a Júlia. Vou ajudar no que puder para que ela se recupere fisicamente. Mas o lado emocional é por conta dela.

— Eu sei — Alícia concordou ao caminhar até a porta. — Obrigada, Kit, por toda a ajuda.

— Acredite, tem sido um prazer.

Uma hora depois, após Júlia ter usado o banheiro e descoberto que suas pernas não eram mais moles feito gelatina como antes, ela tentou descer a escada com cuidado.

Kit estava lendo um livro em frente à lareira, que estava acesa. Ele havia fechado as cortinas para bloquear o frio da noite e a sala de estar parecia muito mais acolhedora e confortável do que costumava.

— Olá — ela disse da escada, sem querer assustá-lo.

Ele se virou e logo ficou em pé.

— Júlia, o que está fazendo fora da cama? Vai piorar — ele tentou guiá-la de volta para o quarto, mas ela balançou a cabeça.

— Como vou piorar? Está uma estufa aqui. Além disso, fiquei entediada lá em cima. Queria mudar de ares.

Sentia-se uma criança malcriada parada ali, esperando que Kit concordasse.

— Está bem, mas por pouco tempo — ele a segurou por debaixo do cotovelo e a levou ao sofá.

— Certo, deite aqui, eu vou buscar algumas cobertas lá em cima.

— Kit, é sério, está gostoso e quente aqui, e estou cansada de ficar de molho — ela suspirou enquanto encostava nas almofadas que ele trouxera para ela apoiar a cabeça.

— Está com fome ou sede? — ele questionou. — Posso trazer alguma coisa?

— Não, por favor, sente. Estou bem — ela reafirmou.

— O que você quer dizer é "por favor, pare quieto" — Kit reconheceu ao se sentar na poltrona ao lado da lareira. — Desculpe.

— Kit, por favor, não se desculpe! — pediu Júlia, arrependida. — Você tem sido maravilhoso e eu o agradeço muito. Apenas me sinto culpada, é só isso. E me desculpe se fui rabugenta — ela sorriu para ele. — Não foi de propósito, eu juro.

— Desculpas aceitas — Kit concordou com a cabeça. — De minha parte, prefiro rabugenta à suada e incoerente. Então, por mim, está tudo bem.

— Como vê, estou melhorando. Sinta-se à vontade para ir embora amanhã, "doutor" Crawford.

— Claro e eu preciso mesmo. As coisas estão começando a se acumular em Wharton Park. Mas, enquanto você está consciente, me conte o que sua avó tinha a dizer sobre o diário de Changi.

— Sim... — o pensamento de Júlia voltou para alguns dias antes, embora parecesse uma eternidade. — Não sei o quanto você sabe sobre os Crawford de Wharton...

— Sei mais agora do que sabia. E, se lembre, meu bisavô, Charles, era o irmão mais novo do lorde Christopher Crawford e cresceu naquela casa. Infelizmente, ele foi morto em uma trincheira em 1918, deixando a esposa, Lenora, com dois bebês pequenos. Um deles era meu avô, Hugo.

— Isso aconteceu antes da época de Elsie, mas que interessante — ponderou Júlia. — Ouvi muito a respeito de lorde Christopher...

— Meu xará — acrescentou Kit. — Desculpe, vou tentar não interromper. Comece, por favor — ele se acomodou na poltrona para escutar.

Júlia começou a contar a história, recriando da melhor maneira possível o mundo que Elsie descrevera com tanta clareza. Kit ficou em silêncio até Júlia chegar ao final da narração.

— Que história... — ele murmurou. — A Penélope, a menina que deu o baile em Wharton Park, era minha tia-avó, irmã do meu avô, Hugo, que também morreu em ação na Segunda Guerra Mundial. A esposa dele, Christiana, minha avó, deu à luz o meu pai, Charles, em 1943, e ele se tornou o herdeiro de Wharton Park com a morte de Harry Crawford, um pouco antes de eu nascer. Não fomos morar na casa por algum motivo, meu pai odiava o lugar e com certeza não tinha meios para reformá-la. Além disso, a tia Crawford ainda estava viva e cuidava da propriedade. Obrigada por me contar essa história, Júlia. É interessante amarrar a história da família.

— Deve ser e, para ser sincera, pelo que Elsie me contou até agora, parece muito mais relevante para os Crawford, e para você, por consequência, do que para o passado de minha família.

— Bem, tenho certeza de que haverá uma ligação em algum lugar — Kit comentou —, embora eu não consiga ver onde, a não ser que tenha a ver com o fato de Harry e Bill estarem no mesmo batalhão durante a guerra. Sim — ele balançou com a cabeça —, aposto que é isso! Talvez exista algum segredo obscuro dos Crawford nas páginas do diário de Bill.

— Talvez — Júlia concordou —, mas não vou especular até ouvir a história toda. Também é estranho, para mim, pensar que minha avó trabalhava para sua família e meu avô ainda era empregado de vocês quando eu era criança. Tantas coisas podem mudar em duas gerações, não é?

— Você quer dizer que a neta de um mero jardineiro pode alcançar o tipo de fama e riqueza com que Elsie nunca teria sonhado? — Kit a provocou.

— Acho que sim — ela corou novamente. — Acho que o que realmente me impressionou foi Wharton Park ser uma peça de uma época totalmente diferente, mesmo fazendo apenas setenta anos.

— Isso era o que eu sentia quando passava o verão lá. E, é claro, Olívia, que tecnicamente não era minha parente de sangue, mas sempre foi chamada de "tia" pela nossa família, não saiu de lá até morrer — Kit refletiu. — A presença constante dela manteve Wharton Park em uma dobra do tempo.

— Meu Deus — Júlia observou. — Acabei de perceber...

— O quê? — Kit perguntou.

— Aquela senhora assustadora, com olhos azuis frios, que me mandou parar de tocar o piano no dia em que nos conhecemos, era Olívia Crawford!

— Sim — Kit confirmou, erguendo as sobrancelhas —, e ela não era uma pessoa agradável, coitadinha. Só Deus sabe o que aconteceu na vida dela, mas deve ter sido horrível para transformar a mocinha adorável que você descreveu na velha amarga que conheci.

— Não precisa ser tão gentil, Kit — Júlia riu.

— Bem, ela era! E eu tinha medo de visitá-la.

— Para ser honesta, deve ter sido terrível ver o marido com outro homem — Júlia disse, compreensiva.

— Mas, pelo que você me disse, Olívia e Harry conseguiram resolver os problemas antes de ele ir para a guerra.

— Parece que sim.

Kit a viu bocejar.

— Muito bem, hora de se deitar, mocinha. Não quero que se canse. Venha, vou ajudá-la a subir a escada — ele se levantou e andou até ela. Júlia ficou agradecida por poder se apoiar no braço dele. Quando ele a acomodou sob as cobertas, ela sorriu.

— É uma pena você não ter seguido a carreira de médico. Parece ser muito bom nisso.

— Parece que a vida tinha outros planos para mim.

Ele encolheu os ombros enquanto entregava à Júlia um comprimido de antitérmico e um copo de água.

— Beba.

— Por que você passou tanto tempo no exterior? — ela perguntou de repente, devolvendo o copo.

— É uma longa história — ele respondeu. — Agora você tem de dormir.

— Tudo bem — Júlia se aconchegou na cama e o viu ir até a porta. Ele parou um pouco.

— Eu entendo, sabia?

— Entende o quê?

— Um pouco de sua dor. Boa noite, Júlia.

— Boa noite, Kit.

[CAPÍTULO 26]

No dia seguinte, Júlia tomou um banho e se vestiu. Ao deitar na cama, exausta com o processo de colocar a calça jeans e um agasalho, ela olhou para fora da janela e viu que a primavera havia chegado. Ela ouvia passarinhos cantarem do lado de fora e sentiu um pouco do aroma de frescor que indicava que a natureza estava voltando à vida.

Ela achou que era uma metáfora para sua própria existência, já que não havia dúvidas de que, embora fisicamente fraca, ela se sentia mais forte mentalmente. Apenas porque não pensava mais neles todos os segundos do dia (na verdade, às vezes, passavam minutos inteiros) não significava que os amava menos ou que sentia menos saudades deles. Assim como a chegada da primavera, era a maneira que a natureza encontrara para ajudá-la a se curar e voltar a crescer.

Ela ouviu Kit subir as escadas e fechar a porta do banheiro. Ele estava dormindo em um dos estreitos beliches destinados a crianças, não a adultos de mais de um metro e oitenta. Ela sorriu ao pensar na gentileza dele. Ele era um verdadeiro bom samaritano, que a ajudara quando ela precisara. E ela percebeu o quanto havia gostado de receber cuidados.

Embora Júlia não tivesse dúvidas de que Xavier a amara, ela era a responsável pelos cuidados na relação. Ele estivera envolvido demais com sua música para pensar nas necessidades domésticas e práticas de Júlia. E, como a criança adorável que era, ele a procurava para tranquilizá-lo e elogiá-lo constantemente.

Júlia afastou o sentimento de culpa que dizia que ela deveria se lembrar do marido como fizera nos oito meses anteriores.

Ouviu uma batida leve na porta do banheiro.

— Entre — ela falou.

A cabeça de Kit, com seus cabelos bagunçados e encaracolados, apareceu atrás dela. Ele sorriu ao vê-la vestida.

— Acho que não preciso perguntar se você está se sentindo melhor, né? Parece que, a qualquer momento, não serei mais necessário.

— E tenho certeza de que ficará aliviado — Júlia respondeu de imediato. — Ela apontou para a janela: — Estava pensando no quanto seria bom eu sair e tomar um pouco de ar fresco. Estou nessa casa há quase uma semana... Meu Deus! — ela disparou quando um pensamento invadiu sua mente. — Hoje é sexta-feira?

— Da última vez que verifiquei, era sim — Kit concordou.

— Ah, não! — ela gritou, se jogando sobre os travesseiros. — Eu ia me encontrar com meu agente para almoçar ontem no Claridge's. Ninguém pode dar um bolo em Olav Stein. Tenho de ligar para ele agora e explicar o que aconteceu.

— Não precisa, ele já sabe — Kit comentou com calma.

Júlia o encarou confusa.

— Como? — questionou.

— Com a permissão de sua irmã, eu ouvi suas mensagens de voz. O tal Olav deixou um recado na quarta-feira confirmando o encontro. Por isso, eu liguei para ele e expliquei que você estava quase morrendo. Ele foi bem compreensivo. Mandou lembranças e pediu que falasse com ele assim que voltasse para o mundo dos vivos. Ah, e havia outras mensagens também!

— Você pode me contar mais tarde — Júlia ainda não tinha certeza de que conseguiria lidar com mais notícias do mundo exterior. — Mas obrigada, Kit, foi muito gentil.

— Confesso que fiquei desconfortável por invadir sua privacidade, mas, naquelas circunstâncias, não havia mais nada a fazer — ele encolheu os ombros. — Agora, vou fazer um café da manhã para nós dois e, depois, sugiro um passeio rápido até o porto, para você tomar um pouco de ar e testar seu equilíbrio. Eu a verei lá embaixo em alguns minutos.

Depois de comerem mingau com creme de leite fresco e açúcar mascavo, Kit e Júlia caminharam devagar pelo porto e seguiram para a pequena faixa de terra além dele. Ela lembrava com tristeza a última vez que estivera lá e o desespero que sentira. Agora, ao lado de Kit em um dia ensolarado de primavera, o mundo parecia um lugar muito mais feliz.

— Temo que vou ter de partir logo — Kit suspirou. — Entre outras coisas, tenho de ver o advogado da propriedade. Há um problema com a venda de Wharton Park. O comprador está tentando tirar ainda mais vantagem do acordo do que eu já dei.

— Puxa, sinto muito — disse Júlia —, espero que consiga resolver tudo da melhor maneira.

— Vou conseguir, de um jeito ou de outro. É estranho, não é? A maneira como a vida acontece. A última coisa que pensei que faria seria cuidar da venda de Wharton Park — ele comentou quando se viraram para voltar ao chalé.

— Você sabia que ia herdá-la um dia, não?

— Sim, mas era algo no futuro e uma responsabilidade que eu preferia esquecer. Principalmente por ela ser minha apenas por falta de opção, já que a verdadeira linhagem dos Crawford de Wharton Park não conseguiu manter mais uma geração.

— Sinto que você mal pode esperar para se livrar dela.

— Não, não é verdade. Eu... — o celular de Kit tocou dentro do bolso. — Com licença, Júlia. Alô? Ah, oi, Annie! Está tudo bem?

Júlia caminhou discretamente alguns passos à frente de Kit. Ele a alcançou na porta do chalé.

— Me desculpe, parece que vou ter de agir — ele completou quando ela abriu a porta e os dois entraram. — Você tem certeza de que ficará bem aqui?

— É claro que sim. Fiquei aqui por sete meses e não sofri nada até agora. Ficarei bem, de verdade.

— Posso lhe trazer o almoço? — ele perguntou.

— Acho que conseguirei cambalear até a cozinha e fazer um sanduíche. Pode ir, é sério — ela o apressou.

— Certo. Você tem meus telefones, o celular e o fixo, e Alícia disse que passaria mais tarde para vê-la.

— Ah, que bom! — Júlia revirou os olhos e se jogou no sofá.

— Alícia está apenas tentando ajudar. Ela ama a irmã.

— Eu sei — Júlia, de repente, sentiu que estava sendo repreendida. — Ela faz com que eu me sinta inútil. Ela é extremamente organizada.

— É a maneira dela de sobreviver. Todos nós temos uma, sabe, até você — Kit sorriu e a beijou na cabeça. — Mantenha o contato, combinado? Me diga como está.

— Combinado — ela concordou, se sentindo vulnerável e à beira das lágrimas. Levantou-se e, sem saber o que fazer, abraçou Kit e disse:

— Obrigada. Por tudo.

— Imagina. Até logo — ele falou ao abrir a porta da frente.

Júlia balançou a cabeça.

— Sim. Até logo — ela observou a porta ser fechada.

Depois de Kit ter saído, Júlia subiu para cochilar um pouco, mas foi difícil se acomodar na cama. Ela tentou ler um livro que estava no criado-mudo havia séculos, mas não conseguiu se concentrar na história. Em algum momento, deve ter adormecido, pois, quando acordou, eram 18 horas.

Ela estava com fome e, sem Kit para fazer o jantar, desceu com a intenção de preparar a comida sozinha. O dia de primavera desaparecera como uma memória e a noite estava fria. Acendeu a lareira, certa de estar usando as mesmas técnicas de Kit, mas, como sempre, ela se recusou a arder com o mesmo vigor.

Depois de comer torradas com queijo, o tempo parecia não passar. Júlia decidiu que compraria uma televisão, qualquer coisa para atenuar o pesado silêncio que caíra pelo chalé desde que Kit fora embora. Mais tarde, ela subiu para dormir. Ao ouvir o relógio da igreja soar meia-noite, Júlia admitiu para si mesma que sentia falta dele.

Na manhã seguinte, Júlia se sentou no banco em frente ao chalé, aproveitando o ar quente da primavera, e pensou sobre o futuro. O fato de acreditar que teria um era uma revelação para ela. O que ele reservava, ela não saberia dizer.

Sua única certeza era a de que não queria mais ficar no chalé. Desde que Kit saíra, as horas se arrastavam infinitamente. Ela sabia que tinha tempo demais para pensar. E, embora fosse incômodo admitir, era provável que ainda estivesse emocionalmente vulnerável. Tinha certeza de que sentia saudade de Kit apenas porque ele fora gentil em um momento de grande necessidade.

De qualquer forma, os sentimentos que afloraram com a partida dele haviam lhe dado o impulso de que precisava para, finalmente, tomar decisões. Frustrada com sua falta de inspiração, bateu a palma da mão contra o banco de madeira, fazendo dois patos, que estavam por perto, sacudirem as penas e virarem a cauda de desgosto.

— Chega... — ela murmurou para si mesma.

Voltaria à França o mais cedo possível. Haveria memórias difíceis, mas, pelo menos, ela estaria em casa. E longe daquele lugar. O celular tocou e ela atendeu, feliz por ter uma distração.

— Alô — ela disse.

— Oi, Júlia, aqui é o Kit.

— Oi — respondeu, sentindo o rosto corar.

— Estou ligando só para saber como a minha paciente está.

— Melhor, com certeza, obrigada.

— Que bom. Então, acha que consegue se arrastar até Wharton Park para jantar comigo hoje à noite?

— Eu acho que sim — Júlia sorriu.

— Por volta das 20 horas?

— Certo. Quer que eu leve alguma coisa?

— Apenas você já está bom.

Júlia sentiu o rosto ficar ainda mais vermelho.

— Até mais tarde.

— Estou ansioso pelo jantar. Tchau, Júlia.

— Tchau.

Júlia apoiou o celular no banco e olhou para o vazio, horrorizada por se sentir, de repente, tão feliz. Com certeza era impossível ela estar interessada em um homem apenas meses depois de perder o marido. É claro que era impossível.

Júlia se levantou como se o movimento pudesse limpar seus pensamentos, varrer o arrepio que subira por sua espinha ao ouvir a voz dele, acalmar a repentina animação com a ideia de vê-lo de novo no dia seguinte... Não adiantou. Ela entrou devagar no chalé, se sentindo culpada e confusa, mas também sem conseguir evitar a sensação que ela reconhecia vagamente como ansiedade.

Depois do almoço, ela dirigiu até Holt e comprou uma camisa de seda, um par de calças *jeans*, dois agasalhos leves de caxemira e um par de botas. Enquanto andava pela High Street para guardar as sacolas no carro, ela pensou em usar a camisa e a calça à noite. Depois, deu uma bronca em si mesma por ter pensado nisso. Não era um encontro... Era? Além disso, o único par de calças *jeans* e a blusa de verão que estava usando quando Alícia a trouxe da França para a Inglaterra, e as poucas coisas que pegara emprestadas da irmã desde então, não constituíam um guarda-roupa cheio.

Quando virou na direção do estacionamento, ouviu alguém chamá-la. Deu meia-volta e viu Alícia acenando para ela.

— Oi, Júlia! — Alícia alcançou a irmã e sorriu. — Você me poupou uma viagem. Estava indo vê-la — ela olhou para as sacolas. — Fez compras?

— Sim — Júlia admitiu.

— Está se sentindo melhor, então?

—Sim, bastante, obrigada.

— Que bom! Que bom! Na verdade, Júlia, se estiver com vontade, estava pensando se gostaria de jantar lá em casa hoje. Vamos receber alguns amigos. Pode ser bom para você conhecer alguns dos moradores daqui — ela incentivou.

— Não posso, mas obrigada pelo convite.

Alícia olhou para ela com suspeita.

— Não pode ou não quer?

— Não posso — Júlia estava relutante em dizer mais.

— Por quê? — Alícia sondou.

Júlia suspirou, frustrada.

— Porque já aceitei outro convite. É por isso.

— Jura?

A surpresa estava estampada no rosto de Alícia. Até onde sabia, Júlia não conhecia ninguém e não saíra do chalé para passear desde que chegara.

— Onde?

— Francamente, Alícia! — Júlia disparou, sucumbindo à irritação. — Kit me convidou para jantar em Wharton Park, ok?

— Certo, certo. Desculpe. Eu... — ela sorriu e apontou para a sacola. — Vai usar uma roupa nova?

— É provável — Júlia implorou em silêncio para seu rosto não ficar vermelho. — Veja, Alícia, eu preciso mesmo ir comprar uma televisão antes que as lojas fechem. Eu ligo para você.

— Promete? — Alícia perguntou com Júlia já de costas, se afastando depressa na direção do estacionamento.

— Sim. Tchau.

— Se divirta hoje à noite — ela falou quando Júlia sumiu de vista. Alícia se permitiu um sorriso com o desabrochar da irmã e, depois, foi para a tinturaria buscar as camisas de Max.

[CAPÍTULO 27]

Júlia parou o carro em frente aos degraus de pedra estragados que levavam à entrada principal de Wharton Park. A casa estava às escuras e a magnífica porta de carvalho, fechada e assustadora. Ela percebeu que não havia perguntado a Kit qual entrada deveria usar. Não parecia ser aquela. Saiu do carro agarrada à garrafa de vinho, o trancou e contornou a casa até a entrada dos empregados, mais familiar para ela.

Ao andar, percebeu a adrenalina sendo bombeada no seu corpo. Por que se sentia nervosa, não podia adivinhar. Era apenas um jantar com um amigo... Um homem sobre o qual não sabia quase nada, que bem poderia ser casado e ter filhos. Kit nunca dissera nada e ela não havia perguntado.

Júlia parou em frente à porta dos empregados, feliz em ver que, pelo menos atrás dela, parecia haver uma luz acesa. Respirou fundo e bateu.

Alguns segundos depois, Kit apareceu e destrancou a fechadura.

— Oi, Júlia — ele a beijou nos dois lados do rosto. — Entre.

— Obrigada — Júlia o seguiu pela entrada até a cozinha. — Eu trouxe vinho — ela mostrou a garrafa ao apoiá-la sobre a mesma mesa à qual se sentara quando era criança.

— Obrigado — agradeceu Kit olhando para ela. — Minha nossa, sua aparência está bem melhor! E a cor da roupa combina muito bem com você — ele acrescentou com admiração. — Parece que os cuidados de doutor Crawford fizeram milagre. Branco ou tinto? — ele perguntou, indeciso, em frente à despensa.

— Tanto faz — disse Júlia, desejando que sua língua destravasse e ela pudesse relaxar. Olhou para Kit, que se aproximava da geladeira. Suas longas pernas vestidas com *jeans*, seu torso com uma camisa rosa recém-passada.

— Começaremos pelo branco, então — ele pegou uma garrafa da porta da geladeira e voltou à cozinha para abri-la. — Temo que será uma aventura de descobrimento em termos de sabor com esse aqui. A adega está cheia de vinhos franceses, alguns de anos atrás. Alguns envelhecem melhor do que outros, como você deve saber. Esse será ou um néctar ou um vinagre — ele puxou a rolha e cheirou a bebida. — Nenhum dos dois, na verdade, mas com certeza dá para beber.

— Você devia pedir a um especialista para examinar sua adega. Pode haver garrafas valiosas lá. Xavier, meu marido, certa vez comprou uma garrafa por 2.000 euros em um leilão.

— E tinha o sabor de 2.000 euros quando você o tomou? — perguntou Kit, entregando a ela uma taça.

— Tinha um gosto bom, mas não era excepcional. Eu sempre disse que ele devia estar bêbado quando o comprou — Júlia riu.

— Como a roupa nova do imperador e tal, na minha opinião — comentou Kit, dando um gole indeciso no vinho. — É um pouco como o caviar e as trufas. Pode me chamar de filisteu, mas não entendo qual é a graça de ovas de peixe ou de um simples cogumelo. Mas eu como para viver e não o contrário. Ou talvez eu tenha apenas inveja do dinheiro necessário para me permitir essas extravagâncias. Na hierarquia de minhas necessidades, essas coisas estão, no momento, em algum lugar abaixo da Austrália. De qualquer forma, saúde, Júlia! Bem-vinda de volta a Wharton Park.

— Obrigada pelo convite — Júlia respondeu sem naturalidade, tomando um gole de vinho na esperança de ficar mais à vontade. — Como foi a reunião com o advogado?

— Na verdade, foi por isso que eu a chamei hoje. Preciso de uma segunda opinião. E quem melhor do que uma pessoa que sempre amou esse velho lugar? — ele andou na direção do velho fogão preto. — Enquanto eu misturo o molho da massa, vou despejar meus problemas em você.

— Manda bala — disse Júlia. — Será bom ouvir as queixas de outra pessoa para variar.

— A venda de Wharton Park deu errado.

— Kit! Não! Por quê?

— Apenas mais uma história típica desse momento que vivemos — ele respondeu sem emoção. — Nós íamos fechar o negócio ontem, mas, quando nos encontramos, o advogado do comprador anunciou que ele queria baixar o preço em um milhão, levando em consideração as quedas nos preços de imóveis desde que começamos a negociar. Parece que o senhor Hedge-Fund comprou algumas ações nos antigos mercados e não pode pagar mais do que isso.

— Você acredita nele? — Júlia arriscou perguntar, pensando por que nunca notara como eram bonitos os olhos de Kit.

— Quem sabe? No momento, não consigo decidir se ele é um idiota cruel e espertalhão ou um idiota cruel e espertalhão — Kit murmurou, cutucando a massa na água fervente com um garfo. — A questão é que ele percebeu que, em um mercado como o de agora, será difícil encontrar outro comprador. Ele está em uma posição confortável.

— Eu entendo. Que idiota cruel e espertalhão — disse Júlia, compreensiva, tentando se concentrar no que ele dizia. — Você tem condições de vender a propriedade por menos?

— Não com as dívidas que ela tem no momento, mais os direitos de herança da pequena parte que restou. E, para coroar, o senhor Hedge-Fund também exigiu que eu entregue o pátio. Decidiu que não quer vizinhos tão próximos e, para ser sincero — Kit admitiu —, isso me deixou louco de raiva.

— Posso imaginar — disse Júlia. — Ainda mais porque ele esperou até o último minuto para fazer isso.

— Bem — Kit ergueu uma sobrancelha —, é assim que os ricos ficam mais ricos, certo? O fato de o pátio ter ficado fora da negociação e eu ter decidido morar lá tornou a ideia de vender a propriedade mais agradável. E, eu admito — ele levantou as mãos —, estou me apegando a esse lugar. O que me surpreende, já que nunca senti nada de especial quando vinha para cá na infância. Mas, sim, é verdade. Quanto mais tempo fico aqui, fica mais difícil pensar em vender Wharton Park.

— O que você vai fazer, então?

Kit despejou a massa em um escorredor e serviu com molho em duas tigelas.

— Bem, essa é a pergunta de um milhão de dólares. O jantar está servido! — ele tornou a encher as taças e se sentou à mesa em frente a ela.

— Obrigada, Kit. O cheiro está delicioso.

— Que bom. Eu gosto de cozinhar ou, pelo menos, de experimentar. Coma antes que esfrie.

— Eu não sei cozinhar nem um ovo — ela confessou e comeu uma bela garfada.

— É uma simples questão de prática e imagino que você não teve muito tempo para isso, considerando seu estilo de vida. Além disso, seria um desastre se você cortasse um dedo fora ao picar um legume — os olhos de Kit brilharam. — Faltariam algumas notas nos "Études" de Chopin.

— Então, o que você vai fazer em relação a Wharton Park?

— Não sei mesmo — Kit reconheceu. — O que você faria?

— Ai, Kit — Júlia balançou a cabeça. — Não sou a melhor pessoa para responder. Você sabe o quanto amo Wharton Park. E também sei que meu senso de justiça me dominaria. Assim, é quase certeza que eu diria para ele cair fora — ela sorriu. — Mas essa sou eu e não levo em consideração as questões financeiras. Quero dizer, se não vender a propriedade para o senhor Hedge-Fund, o que vai fazer? Você tem dinheiro para manter o lugar até aparecer outra pessoa?

— Bem, ontem à noite examinei os livros contábeis e, hoje de manhã, visitei o contador da propriedade. Parece que, com o rendimento da fazenda e os inquilinos dos chalés, ela, agora, dá pouco prejuízo. Mas isso porque os lucros cobrem os juros da dívida — Kit se serviu de mais vinho. — O contador informou que Wharton Park poderia dar a volta por cima com facilidade se eu me atentasse um pouco nos detalhes. Os débitos poderiam ser reunidos em uma única hipoteca com uma taxa menor de juros, a fim de liberar fundos para reinvestir na compra de equipamentos modernos e encontrar um bom administrador que saiba o que fazer.

— Isso parece uma boa ideia — Júlia observou.

— Sim, mas ainda não há um tostão sequer para arrumar a casa — Kit suspirou. — O avaliador que veio aqui, quando comecei a pensar em vender a propriedade, afirmou que seriam necessários alguns milhões, pelo menos, para evitar que a construção desmoronasse diante dos meus olhos. E isso sem contar as reformas no interior, como uma nova cozinha ou uma mudança no banheiro para que as pessoas não saiam dele mais sujas do que quando entraram. Há dezesseis banheiros na casa — ele acrescentou — e, é claro, eu não tenho tanto dinheiro.

— Então — Júlia resumiu —, seria possível esperar alguns meses até surgir outro comprador?

Kit concordou.

— Sim, se eu assumir o trabalho de administrador, o que significa adiar outros planos que eu tinha. A questão é que, quanto mais tempo eu passar aqui, menos vou querer ir embora. E, é claro, você não ajudou — ele acrescentou.

Júlia olhou para ele surpresa.

— Obrigada. O que você quer dizer?

— Ouvir a história de minha família deu a Wharton Park um significado e um valor que não tinha antes. E, devo dizer, é parte da história que nós dois compartilhamos. Se não fosse por esse lugar, eu não a teria conhecido anos atrás — a expressão de Kit mudou. Ele a encarou e, de repente, Júlia se sentiu estranha sob o olhar dele.

— Então — ela disse, parecendo mais seca do que gostaria —, você tem uma decisão difícil a tomar.

Kit balançou a cabeça.

— Tenho mesmo. E pouco tempo para isso. E, para ser sincero, não foi apenas para consultar sua opinião que a chamei hoje, foi pelo bem de minha saúde mental. Senti muita falta de ver você engolir a sopa e de molhar sua testa febril.

— Só Deus sabe por quê — completou Júlia, ainda insistindo em evitar a mudança no clima. — Eu não era uma boa companhia para conversas, catatônica a maior parte do tempo.

Kit apoiou o garfo na tigela vazia e olhou pensativo para ela do outro lado da mesa.

— É verdade. Mas sua catatonia tinha uma eloquência estranha. É muito melhor o silêncio de uma pessoa de cuja companhia nós gostamos do que o blá-blá-blá constante de alguém que nos irrita.

Na pausa que se seguiu, Júlia terminou de comer a massa, apoiou o garfo e ficou olhando para a tigela.

— De qualquer forma — Kit continuou —, tem sido ótimo poder conhecer você melhor. Nunca esqueci aquele dia em que a ouvi tocar... Está pensando em ficar em Norfolk?

— Não sei, Kit — ela respondeu com sinceridade. — Foi apenas nas duas últimas semanas que senti que comecei mesmo a olhar para o futuro.

— Entendo — ele balançou a cabeça. — Entendo mesmo. Passei por algo similar há um bom tempo. É uma mudança em sua vida, e em você, sem volta. O resultado foi que passei a achar impossível criar qualquer forma de relação de longo prazo. Na verdade, me tornei um pesadelo desde então. Quero dizer, até uns dois anos atrás — ele riu para ela. — Estou sendo muito honesto com você?

— Está — Júlia murmurou, sem saber o que mais responder.

— Tendo admitido isso, espero ser um homem melhor agora. E também pode ser que eu não tenha encontrado a pessoa certa desde aquela época — ele fez uma pausa e a encarou. — Não encontramos muitas almas gêmeas na vida, né?

— Não mesmo... — Júlia podia sentir seus olhos se encherem de lágrimas. Olhou para o relógio. — Olha, Kit, eu preciso mesmo ir para casa. Estou cansada.

— É claro, deve estar — Kit estendeu a mão até o outro lado da mesa e cobriu a mão dela. — Podemos repetir quando você estiver se sentindo melhor? Gostaria muito de vê-la de novo, Júlia.

— Claro — Júlia puxou a mão com rapidez, se levantou e caminhou para a porta. Kit a seguiu.

— Que tal segunda-feira à noite?

— Não sei.

Júlia queria apenas ir embora, sem saber ao certo o que causava as fortes emoções que a assaltavam naquele momento. Kit colocou a mão no trinco antes que ela conseguisse escapar, bloqueando a passagem. Depois, se curvou e a beijou. Os lábios dele tocaram os dela e um arrepio correu pelo corpo de Júlia. Ela se afastou, mas ele a abraçou bem próxima de si.

— Júlia, por favor, me desculpe se eu disse a coisa errada, se é cedo demais — ele suspirou. — Senti saudade de você, é só isso. Podemos ir devagar, eu juro. Eu entendo, entendo mesmo.

— Eu... — Júlia se soltou, confusa com o redemoinho de emoções conflitantes que a noite com Kit causara. — Boa noite, Kit.

— Vou ligar para você nos próximos dois dias. Talvez na segunda-feira nós...

Mas ela havia aberto a porta e saído correndo para longe da casa, procurando a proteção de seu carro.

[CAPÍTULO 28]

Nos dois dias seguintes, Júlia perambulou pelo chalé, incapaz de relaxar em frente à novíssima televisão de tela plana que havia sido entregue e instalada no canto da sala de estar. Ela saía para longas caminhadas pelos charcos, tentando entender exatamente por que ela se sentia tão inquieta.

Era tão confuso. Kit a confundia tanto. Em um minuto, tentava alertá-la de que era um "pesadelo" e, no minuto seguinte, dizia que queria vê-la novamente e a beijava. Além disso, por que ela se importava? Era uma mulher que ficara viúva havia pouco tempo, ainda estava de luto pelo falecido marido. Apenas duas semanas antes, ela não era capaz de encarar o mundo. Depois, quando dava por si, estava deitada na cama, lembrando como havia sido o momento do beijo e imaginando... Bem, mais coisas.

Ela simplesmente não conseguia decifrar o efeito que Kit tinha sobre ela. O pior da situação era que ela tinha o impulso de verificar as mensagens no celular o tempo todo. E, como o sinal era fraco, ela tinha de andar até a High Street para se certificar. No entanto, depois de quatro dias, o celular teimava em não ter recados.

Ao final de uma semana sem notícias dele, Júlia acordou de um sono agitado sabendo que tinha de esquecer Kit e seguir em frente. O fato de ele ter prometido ligar e não ter cumprido era prova irrefutável de que não podia confiar nele.

Enquanto tomava banho, o celular, apoiado na borda da banheira, tocou e ela atendeu ainda molhada.

— Alô.

— Sou eu, Alícia. Como você está?

Júlia ficou decepcionada.

— Bem, obrigada. E você? — ela perguntou, equilibrando o telefone sob o queixo e enxugando o corpo.

— Bem. Me desculpe por não ter ligado antes, tive uma semana muito agitada. Como foi o jantar com Kit?

— Bom, bom — Júlia disse, nervosa.

— Que bom. Você o viu depois?

— Não.

— Certo — Alícia continuou. — Então, não tem nenhum romance?

— Por Deus, não! Ã-ã! Somos apenas amigos, e só.

— Ótimo. Fico feliz.

— Fica? Por quê? Pensei que você gostasse bastante dele — Júlia não conseguiu conter a indignação.

— Ah, eu gosto dele! Pelo menos gostava, mas... Não é nada. E só pensei...

— Pensou o quê? Vai, Alícia, o que você está querendo dizer? — ela insistiu.

— Calma, Júlia. Não importa, se você não se envolveu com ele, ué? Queria apenas avisar que talvez lorde Crawford não seja tão sincero quanto eu achava. De qualquer forma, não é problema meu.

— Não, não é — Júlia disparou e mudou de assunto. — Como estão as crianças?

— Em guerra, com ênfase na guerra — Alícia suspirou. — Max e eu gostaríamos de saber se você quer vir almoçar conosco no domingo.

— Obrigada, Alícia, mas não. Eu vou... — Júlia procurou desesperadamente uma desculpa — ...caminhar.

— Caminhar?

— Sim — Júlia andou pelo quarto, sabendo que o sinal do celular sumiria com facilidade. — Eu ligo para você depois. Tchau.

Ela jogou o telefone na cama se sentindo frustrada, com raiva de Alícia e de Kit por conseguirem chateá-la, mas com mais raiva de si mesma por reagir a eles e não saber o porquê.

Desesperada, dirigiu até Holt para tentar gastar uma ou duas horas. Comprou alimentos que não tinha vontade de comer e uma vela aromatizada, que, quase com certeza, esqueceria de acender. Abatida, ela caminhou pela High Street até a pequena butique onde comprara roupas na semana anterior e ficou mexendo nas araras. Nada lhe chamou a atenção, aquele lugar só servia para lembrá-la da animação que sentira quando estivera lá da última vez. Ela viu um bebê mais ou menos da idade de Gabriel com cabelos cacheados e olhos azuis, que a fez se lembrar do filho (mas não tão bonito, nunca tão bonito!), andando desajeitado pela loja enquanto a mãe pagava as compras.

Saiu de lá à beira das lágrimas e vagou pela rua até o carro. Foi então que os viu: ele saindo do carro, contornando-o para abrir a porta, e ela radiante, sorrindo para ele em agradecimento enquanto ele abria uma das portas traseiras e tirava com cuidado um pequeno recém-nascido do banco. Ele beijou o bebê carinhosamente na cabeça e o entregou à mãe, abrindo o porta-malas para retirar o carrinho. Com o bebê acomodado no carrinho, os três começaram a andar na direção de Júlia, a mãe protegida pelo braço dele sobre seus ombros.

Por instinto, Júlia se abaixou atrás do carro mais próximo quando eles passaram por ela, perto o suficiente para que ouvisse o sotaque americano nasalado de Annie e a clara risada de Kit em resposta.

— Ai, meu Deus! — Júlia respirou fundo e, assim que eles desapareceram de sua vista, correu para o carro e entrou. — Meu Deus! Como ele pôde fazer isso? — ela gritou, batendo no volante com a mesma força que seu coração martelava dentro do peito. Deu a partida e saiu rapidamente da vaga.

Naquela noite, bebeu uma garrafa de vinho, ficando mais indignada a cada taça. Kit havia brincado com ela, era simples assim. Toda aquela conversa, "Eu entendo como você se sente", que ele declamou era apenas a superfície de um homem com um coração tão duro quanto um diamante bem polido. Talvez, pensou Júlia, tomando as últimas gotas da garrafa, fosse assim que ele se divertia. Não passava de um conquistador barato, mas com *pedigree*.

— Pobre bebê, pobre Annie... — ela suspirou enquanto cambaleava pela escada e se jogava na cama sem trocar a roupa que usara para sair.

E, ainda assim, ele havia sido tão gentil quando ela estava doente, tão cuidadoso... Uma lágrima escorreu pelo rosto dela. Ficar irritada não estava mais dando certo. Ela sentia falta dele.

— Ai, não... — ela resmungou.

O álcool a deixara sincera o suficiente para ver e sentir a verdade. E a verdade era que, de alguma maneira, só Deus sabia como, ela havia se apaixonado por Kit Crawford.

Na manhã de segunda-feira, Júlia estava de volta a Holt, conversando com um agente de viagens e reservando um voo para a França. O domingo havia passado em um borrão solitário de ressaca e, depois de passar horas da tarde em frente à televisão, ela havia preparado o jantar e tido uma boa conversa consigo mesma. Não podia deixar que o episódio com Kit arruinasse seu caminho de volta à vida. Ela deveria usar aquela experiência, reconhecer o quanto estava vulnerável no que dizia respeito a qualquer forma de afeto e se certificar de não se envolver com ninguém até estar completa e pronta.

Com os detalhes do voo guardados na bolsa, Júlia dirigiu de volta para casa se sentindo muito mais otimista. Viajaria na quarta-feira, o que lhe dava dois dias para se despedir da família, fazer as malas e se preparar. Ao virar na vila Blakeney, o celular tocou. Alguns momentos depois, tocou de novo. Quando olhou para a tela, Júlia viu que havia uma mensagem de voz. Provavelmente era Alícia para saber como ela estava, pensou ao entrar no supermercado para comprar um pouco de leite e colocou o celular perto da orelha.

— Oi, Júlia, é o Kit. Sinto muitíssimo por não ter ligado. Acabou sendo uma semana inesperadamente caótica. Quer almoçar amanhã? Bom, espero que esteja se sentindo melhor. Ligue para mim. Tchau.

— Aaaah! — Júlia gritou e assustou um senhor que estava pegando manteiga de dentro de um refrigerador ao seu lado. — Desculpe — ela disse, levou o leite até o balcão, pagou e saiu.

Ao contornar uma esquina para estacionar perto do chalé, Júlia jogou a cabeça para trás e riu alto.

— Rá, rá! Semana caótica, é, Kit? Rá, rá! Bem, deve ter sido, não deve? Já que sua namorada, ou talvez até sua esposa... Quem sabe... Deu à luz o seu bebê! Rá, rá, rá!

Sentindo-se ridiculamente melhor por Kit ter mostrado o que ela achou que ele fosse (ou talvez pior), Júlia continuou a rir como louca ao entrar no chalé. A adrenalina disparou um momento de frenesi e ela arrumou as malas com as poucas roupas e objetos que queria levar de volta para a França.

Quinze minutos depois, havia terminado. Deixou-se cair no sofá exausta e, às vezes, balançava a cabeça, sem poder acreditar na mensagem de Kit. E pensar que, em certo momento, ela até o comparara a Xavier, seu amado e falecido marido, que podia ter defeitos, mas sempre a amara.

— Meu Deus — ela murmurou. Depois, se levantou e saiu do chalé para ir à casa de Alícia se despedir.

— Vou sentir sua falta, querida — disse Alícia —, mas estou feliz por você poder encarar esse retorno. Sei o quanto vai ser difícil nas primeiras semanas. Se quiser conversar, estou sempre à disposição — ela acrescentou com ênfase.

— Prometo que vou tentar manter contato — disse Júlia. — Sei que não agi muito bem antes. Mas estava sempre tão ocupada, viajando, tocando, o Xavier e o Gabriel...

A voz dela sumiu, mas ela quis insistir, sabendo que era necessário, que tinha de conseguir falar sobre eles abertamente se quisesse sobreviver em um lugar onde todos os haviam conhecido e amado.

— Acho que o que mais temo é entrar em casa sabendo que eles não vão estar lá — Júlia mordeu o lábio para segurar as lágrimas. — Mas, como você diz, vai ficar mais fácil. Preciso apenas encontrar coragem para atravessar a dor.

— Você vai conseguir, Júlia, e você é corajosa — Alícia se sentou ao lado da irmã e segurou a mão dela. — Queria só dizer, bem, o quanto eu a admiro.

Júlia ergueu uma sobrancelha.

— Você me admira? Não é possível, Alícia. Estou sempre em frangalhos e você é tão centrada e me ajuda.

— São simplesmente personalidades diferentes. E, me deixe dizer uma coisa: eu acho que não conseguiria sobreviver ao que você tem passado. Sim, sou muito organizada, então consigo comandar a casa, a família e a vida. Mas, se eu estivesse em seu lugar, ficaria acabada.

— Mesmo?

— Sim, eu ficaria — Alícia balançou a cabeça com veemência. — Sei que não conseguiria lidar com nada que saísse dos eixos. Isso às vezes me assusta. Pensar nisso me assusta bastante.

Era tão raro ver Alícia vulnerável e Júlia se sentiu cruel pelo ressentimento que tinha da irmã.

— Você também foi maravilhosa, Alícia. Obrigada por tudo. Se um dia quiser fazer uma viagem rápida para a França, sabe que é sempre bem-vinda.

— Eu adoraria, mas não vejo uma real possibilidade de isso acontecer, você vê? — Alícia balançou a mão na direção de sua impecável cozinha. — O quê? A mamãe vai viajar? O mundinho deles ruiria — ela sorriu.

— Bem, a oferta está feita.

— Obrigada. E então, as malas estão prontas?

— Sim, levei dez minutos. O pai ainda está em Norfolk? Eu deveria me despedir dele.

— Ele estava em Londres, se preparando para a viagem a Galápagos quando falei com ele pela última vez, mas ligue para ele — aconselhou Alícia. — E Elsie e a outra metade da história?

— Na verdade, pensei em deixar essa tarefa para você. Por que não fazer um passeio para vê-la de vez em quando? Ela adoraria.

A última coisa que Júlia queria naquele momento era saber mais intrigas da família Crawford.

— Vou fazer isso. Você vai se despedir de Kit?

Os olhos de Júlia faiscaram de raiva.

— Não. Acho que ele está bastante ocupado no momento, não acha?

— Eu... Não sei — Alícia respondeu, sem forças. — Bem, *bon voyage*, irmãzinha — ela acrescentou e Júlia se deixou ser abarcada pela irmã. — Por favor, por favor, mantenha contato dessa vez.

— Vou manter. E obrigada por tudo, de verdade.

— Sabe que estou sempre ao seu lado, Júlia.

— Sim. Tchau, Alícia. Dê um beijo nas crianças por mim.

No caminho de volta para casa, ela ouviu metade de uma nova mensagem deixada por Kit, que queria saber se ela havia recebido o recado anterior. Ela soltou outro "Ah!" bem alto, a apagou e desligou o celular.

No dia seguinte, Júlia se sentou sob o fraco Sol no jardim do *pub* e ligou para Elsie e para o pai, dizendo que havia decidido voltar para casa. Elsie, que estava se recuperando de uma versão mais fraca da gripe de Júlia, mal podia falar e a cabeça de George parecia já estar nas ilhas Galápagos.

— Vai para casa, querida? Para o chalé? Que bom, que bom! É ótimo falar com você.

— Não, para a França, pai — Júlia explicou com paciência, acostumada à falta de atenção quando ele se preparava para uma viagem.

— Ah, entendo... Esse é o espírito! É preciso voltar à roda em algum momento. E ao piano também!

— Um passo de cada vez, pai — Júlia alertou.

— Sim, é claro. Bem, partirei nesse fim de semana. Se você voltar a acessar seus e-mails, manterei contato como sempre. Embora eu não saiba como são os meios de comunicação por lá.

— Se cuide, pai.

— Você também, querida. Eu tenho orgulho de você.

— Obrigada, pai. Tchau.

— Tchau, querida.

Quando Júlia finalizou a chamada, viu que havia chegado uma mensagem de texto de Kit. Ela a apagou sem ler e terminou de tomar um vinho e comer um sanduíche, pensando no dia seguinte e no próximo e difícil passo da jornada. Agora que era iminente, ela estava com medo. Ao caminhar de volta ao chalé, ponderou se estava pronta para partir. Por mais irritante que achasse a atenção excessiva de Alícia, ela oferecia uma sensação de segurança.

De volta à França, ela estaria sozinha com as memórias. Porém, que escolha tinha? Não havia nada ali para ela, nada.

[CAPÍTULO 29]

Às 20 horas, o carro alugado que ela usara nos últimos meses foi retirado. O chalé estava limpo e arrumado, e o táxi para o aeroporto reservado para as 7h30 da manhã seguinte. A mala a esperava ao lado da porta, ela estava pronta para partir.

Olhou a sala de estar ao redor com um sentimento repentino de carinho pelas quatro paredes que haviam testemunhado sua perturbação e oferecido um santuário estoico, e básico, quando ela mais precisara. Levantou-se, foi até a porta da frente e a abriu. Respirou o aroma fresco e limpo do Mar do Norte e olhou uma última vez para os barcos que balançavam no porto abaixo.

— Oi, Júlia.

Uma voz soou da escuridão e o coração dela deu um salto.

— Sou eu, Kit — disse a voz e uma figura avançou para o fraco círculo de luz que emanava do interior da casa.

Júlia congelou. Ela desejava que seu corpo desse três passos para trás, fechasse e trancasse a porta e se escondesse atrás do sofá até ele ir embora. Mas ele não reagiu e, assim, ela ficou parada no mesmo lugar.

— Olha, eu sei que você vai embora amanhã...

— Como? — ela disparou, feliz por sua voz ter pelo menos funcionado.

— Liguei para sua irmã. Quando fiquei sem notícias suas, fiquei preocupado.

— Ah, vá! — Júlia não conseguiu se conter.

— Júlia... — Kit deu mais alguns passos na direção dela e ela abriu os braços por instinto, barrando a porta.

— Olha, eu realmente acho que houve algum mal-entendido. Posso entrar e explicar?

— Não acho que seja necessário. Eu entendo o mal-entendido, Kit, muito bem. Agora, se me dá licença, terei de acordar cedo amanhã e quero dormir. Boa noite.

Júlia entrou e fez menção de fechar a porta.

— Por favor, Júlia — Kit encostou a palma da mão na porta para mantê-la aberta. — Apenas deixe eu explicar, mesmo que seja apenas para não nos despedirmos brigados. Eu odiaria isso, de verdade.

Júlia suspirou, encolheu os ombros e cedeu.

— Se você insiste. Cinco minutos então — ela se virou e andou até o sofá para se sentar.

Kit a seguiu e parou indeciso perto da lareira.

— O motivo de eu não ter ligado na semana passada foi o nascimento do bebê da Annie.

— Sim, eu sei. Parabéns — Júlia forçou um sorriso.

— Obrigado. Direi a ela da próxima vez que nos falarmos.

Júlia ergueu uma sobrancelha, irritada.

— Por favor, não tente me enganar, Kit. Eu os vi juntos em Holt, parecendo muito íntimos. Está tudo bem. Mesmo.

— Sim, está tudo bem, Júlia. Pelo menos agora, de qualquer maneira. Veja — Kit coçou a cabeça agitado —, quer saber a verdade ou prefere ficar com o roteiro que toda a Norfolk criou para mim nas últimas semanas? A decisão é sua.

— Claro. Se você quiser — Júlia levantou os ombros, evasiva.

— Esteja você interessada em ouvir ou não, sinto que lhe devo uma explicação honesta. Bem — Kit suspirou —, para resumir, Annie é uma antiga amiga minha, de quem gosto muito. Há doze anos, ela me ajudou em um momento difícil de minha vida. Em seguida, ela se mudou para os Estados Unidos e eu passei a visitá-la com frequência. No ano passado, ela me contou que finalmente tinha encontrado o amor de sua vida. O único problema, segundo ela, era que ele era avesso a compromisso. Ela tinha certeza de que ele a amava, mas não conseguia dar um passo adiante e juntar forças para viverem juntos, menos ainda para se casarem. E, então, bingo!, Annie ficou grávida. Lá estava ela, com 34 anos, carregando o filho do homem que amava e não considerava a possibilidade de fazer um aborto.

— Não. Eu também não teria feito — concordou Júlia.

— É claro que Jed, o medroso, ficou doido e terminou o relacionamento. Annie ficou arrasada e decidiu que o melhor a fazer era sair de perto das lembranças e se concentrar na gravidez. Ela me ligou e perguntou se poderia ficar aqui comigo até o bebê nascer. Eu respondi que sim, é claro. Naquela época, eu estava me mudando para Wharton Park e não tinha problema de espaço. Para ser sincero, fiquei feliz por ter a companhia dela — Kit explicou. — Assim, na semana passada, Annie entrou em trabalho de parto duas semanas antes do previsto e lá estava eu, tentando cumprir o papel de companheiro.

— Foi muito gentil de sua parte — comentou Júlia com má vontade.

— Era o mínimo que eu podia fazer por alguém que ficara ao meu lado quando precisei — Kit reiterou. — Embora eu me sinta um verdadeiro fracasso. Uma das enfermeiras até afirmou que o bebê se parecia comigo — ele riu. — Depois de Charles nascer, mandei um e-mail para Jed nos Estados Unidos, para contar que ele tinha um filho lindo, e enviei uma foto que tirei logo após o parto.

— Annie sabia que você estava fazendo isso? — Júlia interrompeu.

— Não, não sabia. Mas eu sabia que ela queria que alguém contasse ao Jed. Eu apostei que ver o filho pequenininho e perfeito mexeria com as emoções do coração mais impenetrável. E, *voilá*! Deu certo — Kit sorriu. — Há dois dias, o papai de verdade apareceu em Wharton Park, se apaixonou de cara pelo filho e quer levar mãe e bebê para os Estados Unidos, para uma vida feliz em família.

— Uau! — Júlia disse. — Que história!

— Com um final feliz espetacular, o que é inusitado. Por enquanto, de qualquer forma... — Kit acrescentou com cinismo.

— É possível mudar o caráter de alguém? — Júlia murmurou, quase para si mesma. — Não sei se eu perdoaria um abandono assim. Como a Annie pode confiar nele de novo?

— Ela tem de confiar. Ela o ama, Júlia. E se algo é capaz de mudar o caráter dele, como você diz, um bebezinho é a melhor arma. Acrescente a isso um enorme anel de brilhantes e um casamento assim que Annie estiver recuperada, sem contar uma lista de reuniões com corretores de imóveis em Greenwich e você tem, pelo menos, um novo começo tão positivo quanto possível. Ela foi corajosa e deu um voto de confiança a ele. Torço para que dê tudo certo para ela. Puxa, a Annie merece! Ela passou por um pesadelo nos últimos meses. Fiz o máximo que pude, mas sou um mero substituto de seu verdadeiro amor.

— Ela teve sorte de você estar por perto — Júlia admitiu.

— Mesmo que isso tenha significado que você tivesse de passar por uma dor desnecessária e ficasse decepcionada? Eu precisei cuidar dela, Júlia. Precisei mesmo.

— Sim — Júlia olhou para o fogo por alguns instantes. Depois, olhou para ele. — Kit, por que não me disse onde estava? Achei que fôssemos no mínimo amigos.

— Júlia, Júlia... — Kit balançou a cabeça desesperado. — Não consegue ver por que eu não fiz isso?

— Não. Desculpe, não consigo.

— Certo, vou falar claramente então. Eu lembrava com nitidez a dor nos seus olhos quando você conheceu a Annie no pátio há algumas semanas. Ao ver aquela dor, e saber que era causada pela perda recente de seu filho pequeno, achei que a última coisa de que você precisava era um relato preciso de uma mulher prestes a dar à luz e, depois, boletins constantes do hospital sobre o estado dela. Ou, na verdade, dar de cara com um recém-nascido se fosse me visitar em Wharton Park. Tentei protegê-la disso, Júlia, é isso. Não queria chateá-la quando você estava fazendo um progresso tão bom.

— Puxa... — os olhos de Júlia se encheram de lágrimas involuntárias.

Kit se levantou e foi se sentar no sofá ao lado dela. Ele segurou uma das mãos de Júlia sobre a sua.

— Eu admito que fui ingênuo e causei uma confusão. Subestimei essa comunidade, a maneira como as notícias se espalham e o fato de todos parecerem interessados nas "fofocas" a meu respeito, como disse a empregada de casa outro dia. Estou acostumado a ser invisível, sabe? Nunca vivi em um lugar por muito tempo, sempre fui um visitante. Será bem difícil me acostumar. Metade da região me olha desconfiada no momento, imaginando para onde minha "esposa" e meu "filho recém-nascido" foram.

— Posso imaginar — falou Júlia. — Vocês pareciam muito próximos quando os vi em Holt. Tirei a mesma conclusão.

— E sua irmã também. Ela falou comigo hoje mais cedo torcendo o nariz. Tenho de admitir que a culpa é toda minha. Talvez eu devesse ter lhe contado, mas, por favor, acredite que não contei com a melhor das intenções. Não queria mentir e dizer que estava em outro lugar, então o silêncio pareceu a melhor opção. Sinto muito, Júlia, sinto mesmo. Pensando melhor, vejo que agi mal. Você deve ter me achado um canalha, dando um beijo em você e combinando encontros, e, depois, desfilando com um recém-nascido em Holt!

— Foi mais ou menos isso que pensei — Júlia confessou.

Júlia podia sentir que estava sendo vencida, puxada de volta ao desejo de confiar nele, acreditar nele. Se a história fosse verdadeira, fazia dele uma pessoa muito boa em todos os sentidos. E o contraste com os pensamentos negativos que ela tivera nos últimos dias era um salto enorme a ser dado.

— Você e Annie já se envolveram? — ela perguntou com a voz baixa.

— De jeito nenhum — Kit declarou. — Somos, de verdade, aquela coisa rara que existe em um relacionamento entre homem e mulher sem um pingo de atração sexual. Annie é como uma irmã... Ou devo dizer como a irmã que eu gostaria de ter se não tivesse a Bella! Não, eu também não faço nem um pouco o tipo dela. Ela sempre gostou dos fortões, com músculos grandes e peitorais saltados — Kit baixou o olhar para seu tronco magro e riu. — Não sou bem assim, certo? E ela também não é o meu tipo, muito agressiva. Eu a vi pisar nos homens e jogá-los fora. Até, é óbvio — ele acrescentou —, encontrar o amor de sua vida. Agora ela é um anjo.

— Onde você a conheceu?

— Na universidade. Nós dividimos uma casa quando eu estudava Medicina em Edimburgo. Até eu abandonar o curso.

— Por que você fez isso?

Kit suspirou.

— Veja, não é algo que eu conte com muita frequência. Quer mesmo saber? Não é uma história bonita.

— Quero — ela concordou, sabendo, pela intuição, que aquele era o elo perdido até Kit e quem ele realmente era. — Na verdade, eu quero, mas apenas se você estiver com vontade de me contar.

— Certo — Kit sussurrou. — Sobrou algum vinho nessa casa? Uma taça me faria bem.

— Tem meia garrafa na geladeira, mas está aberta há alguns dias.

— Qualquer porto serve no meio de uma tempestade — ele brincou. — Vou reacender esse projeto de fogo enquanto você pega o vinho e as taças.

Júlia andou pesadamente até a cozinha, chocada com a situação. Depois de ter se esforçado para encontrar forças e deixar Kit no passado, ela agora tentava aceitar o que parecia ser uma história plausível. E, quando ele havia segurado sua mão, o mesmo irritante arrepio surgira e percorrera sua espinha.

— Aqui está. O gosto deve estar péssimo — ela disse ao derramar o resto da bebida nas taças e entregar uma a ele. — Então, vai fundo.

— Está horrível — disse Kit, tomando um gole —, mas não se incomode. Certo... Se você não se importa, serei direto, contarei o básico da história. É mais fácil... — ele suspirou. — Como eu disse, na época da faculdade, dividi uma casa com a Annie, que estudava arquitetura, e com mais alguns estudantes. A melhor amiga da Annie, Milla, viajou de Londres para passar um fim de semana lá. Eu tinha 22 anos e, desde o momento em que pus os olhos em Milla, apaixonei-me perdidamente. Ela era a pessoa mais cheia de vida, bonita e carismática que eu já vira. Ela iluminava os lugares quando chegava. Era estudante de teatro na faculdade e queria ser atriz — Kit balançou a cabeça. — Sei que ela teria feito muito sucesso se...

— Se o quê? — Júlia incentivou.

— Logo chegarei nessa parte. Enfim, embora Annie tivesse me alertado para não me envolver, que Milla era irresponsável e tinha muitos problemas escondidos, eu me joguei de cabeça. Milla também parecia gostar de mim, apesar de sermos tão diferentes, e começamos um relacionamento. Nos meses seguintes, passei mais tempo na estrada entre Edimburgo e Londres do que estudando. Ela era como uma droga, eu não podia ficar sem ela.

— O primeiro amor — sussurrou Júlia, pensando em Xavier e em quando o conhecera.

— Sim, isso mesmo — concordou Kit. — E, é claro, decidi me apaixonar pela mulher mais complicada e carente possível. Mas sei que era isso, em parte, que a deixava atraente. Era a emoção de uma montanha-russa, eu nunca sabia como estava nosso relacionamento, se ela era realmente minha. Ela dizia que me adorava, que me amava mais que tudo e, depois, sumia por uma semana. Nem preciso dizer que meu trabalho sofreu as consequências e que eu já não tinha como recuperar meus atrasos e faltas no curso, mas eu não ligava — Kit soltou uma risada curta e nervosa. — Júlia, minha vida estava uma bagunça.

— E o que aconteceu depois?

— Fiquei indo e vindo de Londres e, depois de um tempo, percebi que Milla estava se comportando de maneira estranha. Ela sempre tinha sido cheia de energia, conseguia ficar acordada até tarde dançando e indo a festas, mas essa animação começou a se tornar meio maníaca. Às vezes, eu passava o fim de semana inteiro com ela e ela não dormia. Parece que estava se misturando com um pessoal barra-pesada em Londres e estava perdendo peso. Então, um dia, eu a peguei no banheiro aplicando uma injeção em si mesma. Ela estava usando heroína.

— Meu Deus... — Júlia sussurrou. — Ela assumiu?

— Teve de assumir, ela foi flagrada. Eu sabia que Milla às vezes usava cocaína, mas aquele era outro nível. Ela jurou que ia parar, mas disse que precisava de mim para ajudá-la.

— E você concordou?

— Como um carneiro que vai para o abate. Abandonei o curso de Medicina e disparei em direção a Londres para salvá-la.

— Ai, Kit! Depois de tanto estudo. Você devia estar a ponto de pegar o diploma.

— Sim — Kit suspirou. — Eu disse que minha vida estava uma bagunça.

— E você salvou a Milla.

— Não. Teria sido bom eu saber, na época, que a única pessoa que pode salvar um viciado é o próprio viciado. Sim, a Milla tentou, sei que tentou. Ficou sóbria por semanas, talvez por um mês, mas sempre recomeçava. E, naturalmente, eu virei o "inimigo", a besta que tirou o dinheiro dela, que não a deixava andar na rua sozinha, que ouvia suas ligações para saber se ela estava entrando em contato com o traficante. Ela me odiava. Odiava — Kit passou a mão pelos cabelos desarrumados. — Isso durou meses, até eu voltar ao apartamento depois de ir ao mercado e ver que ela tinha ido embora. A polícia a encontrou no dia seguinte deitada em uma sarjeta, inconsciente. Ela sofreu uma overdose. O hospital a internou no centro de desintoxicação e ela me prometeu que ia se recuperar. Ela estava desesperada, pensando que eu a deixaria. Garanti que não a deixaria com a condição de que ela ficasse lá e recebesse a ajuda de que precisava. Também disse que, se ela voltasse a se drogar, eu iria embora para sempre.

— É óbvio que você não tinha escolha, Kit. Pelo bem da Milla e o seu.

— Foi o que os profissionais me disseram — Kit concordou. — E foi o último bom momento, quando ela saiu da reabilitação. Vivemos três meses gloriosos em que a tive de volta. Ela até falava de voltar à faculdade de Teatro e eu pretendia reiniciar meus estudos de Medicina em Londres — Kit encolheu os ombros. — Era normal e, por isso, maravilhoso.

— Mas não durou?

— Não — Kit balançou a cabeça, melancólico. — Eu já tinha aprendido a reconhecer os sinais: a obsessão, as manchas roxas sob os olhos, a perda de peso... Eu podia ter abandonado meu curso, mas, naquele momento, já tinha PhD em Milla e vício. Milla negava, mas eu sabia que estava usando drogas mais uma vez. Assim, cumpri minha ameaça, esperando que causasse nela um lampejo de consciência. Meu Deus, Júlia, foi terrível! Ela gritou e chorou, implorou que eu não fosse embora, disse que iria se matar se eu a deixasse... — Kit apoiou a cabeça nas mãos. — Foi a pior coisa que já tive de fazer. Eu a amava demais, mas sabia que nada mudaria se eu não a deixasse, e, naquele momento, percebi que estava sendo arrastado para o fundo do poço com ela.

Júlia instintivamente estendeu a mão para consolá-lo.

— Kit, nem posso imaginar... — ela sussurrou. — E isso a ajudou?

— Não! É claro que não! — ele soltou uma gargalhada curta e desesperada. — Fiquei afastado por uma semana, tendo de me segurar para não correr até ela vinte vezes por dia, e, depois, voltei e encontrei o apartamento vazio. Avisei a polícia, é óbvio. E, duas semanas depois, ela foi encontrada em um imóvel invadido por um traficante conhecido. Ela estava morta.

— Sinto muito, Kit — Júlia falou em voz baixa, achando que as palavras eram tão inúteis para ele quanto foram na época em que eram ditas para ela.

— É, bem... Eu também — ele ergueu a cabeça. — Ela disse que se mataria se eu partisse e, na essência, foi o que ela fez. A autópsia mostrou que ela morreu de uma superoverdose, mas havia algo pior: mostrou também que Milla tinha sido estuprada várias vezes antes de morrer. É óbvio que ela tinha recorrido à prostituição para conseguir a droga que queria. Antes, eu tinha visto machucados em lugares estranhos do corpo dela que tentava ignorar, mas tive de aceitar que ela provavelmente dormia com outros homens por dinheiro enquanto estava comigo.

Quando Kit fez uma pausa e ficou olhando o fogo, ela podia ver nos olhos dele que ele estava revivendo aquela dor.

— Eu, bem, Kit, não sei o que dizer — ela sussurrou.

— Como você sabe muito bem, Júlia, é sempre melhor não dizer nada, porque não há nada a dizer. Depois disso... Bem, eu perdi a cabeça. Me sentia tão culpado por ter ido embora, tão bravo por ela ter desperdiçado a vida, e, acima de tudo, triste por ela ter escolhido a heroína e, por consequência, a morte em vez de me escolher. Perdi de vez a fé na natureza humana. Toda aquela conversa de "fazer a coisa certa", de que "o amor vence tudo"... Não havia funcionado. Não houve um "final feliz", apenas o corpo morto e destruído de uma jovem mulher e os restos de um homem ainda vivo — Kit sorriu com amargura.

— Você quer dizer que teve de aceitar que não tinha o controle da situação? Que, às vezes, não importa o que você faça, quanto esforço e amor dedique à vida, isso não tem diferença no resultado? Foi isso que eu aprendi nos últimos meses — Júlia comentou em voz baixa.

— Sim, foi mais ou menos isso — Kit concordou. — E levei anos para aprender o outro lado da moeda. Algumas vezes, faz diferença e não devemos deixar de acreditar. É claro que, com o tempo, essas tragédias nos deixam mais sábios, aceitamos melhor a fragilidade humana. Mas, meu Deus, demorei muito para enxergar isso. Depois, acho que passei por um tipo de colapso.

— Foi aí que a Annie o ajudou?

— Sim, ela foi fantástica. Quando soube, correu para Londres e me carregou de volta a Edimburgo, onde passou a cuidar de mim da maneira que vemos nos livros. Ela explicou várias vezes que Milla sempre tinha sido mentalmente frágil, que não havia mais nada que eu pudesse ter feito; me lembrou do quanto eu a tinha amado e cuidado dela, e que eu não devia me sentir responsável pelo que tinha acontecido. É claro que eu ignorei tudo o que ela falou — Kit riu — e continuei no caminho da destruição e da solidão voluntária. Júlia, acredite em mim — ele olhou bem nos olhos dela —, você nem se compara ao que fui. Eu me afundei na autoindulgência. Por anos. Eu estava tão bravo!

— Isso não é autoindulgência, Kit. Você passou por um pesadelo. Mas como a raiva passou?

— Eu tive o que talvez possamos chamar de epifania há alguns anos. Nas minhas viagens, passei três meses como professor temporário de inglês em um campo para crianças birmanesas órfãs na fronteira da Tailândia — Kit explicou. — Embora eu tenha visto coisas horríveis antes, aquele cenário realmente mexeu comigo. A maioria das crianças tinha apenas as roupas do corpo. Os pais não estavam com eles, tinham morrido com tiros na Birmânia ou fugido para o interior do país, desesperados por trabalho. Essas crianças estavam desamparadas em uma terra de ninguém, o governo tailandês se recusava a deixá-las entrar, mas elas enfrentariam a morte se voltassem para casa. Ainda assim — pela primeira vez, os olhos de Kit brilhavam com lágrimas —, eles ficavam muito felizes com a coisa mais simples que alguém desse a eles. Uma bola de futebol nova era como se eles tivessem ganhado ingressos para a final da Copa do Mundo. Todos tinham sonhos e esperança para o futuro, mesmo não tendo futuro. Eles não desistiam da vida, apesar de a vida ter desistido deles.

Ele enxugou os olhos de forma rude.

— É um clichê, eu sei, mas ver aquelas crianças, que haviam sofrido um tipo de dor em suas breves vidas que eu não conseguia nem imaginar, chegarem todas as manhãs com um sorriso no rosto e ansiosas pelo novo dia... Isso me deu o tapa na cara de que eu precisava. Para ser bem direto — ele acrescentou —, percebi que eu era um imbecil autoindulgente, que desperdiçara os dez anos anteriores sentindo pena de mim mesmo. Se aquelas crianças podiam pensar no futuro e, o que é mais importante, ainda acreditar na bondade da natureza humana, eu, com as vantagens que tinha, também podia.

Eles ficaram sentados em silêncio.

— Quando eu era criança — Júlia, por fim, limpou a garganta e disse —, minha mãe me falou do "Jogo do Contente" de um livro chamado *Polyanna*. Você tem de pensar no que tem, não no que não tem. É batido e simplista, eu sei, mas é verdade.

— Sim, é verdade. Era exatamente assim que aquelas crianças birmanesas viam a vida — Kit sorriu de repente. — Puxa, somos uma bela dupla, não? Embora você tenha mantido tanta... — Kit procurou a palavra certa. — Dignidade nesse tempo. Sim — ele confirmou —, dignidade. E eu sinto muito se minhas atitudes recentes aumentaram sua descrença na natureza humana. Eu juro que não sou o que você pensou que eu fosse. Acredite que eu estava tentando protegê-la.

— Tudo bem, Kit. Eu acredito em você, de verdade — disse Júlia, surpresa ao descobrir que confiava nele.

— Você viu? — Kit encolheu os ombros. — Essa é a diferença entre nós dois. Antigamente, eu não teria sido generoso o suficiente nem para ouvir uma explicação. Eu procurava uma desculpa para afastá-las. Juro que sou diferente agora. Principalmente com você, Júlia.

— Não seja tão duro com você mesmo. Você também cuidou da Annie quando ela precisou.

— Acho que estou melhorando. Pelo menos... — Kit fez uma pausa e olhou para ela. — É a primeira vez que eu quis correr até uma mulher e explicar minhas atitudes antes que ela partisse para o pôr do sol francês.

— Eu agradeço por isso, Kit.

— Você vai embora de verdade, Júlia? Não quero que vá. Não mesmo — ele confessou repentinamente.

A sala ficou em silêncio enquanto Júlia digeria o que Kit acabara de dizer. De repente, ela se sentiu quente e desconfortável.

— Não faça isso, Kit, por favor — ela sussurrou. — Eu... Não consigo lidar com isso.

— A falta de confiança apareceu, não foi? Por causa de Annie e do bebê?

— Desculpe — ela murmurou.

— Meu Deus! — Kit se levantou e andou de um lado para o outro. — É típico! É a primeira vez, desde Milla, que eu gosto realmente de uma mulher e veja como consegui estragar tudo. Desculpe — ele balançou o braço na direção de Júlia. — O que foi que eu disse sobre minha tendência a ser indulgente comigo mesmo. Desculpe, mas, Júlia, tenho de lhe dizer uma coisa...

Kit ainda andava de lá para cá, agora mais rápido, e as palavras saíam de qualquer jeito da boca dele.

— Tenho de lhe dizer que acho que estou apaixonado por você. Percebi isso quando fiquei cuidando de você e achava o melhor momento do meu dia. Adorei o fato de você ter precisado de mim, depois de todos esses anos correndo de qualquer mulher nessa situação. E me senti... Ótimo!

Kit sorriu para ela. Era um sorriso de alegria tão genuína que Júlia queria ser espontânea e se jogar nos braços dele. Mas ela se conteve. Nenhum deles era um adolescente vivendo o primeiro romance. Os dois já haviam percorrido pelo menos um terço de suas vidas e sido machucados de maneira irremediável.

Ela abriu a boca para falar, mas Kit agiu primeiro, continuando a história.

— É claro que foi a Annie que percebeu, viu os sinais e riu enquanto eu falava de você sem parar — Kit voltou a caminhar. — Ficou mais forte aquela noite em que você foi jantar em Wharton Park. O que, é claro, depois acabou contribuindo para as suas suspeitas, tenho certeza... E ela me implorou para vir até aqui confessar o que eu sinto. Eu disse que você ainda não estava pronta, ela disse que você aguentaria.

— Eu não estou pronta, Kit — as palavras saíram da boca de Júlia antes que ela pudesse evitar. — Faz tão pouco tempo desde... Eu achei que estivesse... — Júlia mordeu o lábio —, mas não estou...

Kit parecia estar encolhendo diante dela.

— Certo — ele acabou dizendo. — Ok. Bem, então — ele limpou a garganta —, bem feito para mim, eu acho. E não é autoindulgência, é um fato. Droga! Então, vou deixá-la em paz.

— Desculpe. Eu... Simplesmente... Não consigo.

— Não. Eu entendo. De verdade — Kit enterrou as mãos nos bolsos, andou até a porta e, depois, voltou e respirou fundo. — O que eu quero dizer é que, se... Se um dia você conseguir, bem, me dar um voto de confiança e me conceder uma segunda chance, prometo que vou estar ao seu lado. Sou muito bom nisso. Ou, ao menos, já fui. Nunca a machucaria, não de propósito.

— Obrigada, Kit.

— E o mais estranho é que — Kit parou na porta — você sempre esteve ao meu lado.

Júlia não podia olhar para ele porque as lágrimas jorravam de seus olhos.

— Você sabe onde me encontrar — disse Kit. — Tente cuidar de si mesma por mim, combinado? Tchau, querida — ele saiu e fechou a porta.

[CAPÍTULO 30]

Na manhã seguinte, abatida e cansada depois de uma noite sem dormir, Júlia desceu a escada para esperar pelo táxi. Com uma caneca de café nas mãos, ela ficou olhando para a lareira apagada e cheia de cinzas. Seu cérebro estava entorpecido, incapaz de processar o que Kit dissera na noite anterior. E os segredos íntimos que ele compartilhara...

"Não." Júlia interrompeu a si mesma. Talvez, quando estivesse de volta à França, pudesse tirar um tempo para resolver a situação e fazer as pazes com os sentimentos que ele provocara nela, mas não naquele momento.

Ela simplesmente não podia se permitir amar de novo.

Ao ouvir passos na direção da porta da frente, Júlia se levantou e caminhou até a entrada, pegando a mala e prevendo que o táxi a esperava do lado de fora. Na verdade, era o carteiro. Ela largou a mala e disse:

— Que bom que você me encontrou. Estou partindo para a França. Redirecionei toda a correspondência, o que quer que chegue, na maioria, contas... — a voz dela foi sumindo, estava sem energia para bater papo.

— Certinho, senhorita Forrester. Levarei as cartas de volta ao posto de separação e as enviarei à França — ele entregou um papel que era, obviamente, uma conta e um envelope de velino creme endereçado a ela com uma caligrafia que Júlia não reconheceu.

— Obrigada — ela abriu um sorriso amarelo.

— *Bon voyage*, senhorita Forrester.

Júlia fechou a porta e se sentou no sofá enquanto abria o envelope.

"Aeroporto de Heathrow
Segunda-feira, 16 de março.

Querida Júlia,

Uma palavra rápida!

Meu nome é Annie. Nós nos vimos uma vez há algumas semanas. Soube, pelo Kit, por quanto sofrimento você passou. Ele também sofreu. Ele compreende e fará tudo o que puder para curá-la porque, pela primeira vez em anos, se apaixonou. E, quando isso acontece com ele (acredite, é raro!), nunca mais você deve duvidar dele. Eu juro, ele é seu!

Estou partindo para uma nova vida em grande parte por causa de Kit. Ele foi maravilhoso, ficou ao meu lado quando não havia mais ninguém. É uma pessoa boa de verdade. Antes de eu ir, queria fazer algo por ele em troca. Como você sabe muito bem, a vida é curta. Nós pensamos muito e analisamos tudo hoje em dia. Esqueça os pensamentos, apenas siga seu coração. Eu fiz isso, que Deus me ajude, e nunca fui tão feliz quanto agora!

A dor só pode ser curada com o amor. Sinto que vocês dois precisam disso.

Todos merecem uma segunda chance.

Com muito carinho,

Annie"

Júlia ouviu baterem na porta. Levantou-se e a abriu.

— Oi — ela cumprimentou, apática, o motorista do táxi. — Vou sair em um minuto.

— Certo, senhora. Estacionei no morro, à esquerda. É uma caminhada, infelizmente. É terrível estacionar por aqui.

— Obrigada.

Júlia deu uma outra olhada rápida para se certificar de que todos os aparelhos elétricos estavam desligados antes de pegar a mala e trancar o chalé. Ela caminhou lenta e pesadamente morro acima até o táxi que a levaria para longe de Norfolk... E de Kit.

— Pronto, senhora. Deixe que eu pego isso — o taxista segurou a porta aberta para ela entrar e, depois, guardou a mala no porta-malas. — Tudo certo?

— Sim.

— Devemos chegar ao aeroporto em umas duas horas, se tivermos sorte.

O motorista dirigiu morro abaixo pela estreita estrada na direção do porto. Júlia olhou pela janela, observando os barcos balançarem pela última vez. O lugar estava deserto, a não ser por uma figura sentada em um banco, olhando o mar.

— Pare! Desculpe, você pode parar só por um segundo? Eu... Espere aqui. — Júlia abriu a porta e caminhou até a figura. Ao se aproximar, viu que não havia se confundido. Parou um pouco antes do banco, sabendo que ele não a vira.

— Kit, o que está fazendo aqui?

Ele se virou surpreso e a encarou.

— Nossa! Pensei que você já tivesse ido embora. Acabei de ir até o chalé... Ele estava deserto.

— Precisei subir o morro para pegar o táxi. Nós nos desencontramos — ela explicou.

— Entendi — Kit balançou a cabeça. — Então, está indo?

— Sim.

— Ah... Pensei em vir me despedir — ele encolheu os ombros. — E pedir desculpas de novo pelo meu comportamento insensível.

Júlia se sentou no banco ao lado dele.

— Kit, por favor, eu entendo. De verdade.

— Entende?

— Sim.

Kit olhou para os próprios dedos.

— Que bom! Na verdade, Júlia, eu não vim para me despedir.

— Não?

— Não — ele levantou o rosto e abriu um sorriso triste. — A minha intenção real era me jogar aos seus pés e implorar para que ficasse.

— É mesmo?

—Sim. Eu tinha planejado um discurso. Ia pedir que me desse uma chance. Ia dizer que a amo e entendo que teremos de ir com calma, para o seu bem. Que eu faria qualquer coisa para, pelo menos, tentarmos, porque, para mim, esse sentimento com certeza só aparece uma ou duas vezes na vida. E deixar você ir embora está me matando. Sei que é egoísmo — ele acrescentou. — Decidi, de manhã, que não desistiria sem tentar. E aqui estou. Estava apenas lamentando minha usual falta de sorte por não ter encontrado você em casa. E, na verdade, não a encontrei.

— Não. Parece que você recebeu uma segunda chance, Kit — ela sussurrou, quase só para si.

— Sim! Nossa! Você está certa! Então... — Kit se ajoelhou na frente de Júlia e segurou suas mãos. — Lá vai! Júlia, por favor, não volte para a França. Quero que fique aqui comigo. Eu a amo, de verdade. E estou... Desesperado! — ele riu com tristeza. — Me dê outra chance, por favor, e nunca a decepcionarei novamente. Prometo.

— Ai, meu Deus, Kit... Eu...

Ela olhou para ele, tentando ser racional. Depois, ao se lembrar das palavras de Annie sobre analisar tudo, ela perguntou ao coração o que ele queria. Por fim, disse:

— Certo.

— Certo?

— Sim, eu concordo.

— Quer dizer que vai ficar?

— Sim, por enquanto. Talvez devamos dar uma chance a nós dois. O que temos a perder?

— Ai, meu Deus! Está falando sério?

— Mais do que nunca.

— Vou me levantar então. Meus joelhos estão me matando — Kit se levantou e abraçou Júlia. — Eu prometo, querida, que vou cuidar de você enquanto você me quiser.

— E eu vou cuidar de você também.

— É mesmo? — ele tocou no queixo de Júlia para levantar o rosto dela e olhar em seus olhos. — Isso vai ser uma novidade — sorriu, beijando-a no nariz com delicadeza. — Quer dizer que podemos cuidar um do outro?

— Sim. Principalmente porque parecemos sofrer das mesmas aflições.

— Dois pobres coitados, você quer dizer?

— Algo assim — ela murmurou enquanto ele cobria o rosto dela de beijos.

Ela se afastou e olhou para o taxista, apoiado na traseira do carro, de braços cruzados e observando os dois.

— É melhor eu pegar minha mala e dizer a Bob que ele pode ir para casa.

— Sim. Depois, minha querida Júlia, você vai para casa.

— Onde é a "casa"? — ela perguntou, confusa.

— Wharton Park, é claro. O lugar ao qual você pertence.

[PARTE DOIS]

Verão

[CAPÍTULO 31]

Wharton Park

"Às vezes, quando eu acordo e vejo o Sol da manhã brilhando através das janelas abertas de Wharton Park, acho difícil acreditar que sinto a paz e a alegria que pensei que nunca teria novamente.

Ainda assim, aqui estou, relaxando sob o Sol como uma gata enquanto o calor atinge meu rosto, virando-me para ver Kit com a cabeça no travesseiro ao meu lado. O cabelo dele, que eu insisti para ser cortado a fim de que eu pudesse ver seus olhos, desafiou a tesoura da cabeleireira e uma mecha cai sobre uma pálpebra fechada. Um braço está jogado acima da cabeça dele, indicando abandono total e confiança no ambiente ao redor.

Adoro observá-lo durante o sono pela manhã e tenho essa oportunidade com frequência, já que geralmente acordo primeiro. É meu momento secreto, quando posso abandonar meus medos e apenas aproveitar a presença dele. Ele não sabe sobre esses momentos (é uma vítima inocente do sono) e não percebe que eu estudo cada detalhe de seu rosto e os registro na minha memória.

Aprendi, há pouco tempo, o quanto esses momentos são importantes. Não consigo mais lembrar o rosto do meu marido, apenas vejo um vago contorno, uma forma cujos detalhes ficaram borrados e indefinidos.

Quando termino minha memorização, deito e olho para o quarto onde tantas gerações de Crawford dormiram. Duvido que tenha mudado desde o dia em que Olívia Crawford entrou nele para sua noite de núpcias, há setenta anos. O papel de parede chinês pintado à mão, magnífico no passado, desbotou de um amarelo quente e amanteigado para um tom esbranquiçado e melancólico de pudim de arroz. As borboletas e flores que o adornavam são, agora, sombras do que eram.

A penteadeira pesada de mogno, com o espelho de três partes, está encostada em uma parede. É tão feia que ninguém a quis na venda, por isso, a devolvi ao lugar. Às vezes, imagino Olívia sentada ali, passando toda a maquiagem que as garotas tinham de usar na época, com Elsie arrumando seu cabelo pacientemente.

Saio com cuidado da cama para não incomodar Kit e o carpete sob meus pés está bastante gasto, embora, nos cantos do quarto, seja possível ver a espessura da trama original.

Caminho até o banheiro, o piso está coberto por um linóleo rachado e a banheira tem riscos esverdeados de limo atrás da torneira esbranquiçada.

Enquanto me visto, sorrio para mim mesma, apenas por estar em Wharton Park. Grosseira, desajustada e irritante em sua imprevisibilidade, ela lembra uma criança pequena que não recebeu atenção suficiente da mãe e, ainda assim, é tão adorável que somos dominados por seu charme sem conseguir resistir.

E, quando volto para o quarto na ponta dos pés, para descer e ligar a chaleira, penso no quanto amo esse lugar com Kit. E como me sinto em casa."

Júlia se sentou no terraço de Wharton Park ao ar quente do início da manhã e olhou para o jardim abaixo. Junho sempre fora seu mês favorito. Era o momento em que as flores revelavam sua beleza hora a hora, florescendo para sua vida curta e perfeita. As árvores pelo parque ficavam pesadas de folhas (tantos tons diferentes de verde), tendo como cenário o céu azul, claro e suave do verão inglês.

Tomou o café, andou na direção dos degraus estragados que levavam ao jardim criado por Adrienne Crawford e sentiu o aroma quase enjoativo dos jasmins plantados ao longo do terraço. Eles, como o restante do jardim, haviam sido negligenciados por anos. Apenas a grama ganhara um corte descuidado do solitário jardineiro, que tinha muitos acres a manter para se preocupar em aparar e cortar planta por planta. As rosas, plantadas em canteiros ao redor da fonte, viraram uma massa espalhada e grande demais. Porém, aparentemente despreocupadas com a negligência, elas ainda floresciam desgovernadamente em bulbos de flores cor-de-rosa obscenos de tão grandes.

Gabriel adorava flores.

Júlia sorriu com tristeza ao lembrar o dia em que ele entrou em seu escritório com a mão gordinha apertando um buquê multicolorido de orquídeas e alfazemas murchas, que ele e Agnès haviam recolhido em um passeio pelos campos franceses do entorno. "*Pour toi, maman*", ele as entregou com muito orgulho e Júlia fez questão de colocá-las em um vaso, com os caules de comprimentos desiguais por terem sido arrancados sem cuidado.

Ela pensou no quanto Gabriel gostaria de Wharton Park. Ele era uma criança que preferia o ar livre, assim como a mãe, e, às vezes, ela lhe contava histórias da bela casa na Inglaterra que visitava quando era criança. E dizia que, um dia, o levaria lá para vê-la. Júlia suspirou profundamente. Isso nunca iria acontecer.

Continuando a caminhada, seus dedos coçavam para começar a trabalhar no restauro daquele paraíso e devolver sua antiga beleza antes que fosse tarde demais.

— O vovô Bill deve estar se revirando no túmulo — ela comentou com o querubim que ainda estava parado, indiferente, no topo da fonte que não jorrava mais água.

Quando voltava devagar para a casa, Júlia sentiu como se tivesse atravessado um espelho. Ainda sofria pela perda do marido e do precioso filho e sentia culpa e medo por ousar ser feliz. Porém, o amor de Kit por ela parecia lhe cobrar tão pouca atenção, completamente contrário ao de Xavier.

— Querida — Kit havia murmurado enquanto eles estavam deitados e enrolados um no outro depois de terem feito amor pela primeira vez. — Entendo que ainda são os primeiros dias para você e o voto de confiança que me deu para estar aqui. Sei que precisa de tempo para fechar a ferida. Se você precisar de espaço, ou se eu a sufocar, não ficarei ofendido caso você queira recuar.

Já haviam passado três meses e Júlia não sentira essa necessidade. Além disso, a casa era grande o bastante para dar a ela quanto espaço pudesse querer. E, como Kit recusara a oferta do senhor Hedge-Fund e trabalhava na propriedade a maioria dos dias, ela ficava muito tempo sozinha.

"Mas nunca solitária", ela pensou enquanto subia os degraus e passava pela porta que levava à cozinha. Era estranho como, embora tivesse entrado raras vezes na casa e nunca tivesse ido ao andar superior, tudo parecia familiar e reconfortante. Talvez fosse por ter ouvido a história do passado contada por Elsie de forma tão vívida e porque a casa mudara muito pouco desde os dias que ela tinha descrito. Júlia adorava o ambiente e tinha gastado horas caminhando pelos corredores, conhecendo cada canto e cada rachadura, cada edredom desbotado e enfeite empoeirado que evocava a história da qual ouvira tanto falar.

Estava na metade do verão e muitas das coisas que precisavam de conserto na casa eram muito menos visíveis do que seriam no inverno: o teto com vazamento, por exemplo, e o aquecimento antiquado que soltava meras gotinhas de calor pelos radiadores de ferro fundido, oferecendo pouca ajuda para aquecer a água do banho.

Ter praticamente se mudado para Wharton Park com Kit não havia sido discutido "oficialmente". Aconteceu com naturalidade, em acordo mútuo. Desde o drama do flerte inicial, tudo entre eles havia sido incrivelmente fácil. Caíram em uma rotina relaxada e confortável. Kit chegava à cozinha para eles tomarem um drinque às 18 horas e eles conversavam sobre o dia, e, com calma, dividiam a tarefa de fazer o jantar. Júlia estava determinada a aprender a cozinhar e gostava das suas recém-descobertas habilidades culinárias. Depois, eles frequentemente iam para a cama fazer amor. Quase nunca saíam, nenhum dos dois precisava do estímulo de outras companhias, e preferiam passar o tempo juntos e sozinhos.

E Kit parecia mesmo entender que a tristeza pelas perdas que ela havia sofrido às vezes ressurgia de maneira inesperada. Uma lembrança, talvez disparada por um comentário indireto, a deixava quieta e pensativa. Ele não se sentia nem um pouco ameaçado pelo passado dela e não a forçava a conversar sobre o que estava acontecendo a menos que ela indicasse que queria.

O relacionamento deles era totalmente diferente do que o que ela tivera com Xavier: nada dos grandes discursos que o marido amava fazer; nada de discussões explosivas; muito pouco da insegurança emocional ou das oscilações de humor que tornavam a vida com Xavier tão cansativa, mas emocionante.

Havia estabilidade entre eles, Júlia pensou enquanto subia para fazer a cama, uma alegria calma, que não tinha o drama de seu relacionamento anterior, mas dava tranquilidade, que a estava curando dia após dia. Ela esperava que sua presença na vida de Kit fosse tão boa quanto a dele em sua vida.

Ela tinha descoberto, recentemente, que, em vez de desperdiçar a vida sem assumir responsabilidades (como ele descrevera seus últimos dez anos), Kit passara o tempo no exterior trabalhando sem parar em projetos de caridade. Ele havia usado seus conhecimentos médicos e acadêmicos para ajudar os que mais precisavam.

— O fato de eu não dar valor à minha vida permitiu que eu fosse a lugares onde a maioria não se arriscaria a ir — Kit acrescentara quando Júlia ficou sabendo, maravilhada e admirada, de suas aventuras nos lugares de tensão mais perigosos do planeta. — Não me elogie, Júlia, eu estava apenas fugindo.

Quaisquer que fossem os motivos de Kit, as experiências dele o tornaram muito mais sábio e corajoso do que ele se achava. Júlia, às vezes, se irritando com a constante autodepreciação dele, o elogiava. E, aos poucos, Kit começou a se abrir para um possível caminho que ele havia imaginado para o futuro: o de orientar e tratar crianças machucadas por eventos inesperados e traumáticos.

— Vi tantos inocentes sofrerem — ele suspirara certa noite, no jantar. — Para ser sincero, eu acho que cuidar de todas as crianças que conheci nas viagens foi um substituto para meu medo de me comprometer novamente. Elas precisavam de mim e eu sempre podia me levantar e ir embora, seguir em frente. Não havia nada de altruísta nisso.

— Eu entendo, Kit — Júlia respondera —, mas tenho certeza de que elas se beneficiaram de sua presença, mesmo que por pouco tempo.

— Bem, eu aprendi que as crianças são as peças de construção da raça humana. Se elas forem tortas, a próxima geração será torta também. E, em retrospecto, em meio a toda dor que testemunhei, admito que encontrei algo pelo qual sou apaixonado.

Júlia, então, o encorajara a se inscrever no curso adequado para converter o tempo que ele passara na faculdade de Medicina naquilo de que precisava para atuar profissionalmente como psicólogo infantil.

— Quando essa casa estiver arrumada, pode ser — ele concordou. — Fazia tempo que eu não deixava uma mulher me importunar.

— Kit! Eu...

Ele rolara para o outro lado da cama e a atacara com cócegas. Depois, olhara para ela com seriedade.

— Obrigado, Júlia, por se importar tanto a ponto de fazer isso.

— Estamos compartilhando um momento especial — Kit havia anunciado certa noite, enquanto os dois estavam deitados no parque observando a Lua cheia. — É como o universo, não há início nem fim. Nós apenas existimos.

Júlia adorou aquele pensamento. E se agarrou a ele quando sua mente se voltou para outro problema que a incomodava. A serenidade de Wharton Park e o amor sem exigências de Kit haviam tido um grande sucesso na tarefa de a reabilitar, no entanto, todas as vezes que se aproximava da sala de visitas e prendia os dedos em volta da maçaneta de metal manchado para abrir a porta e se aproximar do grande piano, ela recuava.

Duas semanas antes, ela havia tomado o trem para Londres para almoçar com Olav, seu agente.

— Bem, há diversas salas de concerto que ainda estão oferecendo datas, inclusive... — Olav fez uma pausa dramática — ...o Carnegie Hall.

— Jura?

Júlia havia se animado, não pudera evitar. Era o único lugar para o qual nunca havia sido convidada antes. E onde sempre quisera tocar.

— Sim, senhora — Olav concordou, balançando a cabeça. — Sua história ficou famosa nos jornais do outro lado do Atlântico. Os ianques adoram um drama. Então, o acordo com eles é o Carnegie Hall ser a apresentação que marca a sua volta aos concertos. Para ser franco, querida, tem menos a ver com o seu talento e mais com o fato de que as máquinas de publicidade trabalham a todo vapor.

— Quando será o recital?

— Daqui a dez meses, no final de abril do próximo ano — Olav confirmou. — O que lhe dá tempo suficiente para voltar a pôr os dedos nas teclas e recuperar a confiança. O que me diz, Júlia? É uma oferta e tanto, e não posso garantir que reaparecerá.

Agarrada a um travesseiro, Júlia andou até a janela do quarto e observou o jardim abaixo. Ela tinha menos de uma semana para dar a resposta a Olav. Perguntou-se pela enésima vez se conseguiria tocar. Se poderia encontrar uma forma de sair daquele vazio na mente. Júlia fechou os olhos e se imaginou tocando. Como sempre, a adrenalina começou a correr pelas veias e ela suou frio.

Não tinha, até aquele momento, comentado o assunto com Kit. Como poderia explicar que o instrumento que costumava amar agora lhe causava tanto medo? Ele talvez achasse que ela estava sendo boba e a pressionasse para voltar a tocar. Ela não saberia lidar com isso.

Por outro lado, ela pensou, ao se afastar da janela e apoiar o travesseiro com o delicioso cheiro de Kit na cama, ele talvez pudesse ajudá-la. Tinha de confiar que ele entenderia, ela estava desesperada.

Naquela noite, ela mencionou a oferta do Carnegie Hall casualmente durante o jantar.

— Uau! — ele disse. — Júlia, é incrível! Que honra! Você vai me levar para que eu possa me sentar na primeira fileira, esperar você olhar para mim para que eu mostre a língua para você durante um crescendo bem difícil?

Ela sorriu um pouco tensa e balançou a cabeça.

— Não sei se consigo tocar, Kit. Talvez seja demais, e muito cedo. Não sei explicar por que estou tão assustada, por que meu corpo reage dessa maneira sempre que me aproximo de um piano. Ai, querido...

A expressão dele ficou séria e ele estendeu a mão para tocar nela.

— Eu sei, querida. Quanto tempo você tem para pensar?

— Alguns dias.

— Eu queria poder ajudar, pegar uma varinha mágica e consertar tudo para você — Kit suspirou —, mas sei que não posso. A decisão é sua.

— Sim — Júlia balançou a cabeça devagar e soltou sua mão da mão dele. — Se você não se importar, vou dar uma volta no parque para pensar.

— Boa ideia — Kit concordou.

Ele a viu deixar a cozinha e, depois, recolheu os pratos vazios, os lavou e secou, perdido em pensamentos.

Alguns dias depois, antes de Kit sair para uma reunião logo cedo com o gerente da fazenda no escritório da propriedade, ele levou uma xícara de chá para Júlia e se sentou ao lado dela na cama.

— Preciso ir — ele disse e se inclinou para beijá-la. Ele a observou e acrescentou:

— Você parece cansada, querida. Está bem?

— Sim — ela mentiu. — Boa reunião.

— Obrigado — Kit se levantou da cama. — A propósito, deixei um amigo meu pescar no rio. Disse que vai trazer algumas trutas para nosso jantar de hoje. Ele as deixará aqui à tarde.

— Nunca cozinhei truta. O que faço? — Júlia perguntou, tímida.

— Mostrarei como limpá-las mais tarde — ele respondeu enquanto andava até a porta. — Ah, quase esqueci! Caso eu não volte a tempo, um afinador de piano virá às 11 horas. Duvido que aquele lindo velho instrumento, que está juntando poeira na sala de visitas, tenha sido tocado desde que você o usou. E, como é muito valioso, achei melhor arrumá-lo. Até mais tarde, querida — ele mandou um beijo e saiu pela porta.

Às 11 horas em ponto, a campainha enferrujada tocou e Júlia deixou o afinador entrar.

— Obrigado, senhora — disse o senhor com respeito. — Poderia, por favor, mostrar onde fica o piano? Estive aqui pela última vez há cinquenta anos, quando lady Olívia pediu ao meu pai para afiná-lo antes que lorde Harry voltasse da guerra.

Júlia olhou para ele admirada.

— Meu Deus! Faz muito tempo. É por aqui — ela o guiou pelos diversos aposentos, colocou as mãos na maçaneta manchada da sala de visitas e, no mesmo instante, elas começaram a tremer.

— Me deixe ajudá-la, senhora — ele ofereceu.

— Obrigada. Está bastante... Dura — ela respondeu, constrangida, enquanto o afinador virava a maçaneta sem dificuldade.

Ela não tinha escolha a não ser o seguir para dentro da sala. Ficou parada ao lado da porta, indecisa, e o viu caminhar até o piano, e, depois, levantar o pano que o cobria.

— É um belo instrumento — ele comentou com admiração. — Meu pai sempre disse que tinha o som mais puro de todos os pianos que já ouvira. E ele ouviu muitos — o afinador riu. — Agora... — ele levantou a tampa, examinou as teclas amareladas e colocou os dedos amorosamente sobre elas. Tocou um arpejo rápido, suspirou e balançou a cabeça. — Vou levar bastante tempo, mas vou consertá-lo, não se preocupe, senhora.

— Obrigada — Júlia respondeu sem forças.

— Sim — disse o afinador e abriu sua caixa de ferramentas. — O mais triste é que, segundo meu pai, lorde Harry nunca mais tocou nele quando voltou para casa.

— É mesmo? — perguntou Júlia. — Soube que ele era um ótimo pianista.

— Ele era, mas, por algum motivo...

O afinador suspirou e começou a tocar os primeiros compassos da "Sonata em si bemol", de Liszt.

— Ele não quis mais. Talvez tenha sido alguma coisa que aconteceu a ele na guerra. É uma pena ter desperdiçado o talento, não acha?

Júlia não suportava mais.

— Deixarei o senhor fazer seu trabalho — ela respondeu de repente. — E mande a conta para lorde Crawford, por favor — virou e saiu rapidamente da sala de visitas.

Mais tarde, ela foi escolher com calma os legumes que restavam no jardim da cozinha para cozinhá-los com as trutas à noite. Ela gostaria de arrumar aquela área, limpá-la e replantar, mas, como não havia garantia de que eles fossem ficar na casa por mais tempo do que o necessário até acharem um novo comprador, Júlia pensava que seria inútil.

De repente, sua audição aguçou. Ela podia ouvir o "Concerto nº 2", de Rachmaninov, flutuar para fora da sala de visitas junto com a brisa até ela. Ajoelhada entre as ervas daninhas, ela cobriu as orelhas com as mãos.

— Pare, pare!

Ela ainda conseguia ouvir a música passar entre seus dedos, as notas que ela não aguentava tocar estavam invadindo seus ouvidos. Desistiu de tentar bloquear o som e, soltando os braços ao longo do corpo, começou a soluçar.

— Por que você tinha de tocar isso? Qualquer outra coisa... Qualquer outra coisa — ela balançou a cabeça e enxugou o nariz nas costas da mão. Aquela era a trilha sonora de sua dor.

Naquela noite terrível, enquanto ela tocava para o público enfeitiçado perdida em seu próprio mundo, saboreando os aplausos e os buquês, sentindo a felicidade egoísta com o sucesso, seu filhinho e seu marido morriam em agonia.

Júlia havia se torturado várias vezes, pensando exatamente em que momento do concerto eles haviam dado o último suspiro. Teria Gabriel gritado por ela enquanto estava caído sofrendo dor e medo intoleráveis, imaginando por que sua *maman* não estava lá para o ajudar, consolar e proteger? Ela o havia decepcionado no momento em que mais precisara dela. A ideia, em si, era insuportável.

E Júlia sabia que a pior parte era que o piano (um instrumento inanimado, sem coração nem alma) roubara seu amor e sua atenção. Estivera à frente das necessidades de filho e marido, e, agora, representava tudo o que ela tinha de egoísta e inadequado.

Ela curvou o corpo em desespero, consolada apenas ao pensar que as magras cenouras e a única alface que ela havia encontrado eram descendentes daquelas plantadas por seu amado avô.

— Ai, vovô Bill! — ela clamou ao céu.— O que você me diria agora, se estivéssemos sentados juntos na estufa como costumávamos fazer?

Ela sabia que ele seria calmo e racional, como fora todas as vezes em que lhe contara um problema. Pensaria nos fatos, não nas emoções ao redor deles. Ele acreditava piamente no destino e em Deus, ela sabia. Quando sua mãe havia morrido, vovô Bill pegara Júlia no colo depois do funeral. Ela havia chorado no ombro dele, inconsolável, pois pensar na mãe sozinha na terra fria e dura era insuportável.

— Sua mãe está segura e em paz agora, lá em cima. Sei que está — ele dissera para acalmá-la. — Somos nós, que ficamos para trás, que estamos sofrendo sem ela.

— Por que os médicos não a curaram? — ela havia perguntado, arrasada.

— Era a hora de ela ir, meu amor. E, se é a hora, nada pode ser feito.

— Mas eu queria salvá-la...

— Não fique se culpando, Júlia — ele dissera em consolo. — Não havia mais nada que qualquer um de nós pudesse ter feito por ela. Nós, humanos, achamos que temos o controle, mas não temos, sabe? Já vi muita coisa na vida e sei que isso é um fato que nunca vai mudar.

Júlia ficou sentada em silêncio, pensando no que vovô Bill dissera naquele dia. Era verdade também para Xavier e Gabriel? Tinha sido a "hora" deles? Teria feito diferença se estivesse com eles? Essa era uma pergunta sem resposta.

Quanto ao fato de que ela estava tocando piano naquele momento... Júlia enxugou o nariz e percebeu que, na realidade, ela também poderia estar em casa esperando que eles voltassem da praia pela mesma estrada perigosa.

Será que estava, como dissera vovô Bill tantos anos antes, se culpando? Privando-se da única coisa em sua vida que ela sabia que poderia trazer consolo e calma para sua alma atormentada?

Mais palavras do vovô Bill voltaram à sua mente quando o afinador tocou as últimas notas. "Você ganhou um dom de Deus, Júlia. Nunca o desperdice, combinado?"

Conforme o silêncio se instalava na sala de visitas, um pensamento invadiu a cabeça de Júlia: ela havia perdido tantas pessoas que amava, mas a única coisa que ainda tinha, que era dela e nunca poderia ser arrancada, era o talento.

Por fim, enquanto o carro do afinador se afastava, Júlia se levantou e caminhou devagar de volta para a casa. Ficou parada no terraço com um repentino raio de esperança e entendimento iluminando seu rosto. Seu talento era a única coisa com a qual podia contar, ele a acompanharia até o último dia de sua vida. Era parte de quem ela é.

Xavier e Gabriel a agradeceriam por nunca mais tocar nas teclas? Iriam querer que, com a morte deles, viesse a morte do talento "dado por Deus" a ela? Não. Instintivamente, Júlia levou uma mão à boca ao compreender com clareza, pela primeira vez, como sua mente triste e cheia de culpa lhe pregava peças. Ela havia permitido a entrada de demônios quando estava vulnerável e eles se enraizaram lá. Tinham de ser banidos.

Caminhou com firmeza para a sala de visitas, a cabeça repleta de imagens daqueles que a amaram e ainda a amavam, e se sentou ao piano. Ignorou a reação do corpo e colocou as mãos trêmulas nas teclas. Tocaria por todos eles. E por si mesma.

Quando Kit chegou da reunião uma hora depois e ouviu os "Études", de Chopin, vindos da sala de visitas, seus olhos se encheram de lágrimas. Sentou-se de qualquer jeito na escada do hall, no lugar onde vira Júlia pela primeira vez. Escutou maravilhado, humilde diante do magnífico talento dela.

— Estou tão orgulhoso de você, minha querida... — murmurou para si mesmo. — Você não tem apenas um talento raro, mas é corajosa, linda e forte. E, Deus permita... — enxugou os olhos no braço. — Espero ser digno de você e tê-la ao meu lado para sempre.

[CAPÍTULO 32]

A partir de então, o silêncio que dominara Wharton Park por muitos anos foi quebrado. Em seu lugar, a casa estava cheia do som de belas músicas, já que Júlia bania seus demônios e tocava no magnífico piano da sala de visitas horas e horas, se deliciando com o retorno ao instrumento que era simplesmente parte de sua alma.

— Obrigada por ajudar a me guiar de volta — ela havia sussurrado para Kit enquanto estavam deitados na cama na noite em que seus dedos voltaram a tocar nas teclas.

— Não me agradeça, querida. Foi você quem conseguiu ser corajosa o suficiente para quebrar o feitiço — ele respondera, generoso. — Além disso, o piano precisava ser afinado.

Mas Júlia sabia que, sem o incentivo amorosamente executado na direção certa, ela não teria chegado lá sozinha.

— Falei com a Elsie hoje — contou Júlia durante o jantar algumas semanas depois — e ela disse que, agora que estou morando em Wharton Park, gostaria muito de nos visitar. Ela sugeriu vir nesse fim de semana. Você se importaria se ela ficasse por uns dois dias?

— É claro que não — Kit respondeu logo —, você não precisa perguntar. Aqui também é sua casa. Na verdade, fui convidado para jogar críquete no time da vila no fim de semana; assim, deixarei as duas em paz pelo menos no sábado.

Júlia percebeu que Kit estava feliz com o convite para jogar.

— Eu também gostaria de convidar Alícia e a família para almoçar no domingo. Eles não veem a Elsie há tanto tempo.

— Boa ideia — Kit concordou. — E, se Elsie quiser divulgar o resto do seu conto sobre o passado, ouvi-la aqui nos ajudará a imaginar a história. Morar nessa casa torna a descoberta de que meus antepassados faziam ainda mais fascinante — ele acrescentou.

Depois do jantar, os dois foram se sentar no terraço, no canto favorito de Júlia. O velho conjunto de móveis de metal estava enferrujado, mas provava que outra pessoa antes dela havia decidido que aquele era o melhor lugar e o ponto de maior vantagem e abrigo para observar o parque.

— Que noite gloriosa! — Kit sussurrou, aproveitando o ar quente. — Passei a maior parte de minha vida adulta tentando encontrar novas vistas para apreciar. Ainda assim, aqui estou eu, sentado em um terraço que faz parte das minhas raízes, pensando que não deve existir um local mais belo no mundo. E estou feliz. Adoro ficar aqui com você. Obrigada, querida, por me ajudar a parar.

— Kit, como você costuma me dizer, foi você quem fez essa escolha.

Júlia tomou um gole do antigo armanhaque que Kit encontrara em uma prateleira empoeirada da adega.

— Na verdade, eu queria... Discutir uma coisa com você.

Ele franziu as sobrancelhas e olhou para ela.

— Parece sério. É sério?

— Preciso voltar à França — Júlia respondeu em voz baixa.

Seguiu-se um silêncio enquanto Kit digeria essa informação.

— Certo. Eu sabia que precisaria ir em algum momento.

— Não quero ir — ela suspirou —, mas preciso resolver algumas coisas. E, se vou finalmente deixar o passado em seu lugar, tenho de voltar para lá.

— Sim — Kit respondeu. — Quer que eu vá com você?

— Não. Acho que devo fazer isso sozinha. Além disso, eu sei como você vai estar ocupado aqui nas próximas semanas, com a colheita.

— É verdade — Kit ergueu as sobrancelhas. — Nunca pensei que aprenderia a dirigir uma colheitadeira, mas todo mundo tem que pôr a mão na massa, nossa equipe é pequena. Quanto tempo você passará fora?

Júlia encolheu os ombros.

— Não sei. O tempo que for necessário para fazer o que preciso e tomar algumas decisões.

— Sim — Kit ficou em silêncio por alguns instantes, olhando para a escuridão, e, depois, tocou na mão de Júlia. — Júlia, você sabe que não importa quanto tempo você demore, eu vou estar aqui esperando por você.

No escuro, Júlia segurou a mão dele como se fosse para salvar sua vida.

— Obrigada.

Mais tarde, eles fizeram amor com grande paixão e urgência. Muito depois de Júlia ter adormecido, Kit ficou deitado, observando-a, incapaz de ignorar o sentimento de desconforto que se alojara em seu peito no momento em que ela dissera que ia viajar.

Júlia passou a manhã de sábado arejando um dos quartos para receber Elsie. Percebeu que seria a primeira vez que Elsie iria a Wharton Park como convidada, e não empregada. Queria que a avó ficasse confortável.

Depois, foi a Holt fazer compras. O dia estava quente e ensolarado, e a bela cidade fervia com a chegada de turistas e dos donos das casas de verão que se aglomeravam por ali durante a estação.

Enquanto guardava as compras no porta-malas do carro, resolveu que, embora tivesse certeza de que já estava pronta para o recital no Carnegie Hall, ela não voltaria à torturante agenda do passado. Se os últimos meses lhe haviam ensinado alguma coisa, era que havia beleza e prazer nas coisas simples da vida. E era isso que importava.

A ideia de voltar à França a deixava apavorada. Não queria perder sua recém-descoberta sensação de tranquilidade. Sabia, também, que Kit a ajudara a achar essa sensação e ela deixaria a força dele para trás. Mas era uma odisseia que ela só podia seguir sozinha, se quisesse ficar completamente livre para amá-lo como ele merecia.

Às 15h30, Júlia ouviu um carro subir pela entrada. Correu para a porta da frente, viu o motorista ajudar sua avó a sair do automóvel e desceu os degraus correndo na direção dela.

— Júlia, querida, venha dar um abraço em sua velha avó — Júlia obedeceu e Elsie deu um passo para trás para examiná-la.

— Meu Deus! — ela exclamou. — Eu sempre disse que o ar de Wharton Park tinha um efeito mágico sobre você. Olhe só! Você está linda!

Júlia ainda usava um avental coberto de farinha.

— Tenho certeza de que não estou linda, vovó, mas, sim, com certeza me sinto muito melhor do que na última vez que a vi.

Júlia pagou o motorista, pegou a pequena mala de Elsie e andou com ela até os degraus de entrada da casa. Elsie parou um pouco antes dos degraus e olhou para cima.

— Está igualzinha. Estranho, não? Enquanto nossas vidas mudavam tanto, esses tijolos e essa argamassa nunca se alteravam.

— Queria que fosse verdade — Júlia suspirou enquanto ajudava a avó a subir devagar. — Pode parecer igual, mas, infelizmente, uma grande parte dela está sofrendo a ação do tempo e precisa ser reconstruída antes que desmorone.

— Um pouco como eu, não é, meu anjo? — Elsie riu. — Sabe, em todos os meus anos em Wharton Park, essa é a primeira vez que entro pela porta da frente.

— Estava pensando hoje de manhã que deve ser estranho para você vir aqui. Por que não a levo para o seu quarto para que possa se recuperar da viagem e, depois, tomamos um chá?

Quando elas subiram as escadas e chegaram ao quarto, Elsie estava ofegante.

— Minha nossa! Minhas pernas não são mais o que foram — ela disse com dificuldade. — Costumava subir e descer aqui “trocentas” vezes por dia e nem reparava.

— Separei esse quarto para você, vovó — avisou Júlia, abrindo a porta. — É muito bonito e não é grande demais.

Elsie entrou e suspirou com surpresa e felicidade.

— Por Deus! De todos os quartos que você poderia ter escolhido, preferiu esse, em que lady Olívia ficou hospedada na primeira vez em que veio a Wharton Park. Foi aqui que a vi pela primeira vez. E — Elsie acrescentou quando olhou ao redor — acho que nada mudou desde aquela época — ela caminhou até o banco ao lado da cama, forrado com tecido gasto, e se sentou, tentando recuperar o fôlego. — Desculpe, Júlia, aquela crise de gripe me prejudicou mesmo e ainda não me restabeleci por inteiro.

A neta a observou com preocupação.

— Quer descansar agora? Eu posso trazer o chá aqui.

— Era o que eu costumava dizer a lady Olívia — Elsie riu. — Estou um pouco cansada, mas provavelmente é o choque de ver o lugar de novo.

— Faça tudo com calma, vovó, não temos pressa. Descanse e desça quando estiver pronta. Temos muito tempo para conversar. Kit saiu para jogar críquete no time da vila e não vai voltar até às 19 horas.

— O jovem Christopher — Elsie meditou. — Imagine só, vocês juntos! Lembro quando ele costumava vir para cá. A cozinheira e eu brincávamos, dizendo que ele parecia um pirulito, só pele e osso, com uma cabeça grande e aquele monte de cabelos cacheados.

— Ele não mudou — Júlia riu com malícia — e está muito ansioso para revê-la.

— Eu também — disse Elsie ao andar até a cama e se jogar nela. — É engraçado como a vida dá voltas, não? Todos nós voltamos para esse velho lugar. Certo, meu anjo, pode sair e não se incomode em me trazer o chá. Descerei depois de tirar um cochilo.

— Até mais tarde — Júlia sussurrou, se inclinando para beijá-la na testa. Os olhos de Elsie já se fechavam.

Uma hora e meia depois, Elsie apareceu na cozinha, parecendo renovada.

— Assim está melhor — ela disse. — Agora, onde está aquele chá que você me prometeu? Quero saber tudo sobre como você e Kit acabaram juntos.

As duas se sentaram à mesa da cozinha e Júlia contou à Elsie como Kit a tinha ajudado quando ela estava muito doente e falou da posterior mudança para Wharton Park.

— Júlia, estou feliz da vida por você, meu anjo! Posso ver nos seus olhos o quanto está feliz. E depois daquela situação terrível que você enfrentou... — Elsie balançou a cabeça, havia lágrimas em seus olhos. — É maravilhoso vocês terem encontrado a felicidade juntos — ela deu um gole no chá. — E, para ser sincera, foi isso que me trouxe aqui hoje. Com você e Kit juntos, é como se o ciclo se fechasse. E eu decidi que você deve saber a história toda. E, talvez — ela acrescentou, olhando a cozinha ao redor —, contá-la aqui, onde tudo aconteceu, vai me ajudar a lembrar.

Vinte minutos depois, Kit entrou pela porta da cozinha, com o rosto bronzeado e saudável, vestindo um uniforme de críquete.

— Elsie, que maravilha vê-la de novo, depois de tantos anos! — Kit se aproximou dela e a beijou com carinho. — Você não mudou nada.

— Obrigada — Elsie sorriu. — Bem, me permita dizer que você mudou, mestre Kit. Ganhou corpo e se tornou um jovem muito bonito.

— Então você não acha mais que pareço um pirulito? — Kit olhou sério para Elsie e, quando ela ficou corada, ele riu. — Ouvi você e a cozinheira falarem de mim um dia, quando não sabiam que eu estava escondido do lado de fora. Não me importei. Ficava grato por vocês duas me alimentarem.

— Bem — falou Elsie em defesa —, você sempre foi muito magrinho. Na verdade — ela acrescentou —, vocês dois eram assim.

— Enfim, olhe para nós agora — disse Kit, colocando um braço ao redor dos ombros de Júlia. — Aceita uma taça de vinho, Elsie? Vou tomar uma para celebrar a vitória. Fiz dois *overs* e gostei bastante de ser considerado o melhor da partida.

Elsie olhou para Júlia enquanto Kit abria a garrafa de vinho e balançou a cabeça em sinal de aprovação.

— Ele virou um homem muito bonito, não? Quem iria imaginar?

Enquanto Kit e Elsie, sentados à mesa, conversavam amigavelmente sobre seus anos em Wharton Park, Júlia preparava o jantar com calma. Ela percebeu que Elsie estava bem à vontade, já que a provocação carinhosa e gentil de Kit a deixara relaxada. Júlia colocou um ensopado de frango e batatas sobre a mesa e se sentou com eles para comer.

— Ora, ora, Júlia — comentou Elsie, comendo com gosto —, nunca pensei que você aprenderia a cozinhar, mas está muito saboroso.

— A Júlia tem muitos talentos ocultos, Elsie — Kit acrescentou, piscando discretamente para ela.

Após o jantar, Júlia preparou o café e sugeriu que fossem para a biblioteca. Depois de ajudar Elsie a se acomodar em uma poltrona confortável perto da lareira, Júlia se sentou com Kit no sofá em frente a ela. O clima de repente ficou tenso por causa da expectativa.

— Agora — disse ela, tomando um gole de café e, depois, apoiando a xícara na mesa —, como eu disse à Júlia mais cedo, pensei bastante se deveria contar isso a vocês ou não. Mas, dadas as circunstâncias...

— Que circunstâncias? — Kit questionou.

— Tenha paciência, meu jovem, e, ao final, você vai entender. Certo? — Elsie respirou fundo.

— Da última vez, Júlia, chegamos à parte em que lorde Harry e lady Olívia resolveram suas diferenças, um pouco antes de ele ir para a guerra?

— Sim — Júlia confirmou.

— Bem, agora vou contar a história de Harry e, embora tenha acontecido muito, muito longe daqui, posso prometer que vou dizer a verdade, ainda que nem tudo esteja no diário que ele escreveu.

— Foi Harry que escreveu o diário? — Júlia perguntou.

— Sim — garantiu Elsie. — O diário era dele. Ele sempre teve uma caligrafia linda. Nunca poderia ter sido escrito por meu Bill — ela deu risada.

— Ele mal conseguia assinar o próprio nome, coitado. Agora, meu anjo, por favor, não interrompa minha linha de pensamento. O que eu estava tentando dizer é que Bill, seu avô, esteve na Malásia Britânica com Harry durante a guerra. Depois, quando Harry, por fim, voltou para casa,

Bill e eu fomos sugados para a história dele involuntariamente. Isso aconteceu, na verdade, depois do fim da guerra, quando seu avô e Harry foram libertados da prisão de Changi, após longos três anos e meio de cativeiro...

[CAPÍTULO 33]

Bangkok

1945

Quando Harry recobrou a consciência, ficou confuso com a sensação pouco familiar de ter dormido por muito tempo sem ser incomodado. Ele estava acostumado a mudar de posição o tempo todo porque a dor em um lado do quadril, apoiado na cama rudimentar que conseguira arranjar, o acordava para insistir que o outro lado suportasse o incômodo. Também não se lembrava de ter acordado para matar os infinitos mosquitos ou esfregar a picada dolorida e repentina de uma formiga vermelha. Também não havia uma gota do suor grudento que normalmente encharcava seu magro torso ao acordar. Na verdade, se sentia bem, mas talvez estivesse imaginando a fraca brisa que parecia roçar seu rosto com delicadeza. Resumindo, ele se sentia confortável. Uma sensação da qual mal se lembrava.

Perguntou-se se estava sofrendo alucinações. Durante os longos três anos e meio em que estivera na prisão, com frequência ele pensava em Wharton Park e nas coisas mais inusitadas, como seu pai lhe entregando uma lata de sardinhas, pular na água fria e limpa da fonte no centro do jardim de sua mãe, em Olívia passando para ele o filho dos dois... Porém, a maioria dos sonhos era com comida. Ele e os companheiros passaram muitas noites longas e úmidas discutindo as melhores receitas de suas mães. Isso os manteve sãos, se é que "são" era uma palavra que podia ser usada para os presos de Changi.

Não restara muito deles, seja no sentido físico, seja no mental, e Harry acordava todas as manhãs pasmo por ainda estar vivo. E, às vezes, desejando não estar.

Ele decidiu ficar de olhos fechados e aproveitar o conforto, enquanto pesava o quão incrível era o fato de seu corpo ter suportado a fome e o tipo de exercício físico que seria desafiador para um homem saudável em um clima agradável, imagine naquele calor infernal. Muitos colegas não sobreviveram: mais de mil estavam enterrados no cemitério de Changi e, em alguns momentos, ele os invejara. Durante as recorrentes epidemias de dengue, apelidada de febre de quebrar ossos, por causa da dor insuportável que causava em todo o corpo, Harry esperara se juntar a eles a qualquer momento. No entanto, a sorte (se é que alguém poderia chamar de sorte passar mais um dia vivo naquele lugar) estivera ao seu lado. E, até então, havia sobrevivido.

Harry entendia que a vida e a morte dependiam de um jogo de dados: muitos dos companheiros que chegaram ao campo com ele eram fisicamente mais fortes e, ainda assim, a malária ou a disenteria os abateram como pintinhos recém-nascidos. A dieta de arroz e chá puro, incrementada às vezes com alguns gramas de farinha de arroz e completada com larvas, para fornecer proteínas, exigia uma força interior das mais potentes. E parecia que Harry (embora não fosse um soldado nato e tivesse medo de não ser um "homem") havia sido geneticamente moldado com a principal exigência para sobreviver àquele lugar.

Como ele já estava acordado fazia algum tempo, ou sentia estar, e ainda estava confortável, tentou organizar os pensamentos e coordenar os acontecimentos dos últimos dias. Ele tinha alguma memória de estar deitado no hospital de Changi com uma febre alta. Depois, se lembrava de um rosto familiar olhando para ele: Sebastian Ainsley, seu velho amigo de Eton, que agora trabalhava para a empresa de navegação do pai no Extremo Oriente. Tinha uma vaga memória de estar deitado em uma maca na traseira de um caminhão.

O silêncio contínuo, o conforto físico e o cheiro de limpeza indicavam que algo estava acontecendo mesmo. Talvez ele finalmente tivesse morrido e estivesse no paraíso. Harry decidiu abrir os olhos para verificar.

O clarão das janelas brancas, embaçado por trás da tela contra mosquitos, representava um contraste total com as cabanas de madeira escuras, sordidamente sujas e com o cheiro fétido de corpos humanos sem banho pairando no ar úmido com que se acostumara. Foi quando ele viu uma mulher vestida de branco se aproximando da cama.

— Bem, capitão Crawford, decidiu acordar, não? Já era hora. Abra a boca, por favor.

Antes que Harry pudesse dizer qualquer coisa, um termômetro foi colocado sob sua língua. A mulher segurou o pulso fino dele em suas mãos macias e verificou a pulsação.

— Muito melhor — ela balançou a cabeça em aprovação e acrescentou, com um sorriso: — Suponho que não faça ideia de onde está.

Ele balançou a cabeça, o termômetro o impedia de falar.

— Você está em Bangkok, em uma clínica particular. Não quiseram que fosse levado a um hospital público. A última coisa de que precisam lá é de mais dengue. Assim, seu gentil amigo, senhor Ainsley, o trouxe para cá. Ele logo virá visitá-lo, tenho certeza. Veio vê-lo todos os dias.

O termômetro foi tirado da boca de Harry. Ele lambeu os lábios e tentou engolir, mas sua garganta estava muito seca.

— Poderia me trazer um copo de água? — ele pediu com a voz rouca.

— É claro. Em primeiro lugar, vou ajudá-lo a se sentar — a mulher o segurou por baixo dos braços e o levantou. Ele tentou ajudar, mas sentiu a testa suar com o esforço. — Muito bem.

A mulher, que Harry entendeu ser uma enfermeira, segurou um copo de água com um canudo sob a boca dele.

— Beba devagar. Seu estômago está vazio há alguns dias. Tivemos de alimentar o senhor pelas veias durante um tempo. A febre não queria ceder — a enfermeira olhava para o termômetro. — A boa notícia é que agora ela baixou. Pensamos que o perderíamos, mas você é muito forte, né?

Enquanto Harry lutava para que os músculos da garganta engolissem a água, pensou que nunca se sentira mais fraco.

— Devia ficar orgulhoso, meu jovem — disse a enfermeira, sorrindo. — Você sobreviveu. Não apenas à guerra, mas àquele inferno de campo em Cingapura do qual estamos ouvindo tantas histórias. Melhore e poderá ir para casa, para a Inglaterra. O que acha?

Harry afundou de novo nos travesseiros, se sentindo zonzo e a ponto de desmaiar. Era muito para ele digerir de uma vez só. Agora que pensava a respeito, ele se lembrava de ter ouvido que os japoneses haviam se rendido e o campo seria aberto. Porém, para ser sincero, depois de anos ouvindo rumores, ele e os outros mal ousavam acreditar.

— Nós vencemos? É verdade? Acabou?

As frases curtas e pausadas eram tudo que conseguia dizer.

— Sim, capitão Crawford. Acabou, você está livre. Agora, sugiro que descanse por uma hora e trarei caldo de galinha para o almoço.

Caldo de galinha... Em Changi, frango era a carne pela qual todos ansiavam. Se um preso conseguisse capturar uma galinha para pôr ovos para ele, não durava mais do que um dia antes de parar no ensopado de alguém. Harry suspirou. Depois de anos sonhando com esse prato, estava triste por ter tão pouco apetite.

— Obrigado — ele respondeu rouco, sua voz ainda não lhe obedecia.

A enfermeira caminhou até a porta.

— Até daqui a pouco.

Harry a viu sair e, depois, ficou meditando sobre o fato extraordinário de que, se tivesse força nas pernas, poderia descer da cama e segui-la pela porta, caminhar pelo corredor e sair da clínica. Poderia ficar do lado de fora por quanto tempo quisesse e ninguém apontaria uma arma para ele. Depois, poderia descer a rua, assobiando se tivesse vontade, e ninguém prestaria a menor atenção nele. Era uma ideia que ultrapassava sua capacidade de acreditar.

Cinco minutos depois, ouviu uma batida na porta. Uma cabeça careca familiar e óculos grossos com lentes de cristal apareceram.

— Harry, velho amigo, que maravilha vê-lo consciente! Estávamos ficando apavorados, preocupados que você não acordasse, o que teria sido uma tremenda tragédia.

— Não teve sorte, Sebastian — Harry comentou com sua voz rouca. — Como pode ver, estou bem e vivo.

— E é ótimo ver você assim! Changi parecia ser terrível, pelo que vi no dia de minha missão de misericórdia.

— Como sabia que eu estava lá? — Harry perguntou.

— Sua mãe escreveu para mim dizendo que você tinha sido preso lá. E, quando eu soube que Changi estava sendo liberada, pensei que o mínimo que podia fazer era ir até lá, lhe dar boas-vindas à liberdade e, talvez, oferecer alguma ajuda, como um parente local. É claro que não esperava encontrar você naquele estado. Tive de subornar alguns malaios para levá-lo até a fronteira com a Tailândia, onde meu carro e meu motorista esperavam.

— Você foi muito gentil indo até lá — Harry reconheceu.

— De jeito nenhum. É para isso que servem os velhos amigos, não é? — disse Sebastian, corando. — Além disso, foi minha única visão do que aconteceu. Passei por alguns momentos cabeludos indo até lá. Cingapura estava um caos. Pensei em ficar por lá, pois você estava muito doente, mas os hospitais transbordavam de pessoas. Tive de rezar para que você aguentasse a viagem a Bangkok, onde eu sabia que finalmente acharia um bom tratamento médico.

— Obrigado — agradeceu Harry, ofegante.

— A coisa ficou feia aqui na Tailândia também, sabe? — comentou Sebastian. — Os japoneses dominaram o país. Foi impressionante como fizeram isso: chegaram em bandos, usando roupas civis, disfarçados de trabalhadores para as novas fábricas que estavam sendo construídas. Se espalharam por toda parte, tirando fotos, fingindo ser turistas. Depois, no dia em que fizeram a ação, suas esposas e seus filhos foram colocados em segurança em barcos pela costa enquanto eles vestiram os uniformes do exército e saíram de casa em todas as cidades. As fotografias haviam sido mandadas para o quartel-general em Tóquio para ajudar no planejamento estratégico de onde colocar as tropas para tomarem o controle do país.

— Meu Deus — Harry sussurrou. — Fizeram isso mesmo?

— Fizeram — Sebastian confirmou. — Tivemos de entregar tudo a eles, a organização era impecável. E, é claro, com o elemento surpresa, foi impossível pará-los. Eles queriam a Tailândia como um caminho direto da Birmânia até a Malásia Britânica. E os siameses, ou tailandeses, como devemos chamá-los agora, foram forçados a declarar guerra contra a Grã-Bretanha e os Estados Unidos.

— Não soube disso — respondeu Harry, sem forças.

— Bem, não resultou em muita coisa, mas tivemos de aguentar os terríveis amarelos fazendo um espetáculo aqui nos últimos dois anos. De minha parte, ficaria feliz em vê-los ir embora. Estão deixando Bangkok agora aos montes, com as cabeças baixas ou boiando no rio Chaopraya. Pelo menos sessenta deles foram mandados por água abaixo até agora — Sebastian riu. — Boa forma de nos livrarmos desses infelizes, é o que eu acho!

Harry concordou de coração, balançando a cabeça. Sebastian puxou uma cadeira e se sentou ao lado dele.

— Sei que você passou um inferno lá, meu velho. Assim que estiver bom o bastante, poderá pegar um navio para casa. Na primeira classe, é claro — ele acrescentou, sorrindo. — E você pisará de novo na grama verde da Inglaterra. Ou no que restou dela, depois de os *krauts* terem jogado as bombas.

— Soube tão pouco do que aconteceu por lá — Harry conseguiu dizer em um sussurro.

— Tudo que precisa saber agora é que ganhamos, que seus pais e Olívia estão bem e mal podem esperar para ter você em casa.

— Que notícias boas — ele murmurou e Sebastian se esticou para ouvi-lo. — Recebi cartas apenas de minha mãe enquanto estive em Changi, nenhuma de minha esposa.

Sebastian ergueu as sobrancelhas.

— Tenho certeza de que Olívia escrevia para você. Mas os censores eram muito rígidos.

— Ela escrevia? Eu...? — Harry suspirou. — Minha mãe não disse nada sobre o bebê. Olívia estava grávida quando saí de casa. Você soube de alguma coisa? — ele perguntou, respirando com dificuldade.

Houve um silêncio constrangedor enquanto Sebastian pensava na melhor forma de contar a Harry a notícia.

— Desculpe, meu velho — ele respondeu, com a voz embargada. — Foi uma daquelas coisas inexplicáveis. Um aborto espontâneo, aparentemente. Ainda assim, não há motivo para você não voltar para casa e ter uma ninhada de filhos. E ter o prazer de estar por perto para vê-los crescer.

Harry fechou os olhos por alguns instantes, permitindo que a notícia fosse digerida. A ideia de voltar a Wharton Park estava tão longe, tão distante de onde ele estivera, que não a conseguia contemplar.

— Bem, amigão, tendo voltado da morte, esse não é momento para pensar no que poderia ter sido — Sebastian o consolou. — Assim que você se recuperar, vou tirá-lo daqui. Acho que você já passou bastante tempo em instituições. Então, se anime e se recupere o mais rápido possível para eu poder ver que a vida pode ser boa, principalmente aqui em Bangkok.

— Farei meu melhor, Sebastian, eu prometo.

— Esse é o espírito, meu velho — disse o amigo, se levantando. — Amanhã virei vê-lo por volta das 11 horas. E vou mandar um telegrama para Wharton Park, avisando que você está melhorando.

— Obrigado.

Sebastian acenou com a cabeça enquanto andava até a porta.

— Melhore, ok? Até mais.

Harry respondeu ao aceno e deu um sorriso para Sebastian, antes de ele fechar a porta. Deitou-se, desapontado ao não se sentir tão eufórico por estar, enfim, livre. Imaginou que estivesse apenas cansado e ainda se recuperando da doença. E era por isso que sua recém-descoberta liberdade parecia uma decepção.

Ninguém em Changi havia pensado em como se sentiriam se estivessem livres. Todas as conversas eram sobre suas casas, sobre a família e sobre comida. O simples pensamento nessas coisas os ajudava a continuar, trazia esperança. Mas Harry também testemunhara alguns colegas que desistiram: foram encontrados enforcados com o que quer que os pobres coitados pudessem encontrar: meias, restos de cadarços, pedaços de camisas.

Por um segundo, ele ansiou pela familiaridade de Changi, pela rotina, pelos sofrimentos e objetivos compartilhados, e a compreensão da condição de cada um. A experiência o marcaria para sempre? Era possível um dia voltar à vida normal? Adormeceu, esperando que seu humor melhorasse ao acordar.

Uma semana depois, Harry foi considerado bom o bastante para deixar o hospital. Sebastian foi buscá-lo em seu Rolls-Royce, um carro enviado pelo pai em um navio para Bangkok, vinte anos antes.

Quando saíam do hospital, Harry aproveitou por curtos momentos a sensação de deixar algum lugar. Era a primeira vez em três anos e meio que fazia isso conscientemente. O motorista tailandês de Sebastian abriu a porta para ele com respeito e o acomodou no banco de trás. Sebastian se sentou ao lado dele. Dirigiram por ruas movimentadas, o motorista apertava a buzina para táxis-bicicleta, bois e alguns elefantes que causavam engarrafamentos.

Pela primeira vez, desde que marchara com os soldados para fora do *Duchess of Athol*, o navio que levara o Quinto Batalhão Real de Norfolk para Cingapura, Harry sentia a atmosfera exótica com interesse em vez de medo.

— A melhor maneira de ver a cidade é de barco, pelos estreitos canais chamados *klongs* — comentou Sebastian. — As pessoas moram em casas construídas no rio, sobre estacas. É muito estranho. Talvez, antes de você voltar à Inglaterra, nós possamos pegar um barco para eu lhe mostrar que diferente. Há também templos magníficos. Ah, aqui estamos! Estacione na frente, motorista, Giselle está esperando por nós.

Sebastian se virou para Harry.

— Harry, meu velho amigo, bem-vindo ao Oriental Hotel.

Harry reparou em poucas coisas ao ser levado pelo *lobby* e Sebastian conversou com uma mulher chamada Giselle, que obviamente era a gerente ou a dona do hotel. Ele se sentiu exausto e sobrecarregado, e achara a viagem de carro, pelas ruas cheias, claustrofóbica. Enquanto era conduzido pelo corredor por um porteiro tailandês, que não tinha malas a carregar porque Harry não tinha pertences, ele se perguntava se sofreria de claustrofobia pelo resto da vida.

Ainda estava marcado em sua mente o tempo passado nos barracões de Selarang, quando os japoneses mudaram o campo todo de lugar porque os oficiais ingleses se recusaram a assinar um pacto de não escaparem. Selarang fora construída para abrigar mil homens e 18 mil prisioneiros de Changi chegaram lá. Como consequência, eles passaram dois dias em pé sob o Sol escaldante, tão apertados na prisão que não era possível nem levantar a mão para coçar o nariz. E, à noite, dormiram uns colados nos outros em um chão de concreto. Sardinhas em lata tinham mais conforto e espaço.

Para evitar que os homens sofressem com o que rapidamente se tornaria uma epidemia de disenteria e morte aos milhares, dadas as condições alarmantes, o coronel Holmes assinou, sob coerção, um pacto de não tentativa de fuga. Harry tinha pesadelos constantes desde então e sabia que a experiência o deixara com um grave problema com multidões.

O porteiro destrancou o quarto e Harry ficou feliz ao ver que era deliciosamente fresco, as janelas tinham venezianas, havia uma tela contra mosquitos sobre a cama e móveis básicos, mas confortáveis. Ele deu de gorjeta ao porteiro os últimos centavos que tinha, fechou a porta, caminhou até a cama e se deitou, aliviado pela amplitude e paz.

Quando acordou, umas duas horas depois, pensou que fosse noite, mas, quando olhou o relógio ao lado da cama, viu que não era nem a hora do chá. Eram as venezianas que escondiam o quarto na escuridão. Levantou-se, foi abri-las e se surpreendeu com a beleza da vista. À sua frente, havia um amplo gramado verde salpicado por espreguiçadeiras e guarda-sóis. Para além dele, a vasta imensidão do rio, talvez com trinta metros de largura, e barcos de madeira boiando nas águas. A beleza e a amplidão da vista encheram os olhos de Harry de lágrimas.

A torneira sobre a pequena bacia no canto do quarto pingou um pouco de água para ele, mas era como um néctar, depois de anos tomando banho apenas quando chovia. Harry vestiu a camisa e as calças que

Sebastian gentilmente trouxera até que ele pudesse comprar algumas roupas. Foi difícil fechar as calças sobre sua "barriga de arroz", que todos os companheiros haviam ganhado, eles brincavam que todos pareciam estar com seis meses de gestação. Depois, saiu para procurar o caminho até o terraço acima do rio.

Ao chegar lá, se acomodou em uma cadeira sob um guarda-sol. Imediatamente, um garoto tailandês apareceu ao seu lado.

— Posso servir um chá, senhor? — ele perguntou.

Harry queria dar uma gargalhada. Onde ele estivera, a ideia de lhe servirem chá seria absurda, principalmente sentado em uma cadeira confortável à sombra de um guarda-sol.

— Obrigado. Seria perfeito — ele respondeu e o menino saiu para providenciá-lo.

Talvez, pensou Harry, ele tivesse de entender que qualquer coisa normal pareceria estranha até que se acostumasse com a liberdade. E talvez também tivesse de aceitar que ninguém, além daqueles que estiveram na prisão com ele, entenderia o que ele passara.

— Seu chá, senhor, com leite e açúcar.

O garoto colocou a bandeja na pequena mesa ao lado de Harry, que se controlou para não mergulhar no pote de açúcar e colocar tudo na boca. Era a primeira vez que via açúcar em três anos e meio.

Sebastian se juntou a ele meia hora depois, quando o Sol começou a se pôr sobre o rio. Pediu gim-tônica para os dois, mas Harry não a tomou, ficou enjoado com o cheiro. Álcool era outra coisa que não provara desde que saíra da Inglaterra e, em sua situação atual, o apagaria por completo.

— A propósito, antes que eu esqueça, acredito que isso seja seu — Sebastian colocou um pequeno diário com capa de couro na mesa. — Quando retiraram o que restou de suas roupas no hospital de Bangkok, a enfermeira o encontrou em suas ceroulas. Ela me pediu para guardá-lo e entregá-lo a você.

Era o diário em que Harry escrevera constantemente desde o momento em que o navio deixara a costa da Inglaterra. Se os japoneses tivessem encontrado o diário em Changi, ele poderia levar um tiro. Assim, ele o escondera junto ao corpo, costurando um bolso, com o que tinha à mão, dentro da roupa de baixo. Escrever seus pensamentos e emoções todas as noites fora uma das maneiras que encontrara para sobreviver.

— Obrigado, Sebastian, fico muito agradecido, embora eu duvide que vá ler essas páginas no futuro.

— Não. Então, amigo querido, há um navio que partirá em três semanas, vai levar você, com conforto, para Felixstowe e, depois, para casa. É melhor mandar um telegrama para a família avisando que estará nele. Tenho certeza de que todos vão querer recebê-lo no cais — Sebastian sorriu.

— Parece ótimo e obrigado por organizar tudo, mas, se importaria se falássemos de planos para o futuro em um outro momento? É a minha primeira noite de liberdade e quero apenas aproveitar o momento.

— É claro, é claro, meu velho! Sem pressa e tal. Apenas pensei que você gostaria de partir o mais cedo possível — explicou Sebastian.

— Bem, falaremos sobre isso amanhã — Harry respondeu. — Agora, me conte mais sobre essa bela cidade.

— Estou bastante surpreso por você não estar mais interessado no que tem acontecido na Inglaterra — comentou Sebastian durante o jantar, enquanto atacava um enorme bife australiano.

Harry olhou para seu próprio bife, viu o sangue escorrer dele e soube que não conseguiria comê-lo. Constrangido, trocou o pedido por uma tigela de sopa de arroz.

— Estou interessado, é claro — disse Harry. — Mas estou livre há apenas algumas horas, por assim dizer. E conversar sobre guerra é um pouco demais para mim hoje.

Sebastian olhou para ele através das lentes grossas e balançou a cabeça em compreensão.

— Os primeiros dias, meu velho, os primeiros dias. Amanhã, meu alfaiate vai lhe fazer uma visita para compor um conjunto completo de roupas civis. São fantásticos com agulha e linha por aqui. O que você quiser, meu querido, ele fará.

— É muito gentil de sua parte. Embora eu mal faça ideia do que está na moda agora.

— Não acho que tenha mudado muito. Duvido que o pessoal lá em casa esteja usando saias, como fazem aqui — riu Sebastian.

— Suponho que, até deixar o serviço militar, eu tecnicamente deva usar meu uniforme — disse Harry sem emoção. — Mas tudo o que restou dele em Changi foi um par de shorts remendados com tecidos das tendas e uma meia.

— Bem, não deve se preocupar com isso. As autoridades têm muito a fazer levando prisioneiros de guerra de volta para casa. E, se eu fosse você, veria esses dias como um feriado. Parece que você merece um, meu querido. E, quando quiser, posso mostrar algumas belezas para você, o que acha? Um pouco mais relaxadas que as garotas da nossa terra... — as sobrancelhas de Sebastian apareceram por cima dos óculos. — Deve estar exausto com sua missão. Foi... Sangrenta?

— Mais do que pode imaginar — Harry respondeu com honestidade. — E eu fui um dos que teve sorte. Era oficial e, por isso, tratado um pouco melhor do que os outros. Além disso, eu tocava piano, o que os japoneses admiravam bastante. Costumavam me levar ao quartel para tocar para eles — Harry suspirou. — Provavelmente, o piano salvou minha vida.

O rosto de Sebastian se iluminou.

— É claro! Eu tinha esquecido esse seu talento em meio a tudo o que aconteceu. Preciso falar com Giselle. Ela quer montar um bar aqui para todos os expatriados e está procurando membros para a banda. Talvez, nos próximos dias, ela possa reunir umas pessoas e você possa tocar para nós.

— Talvez — Harry murmurou, sem se comprometer. — Fico imaginando o que aconteceu com o Bill.

Sebastian franziu as sobrancelhas com a mudança brusca de assunto.

— Quem diabos é Bill?! — ele questionou.

— Era o sargento do meu batalhão. Veio de Wharton Park e esteve comigo na prisão. Ele salvou minha vida durante a queda de Cingapura e sempre ia me visitar no hospital de Changi quando adoeci de dengue. Gostaria de saber se ele está em casa, seguro. Mandarei um telegrama para perguntar — Harry estava se sentindo exausto. — Desculpe, Sebastian, mas estou cansado e preciso dormir um pouco.

— É claro — disse o amigo. — Vá para o quarto, meu querido, durma bem e meu alfaiate virá às 10 horas.

Harry se levantou e suas pernas estavam assustadoramente trêmulas.

— Estou mesmo muitíssimo grato por tudo o que você fez, Sebastian. Quero saber quanto devo por tudo isso. Envio o dinheiro para você da Inglaterra.

— Vamos deixar como minha contribuição para os esforços de guerra — Sebastian dispensou a conversa sobre finanças com um gesto de recusa. — Pare de pensar nisso, fico feliz em ajudar.

Harry lhe desejou boa noite e, depois, andou devagar de volta para o quarto. Estava contente com a ideia de descansar seus ossos doloridos em lençóis brancos limpos e frescos, sob a brisa do ventilador do teto. Ao se deitar, seu único pensamento antes de adormecer era onde estaria seu amigo Bill.

[CAPÍTULO 34]

Na semana seguinte, Harry pôde descansar bastante e começou a recuperar suas forças conforme seu estômago irritado começava a aceitar o tipo de alimentação com a qual ele apenas sonhara em Changi.

À noite, ele ainda era atormentado por pesadelos. Acordava ensopado de suor e acendia a luz, que muitas vezes não iluminava, devido aos constantes apagões em Bangkok. Com o coração disparado, ele se esforçava para acender uma vela, ver o santuário de seu quarto e se convencer de que tudo aquilo realmente tinha acabado.

Durante as manhãs, ele descia para tomar o café na varanda e, depois, levava um jornal para a sombra das grandes palmeiras do jardim. O rio cantarolava com vida, os barcos de madeira com motores a diesel criavam um som de fundo que o acalmava. Ele observava as atividades dos outros hóspedes por trás do jornal; alguns haviam sido prisioneiros de guerra na estrada da Birmânia, mas ele não entrava em conversas.

Sebastian com frequência deixava seu escritório nas proximidades e ia visitá-lo, e os dois almoçavam juntos antes de Harry se retirar para o sono da tarde. Ele não se arriscava a sair do hotel. A serenidade daquele local e os funcionários tailandeses gentis e corteses, que flutuavam com graça enquanto cuidavam do trabalho, faziam com que se sentisse seguro. Ele se mantinha nos limites do Oriental Hotel, era seu paraíso seguro.

Sebastian perguntava todos os dias se ele não queria mandar um telegrama para Wharton Park avisando quando voltaria, mas Harry ficava reticente. A ideia da viagem de volta para casa (combinada com as responsabilidades que ele enfrentaria ao chegar) era demais para ele. Lá, em meio à tranquilidade do hotel, ele estava se curando.

Em uma tarde muito quente e seca, enquanto ia ao lobby depois do almoço, Harry viu Giselle orientar os funcionários que carregavam, de maneira precária, um velho piano armário pelo corredor e para dentro de uma sala.

Depois de cochilar, Harry caminhou com calma até o andar inferior e olhou a sala. Ventiladores de bambu haviam sido recém-colocados no teto e mesas e cadeiras, arrumadas pelo local. Havia um balcão de madeira ainda em construção em um canto e o piano e a bateria em outro. Harry entrou e abriu a tampa do instrumento. Puxou uma cadeira, se sentou e colocou os dedos nas teclas.

Embora tivesse tocado em Changi, os japoneses pediam, ironicamente, apenas músicas americanas populares. Seus dedos pareciam enferrujados quando tocou as primeiras notas da "Grande Polonesa", de Chopin. Insistiu, deixando as mãos se movimentarem pelas teclas como costumavam fazer. Por fim, elas pareceram se lembrar e as notas conhecidas jorraram em um temporal de dor sem palavras.

Quando terminou, ficou sentado, suando com o esforço e a emoção, e ouviu palmas perto da porta. Uma jovem camareira tailandesa estava parada, tímida, perto da entrada, com uma vassoura na mão e um olhar maravilhado no rosto. Harry sorriu para ela, pensando no quanto era bonita, mesmo com o feio uniforme.

— Desculpa, senhor, eu incomodar. Eu ouvir música quando varrer o terraço e vir para ouvir.

— É claro — Harry olhou com mais atenção, observando o corpo pequeno e infantil de proporções perfeitas e, depois, o rosto encantador.

— Você gosta de música?

— Muito — ela respondeu balançando a cabeça. — Antes da guerra, eu praticar também.

— Você frequentava uma escola de música?

A menina negou com a cabeça.

— Não. Só aula, uma por semana. Mas eu amar, amar Chopin muito — ela disse, com paixão.

— Quer tocar? — Harry ofereceu ao se levantar.

— Não, madame não vai gostar. E eu ser apenas... — ela procurou a palavra certa em inglês e sorriu quando encontrou. — Amadora. Você ser profissional, eu achar.

— Não mesmo — Harry murmurou —, mas também gosto de tocar.

— Você tocar no novo bar, não é? — a menina sorriu de novo, mostrando a Harry um conjunto perfeito de dentes brancos como pérolas sob os lábios grossos e cor-de-rosa.

— Talvez, se a Giselle me convidar — Harry encolheu os ombros. — Mas não será Chopin. Você é empregada aqui? — ele perguntou, sem necessidade, por não querer terminar a conversa. A garota concordou balançando a cabeça.

— Sim.

— Eu diria que não é comum encontrar uma empregada que fale bem o inglês e toque piano — ele comentou.

Ela encolheu os ombros.

— Muitas coisas mudar para muitas pessoas durante a guerra.

— Sim — Harry concordou emocionado —, sim, elas mudaram. Mas você tem boa educação, por que está trabalhando aqui?

Os olhos dela se encheram de tristeza.

— Meu pai estar no movimento clandestino Seri Thai, ser levado pelo exército japonês. E desaparecer um ano atrás.

— Entendi.

— Antes, ele ser editor de jornal aqui — ela continuou. — A gente ter uma boa vida. Eu estudar na escola britânica aqui em Bangkok. Mas minha mãe, ela ter três filhos pequenos e não poder deixar sozinhos para ganhar dinheiro. Então, eu trabalhar para alimentar a família.

Ela falava como se fosse algo comum, sem pedir a compaixão dele, apenas explicando as circunstâncias.

— E madame Giselle, ela já foi jornalista também, eu acho — relembrou Harry.

— Sim — a menina concordou. — Ela correspondente de guerra da França. E me ajudar dando emprego, porque conhecer e respeitar meu pai.

Harry balançou a cabeça.

— Compreendo. Talvez, quando o caos da guerra acabar, você possa usar sua educação de novo.

— Mas você, senhor, sofrer muito mais que eu — respondeu ela. — Madame dizer que você prisioneiro em Changi. Eu ouvir que ser um lugar muito ruim.

A compaixão nos olhos dela levou lágrimas aos dele. Era uma garota que entendia a crueldade que a guerra podia impor. Os dois ficaram parados por um momento, se olhando, enquanto um sentimento inexplicável passou entre eles. Ela quebrou o silêncio.

— Eu precisar ir agora.

— Sim.

Como se rezasse, ela juntou os dedos debaixo da ponta do nariz e curvou a cabeça na direção deles, um gesto tailandês tradicional que Harry já reconhecia.

— *Kop khun ka*, senhor. Eu gostar muito de sua música — ela começou a se afastar.

— Meu nome é Harry — ele disse.

— Rarí — ela repetiu e ele adorou a maneira como ela o pronunciou.

— E qual é o seu? — ele perguntou.

— Meu nome ser Lídia.

— Lídia — ele repetiu em silêncio enquanto ela fazia o mesmo com o nome dele.

— Tchau, Harry, até logo.

— Tchau, Lídia.

Depois desse encontro, Harry passou a observar Lídia todos os dias, admirando seus movimentos graciosos enquanto ela cumpria suas tarefas. Ele se sentava em seu lugar favorito do terraço, com o livro *Cavalheiro de salão,* de Somerset Maugham (escrito nesse mesmo hotel alguns anos antes) no colo. No entanto, em vez de ler, examinava Lídia, fascinado por ela sem saber o porquê. Tudo nela era delicado, frágil e terrivelmente feminino. Comparada à Lídia, Olívia pareceria um grande cavalo, mesmo sendo considerada magra.

Ele riu consigo mesmo por ter encontrado sua cinderela da vida real. É claro que Lídia não tinha ideia de que ele era um príncipe... Ou praticamente isso. Ela sorria para ele de vez em quando, mas nunca se aproximava. E ele não achava apropriado se aproximar dela.

Harry imaginava quantos anos ela tinha. Após uma observação cuidadosa, sabia dizer que, sob o uniforme, ela tinha formas de mulher, mas ela podia ter qualquer idade entre 14 e 24. Preocupava-se por achar que estava ficando obcecado por ela, pensando em quando ela varreria o terraço e se certificando de estar lá para observá-la. Passava horas deitado na cama do quarto, imaginando como poderia recomeçar a conversa anterior e conhecê-la melhor.

Certa manhã, quando passava pelo lobby, viu Lídia sentada atrás da mesa da recepção. Não usava mais o uniforme de empregada, mas uma blusa e uma saia de estilo ocidental. Incentivado por um sorriso dela, ele se aproximou e disse:

— Olá. Foi promovida?

— Sim — seus grandes olhos cor de âmbar brilhavam de alegria. — Agora eu ajudar a madame com papelada e recepção. Também eu ter novo cargo em relacionamento com hóspedes.

— Que bom! — disse Harry, sentindo o tipo de felicidade que associamos a algo bom que acontece para nós mesmos. — Fico contente por saber que a madame reconheceu suas habilidades e lhes deu utilidade.

— É porque eu falar inglês e tailandês, e a madame falar francês. Somos bom time — um brilho passou pelos olhos dela. — Eu ter aumento de salário também. Eu esperar que não ter problema, mas eu falar para a madame que você tocar piano muito bem. Eu achar que ela falar com você depois.

— É claro. Você estará aqui?

— É claro — Lídia o imitou. — Até logo, Harry — ela balançou a cabeça e voltou a cuidar da papelada.

Enquanto tomava o café da manhã na varanda, Harry sorriu com uma alegria secreta por causa do inesperado contato com Lídia. Se ela estivesse no bar na noite seguinte, ele tocaria. Tocaria para ela.

Percebeu que se sentia melhor fisicamente naquela manhã, melhor do que se sentia havia anos. Além disso, uma energia vagamente resgatada do período anterior ao horror em Changi o invadiu. Harry achou que podia ser uma expectativa pelo futuro, um futuro que ele não havia ousado sonhar que chegasse.

A beleza daquele ambiente tropical parecia mais vívida naquele dia. Tudo o que ele via e tocava tinha um brilho, um esplendor. Era óbvio que estava se curando. O que significava que devia começar a pensar na volta para casa.

Harry acendeu um cigarro e deu um gole no café. Quando havia deixado Wharton Park, há mais de quatro anos, se sentia pelo menos confortável por saber que corrigira os erros que cometera com Olívia. Acreditava que ela entendia por completo o que acontecera com ele e Archie, e que, nas poucas semanas que ele e Olívia haviam tido depois daquilo, tinham conseguido deixar a história no passado.

O fato de tê-la deixado com um filho no ventre era um conforto a mais e uma prova física de que o casamento deles era normal. Que a criança não tivesse chegado ao mundo era uma tristeza para ele, mas, reconhecia, uma tristeza muito maior para a esposa.

Harry sofrera uma avalanche de noites desconfortáveis e úmidas durante as quais refletia sobre seus sentimentos por Olívia. Alguns dos outros presos choravam com a dor da saudade das esposas, falando delas sem parar para qualquer um que ouvisse, e guardavam fotografias estragadas e desbotadas perto do coração. Discutiam seus grandes amores e o quanto gostavam do lado físico dos relacionamentos, e, naquele momento, sentiam falta dele. Harry ouvia com paciência, se sentindo culpado porque parecia não sentir nenhuma dessas emoções poéticas pela esposa.

Gostava muito de Olívia. Sempre gostara. Respeitava a inteligência dela, a força, a beleza e a maneira como havia organizado Wharton Park quando Adrienne precisara. Era a patroa perfeita para a propriedade e uma substituta adequada para sua mãe. Mas... Ele a amava?

Harry deu mais um gole no café, ainda muito quente sob o calor escaldante, e acendeu outro cigarro. Ele sentia algum conforto por saber que os rapazes que ouvira abrirem seus corações tinham podido escolher as mulheres com quem se casaram. A verdade é que ele não teve essa oportunidade. Não havia dúvida de que, se a mãe não tivesse sugerido o casamento e apontado as vantagens que ele traria, Harry teria partido para a guerra ainda solteiro. A ideia de se casar com Olívia, ou com qualquer outra mulher, não teria passado pela sua cabeça.

Ainda assim, ele sabia que sua situação estava longe de ser incomum. Casamentos arranjados aconteciam em todo o planeta havia séculos. Como sempre, seus sentimentos eram secundários para sua linhagem. Para algumas pessoas, a vida era simplesmente assim.

Harry apagou o cigarro. Talvez estivesse querendo demais. Talvez ele a amasse... Como poderia saber o que era o amor de verdade entre um homem e uma mulher? Havia se desenvolvido emocionalmente mais tarde que os outros e tivera dúvidas, em termos sexuais, quanto a si mesmo. Olívia foi a primeira mulher que conhecera. E, depois que pegaram o jeito, as coisas naquele departamento tinham ido muito bem na opinião dele.

E a boa notícia era que qualquer medo que tivesse antes, sobre suas tendências latentes em relação ao próprio sexo, provaram ser infundadas nos últimos três anos e meio. Ele havia visto outros homens em campo procurarem consolo uns nos outros. Todos fingiam não ver aquilo, o que quer que os ajudasse a enfrentar o inferno e sobreviver era aceitável. Porém, em nenhum momento ele sentira a necessidade de recorrer aos braços de outro homem, mesmo nos dias mais sombrios.

Bem, pensava Harry, não havia mais por que lutar contra aquilo. Tinha de voltar para casa e enfrentar a vida. Durante o almoço com Sebastian, ele confirmou que se sentia bem o bastante para pensar na viagem para a Inglaterra.

— Que bom, meu querido! Sei que haverá um navio no início da próxima semana. Deixa eu ver se posso mexer uns pauzinhos e colocá-lo a bordo. Quanto mais cedo, melhor, eu acho. Não?

Incapaz de compartilhar o entusiasmo de Sebastian com a perspectiva de pisar de novo na grama verde da Inglaterra, Harry afogou a tristeza e bebeu muito mais do que o normal. Depois do almoço, enquanto voltava, cambaleando, para o quarto, decidiu aproveitar o curto tempo que lhe restava em Bangkok. Para isso, e com o álcool lhe dando coragem, ele respirou fundo e foi até o balcão da recepção. Lídia sorriu para ele.

— Sim, em que posso ajudar?

— Bem — Harry limpou a garganta —, eu estava pensando, Lídia, que eu deveria conhecer a cidade antes de partir para a Inglaterra. Como você cuida agora do relacionamento com os clientes, estava pensando se me acompanhar em um passeio pelo rio faria parte do escopo de sua função.

— Desculpa, Harry — Lídia parecia confusa. — O que ser "escopo"?

— O que estou perguntando, Lídia, é se você poderia ser minha guia — ele explicou, com o coração acelerado.

Lídia estava em dúvida.

— Você ter que perguntar para a madame.

— A madame está bem atrás de você. O que gostaria de perguntar a ela? — disse uma voz com forte sotaque e Giselle saiu do escritório.

Harry repetiu o pedido.

— Gostaria muito de alguém com conhecimento local e, é claro, um bom inglês — ele acrescentou, sentindo que o que estava fazendo era errado, mas estava determinado a conseguir o que queria.

Giselle pensou um pouco e, depois, disse:

— Bem, capitão Crawford, acho que poderemos chegar a um acordo mútuo conveniente, *n'est-ce pas*? Lídia e monsieur Ainsley me disseram que você toca piano muito bem. Talvez esteja sabendo que, amanhã à noite, acontecerá a abertura do meu bar aqui no hotel. Preciso de um pianista. Se tocar para mim, permitirei que Lídia o leve para um passeio no rio e lhe mostre Bangkok.

Harry estendeu a mão, satisfeito.

— Combinado — ele disse.

— *C'est parfait*, capitão Crawford — ela respondeu, apertando a mão dele. — Tenho um saxofonista e um baterista. Eles chegarão ao bar amanhã às 18 horas. Você pode ensaiar com eles nesse horário? Deixarei que você faça os preparativos para seu passeio com a jovem.

— É claro. *Merci*, madame — ele agradeceu.

Quando ela entrou no escritório, Harry se debruçou contente sobre o balcão, olhou nos lindos olhos cor de âmbar de Lídia e disse:

— Certo, está combinado. Bem, onde você vai me levar?

[CAPÍTULO 35]

A abertura do recém-nomeado Bamboo Bar foi prestigiada pela comunidade de expatriados, que, após anos de sofrimento sob o domínio japonês, estava feliz por ter algo a celebrar. Chegaram em grandes grupos, bebendo o uísque maekong local e aproveitando a *sanuk*, "diversão" em tailandês.

Com menos de uma hora de ensaio, Harry estava contente com sua habilidade como pianista e a prática que tinha adquirido tocando jazz para os japoneses em Changi. Dividiu a apresentação com um baterista holandês (ex-prisioneiro de guerra como ele) e um saxofonista russo, que aparecera em Bangkok por motivos desconhecidos. Juntos, conseguiram fazer uma lista de músicas que os três conheciam.

A atmosfera estava vibrante, esfumaçada e quente. Harry, que nunca havia tocado com outros músicos, gostou muito da companhia. Os aplausos entusiasmados, enquanto seus dedos voavam pelas teclas em um solo virtuoso, lhe deram uma sensação de alegria que sentira poucas vezes. Olhou para Lídia, que estava maravilhosa em um sarongue de seda e deslizava pelo salão com uma bandeja de bebidas.

Quando os três músicos declararam que não podiam tocar mais, pois estavam pingando de suor e exaustos, Harry saiu do bar e atravessou o terraço até o gramado, que levava diretamente ao rio. Devido ao apagão, a última parte da noite havia sido passada à luz de velas e a única luz sobre o rio era a da Lua cheia.

Harry acendeu um cigarro e deu um longo suspiro. Naquela noite, durante aquelas poucas horas, sentira que pertencia a algum lugar. Nem importava que fosse um desgarrado em meio a outros desgarrados, uma miscelânea de pessoas recolhidas dos quatro cantos do mundo, por meio de uma tragédia desconhecida. Ele não tinha sido um capitão do exército ou um herdeiro do reino britânico com uma enorme propriedade na família. Não tinha sido nada além de um pianista e seu talento servira de entretenimento e prazer para outras pessoas.

Tinha adorado aquilo tudo porque fora simplesmente ele mesmo.

No dia seguinte, conforme estava combinado, Lídia o encontrou no lobby do hotel. A “madame” havia reservado um bote de madeira para eles, com um barqueiro que os levaria onde quer que Lídia sugerisse. Quando Harry entrou nele, suas pernas pareciam mais trêmulas do que nos dias anteriores por ter ido dormir tarde e também por causa dos quatro uísques.

— Capitão Crawford, a gente subir o rio e passar no Grande Templo primeiro — disse Lídia, se sentando no banco de madeira em frente a ele. — Depois, o mercado flutuante, ok?

Era estranho ouvir aquela expressão americana na boca de uma oriental.

— Ok — ele concordou, achando a palavra estranha em sua boca também. — E, pelo amor de Deus, pode me chamar de Harry.

— Ok, Harry — ela sorriu.

Eles partiram do cais do hotel e entraram no tráfego do rio. O Chaopraya funcionava como rota principal para toda a cidade e Harry ficou impressionado por não acontecerem mais colisões, já que os motoristas desviavam de barcos que passavam a centímetros de distância. Enormes barcaças pretas, às vezes quatro ou cinco em fila, presas com pedaços de cordas e puxadas por uma pequena embarcação à frente, apareciam no horizonte como baleias ameaçadoras. Depois de escaparem de algumas batidas, Harry viu que suas mãos tremiam. Lídia percebeu a tensão dele.

— Não se preocupar, Harry. Nosso barqueiro, Sing-tu, dirigir esse barco há trinta anos. E nunca ter acidente, certo?

Ela se inclinou para frente e deu uma batidinha na mão dele. O gesto amigável não significou nada para Lídia, ele tinha certeza, mas, para um homem faminto por afeto havia anos, era um momento a ser recordado.

— Harry, ali.

Ele seguiu a mão delicada e viu uma construção, que, na opinião dele, merecia de verdade a palavra "palácio". Com os tetos em "V" invertido, típicos da Tailândia, revestidos de ouro e cobertos com o que pareciam enormes esmeraldas e rubis brilhando ao Sol, era como um desenho de um dos livros de histórias que sua mãe lia para ele quando criança.

— Esta ser a moradia do rei e da rainha. A gente ter novo rei agora, porque o velho morrer com tiro.

Harry deu uma gargalhada com a maneira direta de falar dela. Estava certo de que aquele jeito de falar tinha mais a ver com a falta de vocabulário em inglês do que com a personalidade de Lídia e isso a fez mais adorável aos olhos dele.

— Você querer ver o Buda de Esmeralda no *wat*? Ser muito bonito e muito famoso. Muitos monges cuidar dele.

— Por que não? — Harry concordou. — Posso perguntar o que é um *wat*? — ele riu, enquanto o barqueiro manobrava e prendia uma corda em um poste de madeira no cais.

— Vocês chamar de templo — Lídia esclareceu, saindo do barco com habilidade e puxando Harry.

Os jardins ao redor do palácio e do templo do Buda de Esmeralda eram espetaculares, cheios de cores vibrantes, e o aroma de jasmim impregnava o ar.

Harry parou em frente a uma belíssima planta com flores delicadas rosa e brancas.

— Orquídeas — ele afirmou. — Cresciam nas folhagens em Changi e eu as vi por toda parte desde que cheguei a Bangkok. São raras na Inglaterra.

— Ser como erva daninha aqui —comentou Lídia.

— Puxa! Queria ter ervas daninhas como essas em casa — disse Harry, pensando que deveria levar algumas para a mãe.

Ele seguiu Lídia escada acima até o templo e tirou os sapatos, a imitando. Lá dentro estava escuro e arejado, os monges em suas vestes de açafrão estavam ajoelhados em frente ao belo e surpreendentemente pequeno Buda de Esmeralda. Lídia se ajoelhou também, com as mãos na pose de oração e a cabeça baixa. Harry fez o mesmo.

Depois de algum tempo, ele ergueu a cabeça e ficou parado, aproveitando a paz e a tranquilidade do templo. Quando ficou preso em Changi, por falta de algo melhor a fazer, ele participara de algumas palestras sobre religião. Algumas foram sobre budismo e ele se lembrava de ter pensado que aquela filosofia era a que mais se aproximava dos seus próprios sentimentos e pensamentos em relação ao mundo. Por fim, eles deixaram o lugar e voltaram à forte luz do Sol.

— Você querer ir ao mercado flutuante agora? — Lídia perguntou quando eles voltaram ao barco. — Ser uma viagem longa, mas você vai gostar.

— O que você sugerir — respondeu Harry.

— Ok, eu sugerir isso.

Ela falou com o barqueiro em um tailandês rápido e eles partiram a toda velocidade pelo rio. Ele relaxou e viu Bangkok passar flutuando. O dia estava muito quente, apesar da brisa fresca do rio, e ele desejava ter trazido um chapéu para proteger a cabeça.

Depois de um tempo, o barqueiro virou em um *klong* estreito e navegou pelas águas lotadas. Ao chegarem ao mercado flutuante, tiveram de parar porque estavam cercados por barcos de madeira cheios de mercadorias e pessoas gritando os preços para os clientes, que gritavam de volta de seus barcos.

A cena era deliciosa. Sedas coloridas, pimentas moídas caindo de sacos de aniagem, o cheiro do frango assando em espetinhos, se misturando ao aroma de flores recém-cortadas, tudo contribuía para a atmosfera exótica do local.

— Você querer comer, Harry? — Lídia perguntou.

— Sim — Harry conseguiu dizer, embora se sentisse muito estranho. Talvez fosse o Sol, mas estava tonto e com náuseas. Lídia se levantou, gritou para um barqueiro que vendia frango em espetos e eles chegaram a um acordo. Harry fechou os olhos, o suor escorria por sua testa e o barulho ficara insuportável. As vozes agudas e altas, os cheiros fortes e o calor... Por Deus, o calor! Ele precisava de água urgentemente...

— Harry, Harry, acordar.

Ele abriu os olhos e viu Lídia olhando para ele; ela segurava um pano frio sobre sua testa. Estavam em um quarto escurecido e ele estava deitado em algumas paletas no chão.

— Onde estou? — ele perguntou. — O que aconteceu?

— Você desmaiar no barco e cair para trás e bater a cabeça na madeira. Você estar bem? — os grandes olhos de Lídia estavam cheios de preocupação.

— Entendi. Desculpe — ele se esforçou para sentar. — Posso beber um pouco de água?

A garganta muito seca e o desespero por um líquido lhe trouxeram memórias negras de Changi. Lídia passou um cantil e ele bebeu toda a água rapidamente.

— A gente levar você para o hospital, sim? — Lídia sugeriu. — Você não estar bem.

— Não, de verdade, ficarei bem agora que bebi a água. Acho que tomei muito Sol e fiquei desidratado, é só isso.

— Certeza?

Lídia não parecia convencida.

— Você ficar doente com dengue. Talvez a doença voltar.

— Tenho certeza, Lídia, acredite.

— Então a gente voltar para o hotel agora. Você conseguir ficar em pé? — ela perguntou.

— É claro.

Harry forçou as pernas a suportarem seu peso e, com a ajuda de Lídia e do barqueiro, saiu da cabana onde Lídia o protegera do Sol e entrou no barco. Ao partirem, Harry não conseguiu conter um sorriso torto pela ironia de ter desmaiado no mercado flutuante quando não havia desmaiado nenhuma vez em Changi, mesmo sob as condições mais horrorosas.

— Você usar isso. Eu ficar marrom e feia no rosto só por você — Lídia observou, tirando o chapéu estilo chinês e colocando-o na cabeça de Harry. — Você beber mais água — ela passou o cantil para ele.

— O que quer dizer com marrom e feia? — Harry perguntou enquanto se deitava, grato pela sombra fornecida pelo chapéu.

— Ser uma marca das classes na Tailândia — Lídia explicou. — Se você ter pele branca, você ser da classe boa. Se ter pele escura, ser camponês!

— Entendi.

Harry sorriu e o barqueiro navegou para fora do mercado flutuante em direção ao rio Chaopraya. Lídia ficou sentada observando Harry, sem tirar o olhar do rosto dele. Ele fechou os olhos, se sentindo bem menos tonto, mas certo de que algo estava acontecendo.

De volta ao hotel, Lídia o ajudou a sair do barco e a ir para a varanda.

— Você voltar para o quarto agora e descansar, Harry — ela recomendou. — Eu dizer à madame que você estar doente.

Harry passou a tarde dormindo e foi acordado por um mensageiro que batia à sua porta para informá-lo que o senhor Ainsley queria entrar e vê-lo.

— Mande ele entrar — Harry concordou balançando a cabeça, gemendo em silêncio com as familiares dores nos ossos.

— Meu querido, soube pela Giselle que você teve um incidente no mercado flutuante essa tarde — disse Sebastian ao entrar. — Está se sentindo mal de novo, né?

— Infelizmente estou — respondeu Harry —, pensei que pudesse ser por causa da multidão, mas agora tenho quase certeza de que não foi.

— Que droga! — Sebastian se sentou em uma cadeira de vime. — Acho que isso significa que não vai poder viajar daqui a dois dias. Vim avisar que também tenho passagem e faria a viagem de volta à Inglaterra com você.

— Sinto muito, meu velho, mas agora duvido que eu me sinta bem o suficiente para ir com você.

— Vou chamar o médico para ver você o mais rápido possível — ele prometeu, aborrecido. — Que droga! Estava ansioso para compartilhar o alto-mar com você. Fiquei preso aqui nos últimos quatro anos e pensei em aproveitar a oportunidade para ir para casa e ver meus velhos. A mãe está ficando bem idosa, coitada. Bem — continuou Sebastian enquanto se levantava da cadeira —, vou falar com o mensageiro e dizer a ele para chamar o médico imediatamente. Você ficará bem aqui em Bangkok sem mim?

— É claro que sim — Harry garantiu.

— É estranho ser eu a voltar para casa em vez de você, mas aqui estamos. Vou deixar algum dinheiro para você, é óbvio. Pegarei um reembolso na nossa terra. Vou ver seus pais e dizer a eles que você voltará em algum momento. Não quer que eles pensem que você desertou, quer?

— Não — murmurou Harry, se sentindo péssimo.

— Apenas uma coisa — Sebastian parou ao chegar à porta. — Este país costuma ser muito sedutor e, quanto mais ficar aqui, mais atraente ele se tornará. Não se apaixone por ele, meu querido, combinado? Do contrário, pode nunca mais voltar para casa.

O médico chegou e confirmou que Harry estava sofrendo de outra crise de dengue.

— Você tem feito coisas demais, cedo demais, meu filho — ele avisou, dando a Harry uma dose forte de quinino para baixar a temperatura. — Eu o vi tocar no bar outra noite — ele sorriu. — Você é muito bom. Isso está fora de questão por hora, e também o álcool. Você sabe o refrão: descanso, líquidos, quinino, quando precisar, e vamos torcer para mantê-lo fora do hospital dessa vez.

— Sim, doutor.

— Também vou prescrever umas vitaminas. Vou pedir a um dos rapazes que corra até a farmácia para buscá-las. E virei vê-lo amanhã.

Vou avisar a madame e tenho certeza de que ela mandará alguém para ficar de olho em você.

— Quanto lhe devo pela visita, doutor?

O médico se virou e deu um rápido sorriso.

— Sou eu que lhe devo, meu garoto. Foram soldados corajosos como você que ganharam a maldita guerra por nós. Bom dia, capitão Crawford.

Harry ficou entrando e saindo de um sonho febril e intermitente, e, em algum momento do início da noite, alguém bateu com delicadeza na porta.

— Entre — ele disse.

Lá estava Lídia, com os olhos cheios de preocupação.

— A madame me dizer que você ainda estar mal. Que você ter dengue de novo. A culpa ser minha. Eu não devia levar você num lugar tão quente e cheio se você ainda não estar forte.

— Lídia, de verdade, eu que pedi para você me levar.

Apesar de se sentir tão mal, Harry não podia deixar de olhar para ela. Sob o brilho suave do abajur, ela parecia perfeita, tudo nela era belo aos olhos febris dele. Ele sentiu, de repente, uma onda inesperada e inadequada de desejo.

— Eu poder sentir sua testa? — ela perguntou, caminhando na direção dele.

— Sentir a minha testa? É claro — ele concordou balançando a cabeça e se deliciou com a sensação da palma fria em sua testa, sem falar do aroma divino dela, assim, tão próxima.

— Sim, você estar muito quente — ela declarou. Depois, tirou uma pequena bolsa de ervas do bolso da saia. — Em casa, a gente usar medicina chinesa sempre. Esta ser especial para febre e osso com dor. Você querer experimentar? Eu poder fazer chá para você.

— Lídia, eu tento qualquer coisa — Harry respondeu. — Estou cansado de ficar doente.

— Eu trazer chá e você se sentir melhor de manhã. Eu prometer — ela sorriu. — Ter mágica aqui.

— Espero que sim — comentou Harry, conseguindo sorrir de volta.

— Eu ir e fazer agora.

— Obrigado.

Harry a viu sair e se deitou. Enquanto olhava para o ventilador do teto, percebeu que aquela aparente má sorte poderia ter benefícios. Lídia voltou dez minutos depois, segurando um copo.

— Eu avisar, Harry, o gosto ser muito ruim — ela disse ao ajudá-lo a se sentar.

— Então, vai funcionar. Ou, pelo menos, é o que minha mãe costumava dizer quando me fazia tomar algum remédio muito amargo — brincou Harry, sem forças.

— Muito ruim — ela reiterou quando colocou o copo perto da boca dele.

Harry quase engasgou ao primeiro gole, mas, quando se lembrou das larvas vivas que comera em Changi, disse a si mesmo para parar de ser um fracote e engolir tudo.

— Nossa — ele gaguejou —, você tinha razão.

Lídia lhe deu um pouco de água para tirar o gosto.

— Agora, Harry, você descansar. Se precisar de alguma coisa, tocar o sino. Madame me pedir para dormir no quarto da frente hoje. Vou ver você em uma hora. Você vai sentir muito, muito quente logo, mas ser as ervas ajudando a tirar a febre e vai passar.

— Estou ansioso por isso — ele respondeu, engolindo a água enquanto ela andava até a porta. Ele se perguntou se havia sido bobo por confiar nela.

— Não se preocupar, Harry. Eu vou estar aqui.

A previsão de Lídia provou estar certa: uma hora depois, Harry estava pegando fogo. Lídia chegou com panos frios para a testa, já que ele se sacudia e se revirava com uma febre violenta. Algumas horas depois, a febre cedeu. Exausto, Harry dormiu.

[CAPÍTULO 36]

Harry acordou tarde na manhã seguinte, se sentindo muito melhor do que esperava. Embora ainda tivesse dor nos ossos, a intensidade diminuíra e, quando o médico chegou, ele confirmou com surpresa que a temperatura do paciente estava mesmo apenas um grau acima do normal.

— Fantástico — ele conjecturou. — Achei que fosse outra crise grave, mas parece que não. Muito bem e continue assim.

Lídia apareceu na porta depois que o médico saiu. Ela segurava outro copo das ervas malcheirosas.

— Como você estar, Harry?

— Melhor, obrigado — ele olhou o copo com suspeita.

— Você não veio me fazer pegar fogo de novo, veio?

Lídia riu, mostrando os dentes perfeitos.

— É claro que não — ela respondeu, orgulhosa das palavras que aprendera com ele. — Este ser para dar força, ganhar corpo e não deixar a dengue ruim voltar. Dar energia e apetite. Nada de fogo, eu prometer.

— O gosto é tão horrível quanto o do outro? — perguntou Harry ao sentar, se preparando.

— Pior — ela admitiu —, por isso, ser ainda melhor para você.

Harry bebeu a mistura pavorosa e, depois, se deitou ofegante, tentando conter a ânsia de vômito.

— Você é bruxa? — ele questionou. — O médico não acreditou no quanto eu melhorei.

— Talvez — ela sorriu —, mas bruxa boa. Agora, eu precisar ir. Hóspedes novos chegar logo, logo. Eu voltar mais tarde para ver o quanto você fica mais forte.

Harry riu quando ela saiu do quarto, pensando em como era gostoso ver a personalidade dela aparecer conforme ia ganhando confiança com ele. O que quer que fossem aquelas bebidas, elas com certeza funcionavam.

Na hora do jantar, Harry ficou com fome e pediu que levassem macarrão para o seu quarto. Ao se sentar na cama para comer, pensou que ficaria feliz em continuar tendo crises ocasionais da temida dengue se Lídia pudesse ser sua enfermeira e salvadora.

Nos dois dias seguintes, Harry dormiu muito mais do que achava que devia e comeu tudo o que era colocado à sua frente. Quando não estava dormindo, pensava em Lídia. Ela ia visitá-lo sempre que podia, com os olhos brilhando de prazer por vê-lo se recuperar. E, a cada dia, ela ficava mais bonita.

Harry começou a viver para as visitas dela, fantasiando depois sobre chamá-la para a cama, envolver o pequeno corpo dela com os braços, beijar o arco perfeito formado por seus lábios, sentindo os dentes pequenos, afiados e cor de pérola com a língua... Nos momentos de racionalidade, Harry tentava argumentar que a separação forçada das mulheres com que vivera era a responsável pelo efeito que Lídia tinha sobre ele. Por outro lado, não conseguia se lembrar, em toda a vida adulta, de ter se sentido assim com outra mulher.

Ele mal sabia alguma coisa de sua vida além do pouco que ela contara. Mas ele a conhecia... Ela era gentil, tinha senso de humor e era inteligente. Seu conhecimento do inglês, a maneira como conseguia se fazer entender, apesar do pouco vocabulário, era impressionante. Acostumado aos enigmas das garotas inglesas com controle perfeito do idioma, ele achava renovador que Lídia dissesse o que queria dizer com tão poucas palavras. E também havia a beleza dela. Harry nunca fora fisicamente provocado com facilidade, muito menos por pensamentos. Agora, imaginá-la causava um arrepio imediato e urgente no seu baixo ventre. Ele supunha que fosse tranquilizador saber que todo o seu corpo ainda funcionava bem, após as punições físicas e emocionais sofridas em Changi. E que, depois de ter duvidado tanto, uma mulher finalmente provocasse uma reação física tão forte. Era algo que nunca sentira por Olívia. Sua esposa.

Harry relembrou todas as vezes em que seus companheiros em Changi discutiram sentimentos de luxúria e amor. Era isso que ele sentia por Lídia? Amor?

No quarto dia de repouso forçado e quando, estranhamente, Lídia não aparecera na porta para ver como ele estava, Harry arriscou sair do quarto no fim da tarde. Andou com calma pelo lobby até o Bamboo Bar, por falta de algo melhor a fazer, olhando o balcão da recepção no caminho.

— Está melhor? — Giselle apareceu atrás dele.

— Sim, muito melhor. Obrigado. Estava me perguntando onde está Lídia.

— Ela tirou o dia de folga — respondeu Giselle, distraída. — Problemas de família, eu acho.

O coração de Harry disparou.

— Ela está bem, não está?

— Não sei, capitão Crawford. Sou a patroa dela, não a mãe, embora goste muito de Lídia. Ela tem uma vida difícil.

Confuso e agitado, Harry seguiu para o Bamboo Bar, que não deveria abrir até uma hora depois e estava vazio. Sentou-se ao piano, levantou a tampa e começou a tocar.

Em pouco tempo, os outros músicos e o *barman* começaram a chegar.

— Onde você estava? — perguntou Yogi, o baterista holandês. — Sentimos sua falta quando você não tocou com a gente.

— Estava doente — Harry respondeu.

— Está bom para tocar hoje? — ele quis saber.

— Estou bom para tocar hoje — disse Harry com um aceno, pensando que tocar poderia ajudar a tirar Lídia de sua cabeça.

Harry tocou até a meia-noite, tomando copos de água enquanto a clientela sucumbia aos efeitos do uísque. Ele foi assediado por duas mulheres de meia-idade levemente bêbadas, que se ofereceram para mostrar

Bangkok para ele se ele tocasse nu para elas. Harry achou aquilo uma piada fantástica: seu corpo ainda parecia um esqueleto, com a barriga de arroz inchada e a pele ressecada e sem vitaminas.

Ao acordar na manhã seguinte, seu primeiro pensamento foi Lídia e se ela estaria de volta naquele dia. Saiu da cama e desceu até a varanda para o café da manhã, depois de verificar se ela estava atrás do balcão. Não estava.

O dia se arrastou, marcado apenas pelo alfaiate que apareceu para a prova das novas roupas, murmurando para si mesmo que teria de alterar as cinturas, já que a barriga de arroz de Harry estava diminuindo.

Harry continuou passando pelo lobby para ver se Lídia havia chegado. Depois da terceira vez, Giselle se aproximou dele e balançou a cabeça.

— Ela não virá hoje também. Espero apenas que não faça como muitos dos nativos daqui, que simplesmente desaparecem.

Essa ideia fez o estômago de Harry se revirar. Voltou ao quarto para o cochilo da tarde, se deitou na cama e tentou dormir. Acabou desistindo e começou a andar de um lado para o outro, imaginando se Giselle teria o endereço de Lídia. Se ela não aparecesse de novo no dia seguinte, talvez ele devesse ir procurá-la.

— Não seja tão ridículo — ele repreendeu a si mesmo em voz alta. — Por favor, você é apenas mais um hóspede do hotel. Não pode sair por Bangkok atrás de uma garota que nem conhece!

Porém, Harry não conseguia pensar em mais nada. Passou o resto do dia em agonia e suspense, imaginando as coisas terríveis que poderiam ter acontecido a ela. Deitou-se de barriga para cima às 3 horas da manhã, com as mãos atrás da cabeça, e percebeu que tinha mais do que uma queda por ela. Ele estava apaixonado.

Seu alívio ao entrar no lobby na manhã seguinte e ver Lídia sentada atrás do balcão da recepção como sempre foi visível. Teve de se conter para não correr até ela e abraçá-la.

— Lídia, você voltou! Está bem?

— Sim, Harry.

Os olhos dela pareciam mais escuros do que o habitual, seu comportamento perdera o brilho, mas ela acrescentou:

— Eu estar bem.

Ele a observou.

— Tem certeza?

— É claro.

— Que bom — ele afirmou. — Fico contente — e, sem querer sair dali, mas sem saber o que mais dizer, ele foi embora.

Harry ficou andando de um lado para o outro no quarto, incapaz de se acalmar. Ele se sentira bem antes de Lídia ter desaparecido. Porém, a intensidade do pânico que vivera quando ela não estava por perto o havia assustado. Como podia amar alguém que mal conhecia?

Sem conseguir ficar no quarto, ele caminhou pela varanda e desceu até o rio. Acendeu um cigarro e pensou em Sebastian, que provavelmente já tinha percorrido um bom pedaço do seu caminho pelo oceano. Ele desejou ter estado bem o bastante para viajar com ele. Mesmo que estivesse apaixonado, a tempestade que estava sentindo por Lídia era inútil. Ele era um capitão do exército britânico, herdeiro do reino da Inglaterra, proprietário de uma vasta propriedade... E casado.

Harry jogou o resto do cigarro com violência no rio, que ficou preso nos detritos de algas emaranhadas que flutuavam por ali constantemente. Talvez a dengue tivesse afetado seu cérebro... Ou talvez o tempo passado em Changi. A primeira mulher a aparecer e lhe oferecer qualquer tipo de conforto o fizera perder a cabeça.

Voltou para o hotel e andou com determinação até o lobby. Reservaria uma passagem no próximo navio para casa. Viu Lídia no balcão e tentou ignorá-la corajosamente. Porém, observou pelo canto do olho que ela tirou um lenço de sua pequena cesta e enxugou os olhos. No mesmo momento, ele fraquejou e se virou na direção dela. Ao se aproximar, se inclinou e falou em voz baixa:

— Lídia, o que aconteceu?

Ela balançou a cabeça, com a voz embargada demais para falar.

— O que foi? O que aconteceu?

— Por favor, Harry — ela disse, com um tom de pânico. — Ficar longe. Eu não querer chamar atenção. Madame não vai gostar de me ver assim no balcão.

— Entendo. Vou embora, mas apenas se prometer me encontrar lá fora durante sua pausa para o almoço. Ficarei no final da rua, perto da barraquinha de comida na esquina.

Ela olhou para ele.

— Ah, Harry, a madame...

— Darei um jeito de ela não nos ver. Diga sim e eu a deixo em paz.

— Se quer dizer que vai embora agora, eu encontrar você na barraca ao meio-dia.

— Combinado — ele sorriu e se afastou, sem saber o motivo de ter ido ao lobby em primeiro lugar.

Lídia estava esperando por ele na esquina conforme o combinado, olhando nervosa de um lado para o outro.

— Eu saber um lugar para a gente ir.

Ela fez um gesto para que ele a seguisse e caminhou com rapidez por uma rua agitada. Depois de alguns minutos, virou em um beco estreito lotado de carrinhos de mão que vendiam todo tipo de comida. Andou até a metade dele e apontou para um banco rústico de madeira, protegido do Sol por um guarda-sol rasgado.

— Quer comer alguma coisa? — perguntou Lídia.

O cheiro de esgoto misturado à carne indeterminada fritando no beco sem corrente de ar deixou Harry enjoado.

— Acho que vou apenas tomar uma cerveja, se tiver uma, obrigado.

— É claro.

Lídia conversou rapidamente em tailandês com o vendedor, e uma cerveja e um copo de água apareceram na sua frente. Harry tentou se concentrar em Lídia, em vez de na atmosfera abafada e claustrofóbica. Ele sentiu o suor escorrer pela testa, abriu a cerveja e tomou um grande gole.

— E então, Lídia, pode me contar por que estava chorando hoje de manhã?

Lídia olhou para ele com uma expressão cheia de tristeza.

— Ah, Harry, eu ter problema muito difícil em casa.

— Lídia, depois de ver inúmeros homens morrerem na minha frente, eu posso aguentar quase tudo.

— Ok, Harry, eu contar para você — Lídia suspirou. — Minha mãe vai casar.

— E isso é ruim?

Os olhos de Lídia se encheram de lágrimas.

— Sim. Porque... Ele ser general japonês.

— Entendo — Harry compreendia o quanto a situação era ruim.

— Eles se conhecer durante a ocupação aqui. Mas ela não me contar porque entender como eu me sentir. Agora ele voltar para o Japão e ela querer ir para lá... Com todos nós.

Harry ficou em silêncio por alguns instantes. Depois, balançou a cabeça.

— Você tem razão. É mesmo um grande problema.

— Como ela poder fazer isso? — Lídia sussurrou. — Ser traidora! — ela disparou. — Como poder fazer isso se meu pai morrer tentando libertar a Tailândia dos japoneses.

— Ele morreu?

— Ele ir para a prisão há um ano quando eles descobrir que ele publicar jornal clandestino. Pouco antes do fim da guerra, há seis meses, a gente saber que eles atirar no meu pai.

Instintivamente, Harry estendeu a mão pela mesa de madeira e segurou a de Lídia. Parecia tão pequena, tão frágil sob o toque dele.

— Lídia, sinto muitíssimo.

Ela enxugou as lágrimas do rosto.

— Obrigada. O pior ser eu não poder acreditar que minha mãe amar meu pai antes. Como ela poder?

— Tenho certeza de que ela o amava — disse Harry, tentando ser racional. — Mas há muitos motivos para as pessoas fazerem o que fazem, quando precisam. Você tem muitos irmãos e irmãs, e, pelo que me disse, pouco dinheiro.

— Sim, pouco. Ele ser poderoso e morar em grande casa no Japão. Minha mãe ser muito bonita, todos os homens se apaixonar por ela — Lídia suspirou. — Mas você ter razão. Ela querer uma vida nova para os filhos, uma vida boa, melhor do que ela poder ter aqui como viúva. Foi como ela explicar para mim. Ela dizer que não amar ele, mas precisar fazer a coisa certa para o futuro.

— E o que você vai fazer? — ele perguntou, quase incapaz de aguentar a resposta.

— Ela querer que eu ir com ela. Dizer que Japão não é inimigo, que a ocupação ser pacífica e apenas um acordo político — Lídia balançou a cabeça. — Mas eles atirar no meu pai porque achar que ele poder causar problema e bagunça. Como ela poder ir para esse lugar?

— Não sei, Lídia. Não sei mesmo — comentou Harry. — Posso perguntar sua idade?

— Eu ter 17 anos, 18 em seis semanas.

— Então, você está a algumas semanas de ser uma adulta e poder tomar suas decisões. Você precisa ir?

— Harry, se eu não ir, talvez nunca mais ver minha mãe e meus irmãos e minhas irmãs — Lídia brincava com o copo, distraída. — Eu perder meu pai. Como poder perder todos eles também?

Harry balançou a cabeça.

— Você está em uma situação impossível de tão difícil — ele deu um gole na cerveja. — Mas é quase uma adulta agora, não uma criança. Deve pensar em sua vida e no que você quer.

— Mas minha mãe, ela dizer que eu precisar ir para o Japão. Eu não poder desobedecer.

— Lídia, nem tudo na vida é a família.

Os olhos cor de âmbar dela faiscaram.

— Harry, você estar errado. Aqui na Tailândia, tudo ser pela família. Você ter de obedecer aos pais.

— Mesmo sendo adulto?

Lídia chorava sem se conter.

— Sim.

— Eu sinto muitíssimo, de verdade. Parece que eu estou deixando você mais chateada — ele procurou um lenço no bolso da calça e o entregou a ela.

— Não, você não estar. Ser bom conversar — ela assoou o nariz fazendo muito barulho. — Madame diz que eu não dever ir. Que eu ter bom emprego no hotel e chance de progredir.

Harry agradeceu a Deus por Giselle.

— Lembre que a guerra mudou as regras para todos e as coisas não são mais o que eram. Precisa tentar perdoar sua mãe, ela só está fazendo o que acha melhor. Mas o que ela quer para si mesma e para os seus irmãos mais novos pode não ser adequado para você. Você tem outros parentes aqui na Tailândia?

— Sim. A família do meu pai, eles vir de uma ilha a muitos quilômetros — uma nuvem pareceu sair de cima de Lídia e ela sorriu. — Ser muito bonito lá. Eu ir muitas vezes quando criança. Ser conhecida como ilha do Elefante e flutuar no mar como uma joia.

— Então você não ficaria sozinha aqui?

— Não.

— E você tem como ganhar dinheiro?

— Sim — ela olhou para ele. — Você achar que eu poder ficar aqui?

— Apenas você pode tomar essa decisão, Lídia. Mas não há motivo, se você ficar, para não poder ir visitar sua mãe e seus irmãos.

— Mas ser tão longe, Harry, muitos milhares de quilômetros, e frio — Lídia tremeu. — Eu detestar o frio.

Harry se perguntou o que Lídia acharia de Norfolk no meio do inverno.

— É simples — ele disse, bebendo o restante da cerveja. — Você tem de decidir o que quer.

Lídia olhou para o horizonte e suspirou.

— Eu querer... — de repente, ela ficou triste. — Não ter de tomar essa decisão.

— Mas precisa. Quando sua mãe viaja para o Japão?

— Em dez dias. O general reservar passagem para ela e meus irmãos e minhas irmãs. E eu — ela acrescentou, franzindo as sobrancelhas.

— Bem, por que não deixa a poeira baixar por uns dias, como dizemos na Inglaterra, o que significa superar o choque e não tomar decisões com pressa.

Lídia sorriu para ele.

— Você ter razão. Obrigada, Harry. Você ter horas?

— Infelizmente meu relógio foi explodido com a minha mochila há quatro anos e ainda não comprei outro — ele admitiu.

Lídia se levantou.

— Bem, com certeza ser hora de voltar para o trabalho. *Kop khun ka*, Harry.

— O que isso quer dizer?

— Quer dizer "obrigada", por tudo. Você me ajudar, de verdade — ela sorriu e correu em direção ao hotel.

A próxima vez que Harry viu Lídia foi no lobby naquela tarde. Ela parecia mais composta quando entregou um telegrama a ele. Era de Olívia, dizendo que estava tudo bem em Wharton Park e que todos esperavam que ele melhorasse logo para fazer a viagem para casa.

— Ser da sua família na Inglaterra? — Lídia perguntou.

— Sim — ele confirmou balançando a cabeça.

— Sua mãe?

— Sim — Harry voltou para o quarto com o telegrama na mão e brigou consigo mesmo por ter mentido para Lídia.

O médico foi vê-lo na manhã seguinte e declarou que ele estava bem o suficiente para viajar. Harry sabia que seria melhor partir o mais cedo possível, voltar à realidade e parar de fantasiar sobre uma vida e uma mulher que nunca poderiam ser dele.

Ele enviou uma mensagem por telex ao escritório de Sebastian pedindo que reservassem a próxima passagem disponível para a Inglaterra.

Quando estava tentando se acomodar para o cochilo da tarde, ouviu uma batida leve na porta. Era Lídia. Seu rosto se iluminou ao vê-la.

— Sinto muito por incomodar, Harry, mas eu vir para dizer que eu ficar fora nesse fim de semana. E você não precisar se preocupar comigo. Ser o *Song Kran*, a festa especial de ano novo tailandesa. No seu país, você chamar de festival da água.

Harry ficou decepcionado.

— Quanto tempo você vai ficar fora?

— Três dias. Eu pensar no que você dizer e decidir passar o *Song Kran* com a família do meu pai em Koh Chang.

— Quando você vai? — Harry estava agitado. Seu tempo lá estava se esgotando.

— Amanhã cedo. Ser uma viagem longa e eu levar o dia todo para chegar lá.

— Posso ir com você?

Ela olhou para ele surpresa.

— Desculpe, Lídia — Harry estava envergonhado pelo seu comportamento direto. — Tenho certeza de que a última coisa que você quer é que eu a acompanhe. É que eu vi muito pouco do interior da Tailândia. Por favor, esqueça o que eu disse. Eu estaria impondo minha presença.

Seus olhos cor de âmbar indicavam que ela estava pensativa.

— Ah, Harry, você estar solitário sem a família, sim? — Lídia não lhe deu tempo para responder. — *Song Kran* ser festa de família e de boas-vindas a novas pessoas — ela abriu um grande e repentino sorriso decisivo. — Eu achar que meus avós muito felizes de receber um corajoso soldado inglês que ajudar a lutar contra os japoneses. Sim — ela acrescentou, balançando a cabeça —, você poder ir.

— É mesmo? — Harry estava muito feliz.

— Sim — afirmou Lídia. — E eu poder mostrar a linda ilha onde meu pai nascer. Ser meu presente para você por me ajudar a decidir o que fazer.

— E você decidiu? — ele perguntou.

— Como você dizer, eu ser adulta. E não poder ir para o Japão viver com os assassinos do meu pai e de muitos outros. Eu ficar aqui. No país que eu amar.

Os lábios de Harry se renderam a um sorriso largo.

— Estou feliz por você ter tomado uma decisão, Lídia. E, pessoalmente, acho que foi a correta.

— Vou sentir falta dos meus irmãos e irmãs, mas até por eles eu não poder fazer isso. Um dia — ela acrescentou —, quando eu tiver boa vida e dinheiro aqui em Bangkok, eu poder trazer todos de volta, se eles querer vir. Então, a gente se encontrar na esquina da barraca de comida às 6 horas? Depois, pegar o *tuk-tuk* para a estação.

— Às 6 horas — Harry concordou.

— Olha, e eu precisar dizer. Koh Chang não ser como aqui — Lídia balançou os braços pelo quarto. — Sem eletricidade, sem torneira, mas bom mar.

— Não é um problema para mim, Lídia.

Depois de Changi, Harry conseguia lidar com a maioria das situações.

Harry foi avisar Giselle que não tocaria no bar nas três noites seguintes.

— Posso perguntar onde vai?

— Sim, pensei em ver um pouco do interior antes de partir.

— É claro — ela concordou. — E eu ouvi dizer que Koh Chang é muito bonita, embora nunca tenha ido lá.

A expressão de Harry lhe disse tudo o que ela precisava saber.

— Volto na segunda-feira.

— Capitão Crawford? Harry? — ela o parou.

— Sim?

— Lídia é uma menina adorável. E ela sofre muito. Gosto muito dela e espero que ela fique muitos anos aqui comigo. Não a machuque, combinado?

— É claro que não! — Harry estava indignado.

— *D'accord.* Se divirta ficando molhado — ela sorriu e voltou ao escritório.

[CAPÍTULO 37]

Lídia estava esperando por ele no lugar marcado. Ela fez sinal para um *tuk-tuk* e eles partiram. O Sol ainda nascia e Bangkok estava quieta, o que significava que Harry podia aproveitar a cidade com sua mistura de arquitetura colonial, barracas de madeira e casas em estilo tailandês. Ele queria ter energia física para explorá-la mais.

Eles chegaram à estação de trem, que estava bastante agitada. Trens antigos ficavam nas laterais, cobertos pela ferrugem produzida por muitos anos de chuva incessante na estação das monções. Lídia comprou as passagens, se recusando a aceitar o dinheiro de Harry, e andou pelas plataformas até encontrar o trem certo. Entraram em um vagão já lotado e os falantes moradores locais olhavam Harry com fascinação enquanto ele e Lídia andavam pelo estreito corredor até um banco vazio.

Harry olhara o mapa no escritório de Giselle e sabia que estavam viajando pela costa em direção ao Leste, para uma região chamada Trat. Koh Chang, um pequeno ponto suspenso no mar, era alcançado por barcos.

— Quanto tempo dura a viagem? — Harry perguntou.

— Ser quatro horas até Chanthaburi, aí a gente trocar. E mais três horas até Trat — Lídia respondeu enquanto cortava com habilidade uma manga fresca tirada da cesta que trazia e a entregava a ele. — Depois, meu tio vir no barco de pesca e levar a gente para Koh Ghang.

— Sua família sabe que estou indo?

— Eu não conseguir falar com eles porque não ter telefone na ilha. Mas eles não vão se importar. Eu prometer, Harry, em Chanthaburi — ela continuou, balançando a faca na direção dele e sorrindo —, a gente comprar roupas para você.

— Eu tenho roupas, Lídia — Harry apontou para a maleta no bagageiro acima dele. Lídia riu.

— Não, não, Harry, suas roupas ser ruins para vestir no festival *Sing Kran*. Você vai ver — ela sorriu, misteriosa.

O trem, soprando uma nuvem de fumaça, deixou os sufocantes arredores da cidade e se dirigiu pelos trilhos contornados por centenas de bananeiras enormes. As crianças acenavam para eles quando passavam, sorrindo com empolgação. Lídia caiu no sono ao lado de Harry. Como ela conseguia dormir naquele banco de madeira duro, ele não entendia. Porém, com a cabeça dela caindo sobre o ombro dele e o aroma doce do óleo que ela usava nos cabelos subindo pelo seu nariz, Harry se sentia em paz. Ele estaria com ela, perto dela, por três dias inteiros e, naquele momento, não conseguia pensar em nenhum outro lugar em que preferisse estar.

Harry deve ter adormecido também porque, quando se deu conta, o trem estava parando e Lídia o sacudia com delicadeza. Ele se levantou, pegou a mala e a seguiu para a plataforma. Imediatamente, eles foram cercados por vendedores ambulantes, que ofereciam comidas, bebidas, coroas de jasmim e animais de madeira rústicos. Lídia guiou Harry para longe de lá e o fez sentar em um banco sob uma cobertura de bambu.

— Você ficar aqui. Eu buscar almoço.

Uma pequena criança tailandesa se aproximou sorrindo com timidez, fascinada com ele. Harry secou a testa e tomou um gole de água quando Lídia voltou com o almoço e colocou uma pilha de finos lençóis de algodão na frente dele.

— Você experimentar.

— Para eu usar? — ele perguntou, segurando uma toalha de mesa vermelha e descobrindo que era um par de calças com um pequeno avental preso na frente. Também havia uma blusa solta de algodão.

Ela apontou para uma cabine de bambu por perto.

— Você experimentar lá.

Ele se despiu o mais rápido que pôde, aliviado por se livrar das pesadas calças de sarja e da camiseta de algodão da mais alta qualidade e vestir os itens que Lídia trouxera. Esforçou-se para entender como colocar as calças de três quartos de comprimento, mas acabou conseguindo prender o avental na frente do corpo como os moradores locais, e parecia que ele estava usando saia. A criança tailandesa estava do lado de fora com Lídia e caiu na gargalhada ao vê-lo.

— Tenho certeza de que estou parecendo um bobo — ele disse, envergonhado.

— Não, Harry — Lídia respondeu, com gentileza. — Você parecer um homem tailandês agora. Melhor para a ilha e para o *Song Kran*. Agora, eu me trocar.

Lídia saiu e Harry se divertiu ensinando palavras em inglês para a criança. Ele recebeu como recompensa um belo sorriso e uma pronúncia atrapalhada das palavras que ensinara a ela.

Harry perdeu o fôlego quando Lídia reapareceu. Em vez do uniforme ocidental, ela usava um par de calças parecido com o dele e uma simples blusa de algodão estilo chinês cor-de-rosa. Porém, a mudança mais visível era o seu cabelo: ela o havia soltado do coque apertado. Ele agora caía em uma cascata brilhante cor de ébano sobre os ombros dela, até a cintura.

Harry estendeu os dedos involuntariamente, ansiando por passá-los pela luxuriante feminilidade dos fios. Olhou para baixo e viu que os pés pequenos e delicados dela estavam descalços. Os dedos perfeitos o paralisaram. Ele não estava acostumado a ver os pés de mulheres na Inglaterra. Aquela visão parecia tão íntima, tão nua, que Harry sentiu uma onda no seu baixo-ventre. Ficou feliz porque o estranho avental tinha pelo menos uma utilidade.

— Agora, a gente dever entrar no trem — disse Lídia.

Harry se despediu da menininha e se levantou para seguir Lídia. Uma voz atrás deles gritou:

— Vocês se casar!

Eles viajaram por três cansativas horas. Harry se sentiu terrivelmente aliviado quando o trem, por fim, parou. Uma curta viagem de ônibus os levou até um cais e, quando Harry saiu, foi recebido por um idílico mar turquesa e uma terra montanhosa coberta por nuvens a distância.

— Essa ser Koh Chang — Lídia apontou. — Você ver, lá estar meu tio, ele esperar pela gente!

Harry a seguiu até um dos vários barcos de pesca de madeira que flutuavam com suavidade perto do cais. Esperou enquanto Lídia cumprimentava o tio com carinho. Depois, ouviu uma conversa em um tailandês rápido e alguns dedos apontando para Harry antes de Lídia acenar para que ele se aproximasse.

— Harry, este ser Tong, meu tio, mas ele não falar inglês.

O tio Tong fez uma reverência para ele, o cumprimento tradicional tailandês, e se ergueu com um grande sorriso sem dentes e um aperto de mão sincero. Ele falou com Harry e Lídia traduziu, dizendo que ele estava feliz em recebê-lo junto à família para a tradição do *Song Kran*.

— Por favor, diga ao seu tio que estou honrado por estar aqui — respondeu Harry enquanto Tong o ajudava a entrar no barco, e eles partiram para Koh Chang.

Durante a jornada, cruzando o calmo oceano, o Sol poente mergulhou de maneira repentina na água e a luz começou a diminuir. Depois de quinze minutos, eles alcançavam a costa e a escuridão havia chegado. Tong esticou a mão e pegou dois lampiões a óleo. Lídia olhou animada para Harry quando o tio o ajudou a pisar em terra firme e ele sentiu o toque macio da areia sob os pés.

— Bem-vindo, Harry, à ilha natal do meu pai — Lídia sorriu.

Era difícil para Harry reconhecer o cenário ao redor porque estava uma noite escura, mas ele sabia que estavam caminhando por uma praia. Protegidas entre altas palmeiras, havia cabanas de madeira iluminadas pelo brilho suave dos lampiões a óleo. Ao se aproximarem, um grupo de crianças e uma mulher idosa atravessaram a areia até eles. Gritaram saudações para Lídia e ela correu para abraçá-los. Harry a viu ser cercada pelos braços da senhora e presumiu que fosse sua avó. Quando Lídia se virou para ele, o lampião refletiu o brilho nos olhos dela.

— Harry, conhecer minha família. Eles muito felizes que você estar aqui para celebrar o *Song Kran* com a gente.

Harry conheceu a família toda: a avó e o avô de Lídia, seu tio e sua tia e os quatro filhos, e mais uma tia e o marido com três filhos.

Harry recebeu uma garrafa de cerveja de Tong. Sentou-se em uma das esteiras na areia e foi logo cercado por pequenos sobrinhos e sobrinhas. Todos falavam um pouco de inglês e dispararam perguntas para ele sobre lutar na guerra e se ele havia matado algum japonês. Ele respondeu da melhor forma que pôde, sem ter certeza se eles entendiam muito do que dizia, mas ficando bom na mímica. Quando apontou uma arma fictícia a um soldado japonês fictício, as crianças saíram correndo pela praia, gritando "bangue, bangue!" e apontando armas imaginárias.

Lídia saiu da escuridão e se sentou com graça ao lado de Harry.

— Hoje você dormir aqui na cabana na praia. Minha tia, ela preparar para você agora.

— Obrigado — ele respondeu. — Onde você vai ficar?

— Na casa da minha avó, na vila atrás da praia.

— E quem mora aqui? — ele quis saber.

— Meu tio Tong, a tia Kitima e os filhos. Ele ser pescador, então gostar de ficar perto do trabalho. Eles construir grande casa na vila agora e um dia ir morar lá.

— Eu ficaria bem aqui — ele murmurou olhando para a Lua.

Ele havia estudado seu ciclo por falta de algo melhor a fazer naquelas longas noites em Changi. Pelo tamanho e formato naquele momento, Harry sabia que estaria cheia no dia seguinte, no mesmo horário. Podia ouvir as ondas quebrando com suavidade na areia, a apenas cinquenta metros deles.

— É maravilhosamente calmo — ele acrescentou.

— Eu ficar feliz que você gostar. Estar pronto para comer agora? — Lídia apontou para o fogo e a fumaça, e a grelha com peixes gordos e frescos sobre eles. Harry concordou e se levantou.

Todos se sentaram juntos em uma longa mesa de madeira, as crianças em volta dos adultos sentadas em esteiras, e comeram os melhores peixes que Harry já provara na vida. As crianças pegaram cocos enormes e beberam a água deles com prazer. Ele não conseguia entender a maior parte da conversa, ainda assim, a linguagem de uma família feliz, carinhosa e confortável era universal. Lídia estava sentada entre os avós e com frequência olhava para ele, perguntando com os olhos se ele estava bem. Ele sempre sorria de volta: estava bem.

Cerca de uma hora depois, Harry sentiu o cansaço do dia dominá-lo. Ele bocejou, mas tentou disfarçar.

Lídia reparou no mesmo instante e sussurrou para a tia do outro lado da mesa, que bateu palmas. As crianças ao redor ficaram em silêncio. Ela falou com eles e eles balançaram a cabeça, tristes, sabendo que o tempo de diversão na praia estava chegando ao fim e deveriam ir para a cama. Lídia se aproximou de Harry.

— Minha tia mostrar onde você dormir — ela disse. — Eu vir buscar você amanhã, ok?

— Não tem pressa nenhuma, Lídia. Por favor, se divirta com sua família. Estou muito feliz por estar aqui. E a sua família está sendo muito hospitaleira. Por favor, agradeça a eles por mim.

— Ora, Harry, você poder dizer isso sozinho — ela incentivou.

— Sim, é claro. *Kopkhunkrup*[11] — ele disse e fez uma reverência um tanto dura.

Os sorrisos que recebeu eram de afeto e apreço, não desprezo. Ele seguiu a tia de Lídia pela praia e ela indicou a última cabana. Ela retribuiu o esforço dele com um inglês vacilante.

— Senhor Harry, nós contentes... Receber você.

— Obrigado — ele completou, virando a maçaneta de madeira da cabana. — Boa noite.

Ele entrou, fechou a porta, se virou e viu que a cabana estava vazia, exceto por um colchão no chão, um lençol recém-lavado e uma tela contra mosquitos. Exausto demais para tirar a roupa, deitou na cama e pegou no sono imediatamente.

---

11. Em tailandês, no original, significa “obrigado”. (N. E.)

[CAPÍTULO 38]

Quando Harry acordou com uma leve dor no quadril por causa do colchão fino, passou por um instante de pânico. Depois, se lembrou de onde estava e abriu os olhos. O aposento ainda estava às escuras, a única luz vinha de uma pequena janela de tela voltada para as palmeiras atrás da cabana. Harry se espreguiçou, se levantou e foi abrir a porta.

Ele suspirou quando olhou para a vista que o recebeu. Estava em uma praia magnífica, a areia branca e fina se estendia em uma curva e terminava em uma península elevada e cheia de árvores. Ela acabava suavemente em um mar azul, profundo e calmo. Ele olhou para a esquerda, depois para a direita, e não viu outra alma viva.

Harry ficou apenas com as ceroulas e correu pela areia quente para pular no mar. Nadou com vigor por um tempo e, depois, se virou e ficou deitado, olhando primeiramente para o céu azul perfeito, e, depois, para a terra, onde coqueiros se curvavam e balançavam em um movimento idílico, emoldurando a praia. Atrás dela, se estendendo a distância e cobertas por nuvens, estavam as montanhas da selva, formando o que devia ser uma terra remota intransponível.

Ele ficou flutuando por bastante tempo, mal acreditando que aquele paraíso era dele e só dele. Por fim, saiu do mar e se jogou sobre a areia quente e branca, eufórico com a beleza incrível daquele lugar mágico.

Ele viu uma figura pequena segurando um guarda-sol e caminhando em sua direção. Era Lídia, com uma expressão preocupada

— Você estar bem, Harry? — ela perguntou. — A gente pensar que você ir embora, mas depois a gente ver suas roupas — ela sorriu com timidez.

Constrangido por ela tê-lo surpreendido usando as folgadas ceroulas, Harry se levantou e andou depressa até a cabana.

— Eu resolvi dar um mergulho — ele explicou. — Lídia, essa praia é o lugar mais maravilhoso que já vi na vida.

O rosto dela se iluminou.

— Eu feliz que você gostar, Harry. Ser boa para ter paz, não?

— Puxa, com certeza — ele balançou o dedo na direção dela. — Estou avisando, talvez eu nunca mais queira ir embora.

— Então você dever ser pescador — ela disse, entregando as roupas para ele.

— Você querer um banho? — ela perguntou. — Ter um cano de água atrás da cabana do meu tio e da minha tia e pano para você se secar. Eu esperar aqui — Lídia se sentou na entrada da cabana.

Harry voltou cinco minutos depois, se sentindo refrescado depois de um jorro de água limpa e fria.

— Agora, a gente caminhar até a vila e eu levar você para a casa da minha avó, ok? — ela segurou a mão dele e a apertou. — E feliz *Song Kran*, Harry.

Ele adorou o toque dos dedos dela nos dele.

— Para você também — Harry respondeu, de repente, desesperado para tomá-la nos braços e beijá-la.

Eles andaram por um caminho estreito de areia durante dez minutos até chegarem à vila. Quando viraram na poeirenta rua principal, os dois foram molhados por um balde de água virado por duas crianças, que gritaram de felicidade por sua pontaria.

— Mas que diabos! — Harry exclamou, pego de surpresa pela água fria.

Lídia estava fazendo o impossível para se secar. Ela riu.

— O *Song Kran* ser um momento de limpeza, de tirar a sujeira do passado e ficar novo e fresco para o futuro. Olhe...

Harry olhou para onde ela apontava. Por toda a rua poeirenta, havia pessoas de várias idades segurando uma variedade de utensílios, jogando água em qualquer transeunte sem sorte no caminho.

— Hoje ser um dia em que você nunca sentir muito calor — disse Lídia, rindo — e não ficar muito seco também!

Ela estava subindo os degraus até uma casa de madeira construída sobre estacas. Na varanda, havia uma porção de baldes e tinas cheios de água.

— Esta ser a casa dos meus avós — Lídia explicou —, e, agora, você precisar jogar um pouco de água, assim. Viu?

Ela pegou um dos baldes e jogou a água na rua. Harry fez o mesmo e conseguiu acertar um garotinho, que gritou de alegria enquanto tirava a água dos olhos.

— Desculpe — gritou Harry, cheio de culpa.

— Não! — Lídia balançou a cabeça. — Você não dever pedir desculpa! Quanto mais gente você acertar, mais sorte no ano novo.

— Entendi — disse Harry.

Lídia o levou para dentro da casa até a cozinha nos fundos, onde três ou quatro mulheres estavam ocupadas preparando legumes, peixes, macarrão e sopa para mais tarde.

— Harry está aqui — ela avisou a avó, que se virou e abriu um sorriso largo e sem dentes para ele. — Você ver, a gente fazer banquete especial para o almoço. Ser tradição.

— Obrigado. Posso ajudar em alguma coisa? — Harry perguntou.

— Não, você ser convidado. E os tailandeses nunca pedir para homem fazer trabalho de mulher. Você ficar aqui e relaxar, ok?

Ela voltou para a cozinha e Harry se sentou na varanda, assistindo ao ritual da água na rua abaixo. O som de risadas e a sensação de alegria que permeava a vila eram animadores. Embora aquela pequena comunidade, à deriva no meio do mar, não tivesse muitas posses materiais, ele sentia o calor humano. Tendo visto apenas o lado brutal da humanidade por quatro longos anos, aquela visão fez escorrer uma lágrima do seu olho. Quando Lídia reapareceu, ela estava segurando uma grande cesta de frutas e legumes.

— A gente ir fazer uma visita, Harry, para levar presente de *Song Kran* para os velhos e doentes da vila. Você vir comigo?

Harry se levantou.

— É claro. Deixe que eu levo isso — ele segurou a pesada cesta sobre o braço e seguiu Lídia escada abaixo.

Passaram a hora seguinte entrando e saindo de casas de toda a vila. Lídia incentivou Harry a juntar as mãos no *wai* e pronunciar o cumprimento tradicional "*Sawadeekrup*". Ela explicou que eles ofereciam presentes aos mais velhos que, em troca, se ofereciam para limpar suas almas e perdoar os erros do passado.

Harry achou aquela tradição muito mais agradável e abrangente que a comunhão e a solitária cabine católica para confissões. Viu Lídia se ajoelhar ao lado de um velho frágil e conversar animada com ele. Ela pegou a mão daquele senhor e fez um carinho delicado nela.

Enquanto caminhavam de volta para a casa dos avós dela, longas mesas estavam sendo colocadas no centro da rua em preparação para o banquete. Os rostos familiares que ele conhecera na noite anterior estavam reunidos. Dois monges do templo local estavam com eles, resplandecentes em suas vestes de açafrão. Harry olhou para as mesas de famílias dispostas em uma longa fila pela rua. Parecia que todos os moradores estavam presentes.

Ele provou todos os pratos oferecidos. Depois, sob coerção, jogou futebol com algumas crianças na rua e foi molhado por incontáveis vezes. Quando a noite chegou, o avô de Lídia se levantou e fez um discurso. O clima mudou rapidamente quando o velho senhor falou e deixou as lágrimas escorrerem sem restrição pelo rosto. Harry olhou ao redor, para os outros parentes de Lídia, e viu que eles também tinham lágrimas nos olhos. Depois, um dos monges se levantou e cantou com uma voz melódica e aguda.

O ar sombrio não durou mais de quinze minutos e, quando os moradores da vila começaram a se dispersar para se recuperarem da festa, Lídia deixou seu lugar à mesa e se aproximou de Harry.

— *Khun* Harry, você estar cansado agora, não? Eu levar você para casa.

Depois de uma rodada de agradecimentos e muitas reverências, Lídia e Harry deixaram a vila e voltaram para a cabana na praia.

— Por que seu avô estava chorando? — ele perguntou com delicadeza.

— Ele falar do meu pai — Lídia respondeu, triste. — A gente lembrar dele nesse dia especial e desejar que a alma dele ficar bem. O monge dizer que ele vai ficar bem porque ele aprender a lição do sofrimento nessa vida. Quando ele voltar na próxima vida, talvez a lição ser menos difícil. Os budistas acreditar nisso.

— Deve ser reconfortante acreditar que o sofrimento tem uma finalidade além da nossa vida — ponderou Harry. — Se for verdade, muitos dos que sofreram e morreram em Changi serão bastante felizes da próxima vez.

Ela olhou para ele.

— Você acreditar no seu Deus?

— Bem, nunca me explicaram muito bem quando eu era criança — ele admitiu. — Era apenas algo em que eu tinha de acreditar. Todos os domingos em casa e todos os dias na escola eu ia à capela. Eu só achava muito entediante sentar quieto, cantar músicas chatas, ouvir um velho falar e tomar chá de cadeira. E tudo por alguém que eu não podia nem ver ou sentir e parecia não fazer nada, mas ainda assim tinha de ser adorado.

— O que ser "chá de cadeira"? — Lídia perguntou.

A dúvida fez Harry sorrir.

— É uma expressão — ele explicou. — Quando eu estava em Changi, muitos dos homens começaram a acreditar em Deus. Talvez precisassem acreditar em alguma coisa. Mas eu... — Harry balançou a cabeça e suspirou. — Eu achava difícil acreditar que qualquer deus bom pudesse fazer homens inocentes sofrerem como aconteceu lá.

Lídia concordou balançando a cabeça.

— Eu também, quando meu pai morrer, não achar conforto na fé. Eu pensar comigo mesma, talvez ele ir para um lugar melhor, mas e eu? Eu perder meu pai antes de estar pronta. Mas, agora — ela acrescentou em voz baixa —, eu aceitar.

— A família do seu pai sabe que sua mãe vai para o Japão? — questionou Harry, quando chegaram à praia.

— Não. Ser melhor assim. Isso poder causar muita dor e eles já sofrer bastante, perder o filho. Eles ser de um mundo diferente, aqui em Koh Chang, não iria entender — Lídia suspirou e conseguiu abrir um sorriso fraco. — Às vezes, Harry, a vida parecer difícil.

— Eu sei — ele concordou, olhando para a Lua cheia brilhando no mar, dando às ondas um brilho prateado. — Mas em Changi, quando perdi minha fé na humanidade, coloquei minha fé na natureza — ele apontou o cenário em frente, abrindo os braços. — Alguém deve ter desenhado e criado essa beleza, com toda sua extraordinária complexidade.

— Então você ser budista já. A natureza alimentar a alma — Lídia concordou enquanto os dois observavam a Lua juntos.

Caminharam pela areia, passaram a cabana vazia que pertencia aos tios de Lídia em que ele estava hospedado e pararam do lado de fora. Lídia sorriu para ele.

— Espero que você dormir bem e em paz essa noite, Harry — ela disse. — Até amanhã.

Quando ela se virou para ir embora, ele não conseguiu mais se controlar. Segurou o braço dela e a puxou para si.

— Ah, Lídia, Lídia...

Ela não resistiu quando ele a tomou nos braços e descansou a cabeça no ombro dele enquanto ele acariciava seu lindo cabelo.

— Minha querida, querida Lídia, preciso lhe dizer algo porque, se não disser, vou explodir — ele riu. — Por isso, me perdoe. Acho que me apaixonei por você no instante em que a vi no hotel, segurando uma vassoura! Eu a amo, Lídia, eu a amo muito, muito — ele continuou a fazer carinho no cabelo dela enquanto as palavras que ele ansiara por dizer escapavam de sua boca. — Não sei por que nem como isso aconteceu e sei que viemos de mundos diferentes, mas, por favor, me perdoe, eu preciso lhe dizer isso, porque sinto que estou enlouquecendo.

Lídia ficou parada em silêncio, sem sair do ombro dele. De repente, o alívio de contar a ela combinado com o silêncio (que podia indicar que ela não sentia o mesmo) foi demais para ele. Harry desmontou. Soluçou como uma criança e suas mãos caíram para longe dela.

— Sinto muito, Lídia... Eu...

— Harry, Harry, tudo bem... Vem.

Ela pegou a mão dele, o levou até o degrau da frente da cabana e o sentou lá, então, ela se sentou um pouco atrás dele, colocou os braços em torno dos ombros de Harry, apoiou a cabeça dele em seu peito e acariciou seu rosto enquanto ele chorava.

Ele chorou pelo seu sofrimento, pelo sofrimento daqueles que tiveram mortes tão terríveis e sem sentido. Chorou por sua mãe e Olívia e Wharton Park, e pela bagunça que tinha feito em sua vida até então. Mas, acima de tudo, porque havia encontrado a coisa mais bonita do mundo e ela não podia ser sua.

— Harry, Harry — Lídia murmurou. — Eu estar aqui, eu estar aqui. E eu... — ela sussurrou algo em tailandês. Ele olhou para ela, a visão embaçada pelas lágrimas.

— Não entendi o que você disse, minha querida — ele enxugou os olhos de qualquer jeito para poder focá-la. Ela também tinha lágrimas nos olhos. Baixou a cabeça, tímida.

— Eu dizer... Eu amar você também.

Ele olhou para ela surpreso e, então, conseguiu dizer com a voz fraca:

— É verdade?

Lídia confirmou com a cabeça. Depois, ela olhou para ele e sorriu com tristeza.

— O mesmo comigo. Quando eu ver você pela primeira vez... Eu... Eu não ter palavras para explicar.

— Ah, minha menina querida — Harry disse entre soluços enquanto a abraçava e beijava com paixão. Tinha de se controlar porque não queria machucar os lábios delicados ou apertar com força demais o corpo frágil dela. O desejo que sentia por ela o assustava pela intensidade, a firmeza de seu membro era violenta e ele sabia que tinha de soltar Lídia antes que perdesse o controle completamente. Com toda a força de vontade que tinha, fez seus lábios se afastarem dos dela e se sentou ao seu lado, a envolvendo em seus braços, ofegante. Tinha pouca noção de quanto tempo se passara enquanto acalmava o corpo e se contentava com o fato de, finalmente, ter Lídia em seus braços.

— Harry, eu precisar ir — ela disse em certo momento.

— Eu sei — ele a beijou nos lábios mais uma vez, se forçando a controlar sua necessidade de muito mais. Quando ela se levantou, olhou para ele pensativa.

— Eu nunca acreditar que isso acontecer comigo.

— O quê?

— Eu me apaixonar. Sentir isso... Aqui — ela apontou para o coração. — Minha avó, ela dizer que amar de verdade outra pessoa ser como achar o paraíso na Terra.

— Ou o inferno — Harry murmurou ao se levantar e a abraçou uma última vez.

— Não consigo deixá-la ir.

Ela se afastou dele e estendeu a mão delicada. Ele a envolveu na sua e, depois, beijou a palma delicada dela.

— Eu voltar amanhã — ela disse, tirando sua mão da dele. — Boa noite, Harry.

— Boa noite, meu amor — ele sussurrou enquanto a via partir à luz do luar.

Harry acordou ao nascer do Sol, cheio de animação para ver Lídia. Para passar o tempo, até que ela chegasse, ele foi caminhar na praia e mergulhou no calmo oceano turquesa. Por fim, quando cada minuto começou a parecer uma hora, Lídia chegou. O olhar dela o avisava para não a abraçar, seus sobrinhos e sobrinhas estavam brincando na praia em frente à cabana dos pais. Ele, então, fez um aceno educado da cabeça.

— Bom dia, Lídia. Dormiu bem?

— Sim, Harry — os olhos dela brilhavam de alegria com o jogo secreto deles. — Eu pensar que, hoje, você poder querer ver as cachoeiras nas montanhas no centro da ilha. Ser muito bonito e você poder nadar na água fresca. Sim?

— Sim — concordou na hora. Ele aceitaria qualquer chance de ficar sozinho com ela.

Lídia montou uma cesta com água, cerveja e algumas frutas frescas da cabana da tia, e eles andaram para além da vila em uma trilha morro acima.

Quando estavam sozinhos, cercado pela selva, e Lídia se sentia à vontade longe de olhos bisbilhoteiros, ela estendeu a mão e deu um beijo delicado na bochecha dele como um sinal. Os braços de Harry imediatamente a envolveram e ele a beijou.

— Vem — ela disse, se soltando dele. — Não estar longe agora e a gente poder ficar confortável.

Vinte minutos depois, com os pés arranhados e mordidas de todos os tipos de insetos que espreitavam debaixo da terra, Harry entrou na clareira de uma cachoeira e ouvia o som da água que caía da montanha. Ele olhou para uma lagoa fria e límpida cercada por uma vegetação deslumbrante. Lídia tirou uma esteira de bambu da cesta, Harry se estirou sobre ela e pegou um pouco de água. Ele soprava e ofegava como um senhor de meia-idade.

— Desculpe, querida, ainda tenho de recuperar minha força física.

Lídia se ajoelhou como um Buda pequeno e delicado ao lado dele e lhe deu algumas frutas.

— Você comer isto. Eu entender. Seu pobre corpo, ele precisar de descanso e paz para recuperação. Mas — ela completou, mostrando o magnífico cenário —, eu achar que valer a pena, não?

Um barraco em um bairro miserável teria sido suficiente para Harry, desde que Lídia estivesse ao seu lado, mas ele concordou com a cabeça.

— É maravilhoso mesmo. Agora, minha querida, venha aqui.

Ela deitou a cabeça nos joelhos dele e os dois conversaram como amantes, ansiosos para descobrir como e quando aquele sentimento mútuo havia começado e, depois, se desenvolvido. Depois, ele se deitou e ela se esticou ao seu lado e se aconchegou nele. Ele a beijou nos lábios, bochechas, cabelos e, sem conseguir resistir, sua mão começou a descer para explorar partes dela que, até então, ele só havia alcançado com a imaginação.

Quando desabotoou sua blusa, ela não o interrompeu. Na verdade, parecia ansiosa para que a mão dele acariciasse seus seios pequenos e perfeitos, e para que ele descesse com seus lábios e os beijasse. O corpo dele estava mais calmo naquele dia e ele não teve pressa enquanto explorava cada parte da pele macia, cor de mel. Abriu os três botões que separavam seu peito do dela e tirou a camisa, fazendo com que as peles nuas deles se tocassem pela primeira vez.

Harry sentiu um arrepio percorrê-lo. Descendo a mão, colocou a palma com delicadeza onde sonhara por semanas. Uma mão tímida procurou os laços que prendiam as calças dele.

Enfim eles estavam completamente despidos, ele quente e apertado contra ela. Suas bocas estavam unidas enquanto suas mãos deslizavam para experimentar, tocar e aprender. Por fim, incapaz de se conter por mais tempo, Harry se ergueu sobre ela e a olhou nos olhos.

— Lídia, por favor, me diga se não quiser...

Ela levou um dedo aos lábios dele para interrompê-lo.

— Harry, eu querer, eu amar você. E eu confiar em você.

Ele entendeu que ela estava dizendo que aquilo era novo para ela, que ele seria o primeiro. Gentilmente, ele entrou nela. Curvou-se na direção do rosto dela, beijando-a com suavidade e pedindo que ela avisasse se doesse que ele pararia. Quando a penetrou mais fundo, ela olhou em seus olhos e eles subiram e caíram juntos conforme a delicadeza se transformava em urgência e ela o encontrava com a mesma necessidade apaixonada, até que Harry gritou o nome dela para os céus enquanto se afogava na dor e no prazer do êxtase. Então, com o pequeno corpo nu dela entrelaçado ao dele, Harry pensou ter, realmente, visto o rosto de Deus.

[CAPÍTULO 39]

Eles começaram a viagem de volta a Bangkok na manhã seguinte com Harry sentado no barco de Tong, olhando para a ilha que havia recuperado sua fé na beleza e na santidade da vida. Rezava apenas para que voltasse a vê-la um dia.

No trem, Harry ficou com os braços ao redor de Lídia. Ela parecia tão pequena, era tão leve. Ele caiu no sono algumas vezes, mas acordou assustado, pois não queria perder os últimos preciosos momentos em que ela era completamente dele.

Separaram-se perto do hotel, fingindo que nem se conheciam, pois Lídia tinha medo de que alguém a visse com ele.

— Até amanhã, meu amor — ele murmurou, cheirando o cabelo dela.

— Até amanhã — ela respondeu, voltando para o *tuk-tuk* em direção à sua casa.

Naquela noite, Harry agradeceu pela distração oferecida pelo piano e a atmosfera alegre do bar. Porém, mais tarde, embora já passasse da meia-noite e ele estivesse cansado da longa viagem, não teve vontade de dormir. Caminhou até o rio, fumou um cigarro e repassou na cabeça cada momento dos últimos três dias.

Ele caminhou por algum tempo, querendo muito ficar no casulo do que tinha acontecido, mas sabendo que a realidade estava se aproximando. A verdade era que tinha dez dias antes de o navio partir para casa. E tudo acabar.

Era um pensamento insustentável.

Harry andou devagar de volta para o quarto, deitou na cama e tentou dormir, mas, quando Sol apareceu pelas frestas da janela, ainda não havia descansado.

Ficava dizendo a si mesmo para deixar de ser covarde e lembrar que era um homem casado com responsabilidades. Não apenas com sua família, mas com os empregados da propriedade e as famílias deles, pessoas que, um dia, dependeriam dele. Ainda assim, ele não podia ignorar as incríveis mudanças em si mesmo desde que fora mandado para o exterior, quatro anos antes. Ele sobrevivera a privações e brutalidades inimagináveis para qualquer civil. E, depois, se apaixonara pela primeira vez, não apenas por Lídia, mas pelo país e o povo. Como poderia deixar para trás tudo aquilo? Ou ela?

Sentindo-se culpado, Harry se virou e se forçou a encarar o fato de que mentira para Lídia. Se tivesse dito a ela que era casado, ela quase certamente não teria se entregado a ele como havia feito. "Eu confiar em você, Harry..." Ele gemeu, percebendo o canalha que fora. Conforme o novo dia chegava, Harry, por fim, adormeceu com seu tormento ainda não resolvido.

Nos três dias seguintes, Lídia e Harry se encontravam sempre que podiam. Ela se recusava a ir ao quarto dele, deixando-o muito frustrado. Ele teve de se contentar com beijos rápidos à mesa de madeira onde passavam o horário do almoço e passeios de mãos dadas quando ela o levava para perto do rio depois de deixar o trabalho. Ela estava distraída com a iminente mudança da família para o Japão e Harry não sabia como começar a lhe contar o que devia. Em vez disso, ele a abraçava sempre que podia, lhe deixava bilhetinhos de amor na recepção e estava disponível sempre que ela tinha tempo para vê-lo.

Certa tarde, menos de uma semana antes de Harry partir, Giselle o parou no lobby e lhe entregou um telegrama.

— Obrigado — ele murmurou e fez menção de sair andando.

— Capitão Crawford, vamos conversar no meu escritório, *oui*?

— É claro.

Ao segui-la, ele se sentiu como um garoto travesso prestes a tomar uma bronca da professora. Giselle fechou a porta e sorriu para ele.

— Parece que a Tailândia o enfeitiçou, *n'est-ce pas*? E uma jovem mulher em especial — ela pegou um dos bilhetes que ele enviara à Lídia e sacudiu na frente dele. Harry corou e balançou a cabeça.

— Sim. E — ele acrescentou para se defender — estou apaixonado por ela.

— Foi o que percebi — Giselle devolveu o bilhete para ele.

— Pegue, é seu. Capitão Crawford...

— Harry, por favor — ele pegou o bilhete e o guardou no bolso das calças.

— Harry — Giselle se corrigiu —, não costumo interferir em assuntos do coração. Mas você entende que estão correndo o risco de Lídia perder o emprego aqui? É terminantemente proibida, para os membros da equipe, a confraternização com hóspedes.

— Sinto muito, Giselle. Não fazia ideia. Por favor, não a demita. Ela precisa do trabalho, a mãe dela...

Gisele ergueu a mão para interrompê-lo.

— Sei tudo sobre a família de Lídia. E é por isso que preciso arrumar uma solução. Sei que é inútil e cruel impedir que dois jovens adultos fiquem juntos. Lídia está apaixonada por você, Harry. Vejo nos olhos dela o dia inteiro. Me desculpe, mas estou preocupada com ela. Você partirá para a Inglaterra logo mais, não?

Harry afundou em uma cadeira. Balançou a cabeça desesperado.

— Simplesmente não sei.

— Entendo. Imagino que Lídia não saiba que você tem uma esposa.

Ele corou.

— Sebastian contou a você?

— *Ehn, oui* — Giselle confirmou com tristeza.

— Não, ela não sabe, mas, acredite, meu casamento é apenas no papel. Por causa de — Harry continuou e encolheu os ombros — quem eu sou, tive de casar antes de partir para a guerra, para tentar garantir o futuro da propriedade da família com um herdeiro. Infelizmente, minha esposa perdeu a criança que estava esperando.

— Eu compreendo — afirmou Giselle. — É parecido com o que acontece na França, com as famílias aristocráticas e os planos para o futuro. E Lídia não sabe nada sobre sua... Linhagem?

— Não.

Ela suspirou.

— Pergunto isso como alguém que se importa com Lídia. Para você, ela é uma diversão, uma distração antes de voltar para casa?

Harry olhou no fundo dos olhos de Giselle.

— Não. Se eu pudesse, ficaria aqui pelo resto da vida. Mas o que posso fazer?

— Harry, não sou eu quem vai responder — ela suspirou novamente. — Talvez você deva contar a verdade à Lídia.

— Como posso fazer isso? — ele murmurou. — Ela confiou em mim e eu menti para ela.

Giselle o observou em silêncio.

— Bem, talvez você possa explicar a ela suas responsabilidades e talvez ela o ame o bastante para entender. Aqui na Tailândia, e no mundo todo, coisas desse tipo acontecem.

— Não sei como posso voltar para casa. Duvido que consiga viver sem ela — ele respondeu, sem forças.

Giselle estendeu a mão e deu uma batidinha amigável no ombro dele.

— Bem, eu não posso lhe dizer o que fazer, só você pode decidir. Mas, pensando no meu hotel e em Lídia, tenho uma sugestão para vocês dois. Enquanto você ainda está aqui, quero empregá-lo como membro oficial da equipe. Você será o pianista residente, em troca da hospedagem. Comida e bebida serão à parte, é claro. Dessa maneira, como funcionário, vocês ficam livres para passarem o tempo juntos. Lídia também virá morar aqui quando a família dela for para o Japão, até encontrar outra moradia. Talvez isso torne a situação mais fácil para todos, *n'est-ce pas*?

Harry estava tão desacostumado com gentilezas que seus olhos ficaram molhados de lágrimas.

— Obrigado, Giselle. Se isso torna tudo mais fácil para você e para Lídia, fico muito grato.

— *Oui*! Está acertado — Giselle se levantou. — Você vai viajar para a Inglaterra daqui a uma semana?

— Sim — ele confirmou, triste. — A menos que...

— Apenas você pode decidir, Harry — ela comentou.

— Eu sei — ele a seguiu até a porta. — Obrigado, Giselle. E, posso fazer uma pergunta?

— É claro.

— Se eu decidir ficar, você gostaria que eu continuasse trabalhando aqui?

— Harry — ela respondeu sorrindo —, eu ficaria muito feliz. Você é um pianista muito talentoso e traz dinheiro para o meu bar.

— Obrigado — ele disse com gratidão e a seguiu até o lobby.

Nas vinte e quatro horas seguintes, Harry se debateu com seu terrível dilema. Ele estava convencido, de corpo e alma, de que Lídia era a mulher com a qual queria passar o resto da vida. Era sua outra metade, a parte que o fazia melhor e mais forte, sua salvação, seu amor.

Ele sabia que as outras pessoas tentariam convencê-lo do contrário, citando os traumáticos três anos e meio em Changi, a mística de uma mulher exótica, que era uma fase de passagem e que ele logo a superaria. Diriam que ele mal a conhecia, que não tinham nada em comum, que nunca poderia durar porque vinham de mundos tão diferentes. Tudo isso era verdade e seu lado lógico aceitava. Mas sua alma, não.

Por fim, Harry chegou a uma decisão. Ele tinha de voltar para casa, era justo e decente que, pelo menos, o fizesse. Diria à família a verdade sobre a mulher que conhecera e sobre seu amor por ela. Diria ao pai que, quando ele morresse, a propriedade poderia ser entregue ao seu primo Hugo, irmão de Penélope. E pediria o divórcio à Olívia.

Depois, voltaria para a Tailândia, para o país que o enfeitiçara e a garota que amava. Trabalharia como pianista, livre para ser ele mesmo pela primeira vez na vida. Lídia e ele encontrariam uma casinha e viveriam sem nenhuma posse material, mas com honestidade e amor verdadeiro.

Harry sorriu ao entrar no lobby, procurando por Giselle. Se alguém tivesse lhe dito, quando chegara há seis semanas, que ele estaria pronto para abrir mão de sua herança, do amor dos pais e da esposa por uma menina tailandesa, ele não teria acreditado. Porém, agora que a decisão estava tomada, nunca tivera tanta certeza de nada na vida. Giselle estava sentada atrás do balcão e lhe dirigiu um meio sorriso quando ele entrou.

— Já decidiu o que fazer?

— Sim — Harry afirmou, balançando a cabeça. — Vou pegar a passagem para casa.

Giselle ergueu as sobrancelhas e, depois, suspirou.

— Harry, eu entendo, mas ficarei triste em vê-lo partir.

Harry apoiou as duas mãos no balcão e se inclinou na direção dela.

— Giselle, vou para casa porque preciso fazer o que é certo e explicar pessoalmente o que aconteceu comigo. Mas, logo que puder, voltarei para cá. Então, ficarei muito grato se você puder segurar meu emprego no bar. Não passarei mais de três meses fora.

Giselle tirou os óculos de leitura e olhou para ele em choque.

— Harry, tem certeza? É muita coisa para abrir mão.

— Eu amo a Lídia, Giselle, e posso garantir que abrir mão da minha herança será um alívio divino. Nunca fui feito para essa vida de nobreza.

— E sua esposa? — ela perguntou com delicadeza.

— Não posso viver uma mentira. Seria justo com ela? Como posso lhe dar o que merece de mim se eu amo outra mulher?

— Você contará a verdade?

— Sim — Harry apertou os dentes. — Eu preciso. É justo.

— Você entende o quanto será difícil?

— Sim, entendo. Mas farei isso.

O olhar de Giselle ficou menos duro quando ela viu a determinação no rosto dele.

— Então, ficarei feliz em recebê-lo de volta quando você retornar.

— Obrigado. E, agora — ele acrescentou —, devo contar à Lídia.

Naquela noite, quando Lídia terminou o trabalho, Harry a procurou.

— Querida, precisamos conversar. Em particular.

Lídia balançou a cabeça.

— Não, Harry, eu precisar ir agora. Minha mãe ir para o Japão amanhã. Hoje, eu dever me despedir dela e dos meus irmãos e irmãs.

— Ah, minha querida! — ele sabia que seria difícil para ela. — Então, conversaremos amanhã?

— Sim. A partir de amanhã, eu ficar no hotel — Lídia suspirou. — Harry, meus irmãos e irmãs ainda achar que eu ir com eles para o Japão. Minha mãe se recusar a contar que não.

— Vou estar ao seu lado — Harry a acalmou, queria abraçá-la. — Mas precisamos conversar.

A expressão dela escureceu.

— Você ter algo ruim para dizer?

— Ruim... Mas também muito bom, eu prometo. Lídia, venha até o meu quarto. Falei com a Giselle e ela vai fingir que não vê, já que agora eu sou funcionário do hotel — ele acrescentou, desesperado para ficar sozinho com ela e poder abraçá-la enquanto dava a notícia.

— Você funcionário? — ela arregalou os olhos com surpresa. — A gente conversar amanhã. Tchau, Harry — ela acenou enquanto andava apressada. — Toque bem essa noite.

— Tocarei — ele murmurou ao voltar para dentro, rezando para não perdê-la quando contasse a verdade.

[CAPÍTULO 40]

Depois de tocar no bar na noite seguinte, Harry ouviu uma batida leve na porta do quarto. Lídia entrou depressa, verificando se alguém a observava. Fechou a porta rapidamente, a trancou e correu para os braços dele.

— Minha menina querida, como eu senti falta disso — ele disse, abraçando-a bem perto de seu corpo.

Sentiu-a suspirar profundamente. Afastou-se dela e olhou em seus olhos.

— Sua família foi embora?

— Sim — ela suspirou no ombro dele.

— Foi ruim?

— Ah, sim. Meus irmãozinhos e irmãzinhas não conseguir entender por que eu não ir com eles. Eles se agarrar a mim e chorar e chorar — os olhos de Lídia se encheram de lágrimas. — Ser uma decisão tão difícil de tomar.

— Eu sei, querida, eu sei. Venha, vamos nos deitar e ficar abraçados — ele a levou até a cama e, enquanto a abraçava e acariciava, contornando seu rosto perfeito, ela falou de sua dor.

— Harry, estar certo eu continuar a esconder de meus avós?

— Às vezes, Lídia, você pode dizer uma verdade para machucar e uma mentira para proteger. Acredito que seja o que você fez. Mas é você quem vai carregar o segredo e o peso dele.

Harry falava com todo o coração, pensando que não podia contar sobre sua esposa naquela hora, quando Lídia estava tão vulnerável. E, talvez, ela não precisasse saber, de qualquer forma... "Uma mentira para proteger..." Ele com certeza iria para casa, faria o que tinha de fazer e voltaria para ela, livre para sempre, certo? Harry procurou as palavras para dizer o que devia.

— Minha querida, você acredita que eu a amo?

Ela levantou o rosto para olhar para ele com os olhos cor de âmbar inocentes e cheios de confiança.

— Sim, eu acreditar, Harry.

— E sabe que estou preparado para abrir mão de tudo e ficar com você? Para sempre?

Os olhos dela mostraram tristeza de repente.

— Não, eu não saber disso. Mas eu não me importar em perguntar sobre o futuro antes, já que eu poder não querer ouvir a resposta. Eu tentar aproveitar a beleza de cada dia, ser o jeito budista. Se você ter algo triste para me dizer, não hoje, Harry, por favor — ela implorou.

— Meu amor — ele a abraçou com mais força e a proximidade e vulnerabilidade dela causaram uma agitação no seu corpo. Ele a ignorou. — Sinto muito por conversar com você sobre isso agora, mas estamos ficando sem tempo. É um pouco triste, mas tem um final feliz, prometo.

— Eu entender — ela disse, sabendo que teria de ouvir o que ele tinha a dizer. — Você falar.

— Bem... — Harry envolveu as pequenas mãos dela nas suas e as apertou, como um talismã. — Vou lhe contar sobre mim.

Os olhos de Lídia estavam cheios de medo, mas ela concordou balançando a cabeça.

— Ok.

—Veja, na Inglaterra, eu sou filho de um lorde, o que eu suponho que seja como um príncipe para vocês aqui na Tailândia.

Ela arregalou os olhos.

— Você ser da realeza?

Harry pensou em como explicar.

— Não, mas minha família recebeu uma casa e um título há centenas de anos de um rei, por sua coragem e apoio. No lugar onde moramos, na Inglaterra, temos uma casa enorme e muitas pessoas trabalhando em nossa terra.

— Ah — ela balançou a cabeça —, você ser um nobre!

— Exatamente. E, quando meu pai morrer, eu, como filho único, devo assumir as responsabilidades pela propriedade.

— Eu entender.

— Lídia — ele continuou —, nunca quis essa vida. Mas nasci assim e, até recentemente, eu aceitava que teria de fazer isso.

— A família ser tudo — ela respondeu com simplicidade.

— Bem, é — ele disse, acariciando o cabelo dela — e não é. Quando eu estava em Changi, muitas coisas mudaram em mim. Eu entendo agora que a vida é muito curta e pode sumir em um piscar de olhos. Precisamos aproveitar ao máximo as coisas especiais que temos a sorte de achar. E eu encontrei você — ele olhou para ela, buscando seus olhos para que encontrassem os seus. — Ontem à noite, quando você se despediu das pessoas que ama, foi em parte por minha causa?

Em sua inocência, Lídia não hesitou.

— Sim — ela respondeu. — É claro.

— Bem, em uma semana, eu vou fazer o mesmo. Devo voltar à Inglaterra para dizer à minha família que não quero mais as responsabilidades de minha herança. Que me apaixonei por uma mulher daqui e quero retornar à Tailândia e ficar aqui pelo resto da vida.

Os olhos dela ficaram cheios de pânico e Harry a tranquilizou.

— Não ficarei mais de três meses fora e, depois, voltarei, livre para ficar com você aqui.

Harry estava acostumado a ver Lídia ficar em silêncio e expressar os pensamentos pelos olhos. Ele os observou com atenção enquanto passaram por uma variedade de emoções: medo, tristeza, felicidade repentina e, por fim, incerteza. Em certo momento, ela falou, devagar e compreensiva:

— Harry, você precisar pensar bem nisso. Abrir mão de seu país, de sua família e de sua casa ser uma grande decisão. Eu saber. Eu fazer isso, mas, pelo menos, eu ter mais aqui do que você. Talvez — ela suspirou —, quando você chegar à Inglaterra, você decidir ficar.

Harry balançou a cabeça com veemência.

— Isso não acontecerá. Não posso viver sem você.

— Talvez eu ir para a Inglaterra? — ela sugeriu.

Harry riu e balançou a cabeça.

— Minha querida, você não pode viver lá, não sobreviveria. Você é uma — ele procurou as palavras certas — flor de estufa. Você floresce no calor de sua terra natal. Eu nunca lhe pediria que sacrificasse seu país por mim.

Lídia ficou em silêncio por um tempo e, depois, disse:

— Mas você faria isso por mim?

Harry suspirou, tentando encontrar as palavras que ela entenderia.

— Para mim, é diferente. Eu estou no Oriente há quatro anos. Estou acostumado ao clima e às pessoas — ele segurou a mão dela e a apertou. — Por favor, entenda, não é um sacrifício, é o que eu quero. Ficar aqui com você, nos casarmos um dia, se você aceitar. E ver nossos filhos crescerem na terra à qual pertencem. Não é o que você quer também?

—Sim — Lídia balançou a cabeça —, mas é um grande sacrifício para você fazer. Por mim.

— Querida — ele a tranquilizou —, nós nascemos para ficarmos juntos. E eu posso me adaptar ao seu mundo muito melhor do que você poderia se adaptar ao meu, eu juro.

— Então — Lídia começou, criando coragem e com uma expressão confiante —, você dever ir para casa. E eu esperar até você voltar.

Harry a abraçou com força e a beijou.

— Eu vou voltar — ele prometeu, segurando o rosto dela com as duas mãos. — Acredite em mim, querida, vou voltar.

— Eu acreditar em você porque eu precisar — ela concluiu, com um suspiro e, depois, sorriu. — Agora, eu querer que você me contar sobre sua vida na Inglaterra. Eu querer saber quem você ser.

Assim, Harry a segurou nos braços e contou sobre si mesmo, a mãe, o pai e a Inglaterra. Descreveu os ventos congelantes que sopravam atravessando os ossos das pessoas no inverno e as agradáveis noites de verão, embora raras, que faziam o inverno valer a pena. Contou sobre a escola, sobre ter entrado para o exército e o quanto odiara aquilo. E, então, parou, pois seguir adiante significaria mencionar Olívia. Ele estava convencido de que seu casamento não era algo de que Lídia precisava saber. Os olhos dela se arregalaram enquanto ele falava.

— Talvez um dia você poder me levar lá. Mostrar a estufa de sua mãe e as lindas flores. Ela ter orquídeas? — Lídia perguntou.

— Não, acho que não — Harry admitiu.

— Então, quando você for para casa, eu mandar algumas orquídeas de presente para ela. Você poder dizer que ser presente meu, da sua flor de estufa.

Ele sorriu.

— Ah, Lídia! — Harry não podia mais se conter e a beijou. — Eu a amo, eu a amo muito.

Ela ficou entregue aos braços dele enquanto ele a despia, mas se dispôs com a mesma urgência que ele ao se lembrar de que tinham pouco tempo antes de Harry partir. Depois, eles dormiram, exaustos, em meio à montanha-russa emocional de suas existências duplas e a complexidade de tentar uni-las. Um pouco antes do amanhecer, Lídia se levantou e o beijou com delicadeza.

— Harry, eu precisar ir para o meu quarto antes de alguém reparar que eu sair.

— É claro — ele puxou o rosto dela para perto dele e a beijou com força. — Acredite, meu anjo, minha linda flor, não vou decepcionar você.

— Eu saber — ela respondeu, se vestindo em silêncio.

— Eu a amo — ele sussurrou quando ela se virou para sair.

— Eu o amo também — ela respondeu, fechando a porta.

No dias seguintes, com a aproximação da partida de Harry, eles aproveitaram todos os momentos juntos. Ele a encontrava na hora do almoço, quando podiam apenas conversar, embora o simples toque de um no outro fosse reconfortante para os dois. À noite, quando Harry voltava do bar, Lídia o estava esperando no quarto. Eles faziam amor com menos urgência então e, conforme a confiança de Lídia aumentava, ela se deliciava em encontrar novas formas de agradá-lo.

Harry sentia que não havia um centímetro dela que ele não houvesse beijado ou acariciado. Ele sabia perfeitamente cada dobra de pele, cada fenda que formava a sua perfeição. Embora ela tivesse pouco mais de 1,52 metro, seu corpo era proporcional. Seu torso era pequeno, seus magros quadris arredondados levavam a pernas longas e pés perfeitos e pequenos, que caberiam nas mãos dele. Ficavam deitados, ainda se tocando e se acariciando, falando languidamente das esperanças e sonhos para o futuro.

Quando ela o deixava pela manhã, Harry caía no sono contente. Ele entendia agora por que seus amigos em Changi ficavam lembrando os prazeres de fazer amor. Ficava corado ao pensar nas relações rápidas e mecânicas que tivera com Olívia. Era como comparar um janeiro desolado em Norfolk com o calor, as cores e a suntuosidade de um dia ensolarado na Tailândia.

Harry sabia, sem dúvida, que havia encontrado o que estivera procurando. Até então, toda a sua vida parecera sem sentido e seu sofrimento recente apenas ampliava a futilidade de sua existência. Ainda assim, em questão de semanas, ele e seu mundo tinham mudado, sem volta. Agora, olhava para um futuro com felicidade e esperança, e, depois de tomar a decisão de retornar a Bangkok para sempre, se acalmou e já aceitava a dor que causaria em si mesmo e em outras pessoas. Ele não sentia mais que cada amanhecer simplesmente anunciava outro dia a ser suportado. Pela primeira vez na vida, estava feliz de verdade.

Um dia antes de deixar Bangkok, ele enfrentou a claustrofobia e pegou o *tuk-tuk* até o mercado de rua a alguns quilômetros do hotel. Comprou sedas para a mãe e para Olívia e, para o pai, um lindo cachimbo chinês, feito de marfim. Depois, com os últimos *bahts*, ele escolheu um anel de prata para Lídia, com uma pedra âmbar que combinava com os olhos dela.

Harry já havia tocado pela última vez no bar, o que o deixava livre para passar a última noite com Lídia. Tomaram um barco rio acima até um restaurante pequeno na margem oposta, com uma plataforma sobre estacas e água batendo com suavidade sob os pés deles. À luz fraca de lanternas chinesas, Harry segurou a mão de Lídia sobre a mesa.

— Querida, tenho um presente para você. É uma promessa de que em breve estarei de volta para sempre — ele abriu a caixa e colocou o anel âmbar no anelar dela. — Quero me casar com você assim que puder. Você aceita?

Os olhos de Lídia se encheram de lágrimas.

— Harry, você saber que eu dizer sim — ela olhou para o anel, sorrindo, e estendeu a mão à sua frente para admirá-lo no dedo. — Ser o presente mais lindo que já ganhei.

Naquela noite, nenhum dos dois dormiu. Fizeram amor, falaram sobre o futuro e onde morariam quando ele voltasse, os dois aproveitando o momento e sabendo que seria sua última noite juntos por algum tempo.

— Você sabe que escreverei todos os dias, não sabe?

— E eu escrever para você? — disse Lídia. — Você me dar seu endereço.

Harry já havia pensado naquilo. Ele estendeu o braço até a mesa ao lado da cama e trouxe um papel.

— É para cá que você deve escrever.

Ela leu e, depois, guardou com cuidado em sua cesta.

Ele havia dado o endereço de Bill. Confiava plenamente no seu jovem sargento, o laço criado entre eles era inquebrável. Lembrava os terríveis dias antes da captura, quando Cingapura estava caindo nas mãos dos japoneses e seu batalhão fora cercado por soldados nipônicos, muito mais bem preparados para a guerra na selva do que alguns rapazes de North Norfolk. Harry se curvara diante dos instintos militares superiores de Bill, enquanto ele sugeria respeitosamente o melhor plano de ação para salvá-los.

Certa manhã, Bill vira um atirador de elite espreitando na vegetação densa. Cinco minutos depois, uma chuva de balas atingira um pequeno grupo de soldados britânicos, matando imediatamente quatro deles. Quando tudo havia ficado silencioso, Harry se levantou, zonzo, com um apito nos ouvidos por causa dos disparos. Bill pulara nele e o jogara no chão, enquanto vários tiros destinados a Harry passaram assobiando e atingiram uma bananeira.

— Essa foi por pouco, senhor — Bill sussurrara, ainda o protegendo.

Em troca, Harry fizera algo por Bill. Quando eles chegaram em Changi, ele o recomendara para os japoneses, falando de sua habilidade como jardineiro, como o homem certo para manter e organizar o crescente cemitério. Essa colocação sem dúvida salvou a vida de Bill. Enquanto os homens eram levados ao Norte aos milhares para trabalharem na estrada de ferro da Birmânia, Bill mantivera a cabeça baixa, fizera o horrível trabalho de enterrar seus camaradas, mas os japoneses o deixaram em paz.

Agora, Harry precisava de Bill novamente. Era o único homem em quem podia confiar, alguém para receber as cartas de Lídia e enviar as respostas de Harry. Enquanto estivesse em casa, não havia necessidade de machucar Olívia ostentando seu amor por outra mulher, e não podia arriscar que ela visse a correspondência.

Harry suspirou profundamente e Lídia olhou para ele com preocupação.

— O que estar errado, Harry?

— Nada, minha querida, além de eu detestar ter de deixá-la — ele a trouxe de volta para seus braços. — Pelo menos sei que você estará segura aqui no hotel enquanto eu viajo, isso é um conforto.

— Sim, eu ficar segura e sonhar todo dia com sua volta.

A manhã chegou cedo demais. Quando Harry já estava vestido, abraçou Lídia com força.

— Minha querida, acredite quando digo que a amo com minha alma... E voltarei para você.

Ela olhou para ele com uma expressão calma.

— E eu esperar por você aqui.

[CAPÍTULO 41]

Inglaterra

1946

Conforme a névoa da manhã diminuía e um Sol fraco aparecia entre as nuvens, Harry fechou as travas da mala e saiu ao convés para ver Felixstowe ficar visível. O intendente dissera que levaria uma hora até que o navio chegasse ao cais, uma hora até que ele encarasse as sombras cinzentas de uma antiga existência da qual mal se lembrava.

Embora fosse fim de maio e o clima estivesse ameno para os padrões da Inglaterra, Harry tremeu com a brisa da manhã. Enfrentara um mês agonizante a bordo, pensando em como daria a notícia para os pais e para a esposa. Quando o contorno de Felixstowe apareceu, Harry foi ficando nervoso. Sabia que precisava permanecer calmo, determinado e impenetrável a qualquer súplica emotiva para que ele ficasse. Tinha apenas de pensar no belo rosto de Lídia e em seu corpo perfeito e nu sob ele quando faziam amor. Não importava o quanto custasse, não abriria mão daquilo.

Olívia estava sentada em um horrível café no cais com outras esposas e pais nervosos esperando o retorno de pessoas amadas. Enquanto tomava o chá aguado e pensava no quanto detestava leite em pó, se perguntou se reconheceria o marido.

Quando Bill voltara, algumas semanas antes, Elsie tinha vindo até a casa no dia seguinte e desmontado no quarto de Olívia.

— Ah, senhorita, o cabelo dele ficou totalmente grisalho e a pele está flácida como a de um velho. As pernas parecem varas, parecem sim, mas ele está com uma barriga enorme, parece grávido de gêmeos. Disse que foi o arroz que fez isso com ele e que todos os homens de Changi ficaram assim — Elsie assoara o nariz. — Eu consigo lidar com isso... Quero dizer, estou grata por ele estar vivo e em casa. Mas ele fica olhando para o nada, como se estivesse em outro lugar. Como se mal me conhecesse.

— Elsie — Olívia a consolara —, você precisa dar um tempo a ele. É um choque para o Bill voltar para casa e para a família na Inglaterra depois de três anos e meio naquele lugar horroroso. Ele vai se restabelecer, tenho certeza.

— Eu sei, mas eu estava tão ansiosa para vê-lo. Não dormi na semana passada de tanta agitação — ela balançara a cabeça com tristeza. — Ele não parece feliz em me ver.

— Você não pode imaginar pelo que ele passou e nos disseram para esperar que os homens estivessem angustiados e confusos. Será igual quando Harry voltar, com certeza — o estômago de Olívia se revirara com a ideia.

— É, só que a mãe e o pai dele, e eu, nós economizamos os cupons de comida para dar a ele uma bela perna de carneiro para o jantar. Sempre foi sua comida favorita. Ele mal tocou nela, senhorita, e, quando fomos para a cama — Elsie falara, corando —, ele se virou e dormiu logo. Sem carinho nem nada!

Embora Olívia tivesse se preparado o melhor que pudera para receber um homem que estaria muito mudado, e debilitado física e mentalmente pelas experiências, ela tinha muito medo do momento em que o visse. Quarenta e cinco minutos depois, o navio chegou ao cais com o som alto do apito. Harry estava em casa.

Olívia esperou, em agonia pelo suspense, atrás da barreira que mantinha as famílias longe da prancha de desembarque. Por fim, um grupo esparso de homens começou a sair. Olívia procurou nos rostos de aspecto selvagem, mas não viu Harry. Ela viu outros homens serem cercados pelas famílias e lágrimas de alegria serem derramadas. Alguns estavam em cadeiras de rodas, outros, de muletas, com membros amputados, sem olho... Era uma visão traumatizante. Pelo que Sebastian Ainsley dissera, Harry estava, pelo menos, inteiro, embora a dengue, que quase o matara e adiara seu retorno, tivesse feito um estrago.

Quando Olívia começou a temer que Harry não estivesse no navio, um rosto familiar surgiu no topo da prancha. Para sua surpresa, a distância ele não parecia muito diferente. Na verdade, o bronzeado que ganhara havia apenas melhorado sua aparência. Ele estava bem barbeado e com os cabelos negros penteados com capricho. Usava um terno azul-escuro e calças creme, e parecia devastadoramente mais lindo do que ela lembrava.

Ela deixou a barreira e caminhou até ele. Beliscou os lábios com discrição para deixá-los mais vermelhos e passou a mão pelos cabelos loiros para verificar se estavam arrumados. Quando ele desceu da prancha, ela o chamou pelo nome.

— Harry! Estou aqui!

Ele se virou na direção dela com os olhos inexpressivos, procurando pela voz. Depois, ele a viu e seus olhares se cruzaram.

Os olhos dela revelavam felicidade ao caminhar em direção a ele.

Os olhos dele não revelavam nada ao caminhar em direção a ela.

Quando se encontraram, foi ela quem jogou os braços ao redor dos ombros dele. Os de Harry ficaram caídos ao longo do corpo.

— Harry, graças a Deus você está em casa!

Ele se libertou do abraço dela.

— Sim, estou em casa — ele balançou a cabeça sem emoção. — Onde está o carro?

Olívia sentiu um nó na garganta, mas, quando se lembrou da conversa com Elsie, ela disse:

— Não está longe. Está estacionado a uns cinco minutos daqui.

— Vamos indo?

— É claro. Você deve estar cansado.

Eles partiram juntos, com Olívia na frente.

— Não, não estou nada cansado. Apenas sofri com um mês de inércia no navio.

Assim que a mala de Harry foi guardada no porta-malas e ele se sentou no banco do passageiro, Olívia ligou o motor. Eles se dirigiram para Wharton Park em silêncio.

Harry olhava pela janela, com o rosto virado na direção oposta à de Olívia.

— Tudo parece tão sem cor aqui depois de ter visto o Oriente.

— Bem — disse Olívia, engolindo em seco —, pelo menos estamos no fim de maio. Você sempre disse que era a melhor época para estar na Inglaterra.

— Sim — ele concordou. — Mas, agora que vi os trópicos, aqui nem se compara.

Olívia não pôde deixar de se sentir magoada e chocada com a reação de Harry. Ela sabia e entendia que seria difícil para ele se adaptar, mas a última coisa que esperava era que ele tivesse saudade do local em que vivera um inferno.

— Bem, Wharton Park está linda — ela comentou, confiante.

— Tenho certeza — ele respondeu, frio.

Eles seguiram em silêncio e Olívia supôs que, embora Harry parecesse normal, era óbvio que seu estado mental não era saudável. Talvez, Wharton Park, a casa que ele amava tanto, pudesse estimular uma reação emocional. Ela se preparou para aceitar o comportamento estranho dele, entendendo exatamente o que Elsie quisera dizer com Bill estar "em outro lugar". Era claro que Harry estava assim também.

Duas horas depois, eles entraram pelos portões de Wharton Park. Olívia olhou para Harry para avaliar a reação dele, mas não conseguiu ver seu rosto.

— Bem, aqui estamos — ela disse com alegria. — Em casa!

Harry se mexeu e depois disse, quase como se não tivesse pensado nisso ainda:

— Como estão meus pais, a propósito?

Olívia ficou impressionada por ele ter demorado tanto para perguntar.

— Sua mãe está com uma saúde excelente. Seu pai, bem, ele não teve tanta sorte, infelizmente. Ele sofreu um infarto há um ano. Está um pouco melhor agora — ela respondeu, com cuidado —, mas não pode trabalhar.

Os médicos disseram que ele forçou demais o coração. Sua mãe insiste que tê-lo em casa o tempo todo força demais o coração dela! — ela tentou brincar.

— Que triste para ele — Harry olhou para Olívia com ansiedade nos olhos. Era a primeira demonstração de emoção que ela via. — Ele não está correndo nenhum risco agora, está?

— Bem, não se pode ter certeza, com um coração fraco. Certo — ela disse, mudando depressa de assunto conforme se aproximavam da casa —, devo avisar que todos se reuniram para lhe dar as boas-vindas.

Ela parou o carro e buzinou três vezes. Ao som da buzina, as portas da frente foram abertas e Adrienne desceu correndo os degraus para cumprimentá-lo.

— Harry, *mon chéri*! Você está em casa!

Harry saiu do carro e caminhou na direção dela, dos braços que se abriram, que o puxaram e o apertaram.

— Ah, meu Harry! Você está seguro, está seguro em casa — ela sussurrou ao ombro dele. — Deixe eu olhar para você — ela se afastou e o examinou de cima a baixo. — *Mon Dieu*! Acho que você está mais bonito e saudável do que quando partiu! Não acha, Olívia?

Olívia, que estava parada ao lado de Harry sem animação, concordou com a cabeça.

— Foi o que pensei quando o vi.

— Estou bem, mãe, de verdade. Não estava — Harry acrescentou, depressa —, mas estou agora.

Adrienne colocou os braços em volta do filho e o guiou degraus acima, com Olívia os seguindo. Ela empurrou a porta da frente e lá, em duas longas filas, estavam todos os empregados de Wharton Park, formando uma guarda de honra. Ao entrar no hall, Harry ouviu Bill gritar:

— Três vivas para o mestre Harry! Ip, ip...

— Urra!

— Ip, ip...

— Urra!

— Ip, ip...

— Urra!

Aplausos e gritos ensurdecedores encheram o lugar. Harry caminhou pelas filas, recebendo apertos de mão calorosos, palmadinhas nas costas dos homens e reverências das mulheres.

— Que bom que o senhor está em casa, mestre Harry!

— Parabéns! Bill nos disse como o senhor foi corajoso.

— Fico feliz em vê-lo a salvo em casa, senhor.

— A casa não era a mesma sem o senhor, mestre Harry — disse a senhora Jenks com carinho, parada no fim da fila. — Vou preparar o maior prato de carne, ovos e legumes fritos que já comeu de café da manhã, amanhã.

Apesar da determinação de manter o coração insensível, Harry percebeu os olhos se encherem de lágrimas com as boas-vindas genuínas de todos aqueles rostos familiares.

— Discurso! — gritou alguém.

— Sim, discurso! — acrescentaram os outros.

— Diga algumas palavras para a gente, mestre Harry, por favor.

Harry se virou para eles e limpou a garganta.

— Bem, o que posso dizer além de agradecer por me receberem com tanto afeto? Fico muito grato e estou muito feliz por vê-los. E obrigado por cuidarem de Wharton Park durante um tempo, que, imagino, foi muito difícil.

Outra rodada de aplausos estourou. Depois, Harry percebeu uma figura curvada se arrastando até ele. Percebeu, com um susto, que aquele velho encolhido era seu pai. Em vez de fazê-lo se esforçar mais, caminhou até ele e estendeu a mão.

— Oi, pai, que bom vê-lo!

O pai sorriu.

— Que bom vê-lo também, companheiro! — Christopher usou toda a sua força para puxar o filho em sua direção e lhe dar um tapinha nas costas. — Muito bem, meu garoto! Vi seu nome ser mencionado nos relatórios. Estou orgulhoso de você.

Aquelas palavras foram o mais perto que o pai de Harry já havia chegado de elogiá-lo. Com isso, ele chorou mais.

— Aposto que está feliz por estar de volta, hein? Soube que aqueles japoneses malditos fizeram vocês sofrerem muito em Changi. Mas nós os botamos para correr no final, não foi?

— Sim, pai, foi assim mesmo.

Adrienne estava ao lado de Harry.

— Agora, Christopher, acho que Harry gostaria de ir para o quarto e descansar um pouco, depois da longa viagem que fez — ela se virou para os empregados. — Vocês podem ir e tenho certeza de que Harry vai conversar com cada um mais tarde.

Enquanto eles se dispersavam, Harry ouviu uma voz perto de seu ouvido.

— Fico feliz em vê-lo de volta, senhor. Estava começando a ficar curioso.

Era Bill. Eles trocaram um aperto de mão e batidas calorosas nas costas.

— Acho que faz muito tempo desde a última vez em que nos vimos, não? — Harry murmurou.

— Concordo, senhor. E leva um tempo para se acostumar, mas você vai conseguir, tenho certeza.

— Vou visitar você mais tarde na estufa, Bill. Tem algo que preciso discutir com você — Harry sabia que seus pais e Olívia podiam ouvi-lo, por isso, foi rápido. — Por volta das 17 horas, eu diria.

— Combinado, senhor. Estarei lá com uma boa xícara de chá com leite para nós dois, devo acrescentar — Bill olhou para o teto enquanto eles compartilhavam a memória do chá puro que haviam tomado por longos três anos e meio.

Harry seguiu Olívia escada acima e pelo corredor até os aposentos dos dois. Tudo estava exatamente como ele deixara, como se o tempo não tivesse avançado em Wharton Park.

Assim que Olívia fechou a porta, Harry se virou para ela.

— Quão doente está o meu pai? Ele parece ter envelhecido vinte anos.

Olívia suspirou e se sentou no banco ao lado da cama.

— Como eu disse, ele sofreu um infarto grave. Teve sorte de sobreviver. Lembre, Harry, que ele tem 60 anos, dez a mais que sua mãe. E trabalhar no Escritório de Guerra foi muito estressante para ele.

— Ele parece... — Harry começou, balançando a cabeça — muito mal.

— Ele esteve muito doente. Mas os médicos nos garantiram que, desde que ele vá com calma e não sofra nenhum choque forte, não há motivo para não ficar estável.

— Entendo.

Harry ficou terrivelmente triste e, por isso, Olívia andou até ele e o abraçou.

— Sinto muitíssimo, Harry. Deve ter sido um choque para você. Acho que não reparei no envelhecimento dele, mas tenho certeza de que tê-lo em casa irá animá-lo demais. Ele mal pode esperar para que você conte cada detalhe de sua campanha na Malásia Britânica e sua participação nela. Está falando disso há semanas.

Em silêncio, e por pura exaustão emocional, Harry descansou a cabeça no ombro de Olívia. Ficaram assim por um tempo, antes de ela dizer:

— Por que não repousa um pouco? A senhora Jenks vai quebrar um costume de toda a vida e não servirá o almoço até às 13h30, para que você possa descansar e participar do almoço.

— Sim, boa ideia.

Ele estava desesperado para ficar sozinho, não necessariamente para dormir, mas para pensar.

— Sei que tudo está estranho demais para você, e difícil de aguentar, imagino — Olívia continuou. — Elsie me disse que Bill ainda acha algumas coisas difíceis, mesmo estando em casa há três meses — ela o beijou com delicadeza na testa. — Não vou sufocá-lo, querido, mas saiba que estou aqui se precisar de mim.

— Obrigado.

Olívia acenou com a cabeça.

— Descanse um pouco — ela deixou o quarto e foi para o andar de baixo, onde Adrienne a esperava.

— Preparei um café para nós na biblioteca. Venha, *chérie*, e me diga como você acha que ele está.

Olívia a seguiu até a biblioteca e se sentou.

— Bem? — Adrienne questionou. — Ele parece bem, não parece?

— Sim, parece — Olívia concordou —, mas, como Elsie descreveu para mim, é como se o corpo dele chegasse, mas a cabeça ainda estivesse em outro lugar. Acho que devemos ser pacientes, não esperar muito dele.

— Nenhum de nós — Adrienne acrescentou, muito direta.

— É claro — Olívia suspirou. — Eu sei disso. Mas sou humana, Adrienne, e o que eu queria de verdade era que Harry me visse esperando por ele, descesse a prancha correndo e me tomasse nos braços. Vi outros rapazes fazerem isso.

— Sei que isso não combina com Harry — Adrienne a consolou. — Embora ele tenha, com certeza, ficado chocado ao ver o pai, *n'est-ce pas*?

— Sim, ficou — concordou Olívia.

Adrienne balançou a cabeça.

— É claro que ele sabe muito pouco de tudo o que aconteceu aqui nos últimos quatro anos e o que virá. Olívia, você e eu fizemos nosso melhor para administrar essa propriedade, mas precisamos que Harry assuma o controle o mais cedo possível — Adrienne levou a mão ao seu cabelo, que estava começando a ficar grisalho. — *Alors*! Há decisões a serem tomadas, mas somente Christopher, ou Harry, como herdeiro, podem tomá-las. E não gosto de preocupar Christopher, ele está tão frágil.

— Eu sei, Adrienne. Pelo menos, Harry está em casa agora, e inteiro!

— *Ehn, oui* — Adrienne levou a xícara de café até a boca. — E sei que devemos apenas ser gratas por isso.

[CAPÍTULO 42]

Adrienne decidiu que estava quente o bastante para servir o almoço no terraço. Christopher insistiu que Sable trouxesse uma garrafa de champanhe para a ocasião. A senhora Jenks se superou: encontrou um salmão, Deus sabe onde, e o serviu com molho *béarnaise*, o preferido de Harry, batatas e vagens frescas do jardim da cozinha.

— Soube que vocês, garotos, não gostam de comida pesada quando voltam para casa — disse a senhora Jenks, corada de felicidade, quando Harry a encontrou na cozinha após o almoço e agradeceu pelo banquete.

Olívia foi atrás dele lá e sugeriu um passeio pelo jardim. Eles caminharam devagar, Harry se reacostumava ao ambiente. Até ele tinha de admitir que o parque estava magnífico, banhado pelo brilho suave e quente de uma tarde de maio.

— Então — disse Harry, se esforçando para conversar —, você disse que a casa foi uma enfermaria por dois anos?

— Sim, foi. Tivemos mais de quarenta oficiais por vez — Olívia explicou enquanto eles contornavam a fonte, que não era ligada desde a publicação de uma lei de guerra para economizar água. — A velha casa ficou lotada. É claro que tínhamos as garotas do Exército Mulheres da Terra. A senhora Jenks foi uma santa. A experiência dela em cozinhar para muitos hóspedes foi muito útil.

— Onde você, a mãe e o pai ficaram? — Harry perguntou.

— Ah, nós fomos para a ala leste. Não é muito luxuosa, como você sabe, mas era um lugar para descansarmos a cabeça — respondeu Olívia. — Seu pai fingia detestar. Costumava dar broncas nos soldados por andarem pela casa com as botas sujas. Mas, na verdade, eu acho que ele secretamente se divertiu. Afinal, ele estava se recuperando bem e nunca ficava sem companhia para conversar.

— Posso imaginar. Você com certeza ficou muito ocupada enquanto eu estive fora.

— Todos ficaram — comentou Olívia, com modéstia. — Mas devo avisá-lo, querido, que a casa precisa de reparos urgentes. Ter tantas pessoas aqui revelou os problemas. E acho que você escolheu o momento perfeito para voltar. O lugar estava muito triste, povoado de macas hospitalares e equipamentos médicos.

— É um belo lugar para a recuperação dos rapazes que estiveram aqui.

— Sim, eles costumavam se sentar no terraço quando o tempo estava bom. Alguns não sobreviveram, é claro — Olívia suspirou. — Havia um rapaz em especial, coitado, tinha uma bala alojada na cabeça que o cegou. Eu costumava ler para ele sempre que podia. Então, certa noite, quando eu estava lendo, ele morreu na minha frente, de uma hora para a outra! — a voz de Olívia falhou com a emoção. — Os médicos disseram que a bala deve ter mudado de lugar e foi isso que o matou.

— Meu Deus, que terrível para você — ele disse, se sentindo culpado.

Não lhe havia ocorrido que Olívia, sua mãe ou seu pai pudessem ter sofrido durante a guerra. Pensava neles seguros e confortáveis, enfiados entre as paredes protetoras de Wharton Park. Entretanto, era óbvio, pelo que haviam dito durante o almoço, que eles passaram por maus bocados.

— Alguma bomba caiu aqui perto? — ele perguntou.

— Algumas em Norwich, mas, por sorte, escapamos.

— Então, tivemos baixas aqui na propriedade?

— Sim — Olívia respondeu, sombria. — Perdemos nove rapazes. Darei a você uma lista de nomes e, talvez, você possa visitar as famílias. E o senhor Combe pisou em uma mina na praia de Weybourne há algumas semanas. Você deve imaginar como a senhora Combe ficou arrasada.

— Sim. Pobre senhora Combe! É um desastre. Estamos sem administrador na fazenda agora?

— Estamos. Estávamos esperando você voltar para escolher um substituto. E... — Olívia mordeu o lábio. — Você se lembra de Venetia?

Harry sorriu.

— Como alguém poderia esquecê-la? Ela é uma figura.

— Sim, pronta para tudo, o que provavelmente fez com que ela acabasse indo para a França reunir informações para uma organização secreta. Enfim, ela desapareceu há três anos e acabamos de descobrir o que aconteceu com ela. — Olívia fez uma longa pausa antes de acrescentar. — Ela foi capturada em Paris, torturada e, depois, morta a tiros pelos nazistas.

— Eu sinto muito, Olívia. Sei o quanto você gostava dela — Harry concluiu, em voz baixa.

Ela controlou as lágrimas.

— Obrigada. Estou tão aliviada por tudo ter acabado. Talvez a vida possa retomar uma aparência de normalidade logo. Agora — ela continuou, limpando a garganta e passando o braço pelo cotovelo de Harry —, vou lhe mostrar o jardim da cozinha. Foi a única coisa que floresceu e cresceu desde a sua partida.

Ela abriu a porta e Harry viu fileiras e fileiras de legumes e verduras bem cultivados. O jardim tinha o dobro do tamanho de quando Harry partira.

— É impressionante, Olívia — ele não conseguia dizer "querida". — Como conseguiram, sem o Bill?

— Não sei — ela sorriu —, as pessoas dão um jeito. Jack fez tudo o que pôde e, pelo menos, pudemos oferecer aos pacientes uma boa comida.

Harry olhou para a estufa, com o Sol brilhando através dos vidros, no canto do jardim. Caminhou para lá.

— Infelizmente, a estufa não ficou tão bem. Perdeu as flores e recebeu a função de cultivar tomates. Bill tem trabalhado duro desde que voltou, plantando e trazendo novas flores. Devagar, está voltando à sua antiga glória. Acho que isso é um conforto, de alguma forma.

— Vamos para lá? — Harry apontou para a porta.

— Claro, se você quiser — Olívia concordou.

Harry abriu a porta e foi imediatamente tomado pela forte fragrância que evocava um único pensamento: Lídia. Por um segundo, ele ficou tonto e cambaleou um pouco.

— Harry, você está se sentindo bem? — Olívia segurou no braço dele, ansiosa. Ele a afastou.

— Não! — ele disse em tom áspero, e, depois, se arrependeu. — Desculpe, eu... — A voz dele falhou e ele caminhou para longe dela, ao longo das fileiras de flores. Parou, surpreso, em frente a uma bandeja de orquídeas.

— Não me lembro dessas flores.

Abalada pela grosseria de Harry, Olívia respondeu com cuidado:

— Não, Bill as trouxe para cá. Estou impressionada por terem sobrevivido à viagem, mas parece que Bill cuidou delas todos os dias e elas floresceram bem desde que chegaram.

— Bill sempre teve uma afinidade natural com as plantas. Nossa, orquídeas são inacreditavelmente bonitas — Harry parou para sentir o aroma delicioso, se permitindo mergulhar nas lembranças de Lídia por alguns segundos. Depois, se levantou. — Elas crescem por toda parte no Extremo Oriente, em especial na Tailândia.

— Foi o que Bill nos contou — disse Olívia enquanto os dois deixavam a estufa e voltavam para a casa. — Apesar do quanto vocês sofreram, ele disse que é uma linda parte do planeta.

— Ah, sim — murmurou Harry —, é sim.

Após o jantar daquela noite, Harry se deitou na cama ao lado de Olívia. E, embora não quisesse, a abraçou e fez amor com ela. O corpo dela era todo errado, muito mais arredondado e cheio do que o de Lídia, a pele dela era de um branco surpreendentemente desconhecido e, o pior de tudo, o cheiro era muito diferente. Ainda assim, fechando os olhos e permitindo que a frustração servisse de combustível ao seu ardor enquanto se apertava contra a esposa, ele conseguiu pensar na Tailândia, e em Lídia. Depois, ficou deitado ao lado dela, se sentindo culpado, como se devesse desculpas.

— Eu sinto muito, espero não ter machucado você. Eu estou... Fora de forma — ele mentiu.

— Não, Harry, você não me machucou — Olívia entendera o jeito violento dele como paixão e estava impressionada e grata.

— Que bom! — ele a beijou no rosto e, depois, com nojo de si mesmo, saiu da cama. — Vou dormir no meu quarto de vestir hoje. Estou muito agitado agora e quase sempre tenho pesadelos. Não quero perturbar você. Boa noite, Olívia.

— Boa noite — Olívia mandou um beijo para ele de longe, enquanto ele atravessava o quarto. — Eu o amo — ela sussurrou quando a porta se fechou.

Harry fingiu não ter ouvido e caminhou até o quarto de vestir. Sentou-se na cama estreita de solteiro, apoiou a cabeça nas mãos e chorou em silêncio.

Pela manhã, Harry cruzou o parque até a estufa, já que não pudera escapar e se encontrar com Bill no dia anterior, como planejara. Bill cuidava das orquídeas no canto mais distante, com o rádio de baquelite enchendo o ar com uma tranquilizadora música clássica. Ele sorriu quando viu Harry.

— Oi, senhor. Como foi sua primeira noite em casa?

— Boa — Harry fechou a porta da estufa. — Me desculpe por não ter vindo tomar aquela xícara de chá — ele disse.

— Dadas as circunstâncias, não esperava que viesse. Sei que todo mundo quer nos monopolizar quando voltamos.

— Sim — Harry precisava ser direto. — Bill, você não recebeu nenhuma carta para mim, recebeu?

Bill balançou a cabeça, surpreso.

— Não. Por que deveria receber?

Harry se aproximou e se sentou no pequeno banco da estufa.

— O que acontece, Bill, é que... — Harry passou uma mão pelo cabelo, sem saber como começar. — Posso confiar em você?

— Com a sua vida, senhor, como sabe bem.

— Exato. E, se eu contar o que me aconteceu desde que saí de Changi, será a minha vida — continuou Harry, apreensivo. — Preciso de sua ajuda, Bill, mas é muito a pedir.

— Sabe que pode contar comigo, senhor.

— Temo que o que vou contar possa chocá-lo.

Bill continuou a regar as plantas com calma.

— Depois do que nós dois passamos nos últimos quatro anos, duvido que alguma coisa que o senhor conte possa me chocar. Vá em frente, estou ouvindo.

— Certo.

Harry reuniu sua coragem e começou a contar a história devagar. Falou da Tailândia e de tocar piano no Bamboo Bar, e, por fim, falou da garota por quem se apaixonara perdidamente.

— Simplesmente não posso viver sem ela, Bill — ele finalizou, aliviado por dizer as palavras em voz alta. — E pretendo abrir mão da vida em Wharton Park e voltar a Bangkok assim que puder. Não nasci para ser lorde e mestre. E, enquanto isso, dei à Lídia seu endereço para ela me mandar cartas sem que Olívia descubra — ele estava sem fôlego e olhou para Bill, que ainda cuidava das flores. — Suponho que me ache horrível por trair minha esposa e minha família assim.

— Não penso nada disso. Acho que o senhor se apaixonou. Não é culpa sua ela morar do outro lado do mundo. Como o senhor sabe — Bill olhou nos olhos de Harry —, a minha Elsie foi o que me manteve vivo em Changi. E, se ela morasse do outro lado do mundo, eu iria até ela.

— Iria?

— Iria. Dito isso, eu não estou casado com outra nem tenho o peso da responsabilidade que o senhor tem — Bill coçou a cabeça. — Acho que a notícia será um choque para sua família. Principalmente com seu pai tão doente. Estavam contando os dias para que o senhor voltasse, para poder assumir a administração da propriedade. Não sei o que farão se o senhor se for. Realmente não sei.

— Pare de me chamar de "senhor", sim? — disse Harry, irritado. — Quando estamos sozinhos, Harry basta — ele logo abaixou a cabeça. — Me desculpe por ter estourado, Bill. Só estou muito ansioso, como você deve imaginar.

— Deve estar — Bill concordou com um suspiro. — Não gostaria de estar em seu lugar. De minha parte não há problema com as cartas de que falou. Embora eu tenha de contar à Elsie, se vão chegar à nossa casa.

Harry ficou horrorizado com a ideia. Ele sabia o quanto Elsie e Olívia eram próximas.

— Podemos confiar que ela não contará nada à minha esposa.

Bill acenou com a cabeça.

— Sim, se eu pedir isso a ela. Ela guarda segredos melhor do que ninguém.

— Mas vamos colocá-la em uma posição difícil.

— Eu diria que sim, mas não há outra opção agora, né? E, se não se importa que eu diga, eu não gostaria que ela visse as cartas chegando ao chalé, vindas de uma parte do mundo onde eu passei os últimos quatro anos, e pensasse que sou eu que tenho uma namorada e que nós tramamos alguma coisa.

— É verdade — Harry admitiu. — Eu entendo. Bem — ele suspirou, aceitando a situação —, se Elsie tem de saber, ela tem de saber. E espero que não demore muito para eu revelar tudo e contar aos meus pais e à Olívia sobre meus planos. Nas últimas vinte e quatro horas, senti que explodiria se não fizesse isso.

Bill assobiou.

— Como eu disse, não o invejo, de verdade. Ela deve valer a pena, a sua garota.

Harry se levantou e sorriu.

— Ela vale, Bill, ela vale. Certo, suponho que eu deva voltar. Venho lhe entregar uma carta para Lídia e um dinheirinho para você postá-la para mim. Talvez o melhor seja você trazer as cartas dela para cá e deixá-las sob as orquídeas, ali — Harry apontou para uma bandeja.

— Se é o que sugere. — Bill balançou a cabeça, com sabedoria.

— Muito bom. Obrigado, Bill. Mais uma vez, você me salvou — Harry se virou para a porta.

— Se eu pudesse dizer uma coisa... — Bill arriscou e Harry se virou.

— É claro, Bill. Sabe o quanto valorizo sua opinião. Embora nada na Terra possa me fazer mudar de ideia.

— Não tentarei fazer isso. Vejo que seria inútil. O que você sente por ela está escrito em seu rosto — acrescentou Bill, gentilmente.

— Ótimo. Vá em frente.

— Ia apenas dizer que levei algum tempo para ficar novamente confortável aqui. Foram as lembranças de casa que me fizeram sobreviver. Porém, desde que voltei — Bill tentou encontrar as palavras certas —, parece besteira, eu sei, mas senti falta de algumas coisas daquela vida desgraçada que tínhamos lá. E, mais uma coisa, eu senti falta do lugar, do calor, dos cheiros das flores que crescem lá, da abundância... E do céu azul sobre nós, emoldurando o cenário.

Os dois ficaram em silêncio por algum tempo, perdidos no passado. Então, Harry olhou para Bill e abriu um sorriso triste.

— Sinto falta de tudo isso também, mas não é o que me faz querer voltar. Queria que fosse simples — ele acrescentou, com um suspiro, e saiu da estufa.

Depois que Harry se foi, Bill continuou a cuidar das flores, pensando sobre o que ele dissera e como contaria a Elsie. Sabia que a esposa adorava Olívia e não aceitaria bem a ideia de enganá-la. E, é claro, se Harry fizesse o que pretendia, Bill não fazia ideia do que aconteceria a todos na propriedade. Naquela noite, ele disse à Elsie que precisava que ela guardasse um segredo.

— É claro, prometo não contar nada — ela respondeu, observando a expressão preocupada dele. — O que é, Bill? Vá em frente e me conte, certo?

Quando Bill terminou de explicar a situação, Elsie ficou sentada, pálida e imóvel, com uma expressão de choque no rosto. Por fim, disse:

— Você não acha que ele faria mesmo isso, acha?

— Sim — Bill respondeu e balançou a cabeça. — Tenho certeza.

— Mas será o fim da propriedade se ele fizer isso. E o nosso fim — ela acrescentou, com tristeza. — Quem cuidará de tudo se o mestre Harry for embora? Não há mais ninguém e sei pela senhorita Olívia que a situação está ruim. A fazenda precisa de novas plantações, as máquinas estão gastas e a casa precisa de todo tipo de reparo.

— Bem, o mestre Harry disse que vai sugerir ao lorde Crawford que a propriedade seja entregue a um primo que tem quase a mesma idade dele.

— Não será possível. O primo Hugo morreu no norte da África há cerca de um ano e meio — Elsie balançou a cabeça. — Não há mais ninguém.

— Entendi — Bill tomou um gole de chá. — Suponho que ninguém contou isso ao mestre Harry ainda, certo?

— Bem, não é o tipo de conversa que se tem no primeiro dia de uma pessoa em casa. Embora, pelo que a senhorita Olívia diz, Harry não era próximo do primo, então, provavelmente, nem pensou em perguntar sobre ele. Nunca se sabe — Elsie continuou e seu rosto ganhou um pouco de brilho —, a notícia pode fazê-lo mudar de ideia. Tenho certeza de que ele não deixará o pai moribundo e a mãe sozinhos para cuidarem de Wharton Park, né? Porque é certo que Olívia não vai ficar aqui depois de saber a notícia — Elsie bateu as mãos em desespero. —Depois de todos esses anos de espera, e ele a trai assim!

Bill suspirou.

— Querida, realmente não é assunto seu e...

— É sim, Bill! — Elsie estava brava. — Porque aquele tonto do jovem patrão fez ser assunto nosso quando contou para você!

— Sim, você está certa. É uma situação muito ruim, mas o que eu poderia fazer? — Bill perguntou a ela.

— Poderia ter dito não.

— Ora, Elsie, vamos, você sabe que nenhum de nós pode se recusar quando os Crawford nos pedem alguma coisa. Eles nos dão um meio de sobrevivência aqui.

— Eu diria que isso ultrapassa os deveres de empregados, Bill. Fico enojada, fico sim! Como vou encarar a senhorita Olívia amanhã, eu não sei.

— Sinto muito, querida — Bill se aproximou de Elsie para abraçá-la, mas ela o afastou.

— Faça o que deve fazer, Bill, e passe as cartas para ele. Mas, quanto a mim, não quero fazer parte disso e não quero falar sobre isso novamente — ela se levantou da mesa, jogou a xícara que usara na pia e saiu para o jardim, batendo a porta.

[CAPÍTULO 43]

Harry ficou sabendo sobre a morte de seu primo Hugo durante o almoço daquele dia. O pai comunicou a notícia com seu costumeiro jeito sem emoção e, embora Harry tenha tentado não demonstrar que estava chocado, Adrienne reparou no mesmo instante. Ela estendeu a mão e colocou sobre a dele.

— Sinto muito, Harry. Você gostava dele. Mas há boas notícias — ela o consolou. — A esposa de Hugo, Christiana, estava grávida antes de ele ir para a África. Ela teve um menino adorável e ele se chama Charles, em homenagem ao avô. Você vê? A vida continua.

— Quantos anos tem a criança? — perguntou Harry.

— Quase 2 anos.

Harry sentiu o coração despencar. Um bebê não poderia administrar Wharton Park. Christopher bocejou alto; Adrienne se levantou imediatamente e foi até ele.

— É hora de descansar, meu bem.

— Me deixe, me deixe! — ele reclamou enquanto Adrienne o ajudava a se levantar e o levava até a porta.

— Depois que eu acomodar seu pai, nós três tomaremos café no terraço, *oui*? Está um dia tão bonito.

— Na verdade — disse Olívia —, tenho de ir a Cromer. Há alguns documentos que ainda precisam ser preenchidos para as minhas garotas. Não se pode concluir uma guerra sem papelada, né? Precisa de alguma coisa, Harry?

— Não, obrigado, Olívia.

— A propósito — ela acrescentou —, um certo major Chalmers ligou de manhã. Queria saber se você havia chegado bem e como está sua saúde. Eu disse que você ligaria de volta. O número está anotado.

— Certo — Harry murmurou. — Sabia que teria de dar notícias logo.

— Bem, acho que sua mãe quer conversar com você sobre muitas coisas — Olívia beijou-o na cabeça ao passar por ele. — Você tem muito a saber sobre o que aconteceu por aqui, como deve imaginar.

Adrienne o encontrou no terraço para tomar café alguns minutos depois. Harry pensou que era melhor começar a resolver tudo logo.

— Mãe, quão doente está o pai?

— *Chéri*, acho que pode ver o quanto ele está frágil — disse Adrienne em voz baixa, passando-lhe uma xícara.

— Qual é o diagnóstico exato? Quero dizer, Olívia disse que, se ele tiver cuidado, deve viver mais alguns anos, mas...

Adrienne tomou um gole de café.

— Harry, me desculpe por ser direta tão cedo, mas você tem de saber a verdade — ela suspirou e segurou a mão dele. — Seu pai está morrendo. Ele teve um derrame grave há alguns meses, o que o deixou sem sensibilidade na parte inferior esquerda do corpo. Por isso ele não consegue andar bem — os olhos dela se encheram de lágrimas. — Meu Harry, desculpe por ter de contar isso tão cedo, mas temos muito pouco tempo. Ele pode nos deixar a qualquer momento e, antes que isso aconteça, como herdeiro, você precisa conversar com ele e aprender a administrar a propriedade.

— Entendo — Harry levou a xícara aos lábios, se esforçando para controlar a mão trêmula.

— Olívia e eu fizemos o melhor que pudemos, mas toda a papelada e as finanças... Seu pai sempre cuidou delas. Há muitos assuntos pendentes e — Adrienne suspirou — sobrou pouco dinheiro nas contas da propriedade. Olívia e eu cuidamos dos salários dos empregados nos últimos meses, então, sabemos como as coisas estão ruins. *Mon Dieu*, Harry, a situação não poderia ser pior.

Harry concordou em silêncio com a afirmação da mãe. Ele limpou a garganta e perguntou:

— Mas como posso administrar a propriedade? Vou voltar ao exército a qualquer momento.

— *Non,* Harry — Adrienne disse com firmeza. — Você não fará mais parte do exército. Precisamos de você aqui, para colocar Wharton Park nos eixos. Há cem trabalhadores cuja sobrevivência depende de você. Você será dispensado, seu pai já organizou tudo. E tenho certeza de que você ficará feliz com isso, *n'est-ce pas*?

Conforme mergulhava cada vez mais em um oceano de desespero, Harry não ficava feliz com nada. Depois da rigidez da prisão, ele construía uma nova cadeia para si mesmo. Havia esquecido que, naquele lugar, sua vida não lhe pertencia. Abriu a boca, mas, percebendo que o que quer que falasse seria amargo e cruel, a fechou.

Adrienne examinou o rosto cansado do filho, sentado em silêncio à sua frente, olhando para o nada com olhos tristes.

— *Chéri,* entendo como deve se sentir, voltando para casa e recebendo essas notícias. Pelo menos você tem o luxo de passar um tempo com ele. E, Harry — Adrienne o consolou —, Olívia e eu o ajudaremos com a tarefa que tem à frente. A melhor decisão que já tomou foi se casar com ela. Não lhe devo nada além de elogios, Olívia foi verdadeiramente *magnifique* e não sei o que eu e Wharton Park teríamos feito sem ela.

"A melhor decisão que você já tomou, mãe", Harry pensou com amargura. Ele se levantou, incapaz de prolongar aquela conversa.

— Me desculpe, mãe. Tudo isso foi um choque para mim e preciso de um tempo sozinho. Vou caminhar um pouco.

— É claro. *Je suis désolée, chéri* — ela disse quando ele desceu rapidamente os degraus do terraço e se afastou dela.

Harry caminhou depressa, com a respiração curta e desigual. Ele fugiu da perfeição nauseante do jardim de sua mãe e continuou andando até chegar a um campo aberto, com uma plantação de milho balançando de um lado para o outro.

Jogou-se no chão duro e soltou um berro de agonia e frustração, batendo na terra nua e gritando o nome de Lídia para o céu. Depois, chorou sem controle, por uma garota que sabia que nunca deixaria de amar e pelo futuro que imaginou, mas era impossível. Cansado, se deitou de costas e ficou olhando para o céu sem nuvens. Ele ainda podia ir, simplesmente partir, fugir... "Como poderia?", pensou desesperado. Seu pai estava morrendo e, pelo que a mãe e Olívia haviam dito, Harry sabia que as consequências de seu desaparecimento acelerariam sua morte.

— Meu Deus! Meu Deus! — Harry berrava, a voz embargada de emoção.

Ele estava encurralado. Pelo menos até que o pai morresse. E, depois, o que aconteceria? Ele aguentaria deixar a mãe viúva para administrar a propriedade sozinha? Pois Olívia com certeza não ficaria para ajudá-la se fosse deixada pelo marido. Adrienne não conseguiria. Portanto, partir significaria destruir não apenas Wharton Park, mas a vida de muitos funcionários leais cujo futuro dependia dela.

Harry procurou no céu alguma possibilidade de libertação. Talvez pudesse vender a propriedade? Mas quem, nessa época pós-guerra, teria meios para comprá-la? Além disso, ele não apenas partiria o coração da mãe, mas sabia que ela lutaria com unhas e dentes contra a ideia. Ela havia dedicado a vida àquele lugar. A única saída era trazer Lídia para a Inglaterra. Mas como poderia? Como poderia se divorciar de Olívia depois de tudo o que ela fizera, cuidando dos pais dele e de Wharton Park? Ele realmente poderia anunciar que traria uma jovem da Tailândia para tomar o lugar dela?

Harry suspirou, sabendo que a ideia era absurda. Lídia podia ser muitas coisas, mas mesmo ele tinha de se esforçar para vê-la como a patroa de uma propriedade como aquela. Sua flor de estufa murcharia e morreria.

Harry ficou deitado no mesmo lugar por muitas horas, vendo a escuridão cair e, com ela, suas esperanças se esvaíam. O destino havia conspirado para tornar seu plano impossível. Ele não podia abandonar Wharton Park, nem por Lídia. Mas como contar isso a ela? Podia escrever uma carta dizendo que tudo o que prometera não se tornaria verdade?

Harry se levantou inconsolável e atravessou o campo para voltar ao parque. Decidiu que, por ora, diria à Lídia apenas que seu pai estava doente e seu retorno a Bangkok poderia atrasar. A decisão de fazer a coisa certa (libertá-la imediatamente para que pudesse seguir a vida sem ele) estava além de suas possibilidades no momento.

Caminhou para a estufa e abriu a porta. Estava deserta, Bill já havia saído. Harry sentiu um aperto no peito quando aspirou o aroma de Lídia. Caminhou pelas mesas até chegar às orquídeas. Levantou os vasos e encontrou um envelope, bastante molhado por causa da umidade das plantas que o escondiam. Seu coração bateu acelerado quando o abriu. Engasgou de desespero ao ver a caligrafia pequena e caprichada de Lídia.

"Meu querido Harry,

Receber sua carta do navio e ficar muito feliz. Também sentir sua falta e mal poder esperar pela sua volta. Quando eu ficar triste, eu pensar no futuro que teremos juntos. E ficar feliz. Eu usar seu anel todo dia e saber que ser o símbolo do nosso amor, de que um dia a gente casar em frente aos nossos dois deuses.

Tudo estar bem aqui no hotel. A gente receber roupas de cama e travesseiros para todos os quartos e ter menos apagões. A gente estar com muitos hóspedes, a madame estar muito feliz.

Todos seus amigos aqui mandar lembranças a você e todos sentir falta de você tocar no Bamboo Bar.

Por favor, desculpa minha escrita ruim em inglês. Eu ainda estar aprendendo e esperar ficar melhor. Eu ser sua para sempre, Harry.

Sua flor de estufa."

— Meu amor, meu amor... — Harry murmurou, ninando a carta junto ao peito. — Como posso viver assim? Como posso viver sem você?

Caiu no banco e releu a carta, pensando que a morte seria preferível a viver daquele jeito. Foi quando ouviu passos e viu a porta ser aberta. Percebeu que era Olívia e escondeu a carta rapidamente no bolso da calça ao se levantar. Ela caminhou até ele com uma expressão muito preocupada.

— Procurei por você em toda parte, querido. Sua mãe disse que você saiu depois do almoço e ela não o viu desde então.

— É. Eu precisava de um tempo — ele comentou, sem forças.

— Sinto muito, Harry. Imagino que sua mãe tenha lhe contado a verdade sobre seu pai.

— Sim, ela contou — Harry estava agradecido por usar essa desculpa para os olhos vermelhos e a tristeza que devia estar estampada em seu rosto.

Ela arriscou perguntar a ele.

— Posso abraçá-lo?

Harry não impôs resistência ao abraço. Precisava sentir consolo físico de outro ser humano. Chorou como um bebê no ombro dela. Ela o acalmou com gentileza, dizendo que ficaria ao lado dele, que o amava muito e o ajudaria no que precisasse. Harry estava perdido em seu sofrimento, a dor chegava ao mais profundo de sua alma.

— Tenho de dizer adeus — ele murmurou. — Como vou aguentar? Como vou aguentar?

— Eu sei — Olívia o reconfortou, desejando chorar por ele. — Meu querido, eu sei.

Em Changi, Harry treinara bastante a tarefa de simplesmente existir e, nas semanas seguintes, essa prática foi útil. Ele passava as manhãs com o pai no escritório que logo seria seu, aprendendo todos os aspectos do extenso trabalho de administração de Wharton Park. Os dois passavam mais tempo juntos do que jamais tinham passado, mas havia uma tristeza nesses dias compartilhados, pois ambos sabiam o motivo dessa união. Harry percebeu que nunca entendera a complexidade da função do pai. Conforme aprendia o que fazia parte dela, sua admiração por Christopher crescia.

— A regra de ouro, mesmo que você tenha funcionários para gerenciar coisas como as contas e a fazenda, é estar no controle. Deve supervisionar os livros contábeis e montar a cavalo uma vez por semana para ver as terras. Entende o que estou dizendo, meu garoto?

— Sim, pai — Harry respondeu, atordoado com uma lista de números no livro de contabilidade à sua frente; aritmética nunca fora seu ponto forte.

— Você precisa ser ativo e se certificar de que todos os empregados de Wharton Park saibam quem você é. Seu bisavô quase perdeu essa casa por estar muito mais interessado em mulheres e vinho do Porto do que na propriedade. Os empregados ficaram sem controle. Lembre que um bom líder anda na frente, e seus anos no exército já devem tê-lo colocado na posição certa. Tenho orgulho de você, meu garoto — ele foi enfático, como se quisesse compensar todos os anos em que não dissera isso.

Assim, durante as tardes, Harry escolhia um cavalo e andava pela propriedade. Aprendeu sobre as colheitas do ano seguinte e as máquinas que deviam ser substituídas. Contou o gado e os porcos, visitou os fazendeiros locatários, e notou que alguns aumentaram furtivamente os limites alocados para eles nos contratos.

Harry nomeou Jim, o filho da senhora Combe, como novo administrador da fazenda. O rapaz crescera na propriedade e observara o pai fazer o mesmo trabalho antes dele. Jim não tinha experiência em coordenar pessoas, mas era jovem e inteligente, e estava feliz com a oportunidade. Harry seguiu o conselho do pai, mas sentiu que era importante achar uma pessoa confiável.

Tarde da noite, Harry estudava as contas. Isso lhe dava algo em que se concentrar e um motivo para não encontrar Olívia no quarto antes que ela dormisse. Percebeu logo que as finanças da propriedade estavam ainda piores do que a mãe pensava.

No final do verão, Harry sentia que conhecia cada acre do lugar, quanta renda poderiam esperar da venda do restante da colheita e do gado, e o quanto seria necessário gastar para trocar as máquinas e comprar mais suprimentos. Olívia também havia dito que alguns dos chalés dos empregados precisavam de reparos urgentes, mas isso teria de ficar para depois. A casa grande em si precisava de consertos caros.

Harry calculara que teria de pedir emprestadas 10 mil libras para começar a colocar a propriedade de volta aos eixos. E levaria dois anos até ela começar a dar lucro e ele poder pagar o empréstimo. Seria uma longa caminhada...

Ele suspirou e olhou o relógio pedestal, que fazia um barulho baixinho no canto do escritório de seu pai. Eram 2h30 da manhã. Ele pensou, como fazia todas as noites, em Lídia e onde ela estaria naquele instante. Já era manhã em Bangkok. Lídia devia estar sentada na recepção, sorrindo e encantando os novos hóspedes... E sonhando que ele voltaria logo. Harry tirou um papel de anotações da gaveta do pai e, como fazia toda noite, escreveu algumas palavras de amor para ela. Fechou-as em um envelope, ponto para entregá-lo a Bill de manhã. Ele não falava mais do futuro, tentando-a com o que nunca aconteceria, mas escrevia apenas sobre o quanto a amava e tinha saudades.

As cartas dela para ele chegavam esporadicamente, mas ele as procurava todo dia sob as orquídeas da estufa. Harry suspirou enquanto desligava o abajur da escrivaninha e ia para a porta. Ele sentia já ter cumprido prisão perpétua em Changi; agora, sentia que ia cumprir outra, em Wharton Park.

[CAPÍTULO 44]

Conforme o verão se transformava em outono e o frio do inverno se aproximava, Christopher ficou fraco demais para sair da cama. Adrienne ficava com o marido a maior parte do dia, conversando e lendo para ele enquanto ele dormia, e saindo apenas quando Harry ou Olívia vinham liberá-la.

Foi assim até que, em dezembro, pouco antes do Natal, Christopher sofreu outro grave derrame. Ele morreu poucas horas depois, sem ter recuperado a consciência. O funeral aconteceu no dia anterior à véspera de Natal, na pequena igreja da propriedade em que Harry e Olívia haviam se casado. Mais de trezentas pessoas vieram lhe prestar homenagem. Seu corpo foi sepultado na cripta da família, para repousar eternamente ao lado dos antepassados.

Olívia observou Harry pelo canto do olho enquanto ele recebia as visitas na casa após a cerimônia. Sua expressão cansada e triste revelava a dor. Naquele momento, ela pensou que nunca o amara tanto. Embora ele ainda fosse frio e distante, e suas tentativas de fazê-lo conversar sobre Changi tivessem fracassado, ele com frequência ia até ela tarde da noite e eles faziam amor.

Ela geralmente encontrava machucados no corpo ao acordar e sentia uma leve dor por dentro, por ser pega com tanta agressividade. Em algum momento, ela diria que ele precisava ser mais delicado, mas, por hora, dadas as circunstâncias, ela o deixaria em paz. O contato e o consolo trazidos por aqueles instantes eram muito importantes para serem sacrificados.

O Natal foi triste; apesar disso, levando em consideração sua natureza frágil, Adrienne se mostrou surpreendentemente estoica com a perda.

Talvez por ter tido tempo para se preparar e ter dito tudo o que precisava dizer para seu amado marido antes de ele falecer.

Quando os sinos tocaram, nas igrejas locais, no ano novo, Olívia, de sua parte, ficou grata. Desejava apenas que ele trouxesse a Harry a paz e a alegria de que tanto precisava.

No início de janeiro, quando a primeira neve forte do inverno caiu sobre Wharton Park, Harry sabia que tinha de entrar em contato com Lídia e dar a notícia de que não voltaria a Bangkok. Embora a verdade existisse apenas em sua cabeça e Lídia não soubesse de nada, e ainda mandasse cartas de amor para ele, Harry se permitia imaginar que ficar com ela ainda era uma possibilidade, pois isso aliviava as horas mais difíceis.

No entanto, havia um toque de ansiedade nas cartas mais recentes dela. Ela dizia que tinham muito a discutir quando ele voltasse e se arriscou a perguntar quando ele achava que isso aconteceria. Ele também reparou que ela não usava mais o papel timbrado do Oriental Hotel e uma pontada de preocupação se insinuou em seus pensamentos. Incapaz de lhe contar a verdade, ele escreveu e explicou que o pai havia morrido e havia muito a resolver antes de poder ir embora para ficar com ela. E, então, as cartas dela pararam de chegar. E Harry soube que algo estava errado. Em um repente, foi ao correio em Cromer e enviou um telegrama para madame Giselle no hotel, perguntando sobre a saúde dela, mas também sobre a de Lídia.Dois dias depois, recebeu uma resposta:

“Harry pt tudo bem aqui pt quando você volta pt Lídia partiu de repente há dois meses pt sem endereço para correspondência pt abraços Giselle”

Harry se segurou no balcão para se recuperar. Sentia-se tonto, enjoado... De volta a Wharton Park, ele foi para o escritório, fechou a porta e se sentou à escrivaninha com a cabeça apoiada nas mãos. Respirou fundo algumas vezes e tentou se acalmar. Talvez Lídia tivesse apenas conseguido um emprego melhor em outro lugar. Harry balançou a cabeça. Sabia que não poderia ser isso. Lídia adorava seu emprego, tinha orgulho de seu trabalho e do hotel, e era grata à Giselle pela oportunidade que recebera. Além disso, ela teria dito onde estava. Ela estava doente? O coração de Harry disparou. Ela estava morta? Bateu o punho na mesa. Tinha de ir atrás dela, encontrá-la, onde quer que estivesse. E ajudá-la, se ela precisasse.

Andou de um lado para o outro no escritório, tentando imaginar um motivo que fosse razoável e que o liberasse pelos três meses de que precisaria, mais ou menos, para encontrar Lídia, se explicar e se despedir. Talvez pudesse dizer à Olívia que ele e Sebastian haviam discutido empreendimentos comerciais quando ele esteve em Bangkok e que gostaria de explorá-los mais para auxiliar nas finanças da propriedade.

Tendo definido esse plano, Harry estava prestes a pegar o telefone e ligar para Sebastian em Bangkok quando ouviu uma batida na porta.

— Droga — ele murmurou. — Entre — falou alto.

Olívia entrou no escritório com um sorriso nervoso incomum nos lábios.

— Harry, posso perturbá-lo por cinco minutos?

— O que foi?

Olívia ignorou o tom rude certa de que a notícia pelo menos o faria sorrir. Se sentou e percebeu que suas mãos tremiam.

— Tenho algo a contar… Não se preocupe, é uma notícia fantástica.

Harry a encarou.

— Que bom. Diga então.

—Eu… Nós estamos esperando um bebê! É isso, querido. Bem o que precisávamos depois dos terríveis anos que tivemos.

— Tem certeza? — Harry franziu as sobrancelhas.

— Absoluta — ela respondeu, balançando a cabeça com alegria. — O médico confirmou ontem. Estou no terceiro mês. O bebê deve nascer no final de junho.

Harry sabia que deveria se animar e ter a reação adequada.

— É uma notícia magnífica — ele contornou a escrivaninha, se inclinou e a beijou no rosto.

Ela o olhou com ansiedade.

— Você está feliz, não é, querido?

— Claro que sim, Olívia.

— E, dessa vez, serei muito mais cuidadosa — ela continuou. — O médico me aconselhou, por causa do que aconteceu da outra vez, a descansar bastante. Então, não vou mais correr pela propriedade como uma louca. É claro que vou odiar cada minuto parada, mas será por uma boa causa. Não acha?

— É claro que sim — ele concordou.

— Temo que isso signifique mais trabalho para você, querido. Tenho certeza de que, quando eu contar à sua mãe, ela ficará muito feliz em ajudá-lo com as tarefas rotineiras da casa quando melhorar dessa gripe horrorosa que a desgastou tanto. Mas a primavera logo vai chegar. Harry — Olívia sussurrou com os olhos repentinamente cheios de lágrimas —, o nosso bebê... — constrangida pela demonstração de emoção, algo pouco comum para ela, Olívia tirou um lenço do cardigã e assoou o nariz. — Desculpe, o momento me tirou do prumo. Prometo não me tornar uma chorona e irritá-lo mais.

Foi então que Harry teve uma rápida visão da força de Olívia. Ele não lhe havia oferecido nada nos últimos meses, além de fazerem amor de vez em quando, de maneira que ele sabia ser bastante selvagem. Ele a tratava, na melhor das hipóteses, com reserva, e, na pior, com desdém. E lá estava ela, quase se desculpando por estar feliz com a gravidez porque estava preocupada com a reação dele. Foi um momento de revelação. Assustado pelo que ele só podia ver como egoísmo, e se detestando por isso, ele se ajoelhou na frente dela e segurou suas mãos.

— Querida, estou muito feliz. Você deve descansar o quanto for necessário. Você realmente merece — ele a abraçou por algum tempo. — Quando devemos contar à minha mãe?

— Pensei em fazer isso no almoço.

— Pedirei que a senhora Jenks cozinhe algo especial. E nós nos daremos um presente para celebrar a garota inteligente que você é.

Olívia concordou balançando a cabeça, extasiada pela atenção dele e cheia de esperança de que aquele poderia ser o momento de virada no relacionamento deles.

Olívia e Harry contaram a notícia para Adrienne, que ainda estava fraca da gripe. Ela se mostrou tão feliz quanto Olívia prevera. Depois do almoço, Harry foi até os estábulos e andou a cavalo pelos vestígios derretidos da neve que cobria as terras.

Passou por um pequeno bosque de onde Wharton Park ficava toda visível. Parou o cavalo e a observou. E, pela primeira vez, se sentiu orgulhoso por ser o dono dela. Era seu lorde e mestre, e mesmo sua mãe tinha de aceitar seus desejos. Além disso, até então, ele não se saíra mal no trabalho. Ainda havia também um possível herdeiro, talvez até um filho para assumir os domínios quando ele morresse. E, possivelmente, mais filhos adiante. Era uma ideia consoladora.

Lídia... Harry apoiou a cabeça em desespero no pescoço aveludado do cavalo. Se a vida tivesse sido diferente, se ao menos tivesse sido diferente, ele viveria com ela. Mas a verdade nua era visível em qualquer direção. Wharton Park era seu destino. E não havia saída. A boca dele ficou seca e contraída quando a dor de viver sem ela ressurgiu.

— Meu Deus... — ele gemeu.

Tinha de aceitar, parar de punir a si mesmo e aqueles ao redor, principalmente Olívia. Ela não tinha culpa pela paixão dele por outra mulher e, pelo menos, merecia compreensão e cortesia da parte dele.

No entanto, em primeiro lugar, tinha de encontrar Lídia e libertar sua amada flor de estufa para viver sem ele. Mas como? Com Olívia grávida e precisando repousar, Harry sabia que seria impossível sair da propriedade pelo menos até depois de o bebê nascer. Tinha de haver outra maneira.

Harry finalmente havia decidido o que fazer. Voltou aos estábulos e entregou o animal a um cavalariço. Quando chegou à porta da estufa, o plano estava claro em sua mente. Bill estava lá, sentado no banco, muito concentrado no estudo das raízes de uma orquídea. Ele levantou o rosto.

— Boa tarde, lorde Harry. Como está?

— Estou bem, obrigado, Bill.

Harry ainda se esforçava para lembrar que aquele título, por tanto tempo associado ao seu pai, era dele agora.

— Não há notícias hoje novamente, temo eu.

— Não...

Harry caminhou na direção de Bill e o observou trabalhar por alguns minutos.

— Acho que não vou ter notícias. Parece que ela desapareceu.

Bill baixou a pipeta e olhou para Harry.

— O que quer dizer com desapareceu?

— Ela deixou o hotel e ninguém sabe para onde foi. É óbvio que estou desesperado de tanta preocupação.

— Posso imaginar — Bill sussurrou. — Sinto muito. Há algo que eu possa fazer?

Harry respirou fundo.

—Na verdade, Bill, há sim...

Às 16h30, Elsie pegou uma bandeja de chá e bateu na porta do quarto de Olívia. Entrou e encontrou a patroa dormindo.

— Acorde, acorde, lady Olívia!

Olívia se mexeu e abriu os olhos.

— Meu Deus, já passa das 16 horas? — ela disse, com sono, e, depois, abriu um sorriso. — Deve ter sido o alívio de contar para o Harry.

Elsie apoiou a bandeja ao lado de Olívia.

— Contar o quê?

Olívia se virou para Elsie com os belos olhos turquesa brilhando.

— Minha queridíssima Elsie, agora que contei para o Harry e para a mãe dele, posso contar para você também. Estou esperando um filho. Deve nascer em junho.

— Ah, lady Olívia! É a melhor notícia que recebo há meses! É maravilhoso, mesmo.

— Sim, não é? Harry está animado também.

— Aposto que sim — Elsie concordou, tentando não revelar o que pensava do novo lorde Crawford. Enquanto servia o chá, a tristeza de repente apareceu em seus olhos. — A senhora sempre tem sorte, lady Olívia, mais sorte do que eu.

— Ah, Elsie! Não pense assim. Não teve novidades até então?

— Não. E nunca terei. Estávamos casados havia um tempo antes de Bill ir para a guerra há quatro anos e ele voltou há bastante tempo já. Assim... Bem, ele foi ao médico na semana passada. E eles não acham que ele possa... A senhora sabe — Elsie corou. — Os médicos culpam uma caxumba que ele teve aos 12 anos. Então, nunca teremos filhos.

— Elsie, sinto tanto, tanto — Olívia sabia o quanto sua dama de companhia queria uma família grande. — Talvez vocês possam adotar uma criança — ela sugeriu.

— Bill não gosta muito da ideia e eu não sei como me sinto a respeito disso também, mas acabamos de descobrir o problema. Vamos deixar a poeira baixar e ver como nos sentimos daqui a alguns meses.

— É claro — concordou Olívia —, muito sensatos.

— Agora, lady Olívia — continuou Elsie, deixando a tristeza de lado —, não quero que pense em mim e estrague sua alegria. A senhora passou por muita coisa, passou mesmo, e merece essa boa notícia, merece sim.

— Obrigada, Elsie — Olívia se sentou quando Elsie lhe passou o chá e disse: — E, lembre, nunca abandone a esperança. A vida tem um jeito engraçado de se ajustar, espere e verá.

Olívia havia acabado de se retirar para a cama naquela noite quando Harry apareceu, se sentou ao lado dela e segurou suas mãos. "Duas vezes em um dia", ela pensou, feliz.

— Querida, se não estiver muito cansada, quero lhe contar minha ideia — Harry começou.

— Estou acordada, querido, pode falar — Olívia o incentivou, aproveitando o fato de ele a estar envolvendo nos planos.

— Bem, sei que você sabe o quanto a propriedade está perto da miséria no momento.

— Sim, eu sei — Olívia olhou para ele. — Achou uma maneira de conseguir mais dinheiro?

— Acho que sim — disse Harry. — É claro que é uma aposta grande, mas, nas poucas semanas que meu pai e eu estivemos juntos, ele me ensinou a tentar maximizar o potencial da propriedade e das pessoas que trabalham aqui. E temos uma pessoa em especial que parece ter um talento raro.

— E quem é?

— Bill Stafford — ele respondeu, com um floreio. — Não sei se esteve na estufa recentemente, mas ele está fazendo um trabalho maravilhoso lá, com fertilização cruzada de orquídeas para criar plantas híbridas, algumas muito belas. Acho que, se der a Bill a ajuda e o incentivo certos, ele pode começar a vendê-las!

— É uma ideia muito boa. Principalmente porque requer pouco investimento. Podemos precisar de mais algumas estufas, no máximo — Olívia concordou.

— E, é claro, alguns espécimes incomuns. A paixão de Bill, e seu talento, devo acrescentar, parecem ser as flores tropicais, como orquídeas, e eu sugeri que ele se concentrasse nelas. Ele insiste que precisa aprender mais. Então...

Harry seguiu para a parte principal do plano, esperando ter feito o suficiente para convencer Olívia.

— Eu sugeri que ele viajasse para o Extremo Oriente o mais rápido possível. Lá, ele pode estudar as plantas no seu *habitat* natural e vai aprender como cultivá-las em Wharton Park. E, é claro, vai poder trazer quantos espécimes quiser, para começar.

Olívia franziu as sobrancelhas.

— Com certeza ele não vai querer voltar para lá. Principalmente com tantas lembranças horríveis. Não poderíamos mandá-lo para um curso de horticultura? Talvez exista algum nos jardins botânicos de Kew.

— Na verdade, foi Bill que sugeriu a ideia. Ele quer se especializar, se tornar um *expert* e ser o melhor no que faz. Sinto que devemos dar essa chance a ele — Harry a incitou, sabendo o quanto dependia do apoio e da aceitação de Olívia. — Afinal, ele salvou minha vida.

— Bem, se é o que você acha melhor, então, tudo bem, mande ele para lá. De qualquer maneira, Bill parece passar a maior parte do tempo na estufa, atualmente, e está deixando o pai cuidar do jardim da cozinha. É claro que eu não vou poder mais ajudar Jack — ela acrescentou —, por isso, talvez devamos substituir Bill em tempo integral, conseguir mais um rapaz para fazer as tarefas de jardinagem mais desinteressantes.

— Excelente ideia — concordou Harry. — O único problema que Bill vê nesse plano é a Elsie. Ela certamente será relutante em deixar o marido viajar sendo que ele acabou de chegar.

— Aposto que sim — disse Olívia.

— É aí que você entra, querida. Eu esperava que você pudesse ajudar a convencê-la de que é uma grande oportunidade para o Bill crescer e que ela deveria apoiá-lo nesse esforço.

— Farei o que puder, mas ela não vai gostar, Harry — Olívia contrariou.

— Querida, a Elsie idolatra o chão que você pisa. Uma palavra sua e ela verá os benefícios dessa ideia, tenho certeza — ele sorriu para ela.

Olívia sorriu de volta, corando com aquele raro elogio.

— Vou ver o que posso fazer. E a passagem de Bill?

— Já entrei em contato com o Sebastian e ele ficou feliz em organizar a viagem dele para nós.

— Bem, querido — concluiu Olívia, sorrindo —, você parece ter resolvido tudo.

Quando Elsie ficou sabendo do plano para Bill, se enfureceu.

— O quê? Quer me deixar aqui sozinha de novo?

Bill havia jurado a Harry que não diria o motivo real da viagem para Bangkok.

— Eu sei, meu bem, mas acho que levo jeito com as orquídeas e quero aprender mais. O lorde disse que, se eu conseguisse produzir e vender algumas flores especiais, ele me recompensaria. E seria bom ganharmos uns *shillings* a mais, não?

— Não se isso significa que você tem de viajar de novo — ela reclamou, olhando para o relógio na parede. — Agora tenho de voltar para a casa dos patrões. Vamos conversar depois.

Bill esperou o retorno da esposa com nervosismo. Elsie chegou com um sorriso resignado no rosto.

— Tudo bem, seu bobo, vou deixá-lo ir. A patroa conversou comigo hoje e explicou como essa é uma boa oportunidade para você.

— Elsie, obrigado, meu bem — Bill abraçou Elsie e a beijou na testa.

Ela o olhou nos olhos, que estavam sinceramente animados. E, como o amava muito, conseguiu perceber isso.

— Desde que não seja por mais do que uns dois meses, ou então terei de arranjar outro homem para me fazer companhia!

Bill a abraçou novamente pensando no quanto tinha sorte por ter achado o verdadeiro amor bem na porta de casa.

— Eu prometo, meu bem, voltarei em um piscar de olhos.

[CAPÍTULO 45]

Bangkok

1947

Bill se sentou no fundo do *tuk-tuk* com a mão direita agarrada ao apoio de madeira e a esquerda tentando segurar a pequena mala enquanto o triciclo disparava pelo tráfego de Bangkok. Ao virarem a esquina em uma rua estreita, o *tuk-tuk* desviou por pouco de uma mulher que equilibrava duas cestas rasas de arroz suspensas como uma balança gigante em um cabo de madeira apoiado nos ombros.

Bill fechou os olhos, rezando para que aquela viagem aterrorizante acabasse logo e o Oriental Hotel aparecesse como que por mágica. Ele havia esquecido rápido demais o calor intenso do Extremo Oriente; sentia muita sede e estava ensopado de suor.

— Elsie — ele gemeu —, por que não ouvi sua opinião?

E pensar que, naquele momento, ele poderia estar melhorando a estufa de Wharton Park, esperando a hora do chá para comer fígado e bacon e, depois, ter o corpo quente e complacente de Elsie aconchegado a seu lado. Em vez disso, ele estava em uma estufa do tamanho de um país com um prato de arroz, que aprendera a odiar, como a provável refeição e só Deus sabia onde descansaria a cabeça naquela noite. Consolou-se com o fato de que a passagem de volta para casa já estava reservada para duas semanas depois. Em comparação com os quatro longos anos em Changi, quinze dias não eram nada.

— Eu juro, lorde Harry, você ainda vai causar minha morte, com certeza — Bill murmurou enquanto o *tuk-tuk* parou ao lado de um edifício malcuidado.

— *Long-Lam Orientem, krup.*

O motorista apontou o hotel e Bill suspirou aliviado ao ver a pequena placa sobre a entrada que confirmava o destino. A mala dele foi tirada de suas mãos por um porteiro baixinho, que o levou ao arejado lobby do hotel e até a recepção. Uma bonita menina tailandesa estava sentada atrás da escrivaninha. Bill sabia que era ali que Lídia havia trabalhado e ele rezou para ter sorte logo de início.

— Oi, senhorita. Ahn... Eu gostaria de reservar um quarto aqui pelas próximas duas semanas.

— Certamente, senhor. Serão 120 *bahts* por noite, sem incluir o café da manhã — a garota respondeu, em inglês perfeito.

— Certo — disse Bill, sem saber o que aquela quantia significava em libras, mas certo de que Harry o mandara preparado em termos de dinheiro.

— Pode assinar aqui, senhor, e eu pedir ao porteiro o levar ao quarto. Ele ter uma ótima vista para o rio — ela acrescentou, sorrindo.

— Obrigado.

Bill escreveu seu nome onde ela indicara enquanto ela ia até um escaninho de madeira e pegava uma chave grande.

— Seu nome não é Lídia, é?

— Não, sinto muito, senhor, ela ir embora há alguns meses. Eu ser substituta. Meu nome ser Ankhana — ela completou, entregando a chave.

— E a senhorita sabe onde Lídia está trabalhando agora?

— Desculpe, senhor. Ela ir antes de eu chegar. Eu não a conhecer. Você poder perguntar para madame Giselle, gerente do hotel, mas ela não estar aqui agora.

Ankhana tocou um sininho e o porteiro baixinho apareceu atrás de Bill.

— Boa estadia, senhor.

— Obrigado.

Bill seguiu o porteiro até o quarto e, como Harry, ficou impressionado com a vista. Depois de um cochilo e um banho de gato na bacia, Bill partiu para procurar o restaurante. Na varanda sombreada, ele pediu uma cerveja e um hambúrguer delicioso, uma iguaria que descobriu em Cingapura (cortesia dos soldados americanos) enquanto esperava o navio para voltar de Changi. Bill resolveu que poderia se acostumar a ser tratado como um cavalheiro, com outras pessoas pegando e carregando as coisas para ele. Ainda assim, tudo o que queria era encontrar Lídia o mais rápido possível e executar a tarefa terrível de lhe explicar tudo. Depois, podia se concentrar em procurar as orquídeas que queria levar para a Inglaterra.

— Duas semanas, lorde Harry, é o que lhe ofereço — ele murmurou para a cerveja. — Depois, pegarei aquele navio de volta para casa e minha Elsie.

Após o almoço, Bill foi até a recepção para ver se a gerente estava no escritório. "Comece por Giselle", Harry dissera. "Ela sabe tudo e pode ter recebido notícias de Lídia desde que me mandou o telegrama."

Giselle estava no escritório e saiu para cumprimentar Bill.

— Posso ajudá-lo, senhor?

— Sim, bem... Senhora, estou aqui em nome de lorde Harry Crawford.

— *Mon Dieu*! — Giselle ergueu uma sobrancelha. — Nosso pianista britânico errante. Bem, é melhor me seguir.

Ela abriu a tampa do balcão de madeira para Bill passar e o guiou ao escritório.

— Por favor, está melhor, senhor...?

— Stafford, senhora, Bill Stafford.

— Então — começou Giselle, o analisando enquanto se sentava atrás da escrivaninha —, suponho que lorde Crawford não abrirá mão de seu direito de berço para se casar com nossa recepcionista e ser músico em nosso bar.

— Não, senhora.

— *Quelle surprise* — Giselle sussurrou. — Eu sabia disso, mas ele foi muito convincente antes de ir embora. Eu pensei — ela continuou, com um sorriso triste — que, talvez, para variar, o amor fosse vencer. Mas é óbvio que não.

— Ele estava... Está... Apaixonado, senhora. Mas saiba que é impossível, para ele, jogar tudo para o alto, por assim dizer, e voltar para cá. O pai dele morreu há pouco tempo, sabe, e ele teve de assumir a propriedade e todas as responsabilidades que vêm com ela.

— Não precisa explicar, senhor Stafford. Entendo perfeitamente. E devo supor que você não está aqui para explicar essa mudança de planos para mim, mas para a mulher a quem ele prometeu voltar, *oui*?

— Sim, senhora — Bill corou sob o olhar vigilante dela, se sentindo estranhamente responsável pelas ações de Harry.

— Sabe que ela não trabalha mais aqui?

— Sim, meu patrão disse. A senhora sabe onde ela está?

— Como disse ao lorde Crawford no telegrama, Lídia sumiu certa manhã há cerca de três meses. Não a vejo nem tenho notícias dela desde então.

— Ela estava doente? Meu patrão está doido de tão preocupado.

— Acho que não. Ela não parecia doente na última vez que a vi. Apesar de ter uma expressão triste... — Giselle balançou a cabeça. — Acho que nós dois entendemos o porquê. É uma garota linda, inteligente, ansiosa por aprender e um bem valioso desse hotel. Fiquei muito triste por perdê-la.

— Por que acha que ela partiu, senhora?

— Quem sabe? Podemos ter suspeitas, mas... — Gisele suspirou. — Posso apenas presumir que foram motivos pessoais. Não foi um comportamento típico de Lídia, ela sempre foi muito confiável. E, eu achava, estava feliz aqui.

— Ela poderia ter ido atrás da família? — Bill sugeriu. — Meu patrão disse que eles visitaram parentes dela em uma ilha, a um dia de trem de Bangkok.

— Não, tenho certeza de que não está lá. Quando ela desapareceu, eu também fiquei preocupada. Escrevi para o tio dela em Koh Chang para perguntar se Lídia estava com ele. Ele respondeu dizendo que não a tinha visto, mas ia escrever para a mãe de Lídia perguntando se tudo estava bem. Infelizmente — Giselle comentou, tombando a cabeça —, parece que esse tio não sabia que a mãe de Lídia tinha ido morar no Japão alguns meses antes. Lídia ficou aqui para continuar trabalhando, mas, é claro, pode ter ido se encontrar com a mãe.

— Japão? — Bill sentiu seu coração apertar. — Como fui prisioneiro de guerra, me desculpe por dizer isso, senhora, mas não acho que aguentaria ir procurá-la por lá.

— É claro. Além disso, é muito longe, senhor Stafford — Giselle se inclinou sobre a escrivaninha. — Não sei o que aconteceu com a Lídia, mas, se minha intuição estiver certa, ela não foi para junto da família. Não, é o último lugar para onde ela iria. Acredito que ela esteja por aí — Giselle balançou a mão em direção à janela —, na grande massa de pessoas que é essa cidade.

— Ai, meu Deus — Bill abaixou a cabeça. A tarefa à sua frente parecia inalcançável. — Por onde eu começo? Ela tinha amigos aqui no hotel para quem possa ter contado algo?

— Não sei de nenhuma amizade em especial — Giselle respondeu. — Se ela tivesse um problema pessoal, duvido que fosse compartilhar. Ela se esconderia, como um animal ferido.

Bill ficou olhando suas mãos calejadas, se sentindo despreparado.

— Senhora, não posso voltar para casa sem encontrá-la. Jurei para o patrão que conseguiria. Além disso...

— Além disso o que, senhor Stafford?

Bill respirou fundo.

— Se eu não a encontrar e garantir ao meu patrão que ela está bem, ele pode decidir vir procurá-la por conta própria. Ele a ama tanto... Não sabe por quanto tormento ele passou quando soube que não terá saída, deverá cumprir seu dever na propriedade. Juro que ele estaria aqui se pudesse. E, se isso acontecesse, só entre nós, senhora, como ficaríamos em Wharton Park? Eu e minha esposa, Elsie, nossos pais e 150 outros, além das esposas e os filhos, dependemos da propriedade para viver. Se o lorde desaparecesse, seria um caos, tão certo como um dia após o outro; ou incerto. Assim, a senhora vê — Bill se esforçava para ser eloquente —, não estou aqui apenas por ele, mas por mim e pelos meus, e pelas outras pessoas que precisam do patrão em casa.

— Sim, entendo o quão dividido lorde Crawford deve estar. Lembre, fui testemunha do amor deles e é uma tragédia para os dois não poderem ficar juntos. *C'est la vie*, senhor Stafford — Giselle suspirou. — Farei o que puder para ajudá-lo. Tenho uma lista em algum lugar... — ela abriu uma gaveta da escrivaninha e procurou algo ali.

— Nem sei o segundo nome dela — disse Bill.

— Posso lhe dar ao menos isso. Aqui! — Giselle tirou uma folha de papel. — Uma lista de todos os hospitais de Bangkok. Mandamos fazer para os parentes de prisioneiros de guerra na Birmânia. Essa guerra, tanta dor. E vê como a dor continua?

— Eu sei, senhora — Bill concordou. — Eu mudei e minha vida mudou para sempre. Ela botou tudo de cabeça para baixo, foi sim.

— Sim, pois, no curso normal da vida, Harry e Lídia nunca deveriam ter se conhecido, mas se conheceram e puf! — Giselle fez um gesto claramente francês. — Olhe a loucura que causou para tantas pessoas! — ela estava escrevendo em outra folha de papel e a entregou a Bill. — O sobrenome de Lídia e um bilhete escrito em tailandês dizendo que você está procurando por ela. Pode entregá-lo nas recepções dos hospitais.

Bill empalideceu com a ideia. Tinha visto o suficiente de doença e sofrimento em Changi por toda uma vida.

— Devo dizer, senhora, tenho medo de encontrá-la em um hospital.

— Deve começar por algum lugar, senhor Stafford, e com certeza é melhor eliminá-los logo — Giselle se levantou e Bill a imitou. Ela parou na porta e se virou para ele. — Lorde Crawford tem sorte de ter um amigo tão leal que viajou até aqui para ajudá-lo.

— Sou empregado do lorde, senhora. Devo fazer o que manda.

— Não, senhor Stafford, lorde Crawford confiou a você uma missão que só daria a um amigo, qualquer que seja sua posição na casa dele.

— Bem, então espero cumpri-la — disse Bill, suspirando.

— Você vai cumpri-la — afirmou Giselle ao abrir a porta do escritório. — Se Lídia estiver viva e quiser ser encontrada, você vai encontrá-la.

[CAPÍTULO 46]

Bill passou a noite parando todos os funcionários do hotel que encontrava e mostrando a eles o papel que Giselle lhe entregara, mas encontrou olhares vazios e negações. Assim, na manhã seguinte, ele seguiu para a tarefa sinistra de visitar os hospitais de Bangkok.

Enquanto o *tuk-tuk* se lançava no calor opressivo e fétido da cidade lotada, Bill se desesperava imaginando se encontraria a pessoa que traria paz para Harry e ele, colocando um fim naquela situação horrível.

As recepções dos hospitais estavam surpreendentemente calmas e limpas, nada como o "necrotério" de Changi, como havia sido apelidado. Não havia pacientes gemendo de dor, com feridas purulentas não tratadas, nem o fedor constante de excrementos humanos. No final do dia, Bill voltou ao hotel, grudento e exausto, mas sem nenhuma nova informação sobre o paradeiro de Lídia.

— Teve sorte? — Giselle perguntou ao vê-lo no lobby.

— Não — Bill balançou a cabeça. — Visitei oito hospitais, faltam doze. Para ser sincero, senhora, não sei se estou feliz de não ter encontrado Lídia ou decepcionado.

— Pegue — Giselle lhe entregou um envelope. — É uma foto profissional de Lídia, tirada pouco antes de ela partir. Pode ajudar, se mostrá-la nos hospitais. Nunca se sabe — Giselle deu uma batidinha no ombro de Bill. — Mais sorte amanhã.

Bill pegou a chave e subiu para o quarto. Jogou-se cansado na cama e abriu o envelope para olhar a foto. O rosto em preto e branco que olhava para ele tinha os mesmos traços delicados de muitas mulheres tailandesas que vira em Bangkok. Ainda assim, havia uma luz, um brilho nos grandes olhos de Lídia que lhe dava um esplendor, elevando-a acima do normal e fazendo dela uma mulher bonita. Bill tocou com delicadeza no rosto imaculado, se perguntando se aquela jovem garota sabia a confusão que causara para ele e para outros, a milhares de quilômetros dali.

— Onde você está, Lídia? — ele murmurou com suavidade e colocou a fotografia cuidadosamente no criado-mudo ao lado da cama.

Depois de tomar um banho e mudar de roupa, Bill foi atraído pela música que vinha de um salão perto do lobby e andou até o Bamboo Bar. Pediu uma cerveja e ouviu o trio tocar jazz. Não era o tipo de música de que gostava, preferia Vera Lyon ou sua adorada música clássica, mas o clima do bar era vibrante e o animou. Tentou imaginar o patrão tocando o velho piano lá, sorridente, despreocupado e apaixonado, mas era difícil. Tudo o que lhe vinha à mente era a expressão séria e cansada de um jovem com o peso do mundo nas costas.

Uma garota tailandesa perguntou se poderia se sentar à mesa com ele e ele concordou balançando a cabeça, prestando pouca atenção nela, que pediu uma Coca-Cola. Ela tentou puxar conversa com ele em um inglês difícil e, presumindo que ela estava esperando o namorado aparecer, Bill respondeu às perguntas. Vinte minutos depois, quando a garota se sentou mais perto e ele pôde sentir a coxa dela roçar de propósito na dele, ele entendeu a situação. Bill entrou em pânico e acenou desesperado para o garçom, para que lhe trouxesse a conta e ele pudesse ir embora. A garota lançou um olhar irritado, decepcionada, quando Bill saiu correndo do bar.

Quando chegou ao quarto e trancou a porta, Bill percebeu que estava ofegante. Embora não tivesse feito nada, ficava pálido só de pensar em Elsie vendo-o com outra mulher. Não havia outra para ele, nunca houvera, e a ideia de magoá-la o deixava enjoado de verdade. Nunca entendera a atração por aquelas mulheres orientais. Ele havia visto soldados se jogarem nos prostíbulos de Cingapura quando foram soltos e ele só conseguia pensar na esposa que esperava por ele com paciência em casa, em seus grandes olhos castanhos, no nariz com sardas e o corpo branco e rechonchudo.

Bill se despiu e escorregou para debaixo dos cobertores, pensando que ele e Elsie podiam não ter o dinheiro e as facilidades dos ricos para quem trabalhavam, mas pareciam abençoados com algo que ele agora percebia que era mais raro do que uma orquídea negra: amor eterno.

Outro dia quente o recebeu e a umidade oprimia seu peito, era como se o oxigênio tivesse sido tirado do ar. Bill engolia o ar fresco dos ventiladores de teto das recepções dos hospitais, enquanto as recepcionistas procuravam o nome de Lídia nos registros de admissão e, depois, olhavam a foto e balançavam a cabeça.

A busca de Bill o levou mais para dentro da cidade, deixando para trás a graciosa arquitetura colonial em volta do Oriental Hotel e das margens do rio. Ao ir de hospital a hospital no *tuk-tuk*, ele viu templos pintados em cores brilhantes e vivas, lares dos monges que se levantavam ao amanhecer e andavam nas ruas imundas descalços, segurando tigelas para que os moradores locais enchessem de arroz. E viu os sem-teto, aleijados com membros desfigurados, mulheres com bebês sentadas nas sarjetas, o olhar de desespero claro nos seus rostos magros. A pobreza era diferente de tudo que Bill já vira e percebeu que, ainda que aquelas pobres almas estivessem livres para irem onde quisessem, suas vidas eram pouco melhores do que aquela que ele tivera em Changi. Quanto mais ele via, mais ele ansiava pelo conforto e a relativa segurança de sua vida e de sua casa em Wharton Park. E entendeu o quanto era abençoado.

No final do dia, Bill havia visitado todos os hospitais da cidade, sem sucesso. Caminhou de volta para o hotel, exausto e desmoralizado, sem saber onde deveria procurar Lídia em seguida. Quando pegou a chave na recepção, Giselle o viu pela janela do escritório e foi falar com ele.

— Pelo seu olhar, não a encontrou.

— Não... — Bill suspirou. — E não sei mais onde procurá-la. Alguma ideia?

— Bem, pensei que você poderia procurar no bairro em que Lídia morou antes de a família dela se mudar para o Japão e ela vir morar no hotel. Ela pode ter voltado para lá.

— Vale a pena tentar, eu acho — Bill respondeu, sem emoção.

— Posso dar a você o endereço antigo dela e talvez você possa mostrar a foto aos vizinhos, aos vendedores de rua. Quem sabe alguém a viu... — a voz de Giselle foi sumindo. Os dois sabiam que era uma ligação pouco confiável.

Bill coçou a cabeça, que doía.

— O que não entendo é por que ela não deixou um recado aqui para o lorde Harry, dizendo para onde ia. Afinal, ela esperava que ele voltasse e a encontrasse.

— Não podemos adivinhar o motivo, senhor Stafford, não podemos mesmo — Giselle respondeu, desesperada por ver a situação daquele jovem bom e leal, que, apesar da falta de cultura e educação, despertava o carinho dela cada dia mais.

— Bem, obrigado pela ajuda, senhora. Tentarei esse endereço amanhã. Minha passagem para casa é daqui a dez dias e, mesmo que seja pelo meu patrão, não posso ficar mais tempo. Posso não ter mais esposa se eu demorar — ele acrescentou.

— Você pode apenas fazer o seu melhor, senhor Stafford, e nada mais — dirigiu a ele um breve sorriso e saiu andando.

Bill usou o *tuk-tuk* para a viagem de vinte minutos até o endereço que Giselle lhe dera. Era bem no coração da cidade, uma rua escura e estreita contornada por prédios altos de madeira que se inclinavam uns sobre os outros em ângulos estranhos, dando a impressão de que uma lufada de vento os derrubaria. O cheiro de comida apodrecendo nas sarjetas era opressivo e o estômago de Bill se contraiu quando ele parou em frente ao prédio em que, aparentemente, Lídia havia morado.

A batida que deu na porta atraiu uma velha mulher com um sorriso sem dentes. Como percebera que era inútil tentar falar com os moradores locais, Bill mostrou a fotografia para ela. Ela confirmou balançando a cabeça e apontou para o andar de cima.

— Ela está lá? — o coração de Bill deu um pulo. A mulher falava rápido em tailandês, balançando a cabeça e gesticulando. Bill colocou o pé na entrada.

— Lídia? Lá em cima?

— *Mai, mai, mai*!

Bill sabia ao menos que aquilo significava "não".

— Onde ela está então? Lídia? — ele fazia mímica e gesticulava também.

E, então, a porta foi batida, quase cortando os dedos dele. Bill bateu ali por vários minutos, mas não teve resposta. Andou para lá e para cá na rua, batendo em portas dos dois lados, o que foi igualmente inútil.

Não havia esperança. Ele iria apenas voltar para casa e dizer para lorde Harry que havia falhado na missão de encontrar Lídia. Para ser sincero, era uma missão falida desde o início. Uma garota desaparecida, pouco depois da guerra, perdida em uma cidade de milhões de pessoas, e um ocidental visto com suspeita pelos moradores locais e incapaz de se comunicar com eles. Ele não deveria se sentir culpado. Tinha feito o melhor que pôde por Harry, mas a verdade era que ele não tinha mais onde procurar. Ia gastar o tempo restante comprando orquídeas e partiria para a Inglaterra conforme o planejado.

Bill desceu a rua devagar, procurando o motorista do *tuk-tuk*, que parecia ter sumido. Quando virou a esquina, encontrou um grande e barulhento mercado. Comprou uma tigela de macarrão e vagou sem rumo pelas bancas até ver uma delas transbordando com uma seleção maravilhosa de orquídeas coloridas, de aroma doce. Parou em frente a ela para examinar as plantas, muitas das quais nunca vira antes.

— Ajuda? — disse uma voz por trás da folhagem.

Bill se inclinou sobre a fileira de *Dendrobium* e viu um pequeno homem agachado no chão.

— Você fala inglês? — Bill perguntou, surpreso.

— Pouco inglês, sim.

O homem se levantou e apareceu por trás das flores. Em pé, ele chegava à altura do peito de Bill.

— Ajuda, senhor? Ter muitas orquídeas raras aqui. Minha família, a gente trás da nossa plantação em Chiang Mai. A gente famoso — ele disse com orgulho. — Abastecer o palácio real.

— Vejo que as plantas são incomuns — Bill apontou para uma estonteante orquídea laranja, as delicadas pétalas finas cobertas de veios mais escuros distribuídos ao redor de uma coroa branca longitudinal. Ele apoiou a tigela de macarrão e a foto na mesa de cavaletes e pegou a planta para observá-la mais de perto.

— Qual é essa?

— Essa, senhor, é *Dendrobium unicum*. É rara e cara — o homem sorriu. — Gosta de luz forte e tempo seco.

— E essa? — Bill pegou uma planta com pétalas lilases parecidas com um fino tecido. Desejou ter levado papel e caneta para anotar os nomes e detalhes das flores. Aquele homem parecia saber bastante do assunto.

— Essa, senhor, *Aerides odoratum*. Cresce no chão da floresta. Gosta de sombra.

— E essa?

Pelos vinte minutos seguintes, Bill esqueceu Lídia e entrou no mundo que entendia e amava. Seus dedos coçavam de vontade de comprar a banca toda e mandá-la de navio para sua estufa. Assim, poderia passar os meses seguintes conhecendo cada espécime, fazendo experiências com a temperatura, a luz e a umidade, e ver se conseguia cultivá-las sozinho a partir da planta original, talvez até fazendo polinização cruzada e produzindo um híbrido.

— Você vai estar aqui amanhã? — Bill perguntou, imaginando se conseguiria transportar todas as plantas que queria levar e onde as guardaria depois.

— Todo dia, senhor.

— Quero mandar as orquídeas que eu comprar de navio para a Inglaterra, entende?

— Sim, senhor. Eu organizar. A gente poder mandar engradado para o cais que está o seu navio.

— E eu vou estar aqui quando você prepará-lo e carregá-lo — Bill disse com firmeza, sem querer partir com o navio e descobrir que comprara cinco engradados de margaridas. — Vou voltar amanhã para escolher as plantas e lhe passar os detalhes.

— Ok, senhor. Eu ver você amanhã.

— Sim, obrigado — Bill se virou para ir embora com a cabeça perdida nas orquídeas.

— Senhor! Senhor! Você esquecer foto! — o homem estava atrás dele, balançando a fotografia.

— É mesmo, esqueci. Obrigado — ele estendeu a mão para pegá-la e viu que o homem a observava.

O homem olhou para Bill e abriu um sorriso.

— Ela muito bonita. Eu conhecer ela.

Bill engoliu em seco.

— Você a conhece?

— Sim. Lídia. Boa cliente minha. Ela morar ali.

O homem apontou para a rua de onde Bill viera.

— Mas eu não ver ela agora. Talvez ela ir embora.

Bill tentou manter a calma e falar devagar com o homem para ser compreendido.

— Pode descobrir para onde ela foi?

— Sim, fácil. Minha prima amiga dela há muitos anos. Eu perguntar.

— Por favor. O mais rápido possível. É muito importante que eu a encontre.

— Por quê? — o homem franziu as sobrancelhas. — Ela com problemas? Não querer problema.

— Não, não é nada disso.

Bill sabia que era inútil tentar explicar tudo, assim, disse:

— Diga à sua prima que Harry está procurando por Lídia. Ela vai entender.

O homem pensou um pouco.

— Ok. Mas eu precisar visitar prima e ter tempo de encontrar.

Bill tirou uma nota do bolso e entregou a ele.

— Vou voltar amanhã e pagar mais se você tiver informações para mim.

O homem sorriu.

— Ok, senhor. Eu me esforçar.

— Obrigado.

Bill se afastou, pensando que um encontro tão ao acaso pudesse ter o resultado de que ele precisava tanto.

[CAPÍTULO 47]

— Eu encontrar ela, senhor — o homem das flores disse a Bill, com seriedade, na manhã seguinte.

— Onde ela está?

Houve uma longa pausa, durante a qual o homem ficou olhando os dedos sujos. Bill entendeu a dica, tirou mais duas notas do bolso e as entregou a ele.

— Eu levar o senhor lá agora.

O homem assobiou para o garoto da banca ao lado, pedindo que cuidasse das plantas para ele, e indicou que Bill deveria segui-lo.

— Senhorita Lídia mudar de casa agora — o homem das flores explicou enquanto guiava Bill por um labirinto de ruas sujas. — A vida dela... Ruim. Minha prima dizer que ela buito, buito doente. Não poder trabalhar, não poder pagar casa. — O que aconteceu com ela? — Bill perguntou com o coração acelerado ao pensar em como a encontraria.

— Acho que você saber, senhor — respondeu o homem, carrancudo. — Mas eu ver ela e dizer que Harry estar aqui e ela buito feliz. Ela dizer para ir. Você ajudar ela, sim? Eu achar que ela estar morrendo.

O homem das flores parou em frente a um prédio com a porta de madeira meio apodrecida e remendada com tábuas. Ao entrar, Bill quase tropeçou em um mendigo perneta, sentado ao lado da porta. Ele apertou os dentes por causa do cheiro familiar de pessoas sujas e doentes que enchia o lugar sufocante e quente. O homem o levou por escadas estreitas que rangiam e bateu em uma porta.

Um murmúrio respondeu. O homem das flores falou em tailandês por trás da porta, evocando outro murmúrio fraco.

— Ok, senhor Harry. Eu deixar você. Ela doente. Eu não querer. Volte quando quiser enviar flores.

O homem já descia correndo as escadas antes de Bill conseguir responder. Ele respirou fundo, virou a maçaneta e entrou. O quarto estava escuro, apenas com feixes de luz entrando pelas lâminas desiguais das venezianas, o calor lá dentro era opressivo.

— Harry?

Uma voz fraca no canto do quarto chamou a atenção de Bill enquanto ele tentava enxergar no escuro. Havia um colchão no chão e uma pequena forma deitada sobre ele.

— Harry, ser você? Ou eu sonhar?

Bill engoliu em seco. Deu um passo em direção ao colchão sem querer assustá-la com sua voz desconhecida até ter certeza de que ela estava segura.

— Harry?

Bill deu mais um passo e mais outro até poder vê-la com mais clareza no colchão aos seus pés. Os olhos dela estavam fechados, a cabeça virada para um lado sobre o lençol branco. Bill se inclinou e ficou alguns instantes olhando os traços perfeitos e agora conhecidos. E teve certeza de que encontrara a Lídia de Harry.

— Harry, meu amor — ela murmurou —, eu saber que você voltar... Voltar para mim...

Bill sabia que não deveria falar, não deveria quebrar o encanto. Com o coração pesado, se ajoelhou ao lado dela e tocou em sua testa. Estava queimando.

— Harry — ela suspirou. — Eu sonhar com isso... Graças a Deus, graças a Deus, você estar aqui... Eu amar você, Harry, eu amar você...

Bill acariciou a testa dela com delicadeza, sabendo que ela estava apenas meio consciente. O coração dele estava partido com a cena.

— Você me abraçar... Eu tão doente, com medo. Você me abraçar, por favor...

Com lágrimas escorrendo em silêncio pelo rosto, Bill tomou o corpo pequeno e sem energia nos braços e a segurou, sentindo o calor nada natural de uma infecção na pele úmida dela. Ela soltou um pequeno suspiro.

— Você estar aqui, Harry, você estar mesmo aqui... Agora a gente estar seguro.

Bill não sabia quanto tempo segurara Lídia perto de si. Pensou que ela dormia, mas, às vezes, ela dava pulos, talvez por causa de um sonho ou da febre, que, ele podia sentir, tirava a vida dela. Tinha visto aquilo em Changi e sabia para onde a levaria. Talvez ele tenha dormido também, entorpecido pelo calor do quarto, sentindo por instinto que, enquanto segurasse aquela pobre e acabada menina em seus braços, ela viveria.

Em certa hora, sem conseguir ficar agachado por mais tempo, Bill a deitou gentilmente no colchão. Levantou-se com rapidez e virou para ver se havia água para umedecer a testa dela e tentar baixar a temperatura. Foi quando ouviu o som. Veio do canto mais afastado do colchão, para além de Lídia, que estava deitada em uma imobilidade mortal.

Depois, na meia-luz, o lençol se mexeu e Bill deu um salto. Contornou o colchão, viu o lençol se mexer de novo e outro som saiu debaixo dele. Ele se ajoelhou com o coração acelerado e arriscou puxar o tecido. Um par de olhos brilhantes cor de âmbar olhou para ele. Depois, eles se fecharam em desgosto e a perfeita boca em miniatura fez um bico. E o silêncio imediatamente foi quebrado pelo choro indignado de um bebê recém-nascido, faminto por leite.

— Eu já tinha adivinhado, é claro, o motivo de Lídia ter se escondido — Giselle suspirou. Bill estava sentado no escritório dela, segurando o bebê já alimentado e satisfeito em seus braços.

— Ela sempre foi tão magra, mas eu notei que tinha engordado. Aqui na Tailândia, ter um filho sem estar casada é a pior desgraça possível. Mas eu também sabia que não poderia lhe perguntar nada a menos que ela decidisse me contar.

— Graças a Deus eu a encontrei, senhora. Ela estava em um estado terrível, quase sem consciência.

Bill deu um grande gole no conhaque que Gisele servira quando ele voltara ao hotel. Ela reparou que o copo tremia enquanto ele o levava à boca. Ele havia visto muitas coisas durante a guerra, mas sabia que levaria muito tempo até que as horas anteriores parassem de assombrá-lo.

Depois do choque de encontrar o bebê, o choro constante dele tirou Bill do torpor induzido pelo calor. Ele pegou aquela coisa pequenina e saiu correndo da casa, de volta ao mercado. O homem das flores ficou reticente no início, mas, em troca de mais algumas notas, trouxe o velho caminhão que usava para transportar as orquídeas do depósito: ele agora levaria Lídia para receber os cuidados médicos de que tanto precisava.

— É um milagre você tê-la encontrado naquele momento — Giselle olhou para ele preocupada. — Como ela estava quando você a deixou no hospital?

— Estava inconsciente... Muito doente. Não sei o que há de errado com ela. Não entendi o que os médicos disseram. Ela estava recebendo medicação na veia e oxigênio quando eu saí de lá — Bill explicou. — E, senhora, quando eu a levantei do colchão para carregá-la até o caminhão, tinha sangue por toda parte — a voz de Bill falhou. — Ela estava ensopada nele... Quero dizer, de onde o bebê veio. Não sei se sobreviverá, não sei mesmo! — Bill recuperou o fôlego e engoliu com dificuldade. — Pelo menos ela está sendo tratada agora, não está sozinha naquele quarto fedido.

— Eles sabem a idade do bebê? É pequenininho — Giselle observou o pacote adormecido nos braços de Bill.

— O cordão umbilical dela ainda não caiu, então, eu diria que tem apenas alguns dias. Os médicos a examinaram e a entregaram para mim. Acho que pensaram que eu era... O pai... — Bill corou e olhou para o bebê. — Não sei muito sobre bebês, estou mais acostumado a filhotes de animais na fazenda, mas essa pequenininha parece que está bem e saudável. Com certeza está com fome.

— E é linda — disse Giselle com o olhar mais suave. — Linda.

— Sim, é mesmo — os olhos de Bill ficaram embaçados quando ele olhou para o bebê. — Mas, me diga, senhora, o que vou fazer? O que faço com ela?

— Por favor, senhor Stafford, eu não sei o que dizer. Talvez, por enquanto, como a Lídia está muito doente, você deva cuidar da filha dela. E, depois, quando ela melhorar, decisões terão de ser tomadas.

— Me desculpe por perguntar, mas não sei nada de bebês. O que faço com a... Bagunça que ela faz? Ela foi trocada no hospital, mas — Bill torceu o nariz —, pelo cheiro, ela não está limpa agora.

— Tenho certeza de que podemos achar lenços para limpá-la e leite. Ela pode dormir no quarto com você, temos um bercinho no depósito...

— E se Lídia não melhorar, senhora? O que eu vou fazer?

Bill sabia que o medo o estava dominando. Sentia-se assustado, em pânico e despreparado para ser responsável pelo bem-estar de um bebê recém-nascido. Giselle suspirou.

— Por favor, senhor Stafford, não posso tomar parte nessa decisão. Lorde Crawford... Talvez devêssemos avisá-lo.

— Não, senhora, não posso fazer isso. Combinamos que não haveria contato, no caso de ele ser interceptado. Se a patroa descobrir alguma coisa sobre isso... — Bill olhou o bebê. — Eles estão esperando um filho.

— Lorde Crawford tem estado ocupado, não? — Giselle ergueu uma sobrancelha. — *Alors*! Você terá de arrumar essa confusão.

— Eu falaria de outra maneira — Bill respondeu, se defendendo. — Ele não teve culpa por se apaixonar e está claro, como as estrelas no céu, que Lídia ainda o ama — Bill hesitou, um pouco desgastado. — Ela pensou que eu fosse Harry, que eu havia voltado para ela, assim como lorde Harry prometeu. Me senti muito culpado por não dizer quem eu era e tal, mas não queria magoá-la ainda mais. Ela estava tão doente. Ai, meu Deus — ele disse, engolindo em seco —, a senhora tem razão. Que confusão, que bela confusão!

Bill terminou de beber o conhaque e os dois ficaram sentados em silêncio, perdidos em pensamentos.

— É muito triste — Giselle acabou dizendo e suspirando. — Essa pequena é ainda mais um acidente do caos e da dor que a guerra deixou. Mas você deve ser prático. Se Lídia não melhorar, há orfanatos aqui que recebem crianças como ela.

Bill tremeu.

— Tomara que ela melhore. E ainda terei de explicar para ela que nunca mais verá meu patrão, que ele já é casado e tem um filho a caminho na Inglaterra.

— Eu não queria estar em seu lugar. Mas tenho certeza de que fará isso da melhor forma possível. Por favor, diga à Lídia, quando a vir, que eu mandei lembranças. E, agora, vamos preparar mais leite para essa mamadeira, lenços e um berço.

— Obrigado — Bill se levantou com o bebê nos braços, exausto com o trauma daquele dia. — Sou grato pela sua ajuda, senhora.

Giselle o seguiu até a porta.

— Meu caro senhor Stafford, devemos fazer o pouco que podemos.

Na semana seguinte, Bill não teve outra escolha a não ser aprender depressa como cuidar do bebê de Lídia. Laor, a alegre e competente camareira tailandesa que limpava o quarto dele todo dia, provou ser valiosa. Ela o ensinou a alimentar o bebê, ajudá-lo a arrotar e trocá-lo, e ria quando via Bill se atrapalhar com os alfinetes. Ele começou a saber a rotina da pequena, a entender que ela chorava quando a fralda estava suja ou tinha fome, ou sentia algo que Giselle chamava de cólica (geralmente, às 5 horas da manhã). Ele ficava feliz quando aliviava a dor dela, dava batidinhas nas costas para fazê-la arrotar e sentia o pequeno corpo relaxar e a cabecinha se inclinar com satisfação em seu ombro. Depois, ele se arrastava para a cama, exausto, e acordava apenas quando o bebê chorava pela refeição seguinte, por volta das 8 horas.

Ele visitava Lídia no hospital todas as manhãs e levava a filha dela. Ela ainda estava inconsciente, com a temperatura muito alta, e as enfermeiras olhavam para Bill com compaixão enquanto ele trocava e alimentava o bebê em um tapete ao lado da cama. Giselle pedira ao subgerente tailandês que ligasse para o hospital e falasse com um médico; Bill ficou sabendo que Lídia sofrera uma grave hemorragia após o parto. O médico disse que o prognóstico não era bom. Lídia ainda sangrava e a infecção tomara conta do seu útero. Ela estava tomando remédios fortes para conter a infecção, mas, naquele momento, não estava reagindo bem.

Bill se sentava ao lado dela e usava o pano colocado em uma tigela de água, ao lado da cama, para esfriar a testa ardente, mas esse parecia um gesto muito inadequado. Às vezes, ela se mexia, abria os olhos por alguns segundos e, depois, os fechava. Ele sabia que ela não tinha consciência de que ele e o bebê estavam lá. Ele estava ficando desesperado. O navio partiria para a Inglaterra em três dias e ele não tinha ideia do que faria se ela não retomasse a consciência antes de ele partir. Ele sabia, no entanto, que ela não teria condições de cuidar da criança por várias semanas.

Laor mostrara como colocar o bebê em um canguru em estilo tailandês e Bill saía com o bebê acomodado assim para passar as tardes com Priyathep, o homem das flores. Juntos, eles visitaram o principal mercado de flores de Bangkok e escolheram as plantas que ele queria levar para a Inglaterra. Enquanto rodavam pelas ruas lotadas e quentes de Bangkok, Bill aprendia com o novo amigo como cuidar e cultivar orquídeas. Ele sabia que esse conhecimento seria muito valioso. A família de Priyathep cultivava orquídeas em Chiang Mai havia três gerações, recolhendo-as nas selvas montanhosas que cercavam a vila onde viviam. Priyathep prometera enviar todas as novas espécies que encontrassem no futuro diretamente para Wharton Park.

Durante essas expedições, o bebê dormia em paz contra o peito dele, chorando apenas quando estava com fome ou sujo. Bill se sentia bobo e envergonhado no início, mas se surpreendeu com o quanto achava tranquilizador ter o calor do corpinho da pequena menina contra o seu.

— Ela um bom bebê — Priyathep dissera um dia. — Sem trabalho. Você bom papai.

Bill sentiu uma onda de orgulho.

— Você é boazinha e muito bonita, querida — Bill murmurou enquanto a trocava, com bastante habilidade, certa noite.

Os olhos cor de âmbar dela o encaravam com tanta confiança que o coração dele se partiu. Ele a pegou da cama e beijou a cabecinha dela, coberta com cabelo escuro e macio. Ninou-a com delicadeza e ela se aconchegou no ombro dele.

— O que farei com você, pequenina? — ele suspirou desesperado quando a deitou no bercinho. Ela olhou para ele e, talvez fosse imaginação, mas teve certeza de que ela sorrira antes de levar o dedo à boca e chupá-lo para se confortar enquanto fechava os olhos.

A dois dias da saída do navio e com Lídia ainda inconsciente, Bill sabia que devia começar a fazer planos.

— Você conhece uma boa família tailandesa que a adotaria aqui em Bangkok? — ele perguntara a Priyathep quando começaram a delicada tarefa de colocar as orquídeas nos engradados.

— Não. Pessoas aqui ter muitos bebês. Sem dinheiro nem comida. Mamãe morrer, bebê ir para casa de órfão — Priyathep afirmou, sem rodeios.

Bill suspirou.

— Você conhece alguma?

— Eu conhecer, sim, mas não ser bom lugar, senhor Bill. Muitos bebês, talvez quatro em um berço. Cheiro ruim também — Priyathep torceu o nariz. — Bebê ficar doente e morrer. Nada bom.

Ele olhou para a menina, que dormia em um engradado raso protegido por um cobertor enquanto Bill trabalhava, e acrescentou:

— Sem futuro para ela aqui se mamãe morrer.

Depois de uma noite em claro, Bill foi ao hospital como de costume e encontrou uma enfermeira sorridente ao lado da cama de Lídia. Ela apontou e disse algo em tailandês. Bill viu que os olhos de Lídia estavam bem abertos e pareciam enormes em seu rosto acinzentado e magro. O coração dele deu um pulo, não esperava por aquilo e estava despreparado. Os olhos de Lídia focaram nele e logo se encheram de medo.

— Quem ser você? — a voz estava fraca e rouca. — Onde estar Harry?

Eu sonhar que ele vir até mim! Por que você estar com meu bebê? Dá para mim! — os braços dela tentaram se esticar na direção do bebê, preso com firmeza contra o peito de Bill no canguru.

A enfermeira se virou e tranquilizou Lídia em tailandês. Depois, ajudou a tirar o bebê do canguru e colocá-lo na curva formada por um dos braços de Lídia. Ela disparou a fazer perguntas para a enfermeira e a mulher respondeu enquanto Bill ficava parado, impotente. Ele sabia que chegara o momento. Ele preferiria passar mais um ano em Changi a enfrentar aquilo. Quando a enfermeira saiu, Lídia se virou para ele com os olhos brilhando de raiva.

— Por que você dizer à enfermeira que ser o pai do bebê? Você não ser! Quem ser você? Diz!

— Eu juro que não disse isso, senhorita Lídia. Não sei nem falar tailandês. Acho que pensaram que eu fosse o pai porque eu a trouxe para cá. Sou Bill Stafford, amigo de lorde Harry. Ele me mandou a Bangkok para encontrá-la.

— Harry? Ele não estar aqui? — o medo e a raiva saíram dos olhos de Lídia como raios e eles se encheram de lágrimas. — Mas eu ver ele. Ele vir até mim... E me abraçar... Eu...

— Lídia, eu é quem fui ao seu quarto. Harry não está aqui. Ele está na Inglaterra. Sinto muito, de verdade, mas é isso.

— Não, não, eu ver ele... Eu lutar para viver por ele... Ele voltar para a gente — ela gemeu, fechando os olhos enquanto as lágrimas rolavam dos cantos deles e lhe escorriam pelo rosto.

— Lídia, eu... Ele a ama. Ele a ama muito. Você é o que há de mais importante para ele, é sim.

— Então, por que ele não estar aqui agora? Ele prometer, ele prometer voltar para mim — ela reclamou baixinho.

— O pai dele morreu. Ele precisa administrar a propriedade da família na Inglaterra. Ele estaria aqui se pudesse, eu juro — Bill sabia que tudo o que havia dito era uma tentativa fraca e indigna de consolar uma mulher que nunca poderia ser consolada.

— Ele vir logo? — Lídia perguntou, sua voz não era mais do que um sussurro, já que seu pequeno rompante de energia fora gasto.

— Ele não pode vir, senhorita Lídia. Por isso me mandou.

— Então você nos levar para a Inglaterra...

Bill percebeu que Lídia estava desmaiando.

— Descanse um pouco, senhorita Lídia — ele disse, segurando a mão dela. — Vou ficar aqui com você. Conversaremos mais tarde e eu contarei tudo.

— Ele vai vir. Ele me amar... Ele me amar... — a voz de Lídia foi sumindo conforme ela adormecia.

Nas duas horas seguintes, Bill ficou sentado ao lado de Lídia com o coração apertado ao vê-la reunida à filha e sonhando com um futuro que elas nunca teriam. Quando o bebê acordou, com fome, Lídia continuou dormindo. Bill tirou a menina com calma dos braços da mãe, a alimentou, a trocou e a colocou de volta com delicadeza. Quando o pôr do sol lançou um brilho lúgubre e avermelhado pelas janelas da ala hospitalar, Lídia se mexeu. Uma enfermeira apareceu com um médico e indicou que Bill devia sair.

Do lado de fora, Bill comprou uma cerveja e uma tigela de macarrão, e se sentou na escada do hospital para comer. Apesar dos anos de sofrimento em Changi, duvidava já ter se sentido tão desesperado. E solitário.

Uma hora depois, Bill pôde voltar à ala em que Lídia estava. Ela estava encostada em alguns travesseiros, dolorosamente frágil, mas os olhos estavam mais alertas e, a postura, calma.

— Por favor, senhor, sentar — ela apontou para uma cadeira. — O médico me falar que você ser muito gentil. Você me trazer aqui, cuidar do meu bebê e visitar todo dia. Ele dizer que você ser um bom homem.

— Fiz o melhor que pude, senhorita Lídia. E ela — disse Bill, apontando para o bebê aconchegado nos braços da mãe — é uma doçura.

Lídia sorriu para a filha.

— Você achar que ela parecer com o pai?

Bill achava que ela era muito parecida com a mãe, mas concordou, de qualquer forma.

— Sim, parece. E, durante todo esse tempo, quis saber qual é o nome dela.

— Jasmine. O nome dela ser Jasmine. Harry, ele contar que a mãe dele ter jasmins no jardim na Inglaterra. Eles crescer aqui também. Ser uma planta bonita com um cheiro bom.

— Eu também gosto muito delas, senhorita — Bill afirmou. — E é um lindo nome.

— Eu esperar que Harry gostar. E você ser Bill...?

— Stafford, senhorita Lídia. Estive em Changi com lorde Harry. Nós nos ajudamos a sobreviver, na verdade... — Bill abriu um sorriso triste com a lembrança. — Porém, na casa da Inglaterra, sou o jardineiro dele.

— Jardineiro? — Lídia ergueu uma sobrancelha. — Ele mandar o jardineiro me encontrar?

— Ele sabia que poderia confiar em mim, senhorita Lídia. Eu faria qualquer coisa por ele, de verdade.

O olhar de Lídia ficou mais suave.

— Sim, ele ser muito especial. Eu mal esperar para ver ele e mostrar nosso bebê. Eu entender pelas cartas que ele não poder vir para cá. O pai dele morrer. Por isso, você vir me encontrar e me levar para o Harry na Inglaterra, não?

— Lídia, eu...

— Mas eu não poder ir para a Inglaterra agora, senhor Bill — Lídia balançou a cabeça. — O médico dizer que tem muito estrago dentro de mim por causa do bebê, eu ter que operar imediatamente. Antes, ele não poder operar, eu muito doente e ele pensar que eu morrer de qualquer maneira. Ele dizer que ser muitas semanas para eu ficar bem. Se ficar. Assim, a gente ter que esperar antes de eu fazer viagem longa.

Bill engoliu com dificuldade. Ele sabia o quanto ela estava sendo corajosa, o quão doente estava na verdade.

— Senhorita... Quero dizer, Lídia... Eu... — ele não conseguiu continuar e ela viu o medo nos olhos dele.

— O quê?

— Ai, senhorita, não sei como lhe contar. Eu estou...

— Ele não me querer mais? — o rosto dela enegreceu com a dor.

— Não, ele a ama, senhorita, mais do que tudo. Não é isso... Eu...

— Se ele me amar, tudo estar bem, então você dever me falar, senhor Bill. O que acontecer com meu pobre Harry? — ela olhou para ele, sua fé implacável no amor mútuo e imortal lhe dava uma determinação estoica que apenas fazia Bill se sentir mais inadequado.

— Talvez eu deva voltar depois de sua operação, quando você estiver mais forte — ele sugeriu. — Não acho certo lhe contar agora.

— Senhor Bill, eu quase morrer. E poder morrer na operação. O médico já dizer isso. A operação ser amanhã — ela acrescentou. — Não ter tempo. Então, você dever me contar tudo agora. Por favor, senhor Bill — ela implorou —, eu precisar saber.

— Eu... Ai, senhorita...

Lídia esticou a mão pequena e trêmula na direção dele para tranquilizá-lo.

— Eu ver que ser algo ruim. Eu estar preparada, não se preocupar. Eu saber que ele me amar e só isso importar. Você contar para mim, por favor.

Assim, Bill, que parecia ter uma força interior insignificante comparada à daquela mulher cuja vida ele estava despedaçando, fez o que ela pediu. Ele disse as palavras que temia e viu o rosto dela não revelar nenhuma emoção, embora as mãos se apertassem e relaxassem em desespero. E, então, Bill olhou para a pequena e preciosa prova do amor absoluto de Lídia deitada e dormindo nos braços dela. E percebeu que não poderia contar tudo e anunciar a notícia do outro filho do patrão, que chegaria na longínqua Inglaterra.

— Então, é isso. Harry é casado e, com a morte do pai, ele tem toda a responsabilidade sobre os ombros. Não posso dizer o quanto eu sinto por vocês dois, senhorita Lídia. Ele queria voltar, queria mesmo. Ia contar tudo à esposa e pedir o divórcio. Mas ele sabe que não pode. Ele me pediu para dizer a você que vai amá-la para sempre — Bill finalizou. — Acredite, senhorita Lídia, ele está arrasado, muito, assim como você. Eu estou... Tão triste pelos dois.

Lídia ficou olhando para o nada, catatônica.

— Ele saber do bebê? — ela perguntou, em um sussurro.

— Não, não sabe.

Lídia balançou a cabeça, concordando. Bill podia perceber que ela estava pensando.

— Ele não poder ficar comigo. Mesmo se eu viver.

— Não, senhorita Lídia, mesmo com a melhor intenção do mundo, ele não pode.

— Talvez ele ficar com a criança, se souber?

Bill sabia a resposta, mas o rosto de Lídia ficava mais acinzentado a cada segundo.

— Para ser sincero, senhorita, duvido — respondeu, fraco.

— Eu querer que você perguntar se ele ficar com nossa filha — ela estendeu a mão de repente e puxou a manga dele. — Eu querer que você mandar um telegrama hoje à noite. Perguntar para ele. Por favor, senhor Bill, você precisar. Eu não ter tempo, eu precisar decidir o que ser melhor para Jasmine enquanto eu poder.

A pressa estava acabando com a força dela, sua mão escorregou do braço de Bill e ela fechou os olhos.

— Eu não me importar. Eu já ver a morte antes e talvez ser o destino eu ir embora cedo. Mas nossa filha... Nosso bebê... Não dever sofrer. Harry não vai deixar acontecer. Eu saber disso. Você precisar levar ela para ele... Levar ela para o pai...

Bill engoliu com dificuldade. Ele não tinha coragem de dizer a ela que o que sugeria era impossível. Lídia abriu os olhos e olhou para a filha.

— Ela merecer uma vida, senhor Bill. Mesmo se eu viver, eu não poder cuidar bem dela. Dar o que ela precisa. Eu não ter casa, nem dinheiro, nem trabalho agora. Eu dever deixar ela ir para a Inglaterra com você. Então ela ter uma chance.

— Senhorita Lídia — Bill disse, com a voz rouca —, o bebê precisa da mãe. Eu acho...

— Eu achar que eu poder morrer e o bebê não ter mais ninguém — ela beijou a cabeça de Jasmine e segurou sua mão, que parecia uma miniatura da sua. Os olhos dela, brilhando com as lágrimas não derramadas, se encontraram com os de Bill.

— Você levar ela agora, por favor. Ser melhor. Se eu ficar com ela mais, talvez não poder... — a voz de Lídia por fim sumiu. — Dar ela.

Ela se inclinou e sussurrou para Jasmine, dizendo palavras que Bill não entendia e não queria entender. Ele sabia que ela estava se despedindo. Com o corpo tremendo por causa do esforço, Lídia tentou erguer a filha e entregá-la a Bill. Ele estendeu os braços e pegou Jasmine enquanto as lágrimas rolavam, sem controle e silenciosas, pelo rosto de Lídia.

— Você manter ela em segurança, senhor Bill, por favor, manter ela em segurança. Eu acreditar que você ser um bom homem. Eu precisar confiar em você e no pai dela agora, porque eu não saber se meu futuro ser aqui na Terra. Mas isso não ser importante. Jasmine ser o futuro, não eu. Por favor, senhor Bill — ela suplicou —, você encontrar um jeito de me dizer que minha filha estar segura. Se eu viver, eu precisar saber disso.

— Vou fazer isso. Vou escrever para Priyathep, o homem das flores — a voz dele estava trêmula de emoção enquanto fazia promessas que não sabia como honrar. — Vou fazer com que Jasmine fique segura, senhorita Lídia, não se preocupe.

— *Kop khun ka.* E dizer aos dois que eu amar eles, mais do que as estrelas do céu, e que eles ser benção na minha vida mandada por Deus — Lídia esticou a mão pela última vez para tocar em seu bebê. O braço estava tão fraco que não alcançou Jasmine e caiu de volta na cama. — Dizer a ele que eu ver eles de novo. Porque... — ela continuou, olhando para Bill e abrindo um sorriso que iluminou o rosto dela, revelando um relance de sua verdadeira beleza — o amor nunca morrer, senhor Bill. Nunca morrer.

[CAPÍTULO 48]

Um dia, no início de maio, Bill apareceu de repente na porta de casa.

— Bill! Puxa, Bill! Por que não me disse que chegaria hoje? Eu poderia ter ido a Felixstowe! — Elsie foi até ele para abraçá-lo, mas, então, viu que ele segurava com cuidado algo enrolado em um cobertor. Olhou com suspeita.

— O que você tem aí?

— Vamos entrar, meu bem — disse Bill, fraco. — Assim, posso colocá-la em algum lugar e abraçar minha esposa.

Elsie fechou a porta depois que ele entrou. Quando apoiou o pacotinho, ele começou a se mexer.

— Meu bem, senti tanto a sua falta! Você sentiu saudades de mim? — Bill perguntou.

Os olhos de Elsie ainda estavam no pacotinho.

— É claro que senti saudades de você, mas deixa isso para lá. O que é isso?

Bill olhou para ela nervoso.

— Decidi trazer um presente para você. Pensei que fosse o certo a fazer, mas, a verdade — Bill suspirou —, é que eu não tive muita escolha, da maneira como aconteceu. Vá em frente, vá e olhe. Ela é um anjinho, é sim.

Elsie andou insegura até o pacotinho, tremendo com o choque. Ela desenrolou o cobertor e um belo par de olhos cor de âmbar a encarou.

— Ah, Bill! — Elsie recuperou o fôlego e cobriu as bochechas coradas com as mãos. — Ela é linda! De quem é?

— Elsie, ela é nossa. Eu trouxe uma menininha para você.

— Mas... — Elsie estava tão desconcertada que não sabia o que dizer. — Ela deve ser de alguém. Bill Stafford! Eu o conheço e sei que não está me contando a história toda.

O bebê estava chorando.

— Ah, pequenininha! Venha aqui — Elsie a pegou e a embalou nos braços, examinando a pele cor de mel, o nariz pequeno e perfeito, e o cabelo grosso e escuro. — Calma, bebê, calma — ela colocou o dedo na boca da menina para tranquilizá-la. — Quanto tempo ela tem?

— Um pouco mais de duas semanas quando eu parti, então, cerca de sete semanas agora — explicou Bill.

— Mas como um bruto como você cuidou dela no navio? Ele não sabe nada de bebês, não é? — Elsie disse para a pequena, sentindo que se apaixonava, mas querendo ter certeza de que estava livre para tal.

— Ficamos muito bem, ela e eu. Ela é tão boazinha, mal murmura — comentou Bill, com orgulho, e Elsie viu o amor brilhar nos olhos do marido.

— Bill Stafford, sei que isso não é o que parece. É melhor me contar logo.

Ele se aproximou por trás dela e colocou os braços nos ombros da esposa.

— Fiz a coisa certa, não fiz, meu bem? Olhe para ela, é perfeita.

— Eu... Bill! Eu não sei o que dizer! Não sei mesmo — Elsie balançou a cabeça. — Você aparece aqui, todo confiante, com um bebê! — ela ficou séria e zonza. — Tem alguma coisa que você não está me dizendo, Bill? O que você fez quando saiu de Changi?

— Elsie, minha Elsie! — Bill puxou o rosto dela para perto do seu e a beijou. — Não seja tão boba! Eu estava aqui de volta com você muito antes de essa pequenina ser sonhada.

Elsie ficou olhando para o vazio e contou os meses nos dedos, antes de um sorriso de alívio aparecer no seu rosto.

— Você tem razão, Bill, estou sendo boba. Além disso, nós dois sabemos que você não pode ter filhos. Mas tem certeza de que isso é legal? — ela continuou. — Ninguém vai bater na porta no meio da noite e levá-lo para a prisão por roubar um bebê, vai? E levar essa menininha?

— Juro que é legal. Ela é nossa, Elsie, nossa filha. E ninguém virá tirá-la de nós, eu prometo.

— Qual é o nome dela? — Elsie perguntou com doçura para o bebê.

— A mãe a chamava de Jasmine. Mas podemos mudar, se quiser.

— Jasmine... Bem, parece o nome certo, levando em consideração que o... papai — Elsie experimentou a palavra na língua com prazer — cultiva flores lindas.

— E trouxe para casa engradados cheios delas também, querida.

Ela olhou para Bill.

— Ela é um bebê da Tailândia, não é? Mas ela não tem uma cor diferente nem nada — Elsie acariciou a pele macia do braço de Jasmine.

— Bem, ela tem uma história — afirmou Bill — e, se você parar de brincar com o bebê por alguns segundos e preparar uma bebida quente e forte para o seu marido, eu contarei como tudo aconteceu.

Armado com uma xícara de chá, Bill relatou a história para a esposa.

— Você entende, não é, que eu não tive escolha? Você faria o mesmo, não faria?

— Sim, Bill, você sabe que sim.

— Graças a Deus — ele sussurrou, amando e admirando a esposa mais do que em qualquer outro momento. — Mas acho que, para o bem de todos nós, a patroa nunca deve saber, né?

— É claro que sei, seu tonto — Elsie murmurou, todo o seu instinto maternal contido se libertava em um brilho quente e satisfeito enquanto ela balançava a nova filha nos braços. — E eu nunca vou abrir a boca, para ficarmos com esse pequeno tesouro para sempre — ela olhou para o marido. — Mas você fará o que Lídia pediu e contará a verdade ao patrão?

— Lídia escreveu uma carta para ele — Bill suspirou. — A carta estava esperando por mim no hospital na última vez em que fui visitá-la. Ela estava sendo operada, então não a vi. Além da carta, me deixou uma orquídea. Dizia no bilhete que era especial e era para o bebê se lembrar dela. Ainda não tem botões, mas...

— Ah, Bill, pare de falar sobre suas flores e diga o que fará com a carta para o patrão! — Elsie exclamou.

— Para ser sincero, não sei.

— Tão certo quanto um dia após o outro, isso só vai chateá-lo. E se ele quiser ficar com o bebê? Eu deixaria o passado para trás, se fosse você — ela o aconselhou.

Bill beijou a nova mãe e o bebê.

— Vou lhe dizer uma coisa, Elsie, vou até a estufa para pensar um pouco.

Bill se sentou em um engradado de orquídeas, tirou a carta de Lídia do bolso e olhou para ela. Não fazia ideia do que estava escrito. Não era da conta dele. Seus olhos ainda se enchiam de lágrimas quando pensava no momento em que Lídia lhe entregara o bebê sem uma palavra de autopiedade, embora a dor estivesse visível em seus lindos olhos cor de âmbar.

Com a carta nas mãos, Bill pensava na paixão compartilhada pelos amantes e na tragédia da situação. Até onde sabia, Lídia estava morta. Com certeza não haveria risco se passasse a carta adiante. Nada poderia ser feito, afinal. O patrão sabia onde deveria ficar e era por isso que o havia mandado encontrar Lídia, para começo de conversa. Ele iria querer saber o que acontecera com ela e, talvez, fosse melhor que aquelas palavras viessem da própria Lídia, a mulher que Harry amava. E ele poderia se consolar com o fato de ter uma prova do amor deles. Se ele quisesse ir até o chalé de vez em quando para ver a filha crescer, que mal teria? Desde que a patroa nunca soubesse... Harry nunca diria a ela, isso era certo. Ignorando o conselho sensato da esposa e simplesmente se lembrando de que era um mero mensageiro naquele drama todo, Bill escondeu depressa a carta no lugar de sempre, sob as orquídeas, para o patrão encontrá-la. Depois, voltou a atenção para os engradados e começou a desembalar e separar as preciosas plantas.

Olívia, que estava a oito semanas do parto, soube da nova moradora da casa por meio de Elsie naquela tarde. Ela foi convidada a ir ao chalé para ver o bebê e percebeu a alegria nos olhos de Elsie.

— Ela é muito bonita — Olívia sussurrou quando o bebê segurou o dedo dela e murmurou: — Que nome você deu a ela?

— Jasmine, senhora.

— Perfeito! — Olívia exclamou, sorrindo para Elsie. — Eu lhe disse que a vida encontra um jeito de resolver tudo, não disse?

— Sim, senhora, disse sim. E foi o que aconteceu, não foi? Para todos nós.

No caminho para a casa, Olívia parou do lado de fora da estufa. Ela não tinha visto Bill desde que voltara e queria cumprimentá-lo e expressar sua admiração pela bondade dele. Elsie explicara que, na Tailândia, havia muitas mães solteiras que eram doentes ou pobres demais para cuidar dos bebês, e que Bill conhecera uma dessas meninas sem sorte. Quando ela morreu no parto, Bill fez a única coisa decente que poderia fazer e levou o bebê para casa e para Elsie, sabendo que seria amado e cuidado. Olívia sentiu seu filho chutar e sorriu, segura com a ideia de que ele não teria os mesmos problemas que a pobrezinha resgatada por Bill.

Ela abriu a porta da estufa e encontrou o chão lotado de engradados de orquídeas. Bill não estava lá, mas Olívia decidiu esperar por alguns minutos caso ele voltasse. Caminhou pelas fileiras de flores, aproveitando os maravilhosos aromas, e parou perto dos vasos de orquídeas. Pegou uma, pensando que seria bom tê-la por perto durante seu futuro confinamento.

Um envelope sob o vaso chamou a atenção dela. Ela o pegou e viu que estava endereçado a Harry, mas sem endereço ou carimbo do correio. A letra não era conhecida e havia um pequeno relevo no canto do envelope. A curiosidade de Olívia foi maior do que podia aguentar e, certa de que a carta não continha nada que Harry não gostaria que ela visse, ela a abriu. Instantes depois, quando havia lido as poucas palavras três vezes, Olívia caiu no chão, ofegante por conta do choque. Ela desembrulhou o pequeno pedaço de papel que formara o relevo no envelope e viu um pequeno anel cor de âmbar, feito para o dedo de uma criança. Engoliu com dificuldade para desfazer o nó na garganta... Ela não iria, não poderia chorar. Aquilo estava além de qualquer alívio que o choro pudesse trazer. Olívia tentou entender o que lera: aquela mulher estivera completamente apaixonada pelo marido dela. E, possivelmente, Harry parecia tê-la pedido em casamento. Também havia prometido que voltaria a Bangkok assim que fosse possível. Quando Harry percebera que não poderia voltar, havia mandado Bill, sob motivos falsos, para encontrá-la. E Bill voltara para casa com aquela que a mulher dizia ser a filha de seu marido nos braços. Bill entrou na estufa. Olívia se esforçou para se levantar, os joelhos cediam sob o peso dela.

— Lady Olívia, o que faz aqui? Deixa eu ajudar a senhora.

— Não! — ela se ergueu e caminhou na direção dele, balançando a carta, furiosa. — Teria a gentileza de me explicar o que é isso?

O rosto de Bill revelou o medo quando percebeu o que ela segurava.

— Lady Olívia... Não era para a senhora encontrar isso. Por favor...

— Bem, eu encontrei e, se não me disser agora que raios você e meu marido armaram, farei com que você, sua esposa e aquela bastarda sejam expulsos da minha propriedade agora! Conte!

— Por favor, se lembre de sua condição, lady Olívia, não deve se chatear assim — Bill tentou pensar com rapidez, sabia que estava em risco. — Não foi nada, de verdade, só um soldado solitário e confuso.

— O quê? Tão confuso que pediu outra mulher em casamento? Quando ele já tinha uma esposa em casa, que o tinha esperado com paciência por quatro longos anos!

— Se acalme, lady Olívia, a senhora precisa se acalmar — Bill implorou.

— Vou me acalmar assim que souber a verdade — Olívia tremia. — Ou você me conta ou vai embora!

— Não sei o que ela escreveu na carta, não a li... Eu...

— Ela escreveu que o ama, que nunca esquecerá o que tiveram em Bangkok e que entende que ele não pode honrar as promessas que fez a ela. E que ele deve cuidar do "presente" que ela mandou porque está doente e não pode fazer isso. Ai, meu Deus! — Olívia balançou a cabeça desesperada. — E lá estava eu, acreditando que ele andava distante porque estava tentando superar as experiências em Changi quando, na verdade, ele estava sofrendo por uma prostituta em Bangkok! — ela olhou para Bill. — Essa menina está viva? Elsie me disse que ela morreu no parto do bebê do meu marido — ela disparou a palavra "bebê".

— Não sei — Bill sabia que não poderia mentir. — Pode estar, senhora, mas ela estava mesmo muito doente quando fui embora.

— Bem — disse Olívia, rasgando a carta e atirando os pedaços para o alto —, agora está! E quando vir meu marido, diga a ele que ela está morta. Do contrário, vocês três ficarão sem casa imediatamente.

— Juro que farei isso — respondeu Bill desesperado. — O que quiser, senhora.

Olívia andou de um lado para o outro sem fôlego, com o suor escorrendo na testa.

— Essa criança deve ser tirada da propriedade agora! Agora, entendeu? Ela não pode ficar aqui... Não posso ter a filha bastarda do meu marido sendo criada em Wharton Park! Vou pegá-la amanhã de manhã e levá-la para...

— Não! — Bill se surpreendeu com sua própria veemência. — Sinto muito, lady Olívia, mas aquela criança vai ficar, com Elsie e comigo. — Bill reparou que também estava tremendo. — Pode nos jogar na rua se quiser, mas eu prometi àquela pobre garota que cuidaria do bebê dela e é o que vou fazer.

— Então, vocês três devem partir amanhã de manhã. Sim, podem ir, todos! Não permitirei que meu marido conspire com os empregados contra mim!

— Como quiser, senhora — Bill concordou, recuperou a calma e disse o que considerava certo. — Mas, com todo o respeito, eu estava a serviço do patrão. E tenho certeza de que ele vai querer saber se a viagem foi bem-sucedida ou não. Não preciso dizer a ele de quem é o bebê, se é o que a senhora quer, mas, se nos fizer ir embora, não vai demorar até o patrão somar dois mais dois e entender o motivo.

Olívia parou de andar e encarou Bill em silêncio.

— Está me chantageando, Bill?

— Não, lady Olívia — Bill se esforçou ao máximo para escolher as palavras com cuidado. — Estou apresentando os fatos. Talvez... Talvez seja melhor o patrão saber a verdade. Talvez a senhora queira que ele saiba para que ele explique suas atitutes para a senhora?

Olívia se deixou cair sobre um engradado, toda a raiva a abandonou de repente. Ela apoiou a cabeça nas mãos.

— Ai, meu Deus... Que confusão inominável!

— Por favor — Bill a persuadiu—, a senhora deve se lembrar do motivo pelo qual o patrão me mandou a Bangkok. Quando ele chegou aqui, se lembrou do quanto a amava. E soube que tinha de ficar.

Olívia olhou para ele com o rosto tenso pelo desespero.

— Não seja paternalista, Bill. Harry nunca me amou! E nunca me amará. Ele é um homem patético, inadequado e fraco, que eu desprezo com todas as minhas forças — ela respirou fundo algumas vezes, lutando para se recompor. — Pelo menos ele não está aqui. Ficará em Londres até amanhã, lidando com o banco. Presumo que não tenha falado com ele ainda.

— Não, senhora — disse Bill em voz baixa.

— Bem, já é alguma coisa. E ele não sabe nada da criança?

— Não. Não mantivemos contato enquanto eu viajava.

— Jura que está dizendo a verdade, Bill? — Olívia o encarou.

— Sim, senhora. Ele saberia se tivesse lido a carta, mas agora não lerá, certo? — Bill abaixou a cabeça, envergonhado. — A culpa é minha, Elsie me disse que era um erro entregá-la ao lorde Harry. Ela sempre está certa, sempre — ele acrescentou, quase em um sussurro.

— Ela é uma garota muito sensata e você tem sorte de tê-la como companheira — Olívia concordou. — Ela nunca dirá nada sobre isso?

— Nunca — Bill confirmou com segurança. — A senhora sabe o quanto ela ansiava por um filho. Não fará nada para colocar isso em risco.

— Não. E, é claro, você está certo — o olhar de Olívia se suavizou por um instante. — Não é culpa da criança. Que seja assim. Mas, Bill, o Harry nunca pode saber. Não suportaria ver ele chorando por uma pirralha mestiça, quando tem o próprio filho para amar... Mesmo que não possa amar a esposa — ela completou, em um estado lamentável. — Deve me prometer que, quando falar com ele, não dirá nada sobre a criança, dirá apenas que a mãe morreu. E será o fim da história. O futuro de Wharton Park e de todos nós, que somos parte dela, está em perigo. Você entendeu, Bill?

— Sim, lady Olívia.

— Falarei com Elsie e direi que sei de tudo — Olívia continuou. — Não serei feita de boba pela minha própria empregada. E nós três guardaremos esse segredo até o fim de nossos dias.

— Sim, lady Olívia — Bill confirmou com seriedade.

— Então, está resolvido — Olívia ergueu a cabeça e passou por ele em direção à porta. Depois, parou e se virou para ele novamente. — Por favor, saiba que eu não o culpo, Bill. Você estava apenas fazendo o que mandaram. Meu marido, pobre tolo, é o único que sabe o que você fez por ele. Você foi um servo fiel. E eu não guardo rancor — ela abriu um rápido sorriso e saiu da estufa.

No dia seguinte, quando Harry voltou de Londres e soube que Bill estava em casa, pediu licença do almoço dizendo que estava curioso para ver os espécimes que ele trouxera. Olívia aceitou a desculpa, sabendo o motivo verdadeiro, mas com uma pequena satisfação por conhecer os fatos.

Bill fez o que ela pedira, mentiu pelo bem de Wharton Park e daqueles que dependiam dela. Contou a Harry que Lídia morrera algumas semanas antes de ele chegar a Bangkok, que havia visitado o túmulo dela e deixado algumas orquídeas nele. Depois, abraçou Harry, que chorava sem controle pelo amor perdido.

Quando Harry ficou mais calmo, Bill mencionou a menininha que ele havia resgatado de um orfanato e disse que ele deveria ir ao chalé vê-la, quando se sentisse melhor.

— É claro, Bill, nos próximos dias — Harry concordou sem ouvir o que Bill dissera e, depois, saiu cambaleando da estufa, transpirando desespero por todos os poros.

Olívia não esperava que o marido a procurasse naquela noite, e ele não a procurou. No café da manhã do dia seguinte, ela estava novamente no controle, pensando em seu bebê e em Wharton Park. Porém, seu coração estava fechado para Harry para sempre. Ela o observou do outro lado da mesa, viu o rosto dele revelar a agonia e entendeu que Bill cumprira com o prometido. Olívia viu o sofrimento do marido estampado em seu rosto e descobriu que... Não sentia nada. Ela não seria mais machucada pela falta de interesse ou afeição. Em vez disso, sentia um prazer silencioso com a dor dele.

Apenas dois dias depois, ela sofreu com sua própria dor. O médico foi chamado e, embora tivesse feito o que pudesse para evitar o início do parto dela, algumas horas depois, um menininho perfeito e pequeno fez sua entrada prematura no mundo. Christopher Harry James Crawford, herdeiro da propriedade de Wharton Park, morreu três dias depois, após uma luta corajosa para ficar vivo. E, embora Harry tenha tentado, assim que a esposa estava recuperada, voltar para a cama dela, Olívia não teve mais contato físico com o marido até o dia em que ele morreu.

[CAPÍTULO 49]

Wharton Park

"Fico sentada na biblioteca, tentando compreender a história que acabei de ouvir. Uma trágica história de amor, decepção e dor. Uma história da qual eu pareço ser o resultado direto.

Harry Crawford é meu avô... Eu tenho sangue dos Crawford correndo em minhas veias... Minha mãe era metade tailandesa, trazida do outro lado do mundo... Elsie e Bill não são meus parentes de verdade... E eu sou, de alguma forma, mas apenas agora posso decifrar isso, parente de Kit...

Ainda assim, embora o relato que ouvi seja chocante e revelador, percebo que estou calma. Essa casa, Wharton Park, sempre fez parte de mim, apesar de eu nunca ter sabido o porquê. É simplesmente o lugar ao qual sempre senti que pertencia. Sei agora que trezentos anos de antepassados meus viveram dentro dessas paredes. A essência deles deve ter impregnado o material do prédio.

Wharton Park e a família Crawford (minha família) estão plenamente ligadas. É como se a casa fosse dona de todos nós e não há escapatória. Até uma menininha, nascida a quilômetros daqui, uma criança que nem deveria ter vindo ao mundo, foi reivindicada por ela e trazida para cá.

Minha mãe, Jasmine, a única descendente verdadeira de sua geração, nascida de maneira ilegítima no caótico pós-guerra, sem nunca saber de sua ligação sanguínea ou direito legal sobre a casa, floresceu secretamente nesse solo. E, depois de ser restaurada em segurança, deixou atrás de si mais Crawford, uma das quais, com uma pitada de destino e sorte, agora se encontra de volta ao interior da casa.

A verdade completa de repente fica clara para mim. Porém, ela me consola ou me assusta? Wharton Park não pertence aos Crawford. Nós pertencemos a ela."

Júlia sentiu a tensão no corpo, olhou para baixo e viu que Kit apertava a mão dela com força. Ela olhou para o rosto cansado e cinzento de Elsie. Por fim, Kit quebrou o silêncio.

— Se entendemos direito, Júlia e eu somos tecnicamente primos de terceiro grau?

Elsie concordou balançando a cabeça.

— Sim, Kit, vocês são.

— E Harry chegou a descobrir que a menininha que crescia a alguns metros dele era a filha de Lídia?

— Bill e eu mantivemos a promessa à patroa e não contamos nada a ninguém. Harry nunca mais pisou no jardim da cozinha e nas estufas. Isso entristecia muito o Bill, muito mesmo, saber que o vínculo que criaram em Changi estava quebrado. Ele entendia, no entanto, que o lorde não queria estar perto de nada que o lembrasse de Lídia. Acho que não pôs os olhos na filha por mais de vinte anos. Até um dia, quando sabia que estava morrendo e apareceu em nossa casa — Elsie se virou para Júlia. — Sua mãe abriu a porta para ele. Ele deve ter percebido, então, pois Bill sempre dizia que Jasmine ficara igual à mãe. Enfim — ela continuou e ergueu os ombros —, lorde Harry entrou em nossa casa como se tivesse visto um fantasma. Eu acho que ele teve certeza de quem ela era.

— Deve ter sido um choque enorme para ele — murmurou Kit.

— Sim — Elsie concordou —, o pobre homem estava tremendo. Fiz com que ele se sentasse e preparei uma xícara de chá com muito açúcar. E, embora ele estivesse falando para mim que queria que Bill ficasse com o diário dele de Changi, os olhos do patrão não deixaram de seguir Jasmine. Ela acabara de voltar das estufas, onde estivera pintando algumas orquídeas do pai. Lorde Harry viu as pinturas na mesa da cozinha e perguntou sobre elas — lágrimas apareceram nos olhos de Elsie ao relembrar e Kit soltou a mão de Júlia para se aproximar da velha senhora e abraçá-la.

— Elsie, se for demais para você...

— Não — Elsie disse com firmeza —, eu comecei e quero terminar. Bem, lorde Harry perguntou à Jasmine se poderia ficar com as pinturas porque gostara muito delas. Ela disse que sim, ele a beijou e se despediu. E essa — Elsie concluiu, abaixando a cabeça e engolindo com dificuldade — foi a última vez que vimos o pobre Harry vivo.

— Provavelmente foi melhor ele não saber até bem perto do final. E melhor para Jasmine também — Kit a consolou.

— Pode ser, mas não esquecerei o olhar dele ao sair. Ele tinha apenas 48 anos, mais ou menos, mas parecia muito mais velho. Ele não teve uma vida feliz, não teve. Ele e a patroa eram casados só no papel. O choque de descobrir sobre Jasmine e, depois, perder seu filho, fez com que Olívia nunca mais fosse a mesma. Embora eu a amasse, ela se transformou de uma doce menina em uma velha amarga. Harry não recebia consolo dela, isso é certo. Eu disse várias vezes que acho que ele morreu pelo amor perdido.

— Então foi assim que aquelas quatro pinturas foram parar na venda, há alguns meses? — perguntou Kit.

Elsie não respondeu, sua cabeça ainda estava em reviravolta.

— E Jasmine nunca soube quem eram seu pai e sua mãe de verdade? — Kit quis saber.

Elsie balançou a cabeça, como se estivesse se defendendo.

— Não. Que bem viria disso, para qualquer um de nós? Aaai... — ela bocejou. — Desculpem, essa contação de história acabou comigo — ela olhou para Júlia. — E você, está bem, meu anjo? Deve ser um choque terrível saber de tudo isso. Mas, pelo menos, sua mãe era sua mãe e seu pai é seu pai, mesmo que eu não seja sua avó. Sempre a amei como se fosse, saiba disso.

— Eu sei, vovó — Júlia se recuperou.

— Bem, foi um segredo terrível e o guardamos por todos esses anos, mas cada um faz o que deve fazer. Foi assim comigo e com Bill.

Os pensamentos de Kit não estavam tão confusos por causa da emoção, o que o deixava livre para entender as ramificações do que ouvira.

— Isso significa, então, que Alícia, sua irmã mais velha, é herdeira mais direta de Wharton Park do que eu. É claro que, por ser mulher, não poderia ter o título, mas ela pode reivindicar a propriedade.

— Não, Alícia não faria isso — disse Elsie, balançando a cabeça, cansada. — Mas isso fica para outra hora. Acho que preciso de um cochilo — ela fez menção de se levantar e Kit a ajudou.

— Obrigada, Kit. Você é um verdadeiro cavalheiro, um Crawford de verdade — ela sorriu, apoiou um braço nele e os dois caminharam pelo aposento. Elsie parou em frente à Júlia, que ainda estava sentada e imóvel no sofá. — Sinto muito, meu anjo — ela falou com delicadeza. — Me torturei pensando se deveria contar ou não. Porém, como o destino a trouxe de volta a Wharton Park, e ao Kit, achei que fosse o certo a fazer. Pelo menos espero que sim...

Júlia se mexeu, se levantou também e abraçou a avó.

— Foi sim, vovó. Sou grata por ter me contado.

Kit e Júlia ficaram lado a lado e observaram Elsie sair da sala.

— Você acha que eu devo subir com ela? — perguntou Júlia.

Kit balançou a cabeça, discordando.

— Sinto que ela quer ter um tempo sozinha — ele soltou um suspiro, que se transformou em um assobio. — Quer um conhaque? Acho que preciso de um depois de ouvir tudo isso.

— Não, obrigada.

Ela se sentou desajeitada no sofá enquanto Kit tirava uma garrafa de um armário sob as prateleiras de livros e se servia de uma bebida.

— A pergunta que quero fazer para Elsie é se sua avó verdadeira está viva. Se Lídia tinha apenas 17 anos ao conhecer Harry, e isso foi em 1945, ela teria, o quê, 80 anos agora? É possível que ainda esteja viva — Kit se sentou no sofá ao lado de Júlia e a abraçou. — Lídia devia ser especial para Harry estar pronto a abandonar tudo por ela. E, minha querida, sabemos de onde você herdou seu talento ao piano, do seu avô, Harry.

Era uma ligação que Júlia não fizera ainda e ela descansou a cabeça no ombro de Kit, agradecendo a Deus pelo parentesco deles não ser mais próximo do que o de primos em terceiro grau.

— Sim, talvez — ela murmurou.

Kit olhou as rachaduras no teto.

— É claro que a moral da história é que o dever venceu o amor. Me sinto extraordinariamente sortudo por não estar no lugar de Harry. Ele não teve escolha.

— Sinto pena de Olívia. Ela sabia desde o início o que aconteceu, mas colocou o futuro de Wharton Park acima de seus sentimentos. Não é para menos que virou uma pessoa amarga — comentou Júlia, suspirando. — Durante toda a vida adulta, não teve amor e foi traída.

— Sim — Kit tomou um gole do conhaque. — Fico arrependido agora de não ter prestado mais atenção nela quando passava as férias aqui. Eu achava que ela era apenas uma mulher seca e azeda.

— Já que ela perdeu o filho, deve ter sido muito doloroso ver minha mãe crescer na propriedade, sabendo que era filha de Harry.

— A vida é tão triste, não é? — Kit suspirou e abraçou Júlia. — É por isso que eu acredito que nós devemos aproveitar cada dia. Agora, depois de tanta emoção, talvez a gente deva subir?

Júlia concordou e eles seguiram juntos para o hall de entrada. Júlia se sentou na escada e Kit seguiu com a tarefa diária de apagar as luzes e trancar as portas. Ele se sentou ao lado dela.

— Você está bem, querida? — ele perguntou, segurando a mão dela.

— Sim — ela respondeu.

— Neta de um jardineiro em um minuto e de um lorde no minuto seguinte — Kit a provocou com delicadeza. — Saiba que não é a primeira nem será a última. Posso citar meia dúzia de famílias aristocráticas locais com segredos escondidos no baú. Venha, garota, já devíamos estar dormindo. Teremos um dia agitado amanhã — Kit a levantou e eles subiram de mãos dadas. Deitaram-se juntos na cama, os braços de Kit envolviam Júlia de forma protetora.

— O que eu não entendo — Júlia disse para a escuridão — é por que Elsie não insistiu para que Alícia ouvisse a história também. Afinal, tem tanto a ver com ela quanto comigo.

— Bem — comentou Kit acariciando os cabelos dela —, pelo que a Elsie insinuou hoje, acho que ainda há mais segredos para serem revelados. Boa noite, querida.

Júlia acordou cedo na manhã seguinte e preparou o almoço de domingo para a família. Elsie apareceu na cozinha um pouco depois das 9 horas, chocada por ter dormido tanto.

— Deve ter sido a emoção que fez isso comigo — ela afirmou ao se sentar à mesa. — Sempre me levanto às seis.

Júlia serviu uma xícara de chá para ela.

— Bem, tenho certeza de que dormir mais hoje não lhe fez mal. É bom eu cuidar de você para variar um pouco.

Elsie olhou para a neta, nervosa.

— E... Como você está se digerindo o que eu lhes contei ontem?

— Agora que o choque passou, eu me sinto bem — Júlia respondeu com sinceridade. — Quero dizer, não é como se você me dissesse que meus pais não são meus pais, certo? — Júlia apoiou a mão no ombro de Elsie, se inclinou e a beijou. — E podemos não ser parentes de sangue, mas isso não mudará o que sinto por você.

Elsie segurou as mãos de Júlia.

— Obrigada, meu anjo, por lidar tão bem com isso. Afinal, depois do que viveu no ano passado, fiquei preocupada que pudesse ser demais. Mas achei que você deveria saber. Quer dizer, se você e Kit se casarem em algum momento, existe um laço de sangue. Parecia... — Elsie continuou, torcendo o nariz como se procurasse a palavra certa — ...indecente não contar.

— Obrigada. Mas eu não me preocuparia, nossos genes se diluíram por muitas gerações. Agora, tenho bacon e ovos especialmente para você. Quer um pouco?

Elsie olhou para Júlia com afeto.

— Você sabe que nunca nego uma fritura, meu anjo. Seu pai vem almoçar hoje?

— Deixei uma mensagem o convidando, mas ele ainda não ligou de volta. Provavelmente está dormindo por causa da diferença de fuso horário. Chegou dos Estados Unidos ontem à noite.

— Júlia — Elsie começou a dizer e a expressão dela ficou séria —, quero que jure para mim que nem você nem Kit mencionarão o que eu lhes contei para Alícia antes de eu conversar com seu pai.

— É claro, se é o que você quer. O meu pai sabe dessa história?

— Não, ele não sabe e, se não se importa, eu gostaria de contar a ele pessoalmente. Explicar com minhas próprias palavras por que eu nunca contei para Jasmine.

— É claro. Mas, por favor, não deixe que isso estrague o dia — Júlia implorou. — Alícia, Max e as crianças chegarão ao meio-dia e meia. E estão tão ansiosos para vê-la!

— E eu estou ansiosa para vê-los — concluiu Elsie e tomou um gole de chá. — Como fui boba de ficar nervosa por voltar para cá, não fui? Pensei que poderia trazer de volta memórias ruins e, em vez disso, trouxe todas as boas — Elsie deu uma olhada na cozinha. — Parecia uma tumba aqui, depois que Harry morreu e a patroa ficou morando sozinha. Eu costumava ter medo de vir trabalhar. Mas, agora, há uma nova vida nesse lugar. Não parece mais triste. É claro, tudo de que precisava era de dois jovens apaixonados.

Júlia corou e mudou de assunto.

— Estava pensando se poderia me dizer por quanto tempo devo fritar esse bife — ela pediu, apontando para a carne na tábua enquanto quebrava alguns ovos para o café da manhã de Elsie em uma panela. — Não sou uma cozinheira experiente, mas estou aprendendo.

— Entusiasmo é tudo de que você precisa, meu anjo — Elsie se levantou e foi até o bife. — Em primeiro lugar, vou ensiná-la a batê-lo.

[CAPÍTULO 50]

Um pouco depois do meio-dia e meia, Júlia viu o carro de Max e Alícia estacionar na entrada. Ela abriu as pesadas portas da frente e desceu os degraus para cumprimentá-los.

As crianças se espalharam ao redor dela no hall, soltando "Ohs!" e "Ahs!" ao verem o quanto a nova casa da tia era enorme. Júlia guiou todos para o terraço onde Elsie os esperava, e viu o rosto dela se iluminar quando os bisnetos se amontoaram a seu redor. Quando Kit saiu com uma garrafa de champanhe, ele foi apresentado às crianças e Júlia ficou feliz ao ver como ele conversava com elas. Após um tempo, Júlia os deixou conversando e foi cuidar do almoço. Alícia a seguiu até a cozinha.

— Posso ajudar em alguma coisa? — ela perguntou.

— Sim, fique de olho nessas cenouras e me avise quando ficarem cozidas — pediu Júlia, jogando mais óleo sobre as batatas assadas. — Sou terrível com legumes.

Alícia espetou um garfo em uma cenoura, a tirou da panela e comeu.

— Estão perfeitas. Vou tirá-las do fogo. É estranho vê-la cozinhar — ela comentou, colocando a panela no suporte.

— Nunca tive tempo antes, mas estou gostando de aprender. Kit está me ensinando.

Alícia cruzou os braços e observou a irmã.

— Sabe, ainda não faço ideia de como vocês dois ficaram juntos. Lá estava eu, achando que você estava na França, e, duas semanas depois, a vejo descer a High Street de Holt abraçada ao Kit — havia certa irritação na voz dela. — Podia ter me contado.

— Sim — respondeu Júlia, se sentindo culpada. — Eu devia ter te contado. Desculpe, eu apenas... Bem, não sabia o que dizer. É difícil explicar o que aconteceu. Você podia pensar que eu estava tomando uma decisão precipitada.

— E desaprovar?

— Sim, para ser sincera, é isso.

— Júlia, depois do inferno pelo qual você passou, se Kit a faz feliz, por que eu faria isso? — disparou Alícia. — Você realmente acha que eu sou assim tão crítica?

— Não... — Júlia balançou a cabeça. — Acho que eu estava sendo egoísta, querendo guardar tudo para mim por um tempo, ver o que acontecia antes de contar a notícia.

— Presumo que o bebê e a, ahn, namorada dele, já foram embora?

— Foi por isso que eu não disse nada, Alícia! — Júlia retrucou. — Annie não era namorada dele e o bebê não era filho do Kit. Ele estava apenas ajudando uma amiga, que estava passando por um momento difícil, e não o que quer que os fofoqueiros de plantão ainda estejam dizendo. As pessoas deviam cuidar de suas vidas — ela acrescentou, brava.

— Júlia, por favor, Kit Crawford é o novo dono de Wharton Park, uma das maiores propriedades do condado! Ele é a nobreza local e é claro que vão fofocar sobre a vida dele! E sobre você também, se ficar com ele, então, se acostume com isso! E, talvez, se você confiasse em mim para contar a história verdadeira, eu pudesse ter amenizado a fofocaiada. Mas não confiou... De verdade, às vezes me pergunto que tipo de pessoa você acha que eu sou — o rosa delicado do rosto de Alícia ficou vermelho de raiva. — E, se tivesse me contado, eu ficaria muito feliz por você, depois de entender a situação. Acho que Kit é um homem adorável e está completamente louco por você. Não existem muitos homens que cuidariam de você como ele fez quando ficou doente. Soube que ele gostava de você naquele momento.

— Você sabia? — Júlia estava surpresa de verdade.

— Claro. E eu sabia que você gostava dele também, mas estava confusa e assustada demais para admitir, o que eu realmente entendo.

— Puxa! — Júlia bebeu todo o champanhe do copo, se sentindo injusta por ter subestimado Alícia. — Bem, agora você sabe. Talvez possamos nos ver mais vezes — ela disse, como acordo de paz.

— Sim, seria muito bom. Enfim, vamos esquecer isso, certo? O pai vem hoje? — perguntou Alícia. — Sei que o voo dele pousou tarde ontem à noite.

— Acho que sim, mas ele não tinha certeza do horário. Disse para eu não esperá-lo para o almoço. Acho que ele quer muito ver a Elsie.

— Você já contou ao pai sobre Kit e você?

— Não. Sei como ele é, principalmente após uma viagem de pesquisa. A cabeça dele fica cheia de flora e fauna. Ele não teria processado a notícia.

— E como está a Elsie? — Alícia quis saber enquanto observava Júlia mexer o molho da carne. — Ela contou mais da história?

— Na verdade, não — Júlia respondeu, reservada, se lembrando do apelo de Elsie. — Tenho certeza de que contará, mas estava muito cansada ontem. Certo — ela acrescentou, tirando a carne do fogão —, acho que essa carne está pronta, não? Pode chamar o Kit para cortá-la?

George chegou à casa quando todos já estavam na metade do almoço. Ele estava bronzeado e parecia saudável. Júlia pegou um prato quente de comida para ele e, enquanto comia, George divertiu a mesa com suas descobertas nas ilhas Galápagos. Quando todos terminaram, ele ajudou Júlia a levar os pratos para a cozinha.

— Querida — ele disse ao colocá-los do lado da pia —, você parece outra pessoa. Ou, para ser mais preciso, parece a velha Júlia! Presumo que foi aquele jovem bonito que causou essa transformação.

— Kit ajudou com certeza, de todas as maneiras — Júlia concordou, tímida. — Estou muito melhor.

— Bom — disse George —, não tive muitas oportunidades para falar com ele, mas parece um bom rapaz. Há uma lavadora de louça perdida nessa cozinha?

— Não. Uma conveniência moderna demais para essa casa — Júlia sorriu. — Então, temo que teremos de molhar as mãos dessa vez. Estou vivendo nos anos de 1950 aqui, pai. Não que eu me importe, é uma casa antiga e tão linda!

— É mesmo — George concordou. — E eu admito que é uma experiência estranha ser recebido na porta da frente de Wharton Park pela minha própria filha e encontrar minha família na propriedade de novo — ele colocou o tampo no ralo da pia e abriu a torneira.

— Não se preocupe com isso agora, pai, eu lavo mais tarde. Você pode levar o merengue e as framboesas para mim? — ela pediu, apontando as comidas na mesa. — Comprei pronta, infelizmente. Meu talento recém--descoberto não se estende a doces ainda.

George as pegou e caminhou em direção à porta. Depois, parou e virou.

— Então, ficar aqui em Wharton Park com Kit... Devo entender que é permanente?

— Quem sabe? Como você me disse uma vez, pai, estou vivendo um dia de cada vez.

— Muito bem, muito bem — ele completou. — Fico feliz por você, querida, de verdade.

Depois do almoço, Kit juntou os meninos para jogar futebol e Júlia levou as garotas para um *tour* pela casa, uma situação que bolara especialmente para que George e Elsie ficassem sozinhos.

— Meu Deus! — Alícia assobiou enquanto andavam pelos longos corredores do andar de cima. — Precisa de uma bela reforma. A casa toda precisa de uma revisão completa.

— Bem, eu gosto do jeito que está — disse Júlia, se defendendo.

De volta ao térreo, Júlia preparou o café e Alícia levou a bandeja para o terraço. Elsie estava sentada lá sozinha com os olhos fechados, aproveitando o Sol da tarde.

— Cadê o pai? — perguntou Alícia ao se sentar.

Elsie abriu os olhos devagar.

— Ele pediu desculpas, pediu sim. Disse que dormiu poucas horas ontem e queria voltar para casa antes de estar cansado demais para dirigir. Ele garantiu que vai ligar para você mais tarde.

— Coitado, deve estar exausto — concluiu Alícia, sem saber que poderia haver outro motivo para ele sair sem se despedir. — Agora, quer um café?

Quando Alícia e Max levaram os filhos para casa para tomar banho e dormir, Kit saiu para verificar algo na fazenda e Júlia se sentou com Elsie, observando o pôr do sol no terraço.

— Falei com seu pai — Elsie acabou dizendo.

— Certo.

— O que você precisa entender, Júlia — Elsie suspirou —, é que, quando você mexe em um segredo do passado, é como se abrisse as comportas de uma represa. Sei que você já deve ter escutado isso muitas vezes, mas, meu anjo, é verdade... Porque a água cai e se espalha por lugares que você não esperava.

— Deve ser difícil para você fazer isso, mas estou tão feliz por ter feito, vovó — Júlia revelou, com carinho. — Já há coisas sobre mim mesma que nunca havia entendido e estão começando a fazer sentido. Falando nisso, Kit queria saber o que aconteceu com a Lídia. Ela sobreviveu à operação e poderia ainda estar viva?

— Bem — Elsie começou a dizer devagar —, vou lhe contar mais um segredinho. Algo que nem Bill sabia. Veja, quando Bill me contou que aquela pobre garota teve de entregar Jasmine a ele, fiquei muito triste por ela, muito. Bill escreveu ao amigo, o homem das flores, como prometera, para contar à Lídia que Jasmine estava segura em Wharton Park. Sem falar, é claro, que ela estava morando conosco no chalé. Lídia escreveu de volta para mim algumas semanas depois, dizendo que sobrevivera à operação e se recuperava lentamente. Bem — Elsie continuou —, pensei que ela gostaria de ver algumas fotos de Jasmine, então, enviei algumas. Ao longo dos anos, trocamos cartas. Eu sempre fingia que era a babá de Jasmine, para que não a aborrecesse.

— Que coisa linda você fez — Júlia sorriu.

— Bem, como Lídia pôde pensar que a esposa de Harry aceitaria a filha ilegítima, não sei. Mas, se ficava feliz em saber que a filha estava sendo criada para ser uma lady, quem era eu para decepcioná-la? — Elsie esfregou o nariz. — Talvez façam diferente nos países quentes.

— Passou pela minha cabeça que, depois de Olívia ter perdido o bebê, ela pudesse ter pensado em adotar a minha mãe — Júlia admitiu.

— Nem em sonho! — Elsie abriu um sorriso amarelo. — Para começar, seria impossível fingir que Jasmine era filha dela, já que Olívia era tão clara e, Jasmine, tão morena. Mas, o que é mais importante, ela nunca a reconheceria como filha de Harry. Olívia sabia que ele estava apaixonado por Lídia. Não permitiria que Jasmine fosse uma lembrança diária daquele amor, né? Por mais vazia que a casa ficasse.

— Não... Você está certa — Júlia concordou. — É claro que não. Você e Lídia ainda se falam, vovó?

— Não. Depois que sua mãe morreu, eu não escrevi mais para ela. Não consegui contar nada para Lídia. Como nós duas sabemos, as mães nunca superam a perda de um filho... — a voz de Elsie foi sumindo. — Por isso, em resposta à sua pergunta, não tenho ideia se Lídia ainda está viva.

— É, não superamos... — Júlia falou em voz baixa.

— Ai, minha nossa — Elsie suspirou —, não faz bem pensar no passado. Ele não vai embora, não mesmo, e, ao contar a você e a Kit o que contei, seu pai ficou diante de uma decisão também. Posso apenas rezar para ter feito o que era certo.

— Bem, o que quer que seja, sei que somos uma família forte o bastante para suportar e superar.

Elsie segurou forte a mão de Júlia.

— Sim, meu anjo, acho que somos.

[CAPÍTULO 51]

Três dias depois, Kit levou Júlia ao aeroporto de Stansted. Ela poderia ter tomado um táxi, mas Kit insistiu.

— Você falou com o seu pai nos últimos dias? — ele perguntou, prestando atenção na estrada.

— Deixei duas mensagens e ele finalmente me ligou ontem. Ele estava em Kew, apresentando as novas espécies das Ilhas Galápagos às autoridades em horticultura.

— Ele não falou da conversa que teve com Elsie no domingo, então?

— Não. E eu não o pressionei. Ele estava um pouco distante — Júlia encolheu os ombros. — Mas ele sempre está. Tenho certeza de que falará comigo quando estiver pronto.

— Você tem razão. E já tem tanto com que se preocupar, querida — Kit segurou a mão de Júlia. — Eu queria ir com você, sabia? Tem certeza de que ficará bem?

Júlia concordou balançando a cabeça, estoica.

— Preciso apenas tirar isso do caminho.

— Sim. E... — Kit procurou as palavras certas. — Quero que você saiba que eu respeito o seu amor por eles. Não me sentirei ameaçado por esse amor, nunca. Eu aceito de verdade que, se Xavier ainda estivesse aqui, você estaria com ele. E não quero que você se sinta envergonhada ou culpada por isso. Não posso me ressentir por você ter amado outros antes de mim. Lembre que também amei.

Os dois ficaram parados, constrangidos, perto do balcão de controle de passaportes. Havia coisas que Júlia queria dizer a Kit, como o quanto ele fora maravilhoso, o quanto ela fora feliz e o quanto ela achava que o amava... Sim, amava. Mas não conseguia achar as palavras. Então, em vez de dizer algo errado, ela permaneceu em silêncio. Kit a abraçou.

— Vou sentir muita saudade, querida — ele sussurrou no ouvido dela.

— Eu também — ela respondeu.

Ele deu um passo para trás e tirou uma mecha de cabelo do rosto dela.

— Por favor, tente se cuidar. Sei que você não é boa nisso. E lembre, se precisar de mim, estou aqui. Vou esperar por você o tempo que for necessário.

Júlia balançou a cabeça, a ponto de chorar.

— Obrigada.

— Eu a amo, querida — ele murmurou.

— Eu sei... — Júlia disse, o nó na garganta não a permitia ir além. Depois, ela virou, acenou para ele e passou pelo portão.

Sentada no avião que se preparava para pousar no aeroporto de Toulon, Júlia ficou surpresa ao perceber que estava pensando menos no que teria de enfrentar e mais em ter deixado Kit. Depois de ter passado três horas sem ele, e sem fazer ideia de quanto tempo levaria para vê-lo de novo, ela se sentia triste. A intensidade com que sentia falta dele a tomou de surpresa

Ao sentir o aroma do ar doce, familiar, cheirando a pinheiros, uma parte dela quis se virar, voltar ao avião e retornar ao conforto de Kit e Wharton Park. Após pegar um carro de aluguel e partir pela paradisíaca estrada da costa até sua casa, Júlia entendeu que não poderia se surpreender por querer voltar correndo para os braços de Kit. O que teria de encarar em menos de uma hora a apavorava. Porém, quanto antes lidasse com aquilo, mais cedo voltaria para ele. Ela tinha de se despedir. E sozinha.

O tráfego pela estrada da costa estava pesado por causa dos turistas. Júlia seguiu com paciência pelos belos *resorts* de Bormes-les-Mimosa, Lavandour e Rayol Canadel, vendo famílias se esparramarem pelas praias e pelos bares e cafés lotados. A França toda ia para o Sul em agosto e não fazia sentido tentar chegar a lugar algum com pressa.

A estrada sinuosa começou uma subida, oferecendo vistas maravilhosas do mar azul lá embaixo. Depois do cenário quase vazio de Norfolk, que Júlia apreciava em sua beleza crua, a Côte d'Azur apresentava detalhes coloridos e espetaculares. Era como comparar um diamante bruto com uma safira polida e bem lapidada. Ainda assim, os dois tinham um charme único.

Em La Croix Valmer, Júlia pegou a estrada estreita e íngreme para a cidade de Ramatuelle, no topo de um morro. Ao se aproximar da vila, sentiu a adrenalina percorrer seu corpo. Poucas vezes sentia vontade de beber, mas desejou ter uma bebida naquele momento.

Como sempre, as ruas da vila estavam cheias de turistas e ela teve de estacionar a alguma distância da casa. Pegou a mala no porta-malas e percorreu o caminho estreito até seu antigo lar, que ficava logo depois da praça principal. Ramatuelle era um labirinto de ruas apertadas e becos escondidos, com pitorescas casas de pedra e primaveras em botões roxos e gordos pelas paredes.

A vila ficava a apenas dez minutos das lindas praias de Pampelonne, em Saint-Tropez, e, por isso, era mais sofisticada do que a maioria, com um conjunto de restaurantes caros que atraíam uma clientela elegante. Júlia gostava mais dela no inverno, quando voltava às mãos dos moradores.

Ela parou em frente ao portão de ferro trabalhado, que se abria para o pequeno caminho até a porta da frente. Buscou no fundo da alma a força para abrir o portão, percorrer o caminho e abrir a porta de sua casa...

"A qualquer momento, a porta será aberta. Gabriel saberá que estou chegando e estará esperando à janela com Agnès, pronto para descer correndo a escada e se jogar nos meus braços.

Vou abraçá-lo, sentindo seu maravilhoso perfume, composto por Xavier e por mim e por algo exclusivo dele. Vou acariciar seu cabelo escuro recém-lavado, muito comprido para um garoto, mas não conseguiria cortá--lo e ver os cachos macios saírem da cabeça dele.

— *Je t'aime, maman* —, ele dirá enquanto se segura em mim como um macaquinho, e nós subiremos a escada juntos.

Agnès estará lá, sorrindo aos nos ver reunidos, e sentarei com Gabriel no colo à mesa da cozinha e o ouvirei contar o que fez desde que eu saí.

Ele descerá do meu colo e trará, tímido, um desenho que pintou para mim. O papel estará duro sob o peso da tinta aplicada sem cuidado, mas ele terá orgulho do trabalho e sabe que ficarei feliz em recebê-lo.

Passearemos do lado de fora e Gabriel subirá no pequeno triciclo e irá pedalar pelo terraço, exibindo sua habilidade para mim. Depois, ficará cansado e voltará para o meu colo com o polegar na boca. Irá se aconchegar junto ao meu peito e eu sentirei o coração dele bater contra o meu. Ele ficará com sono e eu o pegarei no colo e o levarei ao berço, deitando--o com delicadeza. Me inclinarei sobre ele e beijarei sua testa, adorando o contato da pele macia dele nos meus lábios. Farei carinho na cabeça dele, murmurando sobre meu amor e todas as coisas maravilhosas que faremos agora que estou em casa. Enquanto adormece, ele abrirá os olhos para ver se eu ainda estou lá. Estou... E sempre estarei, sempre."

Júlia abriu a porta da casa silenciosa e se preparou para voltar ao passado. E à dor. Ficou parada no hall escuro, surpreendida pelo cheiro característico que impregna todas as casas velhas que ficam fechadas por muito tempo. O cheiro desconhecido a ajudou e ela caminhou para os fundos da casa e para a cozinha. As janelas estavam fechadas contra o brilho forte do Sol do verão e, assim, o lugar estava à meia-luz. Júlia caminhou até a longa mesa de carvalho francesa, onde um bilhete estava apoiado em uma tigela de frutas frescas.

"Cara madame Júlia,

Espero que a casa esteja como a senhora gosta. Comprei comida e coloquei na geladeira, e há um ensopado no fogão. Virei amanhã às

10 horas, como sempre. Se precisar de alguma coisa antes disso, ligue para mim.

Bem-vinda, madame,

Agnès”

Ela arrancou um pêssego maduro da tigela, mordeu a casca aveludada e foi para a porta que levava ao terraço. A velha casa ficava em uma rua estreita e lotada, mas no topo de um morro. A vista magnífica não era atrapalhada por outras casas, a encosta do morro era coberta de pinheiros, oliveiras e abetos, e, centenas de metros abaixo dela, a linha de um azul tremulante que era o mar.

Era lá que Júlia passava a maior parte de seu tempo em casa, sob o caramanchão coberto por uvas roxas grandes e redondas, ouvindo as cigarras, Xavier ensaiando e Gabriel gritando de alegria na piscina.

Naquela hora, restavam apenas as cigarras por lá e ela estava sozinha. E não havia como se esconder das memórias. Suas pernas começaram a fraquejar e ela se jogou em uma cadeira de ferro trabalhado. Fazia apenas um ano... Parecia uma vida inteira.

E aquele dia, aquele dia terrível, que balançou a Terra e mudou sua vida, começara tão simples, como qualquer outro. Não houvera um aviso, um pressentimento do que viria.

Um domingo quente em julho...

Júlia estava pegando o voo do meio da manhã a Paris, para se apresentar em um recital em La Salle Pleyel, com L’Orchestre de Paris. Ela tocaria o “Concerto nº 2”, de Rachmaninov, sua peça favorita. Lembrava-se de ter levado as malas para o andar de baixo para esperar o táxi e de que estava feliz, pois ficaria fora por apenas uma noite. Voltaria a tempo de tomar o chá com Gabriel na noite seguinte. Ela sempre tinha medo de se despedir dele, mas se consolou pensando que era uma boa oportunidade para seus “garotos” passarem um tempo juntos. Quando estava em casa, Xavier se trancava com o piano e ficava irritado se Gabriel o atrapalhasse. Assim, o filho aprendera a não o interromper. Júlia sabia que ele era cuidadoso com o pai, cujo comportamento artístico e volátil o tornava imprevisível.

Como era um domingo, Agnès não estava lá para cuidar de Gabriel, então, Xavier estava encarregado dele. Um maestro, amigo dele, havia convidado os dois para nadar e comer um churrasco no fim da tarde perto da costa. Haveria outras crianças lá para Gabriel brincar e seria bom pai e filho passarem o dia juntos.

— *Maman* — Gabriel dissera, jogando os braços ao redor do pescoço dela. — *Je t'aime*. Volte logo. Sinto saudades.

— Eu também, *petit ange* — ela respondeu ao respirar o perfume dele para lembrar quando estivesse longe. — Se divirta na festa e seja bonzinho com o *papa*.

— Vamos no novo carro do *papa*. Ele anda muito rápido, *maman* — Gabriel se soltou do abraço de Júlia e correu pelo hall fazendo barulhos de carro.

— *À bientôt, chéri* — Xavier disse. — Toque bem, como sempre. Volte logo — ele abraçou Júlia e a beijou.

— *Je t'aime, chéri*. Cuide de Gabriel por mim — ela acrescentou ao descer os degraus da frente.

— Espero que ele cuide de mim — comentou Xavier, rindo.

Gabriel parou ao lado do pai e segurou a mão dele enquanto acenavam para ela no táxi.

Do camarim em Paris, Júlia havia ligado para Xavier pouco antes do recital. O celular dele estava na caixa postal, mas isso era comum. Provavelmente, ainda não haviam voltado do churrasco. Ela tentaria de novo no intervalo. Ao ouvir o toque de dois minutos, Júlia desligou o telefone e foi para a coxia.

Um toque de nervosismo percorreu o corpo dela ao caminhar para a plataforma e receber os aplausos do público. Depois, quando se sentou no banco e olhou para as teclas que transportariam pianista e plateia a outro plano, o medo a deixou. Os dedos tocaram as teclas e as primeiras notas melancólicas do concerto encheram o hall.

Quando terminou de tocar, ela sabia que a interpretação que acabara de apresentar fora a melhor de sua vida. O público parecia pensar o mesmo e a aplaudiu em pé. Segurando um buquê de rosas vermelhas como sangue, Júlia saíra do palco, extasiada. As pessoas a cercaram, como sempre, parabenizando-a, derramando elogios, querendo se banhar de seu talento único.

— Madame Forrester.

Ela ouvira a voz do gerente por trás do grupo de admiradores e levantara o rosto. A expressão séria dele contrastou com os sorrisos animados em volta dela. Ele abriu caminho até Júlia.

— Madame Forrester, pode vir comigo, por favor?

Ele a levou para o seu escritório e fechou a porta.

— O que foi? Aconteceu alguma coisa?

Júlia se lembrava do coração acelerado enquanto ele explicava que haviam ligado para ela da *gendarmerie* em Saint-Tropez. Ele anotara o número do telefone e o inspetor com quem falara queria que ela ligasse de volta imediatamente.

— Você sabe por quê? — Júlia perguntara enquanto o gerente discava para ela, pois estava tremendo.

— Madame, eu... Não sei os detalhes. Vou deixá-la sozinha para falar com ele.

Ele a deixara no escritório, sozinha. Ela pedira para falar com o inspetor cujo nome estava anotado no papel. Ele atendera rápido e dissera o que acontecera, destruindo seu mundo.

"O carro saindo da estrada em uma curva fechada, caindo pela encosta do morro e, depois, explodindo em chamas, iluminando o cenário seco e propício ao fogo à sua volta. E, em algum lugar do horizonte queimado e enegrecido, jazia o que restara de seu marido e filho."

Uma semana depois, quando Júlia já estava de volta à Inglaterra, as autoridades francesas informaram-na de que haviam encontrado alguns restos mortais perto do local: os ossos de uma criança com cerca de dois anos, descobertos no morro, acima dos restos do carro. O que, o inspetor explicara, significava que Gabriel provavelmente fora jogado para fora da janela enquanto o carro escorregava pela encosta.

Havia outros ossos, de adulto, perto do carro. O inspetor dissera que, como o fogo havia removido todos os traços de DNA, era impossível identificar qualquer um deles.

Júlia mal se lembrava do que acontecera depois da primeira e terrível ligação em La Salle Pleyel, em Paris. Alícia chegara (ela não lembrava quando) e a levara para sua casa na Inglaterra. Depois de dois dias no quarto vago da casa da irmã, Júlia soube que não poderia aguentar os gritos e as risadas dos sobrinhos. Assim, ela se mudou para o pequeno chalé em Blakeney, pois preferia o silêncio ao som insuportável do que acabara de perder.

Júlia saiu do torpor, voltando ao presente e enxugando as lágrimas. Sabia que estava em um território muito perigoso. Não poderia se permitir afundar de novo nas lembranças. Havia tarefas práticas a resolver na França. Quanto mais cedo cuidasse delas, mais cedo poderia ir embora.

Ela voltou à cozinha e, seguindo o conselho dado por Kit para comer, esquentou um pouco de ensopado no fogão. Em seguida, se sentou à mesa com uma taça de vinho e forçou a comida para dentro do corpo. Depois do jantar, Júlia reuniu forças para ir até a sala de estar. Sentou-se ao piano e colocou os dedos nas teclas.

Tocou para eles: para o marido e para o filho amado. E tentou acreditar de alguma forma que, onde quer que estivessem, poderiam ouvi-la.

Um tempo depois, Júlia abriu a porta do quarto que dividira com Xavier. Tirou uma camisola da mala, sem ousar se aproximar do guarda-roupa, onde ainda estariam penduradas todas as roupas do marido, e se deitou na cama.

Ficou deitada sem se mexer, olhando ao redor. Ela, antes, adorava aquele quarto, talvez pelo simples fato de ser dela; um lugar de refúgio e não o quarto anônimo de um hotel reservado para uma noite. Examinou os quadros, que ela e Xavier escolheram juntos em uma galeria em Gassin, e viu a escova de cabelo dele ainda sobre a cômoda abaixo do espelho.

Era o momento que mais temia: a primeira noite sozinha na cama deles, atormentada por pensamentos do que aquela casa já fora e não era mais. Para sua surpresa, estava calma. Talvez fosse apenas porque ela, então, aceitava que nem Xavier nem seu querido *petit ange* estariam ali de novo.

Eles tinham ido embora. E nada que ela pudesse sentir, ou fazer, ou dizer os traria de volta. A casa silenciosa, em que haviam morado e se amado como uma família, era a confirmação final disso.

[CAPÍTULO 52]

Quando Júlia acordou na manhã seguinte, estava aliviada por ver que eram quase 9 horas e ela havia dormido a noite inteira. Agnès, a empregada e babá, chegou uma hora depois e seu rosto transparecia a apreensão quando procurou Júlia no terraço. Júlia entendeu. Ela se levantou, foi até Agnès e a abraçou.

— *Ça va, Agnès*?

Júlia pôde ver o alívio nos olhos dela ao responder:

— *Ça va bien, madame Júlia. Et vous*?

— Estou melhor, obrigada. Venha, tome uma xícara de café também — Júlia continuou, em francês, o idioma que sempre usava lá, embora parecesse estranho e antinatural na sua língua. Agnès se sentou, insegura, enquanto Júlia servia um pouco de café para ela.

— Muito obrigada por cuidar da casa. Tudo está perfeito.

— Não foi nada, madame Júlia. Fico feliz em vê-la bem.

— Comecei a aceitar o que aconteceu. Percebi que não tinha escolha. A dor nunca irá embora, mas... — Júlia parou. Ver Agnès, uma mulher que havia amado e cuidado de seu filho quase tanto quanto ela mesma, era quase demais para ela. Engoliu com dificuldade e se preparou para falar de assuntos práticos. — Há algumas coisas que não consigo me convencer a fazer e estava pensando se poderia me ajudar com elas.

— É claro, madame, o que quiser.

— Pretendo ficar poucos dias aqui e, depois, voltarei para a Inglaterra. Vou vender essa casa.

— Oh, madame! — Agnès parecia horrorizada. — Mas é o seu lar!

— Eu sei — Júlia concordou —, mas preciso fazer isso. Tudo aqui faz parte da vida que eu tinha. E, se não a tenho mais, preciso seguir em frente.

— Eu entendo — disse Agnès, balançando a cabeça com seriedade.

— Queria perguntar se você conseguiria esvaziar o guarda-roupa de Xavier para mim depois de eu ir embora. E — Júlia continuou e engoliu em seco — o quarto do Gabriel. Talvez você conheça uma instituição de caridade ou uma família que queira ficar com os brinquedos e as roupas dele.

Lágrimas apareceram nos olhos de Agnès.

— É claro, madame. Conheço uma família que ficaria agradecida ao receber essas coisas.

— Quando a casa for vendida, voltarei para pegar meus pertences. Mas vou colocar o imóvel à venda com tudo dentro. Acho melhor.

Agnès concordou.

— Há um antigo ditado francês, madame, que diz que, para pertencermos ao futuro, devemos aceitar o passado. Farei tudo o que me pedir para ajudá-la. Acho que a senhora é... — ela começou, com lágrimas caindo sem controle dos olhos — ...muito corajosa.

— Não. Não fui nem um pouco corajosa. E, seu eu *fosse* corajosa, ficaria aqui e ainda pertenceria inteiramente a eles — ela suspirou. — Vim para cá tentar me despedir.

Agnès segurou a mão de Júlia.

— Ele... Eles... Iriam querer que a senhora seguisse em frente e encontrasse novas alegrias.

— Sim — Júlia abriu um sorriso. — Espero que sim e preciso acreditar nisso.

— Sim, madame, a senhora precisa — Agnès terminou de tomar o café e se levantou. — E, agora, se me der licença, preciso começar a trabalhar. Deixei todas as contas na escrivaninha do escritório para a senhora. Todo mundo entendeu que a senhora vai pagar quando estiver pronta.

— É claro que sim — Júlia concordou. — Cuidarei delas hoje e deixarei os cheques para você. Por favor, agradeça a todos pela gentileza em meu nome.

— *Pas de problème*, madame. Todos nós gostávamos muito da senhora por aqui. De todos vocês — ela acrescentou e, depois, entrou na casa.

Júlia passou muito tempo em frente à escrivaninha examinando a correspondência acumulada no ano que passara. Cartões de pêsames haviam chegado em um fluxo contínuo desde o acidente. Enquanto os abria e os lia, se sentiu consolada por saber quantas pessoas haviam amado sua família.

Colocou os cartões em uma pasta para levá-los à Inglaterra e, depois, fez os cheques para as pessoas que haviam cuidado da casa na ausência dela. Então, abriu um envelope grande, de aparência oficial, e tomou fôlego: nele estavam as certidões de óbito do marido e do filho, a afirmação final da ausência deles. A investigação e o caso estavam, enfim, encerrados.

Munida de pá e dois pequenos ramos de cipreste, Júlia dirigiu por dez minutos até a perigosa curva onde o marido e o filho encontraram a morte. Estacionou em um recuo mais à frente e voltou à curva com a pá. Depois, voltou para pegar os ramos. Do alto do morro, ela podia ver os cantos chamuscados das árvores em volta da clareira que fora queimada. Porém, ao descer devagar o precário declive, ela notou o começo do renascimento. As orquídeas selvagens, que cresciam em grande número pelas encostas naquela região, estavam começando a despontar no solo ainda queimado. O fogo provocava uma nova fertilidade no que destruía e Júlia podia apenas esperar que o que estava vendo fosse metaforicamente relevante para ela também.

Sem um "X" que marcasse o lugar exato onde eles haviam morrido, Júlia escolheu o que achava ser o centro do local e começou a cavar. O trabalho era pesado e o dia estava muito quente, mas ela continuou até ter plantado os ramos lado a lado. Ajoelhou-se ao lado deles por um tempo, imaginando as pessoas amadas que representavam e celebrando a vida delas.

— Adeus, *mon petit ange* e meu Xavier. Durmam bem. Estarão sempre comigo, onde quer que eu vá. E, um dia... Um dia, estaremos todos juntos novamente. Eu amo os dois, muito... — se levantando e se recompondo, mandou um último beijo para cada um deles e subiu a encosta.

Na manhã seguinte, Júlia sentiu uma leveza, uma sensação inexplicável de alívio porque enfrentara o pior e estava consolada. Outras pessoas haviam sugerido uma missa para marcar o falecimento de Xavier e Gabriel, e talvez fosse possível providenciá-la agora que ela já dera seu adeus particular. Talvez aquele tivesse sido o momento de "colocar um ponto final" que todos diziam ser tão importante. O que quer que tivesse sido, fora um passo na direção certa em sua jornada para alcançar a paz interior e conseguir encarar o futuro.

Júlia embarcou na próxima etapa importante: foi visitar o corretor local e explicou que queria colocar a casa à venda. O corretor fingiu tristeza, mas ela sabia que ele estava dando pulos de alegria ao pensar que teria a casa mais procurada de Ramatuelle em seu portfólio.

— Madame, se eu pegar o telefone, a venda estará feita. É muito raro que casas como a sua fiquem disponíveis. Diga o preço e posso garantir que o conseguirei. Mas deve ter certeza de que quer vendê-la. Uma casa dessas aparece apenas uma vez na vida nessa vila.

— Tenho certeza — Júlia reiterou. — Acho que seria bom que uma família morasse lá.

— Conheço as pessoas certas — concordou o corretor.

— Que bom — Júlia se levantou. — Quanto mais cedo, melhor. A casa precisa ser habitada e eu não posso morar nela. Partirei em alguns dias. Se alguém quiser visitá-la, Agnès Savoir ficará com as chaves.

O agente contornou a escrivaninha e apertou a mão dela.

— Obrigado, madame, por confiar sua bela casa a mim. E, por favor, aceite meus pêsames pela sua trágica perda.

— *Merci, monsieur* — Júlia saiu do escritório e caminhou até a praça ensolarada. Os cafés estavam lotados de pessoas que tomavam o *brunch*. Ela encontrou uma mesa ao Sol e pediu um café com leite. Tomou com calma, aproveitando a atmosfera tranquila. Sentiria falta daquilo, o jeito de viver francês sempre combinara com ela.

De repente, ocorreu à Júlia que uma explicação para que ela se sentisse em casa lá poderia ser sua genética: Adrienne, que ela agora sabia que fora sua bisavó, era francesa. Júlia sorriu, se consolando com as ligações com o passado. Os seres humanos eram uma receita complexa e ela estava fascinada por ter descoberto alguns ingredientes que haviam produzido sua personalidade única.

Ela pediu outro café com leite, sem querer abandonar o momento de reflexão calma depois da turbulência emocional dos últimos dias. E pensou sobre a outra parte dela, a parte sobre a qual sabia muito pouco: ficava longe, no Oriente, banhada pelo calor do Sol tropical, resultado de um amor trágico que fora apenas brevemente vivido. Talvez um dia ela fosse para lá e visse a beleza que enfeitiçara Harry, mas não agora.

Seus pensamentos se voltaram para Kit e ela sorriu. Ele a deixara em paz nos últimos dias, compreensivo e nada exigente como de costume, mandando somente mensagens de texto para dizer que a amava e estava pensando nela. Júlia tirou o celular da bolsa, mexeu nas opções e olhou as mensagens dele. O que mais a surpreendia era a maneira como Kit parecia completamente seguro ao professar seu amor por ela, mesmo sem ela dizer que o amava. Talvez ela não estivesse pronta. Porém, como já havia concluído a tarefa, que, pelo menos em termos práticos, fechava o livro do passado, não havia motivo para não lhe dizer "Eu o amo...". Júlia treinou as palavras na sua língua e, se aquecendo sob o Sol, ela sabia que não tinha dúvida de que era verdade.

De volta à casa, ela entrou no escritório para reservar o voo de volta para a Inglaterra pela internet. Partiria no dia seguinte, ansiosa para voltar a Wharton Park e a Kit o mais rápido possível. Ela queria dizer que, finalmente, era toda dele, sem amarras, livre para ficar com ele, se ele a quisesse, para o resto da vida. O celular tocou e ela viu que era Kit. Atendeu a ligação.

— Alô, querida, como está?

— Estou bem, obrigada, Kit.

— Que bom! Como é bom ouvir sua voz! Senti saudades, Júlia. Você está se cuidando?

— Sim, estou — Júlia respondeu sorrindo. — Juro.

— Tem ideia de quando vai voltar para casa?

Como havia acabado de reservar a passagem, ela sabia quando, mas decidiu fazer uma surpresa.

— Não tenho certeza, mas quase acabei o que precisava fazer, então, vou chegar mais cedo do que você pensa — ela riu.

— Que notícia maravilhosa! — exclamou Kit, que parecia aliviado. — Nem sei dizer o quanto está quieto aqui.

— Aqui está quieto também — murmurou Júlia.

— Sim, deve estar — Kit comentou com seriedade. — Sempre penso em você, querida.

— Eu também. Você está bem?

— Tirando a saudade, sim, estou bem. Certo, vou deixar você ir agora. Apenas me avise quando vai voltar, para que eu mate o bezerro gordo e solte fogos de artifício. Eu a amo, querida. Mantenha o contato.

— Manterei, Kit. Nós nos veremos em breve.

Naquela tarde, maravilhada com o destino, que lhe dera uma segunda chance de felicidade, Júlia se sentou em frente ao grande piano e tocou com alegria em vez de dor. Como sempre, ela perdeu a noção do tempo e ficou tão imersa na música que não reparou no Sol se pondo atrás dela. Ela não ouviu a porta da sala de estar ser aberta. Ao terminar a peça com um floreio final, olhou para o relógio e viu que passava das 19 horas. “Hora de tomar um vinho *rose*”, ela pensou ao dobrar a partitura e guardá-la na mala, pronta para levar para casa no dia seguinte.

Um movimento repentino atrás dela lhe chamou a atenção. E ela se virou. Por um instante, ficou encarando-o, o corpo emoldurado pela porta. Depois, por instinto, fechou os olhos. Ela estava vendo um fantasma, conjurando uma imagem na cabeça. Ele não era real, ela sabia. “Quando eu abrir os olhos, ele terá desaparecido...” Foi o que ela fez. Mas ele ainda estava lá. Foi então que a figura falou:

— Oi, minha Júlia. Eu voltei.

[CAPÍTULO 53]

Júlia não fazia ideia de quanto tempo ficou olhando para ele. Ainda assim, seu cérebro se recusava a processar as mensagens que os olhos e os ouvidos mandavam. Porque era... Impossível. Enquanto o encarava, percebeu que era o Xavier e, ainda assim, não era o Xavier. Ou, pelo menos, não o Xavier que ela levara na mente desde o dia em que ele morrera. Esse Xavier parecia ter envelhecido dez anos, talvez vinte, um Xavier que não era mais apenas magro, mas esquelético a ponto de parecer que definhava. E um Xavier que ganhara uma cicatriz de corte que percorria o lado esquerdo do rosto.

— Entendo que esteja chocada em me ver — ele comentou.

Júlia sentiu uma vontade inapropriada de rir com histeria dessa afirmação, mas ela conseguiu encontrar sua voz.

— Estou tentando entender — ela disse, devagar, exagerando na pronúncia — se você é um fantasma ou não. Uma alucinação.

Ele balançou a cabeça.

— Não, não sou.

— Então... — Júlia se esforçou para achar as palavras certas, mas mal conseguiu engolir. — Como?

— Minha Júlia, há muitas coisas que preciso lhe contar, mas, por favor, venha até aqui. Abrace seu marido, que voltou da morte. E sinta por conta própria que ele é real — Xavier abriu os braços.

Lentamente, seguindo as instruções, ela se levantou e caminhou na direção dele.

— *Ma chérie*, minha Júlia — ele murmurou ao abraçá-la. — Não sabe por quanto tempo sonhei com esse momento.

O toque dele e o seu perfume familiar confirmaram que não era uma alucinação. Era demais. Júlia caiu no choro.

— Não entendo, simplesmente... Não... Entendo! — ela desmoronou sobre ele, que a ajudou a chegar ao sofá e se sentar, e se abraçaram.

— Eu sei, eu sei, *ma petite*, é um choque terrível para você me ver de novo. Tentei pensar em como seria melhor para você — ele disse, acariciando o cabelo dela. — Mas não havia uma boa maneira.

— Mas como? — ela gritou. — Como você pode estar aqui? Você está morto, morto! Morreu há um ano... E, se não morreu, onde diabos você estava?

— Contarei tudo no tempo certo — ele a acalmou. — Por hora, devemos celebrar nosso reencontro.

— Não! — Júlia se afastou dele de repente. — Preciso que me conte agora! Xavier, conte agora! — ela implorou.

— *D'accord*, você está certa. Vou contar. Mas, em primeiro lugar, talvez nós dois precisemos de uma taça de vinho para ajudar a acalmar nossos nervos.

Quando Xavier deixou a sala para pegar a bebida, Júlia ficou sentada e imóvel, sem conseguir compreender o que acabara de acontecer.

— Beba isso, *chérie*. Vai ajudar — ele afirmou, entregando uma taça a ela.

Júlia achava que nada poderia "ajudar". Mas bebeu, como ele sugerira, mesmo que só para ter algo em que se concentrar.

— Por favor — ela suplicou novamente —, você tem de explicar, Xavier. Enquanto não fizer isso, sinto que vou enlouquecer. Por favor.

Xavier tirou a taça da mão de Júlia e a apoiou na mesa de centro. Depois, colocou sua mão de dedos compridos sobre a dela, sem tirar os olhos dos olhos da esposa.

— *Ma chérie*... Eu desejei, mas também temi esse momento por tanto tempo. Não sabia o que seria melhor. Deveria me afastar de você para sempre? Evitar o choque desse instante e protegê-la? E, sim — ele continuou, balançando a cabeça —, de certa forma, seria melhor eu ficar longe. Me esconder, não encarar o que eu fiz a você. Mas... Não! Eu sabia que não devia fugir, devia ser corajoso e encarar minha responsabilidade como marido e pai.

Um pensamento repentino e urgente invadiu a cabeça de Júlia.

— Ah, meu Deus! — ela tampou a boca com as mãos. — Diga, Xavier, diga, diga... Se você está vivo... Gabriel...?

Xavier balançou a cabeça.

— Não, *mon amour*, ele se foi, ele se foi. Eu vi com meus próprios olhos.

Júlia recolheu a mão. Respirou fundo e juntou cada fagulha de força que lhe restava.

— Apenas me conte.

Xavier engoliu o resto do vinho e tentou segurar a mão de Júlia novamente. Ela o afastou.

— Não! Não toque em mim! — ela podia ouvir um tom histérico em sua voz. — Por favor! Apenas me conte!

— *D'accord, chérie,* vou começar. Naquele dia, naquele dia terrível, nós saímos da festa às 19 horas. Gabriel perguntou se podia sentar no banco da frente do meu carro novo e eu deixei. Viemos para casa, com a capota abaixada, e ele estava muito feliz de andar no banco da frente do carro esporte do *papa*. Ele gritava e ria, pedindo "Vá mais rápido, *papa*! Mais rápido!". E, como — Xavier engasgou — eu queria agradá-lo, fiz o que me pediu. Fiz a curva em alta velocidade e desviei para não bater em um carro que vinha na outra direção. Perdi controle do carro, saí da pista e caí pela encosta do morro — Xavier desmoronou. — Me perdoe, Júlia, me perdoe... — ele engoliu em seco e continuou. — O carro parou quando uma árvore bloqueou o caminho. Eu estava em choque e meu rosto sangrava — ele tocou na cicatriz —, mas ainda estava consciente. Fui ver se Gabriel estava bem, mas o banco ao meu lado estava vazio. Pensei que ele devia ter sido atirado para fora quando o carro caiu. Consegui sair e subi correndo a encosta para encontrá-lo — Xavier apoiou a cabeça nas mãos. — Ai, Júlia, Júlia...

Sem reação, ela o viu se recompor, mas não disse nada. O que poderia dizer?

— Eu o encontrei — ele sussurrou — mais acima. No começo, pensei que estivesse apenas inconsciente. Sabe, não havia nem um arranhão nele. Mas, então... Ai, Deus, me ajude! — ele gritou. — Eu o levantei e a cabeça dele tombou sobre o pescoço como um boneco quebrado. Eu sabia que ele estava muito machucado, que a queda causara ferimentos terríveis.

— Está dizendo que o pescoço dele estava quebrado? — ela precisava saber, precisava saber exatamente como seu bebê morrera.

— Sim. Depois, percebi que os olhos dele estavam abertos... Bem abertos, mas não piscavam, Júlia, eles não piscavam! Verifiquei o pulso dele e não senti nada. Eu o chacoalhei, tentei acordá-lo, mas sabia que ele não estava mais me vendo, que ele estava... Não! — ele engasgou e balançou a cabeça. — Não consigo dizer.

— Está dizendo que sabia que Gabriel estava morto? — ela articulou as palavras para ele.

— *Oui, chérie*, ele estava... Morto. Fiquei sentado ao lado dele por não sei quanto tempo, segurando-o nos braços, tentando fazê-lo voltar à vida, mas ele não reagiu. E, então... — Xavier tremeu ao lembrar —, ouvi um barulho alto e vi o carro pegar fogo. A floresta estava tão seca que, em poucos segundos, o fogo veio em minha direção. E... Como posso contar isso a você, como? — Xavier soluçava alto, angustiado. — Eu saí correndo. Corri e corri. Pela floresta e para longe do fogo. E — ele soltou outro grito preso — eu não levei nosso menino comigo! Eu não... Levei... Nosso menino... Comigo! — Xavier não conseguia continuar. Ele apoiou a cabeça nas mãos e chorou.

Júlia se sentou ao lado dele, olhando para o nada, imóvel.

— Por favor, Xavier, continue falando, quero saber tudo.

Ela não acreditava na estranha sensação de calma que tomara conta dela. Alguns minutos depois, Xavier seguiu em frente.

— Todos os dias eu me pergunto por que naquele momento não peguei nosso *ange* nos braços e o carreguei comigo. Não sei explicar... Não sei explicar — ele balançava a cabeça como um louco. — Eu o deixei lá sozinho! Talvez tenha sido o choque, a dor terrível... Uma loucura que se apossou de mim naquele momento. Talvez tenha sido apenas um instinto egoísta de sobrevivência. Mas foi o que eu fiz, Júlia, eu o deixei lá, eu o deixei lá.

Ele estava chorando de novo, mas Júlia ainda não se mexia.

— E para onde você correu?

Xavier enxugou as lágrimas e limpou o nariz com as costas da mão. Ele balançou a cabeça.

— Júlia, não sei dizer para onde fui, mas, quando parei de correr, quando soube que estava protegido das chamas, simplesmente deitei onde estava na floresta e dormi, ou talvez tenha ficado inconsciente. Quando acordei, era noite. Voltei a fechar os olhos e dormi. Na vez seguinte em que os abri, era de manhã. E, então, compreendi. Eu tinha de encontrá-la e explicar o que acontecera. Porém, sempre que pensava nisso, em levantar e voltar para você, não conseguia. Então, comecei a caminhar e percebi que estava perto de Saint-Tropez, e continuei até chegar à cidade — ele parou e respirou fundo antes de dizer: — Júlia, imploro que entenda que, naquele dia, eu estava meio louco de dor. Do lado de fora de uma tabacaria, havia um jornal. Você sabe quais foram as manchetes naquele dia.

— Não, eu não li.

— Bem, é claro que você estava na primeira página. Não tinha uma foto minha, então, ninguém teria me reconhecido naquela manhã — Xavier abriu um sorriso triste. — Quando me vi, com sangue seco no rosto e roupas rasgadas, eu parecia um mendigo, não o marido da famosa Júlia Forrester — Xavier se levantou de repente e começou a andar de um lado para o outro da sala. — Me limpei um pouco no banheiro público e comprei água e um jornal. Li sobre o acidente, sobre Gabriel e sobre mim, e percebi que, até onde você e o resto do mundo sabiam, eu estava morto. Naquele instante — ele falou, parando de andar e se virando para ela —, eu soube que não poderia voltar para você e contar o que eu havia feito. Eu sabia que você nunca conseguiria me perdoar, eu matei nosso *petit ange* e o deixei na floresta para ser queimado.

Xavier ficou em pé, sem mais lágrimas para derramar, encarando Júlia.

— Então, eu fugi.

— Para onde?

— Peguei um navio, um cruzeiro de passeio, que estava navegando pela costa. Ele me levou a Nice, onde embarquei em uma balsa para a Córsega. Me hospedei em uma pensão nos morros e fiquei lá até o dinheiro que tinha comigo acabar. Depois disso, passei algumas semanas colhendo frutas, mas sempre andando para que ninguém me reconhecesse — Xavier encolheu os ombros. — Talvez ninguém tivesse me reconhecido, mas eu não queria arriscar. Não queria ser encontrado. Eu pensei... Acho que estava em crise. Não conseguia pensar com clareza, minha mente havia se fechado para o que acontecera. Você entende?

Júlia percebeu que ele implorava por uma resposta, que não poderia lhe dar. Ele suspirou e continuou.

— Comecei a melhorar aos poucos. E comecei a raciocinar novamente, não só sobre o que fiz a Gabriel, mas também sobre o que fiz a você. Deixei que você acreditasse que não apenas seu amado filho tinha morrido, mas seu marido também — Xavier passava as mãos freneticamente pelo cabelo. — E que coisa terrível para se fazer com você. Levei muitos meses para encontrar força e coragem para voltar. Porém, acabei voltando. E aqui estou.

Os dois ficaram em silêncio por muito tempo, até que ela perguntou:

— Como sabia que eu estava aqui?

Xavier olhou para ela surpreso.

— Onde mais você estaria? Se estivesse longe, em um recital, eu teria esperado por você aqui. De qualquer forma, você estava aqui, *chérie*.

— Mas não antes — Júlia respondeu, sem emoção. — Fiquei na Inglaterra. E com certeza não estava tocando.

Ela se levantou depressa, pois precisava ficar longe da presença chocante dele. Precisava digerir a história da morte do filho e a participação de Xavier nela. Ela atravessou o hall e a cozinha, e saiu para o terraço.

Parada, olhando para o céu negro repleto de estrelas, ela abraçou a si mesma, em um gesto inútil de proteção, e se lembrou com escárnio de como acreditara que a vida já lhe havia ensinado tudo o que precisava saber sobre o sofrimento. Ela estava errada.

— Me perdoe, me perdoe... — Júlia pediu aos céus ao perceber que, entre os dois, ela desejava que Gabriel tivesse sido poupado. — Ele matou nosso filho. Não! — Júlia balançou a cabeça. Ela não podia, não devia pensar assim. Foi um acidente, um momento de irresponsabilidade, uma escolha trágica que poderia acontecer com qualquer pai ou mãe... Além disso, era impossível saber se Gabriel teria sobrevivido, mesmo se estivesse preso à cadeirinha no banco de trás. — Ele o deixou ser queimado na floresta. Ah, Deus... — Júlia sussurrou.

Ela poderia perdoar aquilo? E se Gabriel ainda estivesse vivo? A ideia era terrível demais e não merecia qualquer pensamento. Ela tinha de acreditar que ele não estava vivo ou enlouqueceria pensando nele sofrendo sozinho. Ela tinha de confiar em Xavier e acreditar que ele estava dizendo a verdade. E as ações dele depois? E o desaparecimento por doze meses, deixando que ela acreditasse que ele também estava morto? Se Xavier tivesse voltado e admitido seu horrível erro, ela o teria perdoado? Não sabia responder. Júlia parou de andar de um lado para o outro e se jogou em uma cadeira. As circunstâncias extremas eram uma desculpa válida? E quanto a Kit, agora que Xavier estava de volta? Ela levou a mão à testa. Era demais, era demais... Deu um pulo quando sentiu uma mão no seu ombro.

— Júlia — Xavier se agachou na frente dela e segurou suas mãos. — Sinto muito, muito mesmo pelo que tive de contar a você hoje. Entendo o quanto é doloroso escutar o que aconteceu de verdade. Nunca me perdoarei. Mas, por favor, você entende que a única razão de eu ter voltado foi para corrigir meus erros? Porque sei que o que fiz foi errado e porque — ele continuou e se inclinou para beijar as mãos dela — eu a amo, *chérie*, eu a amo tanto. Consegue encontrar uma forma de me perdoar pelo que eu fiz?

Júlia olhou para ele, para o desespero nos olhos dele. Levantou-se.

— Não aguento mais conversar hoje. Estou muito cansada. Preciso dormir. Fique no quarto vago por enquanto, por favor — ela passou por ele em silêncio e entrou na casa.

Nos dois dias seguintes, Júlia ficou no quarto, ignorando as súplicas de Xavier para conversar. Ela precisava digerir a magnitude do que descobrira e precisava de um tempo sozinha para curar as feridas. Dormia por horas durante o dia e, depois, acordava nos momentos mais cruéis e profundos de escuridão para encarar o pesadelo. Na terceira manhã, Júlia permitiu que Xavier entrasse no quarto. Ele estava carregando uma bandeja de *croissants* fresquinhos, geleia e café.

— Trouxe o café da manhã para você, *chérie*. Estou tão preocupado por você não comer nada — ele colocou a bandeja sobre a cama e olhou para o rosto cansado dela. — Minha Júlia, não queria que você passasse por mais esse sofrimento.

Júlia o observou servir um pouco de café e se sentou quando ele lhe passou a xícara. Ela bebeu em silêncio, tentando acordar.

— Eu tenho de voltar à Inglaterra — ela disse, sem rodeios.

— *Non*! — Xavier parecia horrorizado. — Você não vai voltar agora, Júlia, não está em condições de viajar e devemos pelo menos conversar.

Uma ânsia repentina pela paz, a calma e a tranquilidade que ela vivera com Kit em Wharton Park a fez chorar.

— Xavier, eu... — ela suspirou, incapaz de colocar em palavras o tumulto de emoções que sentia.

— Júlia — ele suplicou —, por favor, faço apenas um pedido. Eu imploro para que você fique aqui comigo, pelo menos por alguns dias. Me deixe amar você e ajudá-la a aceitar o terrível drama que eu causei. Se, depois, você ainda quiser ir embora, não vou impedir. Mas devemos isso ao nosso *ange*, como *mama* e *papa*; temos pelo menos de tentar.

Era a única coisa que Xavier podia ter dito para evitar que ela entrasse em um avião imediatamente.

— Eu estive de luto por ele, sozinha, durante meses — ela disse em voz baixa.

— Então me dê uma chance de estar de luto com você. Eu preciso estar de luto também. Não me deixe, por favor, *chérie*. Eu não conseguiria... Eu não conseguiria seguir em frente.

Júlia olhou para ele e viu que estava desesperado.

— Certo. Vou fazer o que está pedindo, vou ficar aqui. Por hora.

Xavier a abraçou, derramando café por toda a cama.

— *Merci, mon amour*. Prometo que não vai se arrepender. Então, minha Júlia, o que gostaria de fazer hoje?

— Fazer? — ela perguntou, perplexa com a ideia.

— Sim, acho que seria bom para você sair de casa. Ir para algum lugar longe das... Memórias. Nós poderíamos... — Xavier sugeriu, encolhendo os ombros — ...caminhar pela nossa praia favorita e, talvez, almoçar juntos.

— Eu...

— Júlia, por favor, *mon amour* — Xavier ficou olhando para as próprias mãos em silêncio. — Eu entendo quanta dor causei a você com o que tive de contar, mas não há nem uma parte sua que esteja feliz porque seu marido voltou? Você ficou de luto por mim também?

— É claro que sim! Fiquei incapaz... — Júlia começou, engolindo em seco — incapaz de encontrar consolo durante meses. Você não faz ideia do inferno que vivi! E, quando finalmente comecei a aceitar e pensar que poderia haver um futuro para mim, você chega e... Ah, Xavier! — ela apoiou a cabeça nas mãos. — Não sei... Eu simplesmente não sei como me sinto.

Apesar de estar determinada, ela não conseguia parar de chorar. Xavier a abraçou e acariciou seus cabelos.

— Eu sei, *mon amour*, eu sei. Mas eu juro, vou corrigir tudo, vou cuidar de você, vou consolá-la, fazer de tudo para ajudá-la. Você não está mais sozinha. Estou aqui. É óbvio que precisamos um do outro.

— Sim, mas...

O "mas" era tão complexo que ela não conseguia começar a expressá-lo.

— Acho que é mesmo uma boa ideia sair de casa hoje. Se não se sentir bem, eu a trarei de volta no mesmo minuto. *D'accord*?

Ela suspirou, entorpecida demais para se importar com onde estava, apenas desejando que alguém pudesse lhe dizer como acabar com aquela sensação terrível que se arrastava dentro dela desde que Xavier contara o que havia acontecido ao Gabriel. Sentia que estava passando pelo período de luto de novo.

— *D'accord.*

— *Oui*. Mas, em primeiro lugar — ele começou, suspirando fundo —, preciso ir à *gendarmerie* e mostrar que voltei do mundo dos mortos.

— Sua certidão de óbito está na escrivaninha do escritório. Talvez deva levá-la — Júlia comentou, seca e irônica.

Ele olhou para ela enquanto se levantava.

— Você sabe que posso enfrentar acusações.

A ideia não passara pela cabeça de Júlia.

— Pelo quê?

— Por dirigir perigosamente e, talvez, por homicídio culposo. Mas preciso fazer isso. Vou, agora, acabar com essa história. Estou com medo — ele admitiu.

Júlia viu a expressão no rosto dele, uma expressão que conhecia bem: significava que ele queria que ela fosse também. Ignorou esse fato e saiu da cama.

— Até mais tarde — ela disse, desaparecendo para dentro do banheiro.

Júlia estava ao piano, esperando que ele oferecesse o conforto pelo qual ansiava, quando Xavier chegou. Ele entrou na sala de estar com um sorriso nos lábios.

— *Voilà*! Está feito! Quando o inspetor viu um homem à sua frente segurando a própria certidão de óbito... — Xavier riu. — *Chérie*, queria que tivesse visto o rosto dele!

— Tenho certeza de que ele ficou chocado — Júlia se sentia desconfortável com a alegria de Xavier.

— Ele duvida que eu sofra acusações, já que não há testemunhas do acidente. Aceitou minha explicação sem questionar. Parece que não sou o primeiro motorista a sair da pista naquele ponto. Ele disse que pode haver uma acusação secundária por ter fingido minha própria morte, mas apenas se o dinheiro de nossas apólices de seguro tiver sido liberado. E foi? — Xavier olhou para ela, preocupado.

Pela primeira vez, Júlia estava feliz por sua relutância em lidar com a papelada associada à "morte" do marido.

— Não — ela respondeu em voz baixa.

Ele pareceu aliviado.

— *C'est parfait*! Você não sofrerá acusações também.

Júlia levantou o rosto e olhou para ele.

— O quê?

— Não se preocupe — ele a beijou na cabeça. — É só um detalhe, mas prova que nós não estávamos trabalhando em parceria para ganhar dinheiro.

Júlia cobriu o rosto com as mãos e balançou a cabeça.

— Por favor, Xavier! Estamos falando da morte do meu... Nosso... Filho, não de uma fraude financeira elaborada!

— *Pardon, chérie,* por ser insensível. É apenas essa estúpida burocracia francesa. Agora — ele continuou, tirando as mãos dela do rosto —, por favor, me deixe levá-la para almoçar. Talvez seja bom olharmos o lado positivo em vez do negativo, *oui*? E o lado positivo é que... — ele levantou o queixo de Júlia e a beijou nos lábios — ...que eu sou um homem livre, de volta do mundo dos mortos e de novo ao lado da minha linda esposa.

[CAPÍTULO 54]

A bela vila costeira de Gigaro ficava no lado oposto à península de Saint-Tropez. Localizada em uma reserva natural, e longe das principais rotas dos *resorts* da Riviera, conseguia manter seu charme antigo. Seus restaurantes pitorescos e abertos para as ruas, que salpicavam uma praia imaculada, eram um segredo local bem guardado.

Xavier entrou em *La Salamandre* com Júlia, arrasada, seguindo-o. Ela observou Chantal, a proprietária, encará-lo como se estivesse sonhando. Xavier acenou com a cabeça, encorajando-a. *"Oui, Chantal, c'est moi!"* Chantal cobriu a boca com a mão.

— Mas... *Mon Dieu*! Não acredito no que estou vendo! Como?

Xavier a abraçou.

— É uma longa história, que um dia contarei a você. Mas, por enquanto, podemos nos sentar à mesa de sempre e tomar uma taça de vinho *rosé*, por favor?

Quando ela saiu para pegar o vinho, Júlia olhou para Xavier do outro lado da mesa.

— O que você vai dizer quando as pessoas perguntarem onde você esteve? — ela quis saber, com a voz sem emoção.

— Vou contar a verdade — Xavier encolheu os ombros. — Que eu enlouqueci de dor e desapareci.

Júlia o encarou. Havia um pensamento cruel que a estava incomodando durante toda a manhã. Ela precisava dizer alguma coisa a ele.

— Você sabe que essa história é um maná caído dos céus para a mídia, não?

— Você está certa, minha Júlia. *Voilà*! — Xavier bateu as mãos na mesa. — Convocarei uma entrevista coletiva, convidarei todas as sanguessugas para virem nos incomodar de uma vez só. Sim, essa é a resposta! Entraremos em contato com Olav e ele providenciará tudo.

Xavier lembrava, à Júlia, um trem em alta velocidade; ela entendia a felicidade dele e o alívio de voltar do exílio, mas não conseguia acompanhá-lo. A entrevista coletiva e o champanhe trazido como cortesia por Chantal estavam além do que ela conseguia aguentar. Concentrava-se apenas no corpo queimado de seu pobre filho, sozinho na floresta, com o fogo avançando ao redor dele. Xavier parecia muito animado com a ideia da atenção da mídia. Ela havia esquecido como ele era vaidoso.

— Por favor, Xavier, não consigo encarar a mídia ainda — ela implorou.

— Sim, é claro, você está certa. Me desculpe, *chérie*. Talvez eu esteja colocando o carro na frente dos bois. Mas como posso evitar uma pequena felicidade quando estou aqui, olhando para os belos olhos de minha esposa? *Santé*! — ele bateu a taça na taça dela.

— Não consigo... Ficar feliz. Como poderia, quando acabei de saber a verdade sobre a morte de Gabriel?

Xavier estendeu a mão para segurar a dela e ela o permitiu, com relutância.

— Júlia, por favor, acredite em mim, foi um acidente terrível. E eu nunca vou me perdoar. Mas já me puni o bastante, e você também. O que mais posso fazer? Diga, minha Júlia, e eu farei, prometo.

— Nada — ela concordou com um suspiro. — Você não pode fazer nada.

Júlia acordou na manhã seguinte com batidas fortes na porta da frente. Caminhou sonolenta até o hall e viu que Xavier já abrira a porta... Para um mar de rostos, câmeras e gravadores. Enquanto os *flashes* eram disparados no rosto assustado de Júlia, ela recuou para o santuário da sala de estar e se afundou no sofá, tremendo, sem fôlego e implorando para Xavier fechar a porta. Por fim, ouviu a porta ser fechada e Xavier foi procurá-la.

— Se livrou deles? — ela perguntou desesperada.

— *Chérie*, sinto muito por isso ter acontecido tão cedo, mas não dava para evitar, você sabe. Você é famosa e eu sou seu marido. Não irão embora até saberem a história. Então, quanto mais cedo acabarmos com isso, melhor. Disse a eles que sairemos em meia hora para dar uma entrevista. Isso os deixou satisfeitos.

— Com certeza é com você que querem falar — Júlia gemeu. — Eu preciso ir?

Xavier colocou um braço ao redor dela.

— Sei que é você que eles querem de verdade. É você que sai bem na foto para a primeira página. É o preço que você paga por ser rica e famosa, *n'est-ce pas*? Agora, preciso tomar um banho — ele olhou para ela, sentada e usando a camiseta velha e desbotada com a qual gostava de dormir. — Talvez você deva tomar um banho também.

Júlia fez o que ele pediu e deixou que os fotógrafos a registrassem com Xavier, os dois abraçados e se beijando apaixonadamente. Quando perguntaram como ela se sentia com a volta milagrosa do marido, ela disse que estava muito feliz. O que mais poderia ter dito? Pouco depois de terem fechado a porta para a imprensa, o celular dela tocou.

— Júlia, aqui é Alícia. Devo acreditar no que ouvi no rádio? O locutor disse que o marido de Júlia Forrester foi encontrado bem e a salvo.

— Sim, é verdade — Júlia suspirou. — Eu devia ter ligado para você, mas ainda estava me recuperando do choque. E não achei que a história fosse ser divulgada tão rápido.

— Bem, se é verdade, dá uma reportagem incrível. Você não devia estar surpresa — acrescentou Alícia. — Eu suponho que, agora que ele voltou, você vá ficar na França.

— Eu... — Júlia fez uma pausa. — Não sei.

— Certo — foi a vez de Alícia de fazer uma pausa antes de perguntar. — Você falou com o Kit?

— Não, ainda não.

— Bem, não gosto de lhe dizer o que fazer, mas, quaisquer que sejam seus planos, talvez seja uma boa ideia conversar com ele. Avisá-lo antes que ele descubra de outra maneira.

— Sim, você está certa — Júlia não podia lidar com isso ainda.

— A propósito, o pai me ligou. Ele também ficou sabendo e mandou lembranças e parabéns. E então, Júlia, você está feliz com a volta do Xavier?

Ela viu que Xavier vinha na direção dela pela cozinha e disse:

— Desculpe, Alícia, podemos conversar mais tarde? Estou cheia de coisas para resolver agora.

— É claro. Mande lembranças ao Xavier. Ligarei depois. Se cuida, Júlia. Tchau.

Júlia sentiu um par de braços ao redor dos ombros dela.

— Como está, minha Júlia?

— Acabada — ela admitiu.

— Eles adoram um final feliz... *Je t'aime*... — Xavier a beijou no pescoço e as mãos dele começaram a passear pelo corpo dela.

Júlia se afastou.

— Não! Pelo amor de Deus, Xavier! Você não entende? Não tem final feliz!

— *Je comprends*. Sinto muito. Quero apenas mostrar meu amor por você, mas devo esperar até que você esteja pronta para aceitá-lo.

Júlia estava encharcada com um suor frio. Precisava ficar sozinha, longe dele. Caminhou para a porta quando Xavier disse:

— Fomos convidados para almoçar na casa de Rolando e Madeleine, para celebrar meu retorno. Você quer ir?

Haviam sido Rolando e Madeleine que convidaram Xavier e Gabriel para o churrasco naquele fatídico dia.

— Não. Estou cansada, Xavier.

Havia um brilho de irritação nos olhos dele, mas ele balançou a cabeça concordando.

— É claro. Mas acho que eu deveria ir. Sairei em meia hora. Até mais tarde, *mon amour*.

— Sim.

Júlia andou até o terraço e se jogou em uma cadeira. O dia estava muito quente, a única demarcação entre o céu e o mar era uma linha brilhante e branca de calor. Alícia estava certa. Ela devia ligar para Kit. O justo era dar a notícia ela mesma. Olhou para o celular e procurou o número dele como se estivesse ligada no piloto automático. O que ela diria? Balançou a cabeça. O que importava? O marido havia voltado e a dor no coração que ela sentia era imaterial. Não estava mais livre para ficar com Kit. Que estranho, Júlia ponderou, ao encontrar o número de Kit, era o marido dela que voltara da morte e, ainda assim, sentia que era ela que havia morrido por dentro. Quando ouviu Xavier sair da casa, ela respirou fundo e apertou o botão do telefone.

Kit olhou para o celular na escrivaninha quando ele tocou. Pôde ver que era Júlia que ligava. Deixou o aparelho tocar. Não aguentaria conversar com ela. Sabia o que ela tinha a dizer. Ouvira tudo no rádio do carro. Kit olhou para fora da janela, pelo parque. Sempre entendera que Júlia estava com ele apenas por acreditar que o marido morrera. Não havia competição, Xavier voltara. Ele era o marido de Júlia... Ela era a esposa dele...

— Ai, meu Deus — ele gemeu, balançando a cabeça em desespero.

Ele devia ter percebido que era perfeito demais... Pela primeira vez, em anos, havia se permitido entregar o coração a uma mulher. Com aquele salto no escuro (se arriscando, enquanto Júlia fora corajosa o bastante para deixar os medos de lado e saltar com ele) ele soubera, pela primeira vez, o que era amar de verdade.

— Onde encontrarei isso de novo? — Kit suspirou. Sabia que não encontraria. E também sabia que não havia um único sopro de esperança de que seu relacionamento pudesse ser recuperado. Era quase certeza que Júlia estava em êxtase, como ele ficaria, em outros tempos, se Milla voltasse do mundo dos mortos.

O celular tocou de novo. Era Júlia. Ele ficou olhando para o parque e decidiu que preferia não atender. Ele entendia sua escolha.

— Seja feliz, minha querida — sussurrou. — Vou amá-la para sempre. — depois, Kit apoiou a cabeça nas mãos e chorou como um bebê.

[CAPÍTULO 55]

Sem saber como, Júlia conseguiu passar pelos dias seguintes. Como fizera muitas vezes no passado, buscou consolo no piano. Ao piano, as horas provaram ser não apenas horas bem-vindas longe da realidade, mas também uma proteção contra a atenção constante de Xavier. Ela sabia que ele estava fazendo o melhor possível para mostrar o quanto a amava, e estava desesperado por uma reação recíproca, mas isso era algo que, naquele momento, ela não podia lhe dar.

Ela estava, simplesmente, entorpecida. Sim, estava comendo, dormindo, conversando... Passando por todos os movimentos da condição de estar viva... Mas, por dentro, se sentia oca. Um espaço escuro e sem nada. Era lá que seu coração costumava bater e se emocionar quando Kit estava com ela, mas tudo o que ele lhe dera havia desaparecido.

Certa noite, depois de passar uma tarde ao piano, Júlia se serviu de uma taça de vinho *rosé* e foi se sentar no terraço. No mesmo instante, o celular tocou. Ela sabia que era o número de Alícia.

— Alô — ela disse.

Tudo o que ouviu como resposta foi um choro.

— Alícia, o que aconteceu?

— Ai, Júlia! Eu...

A voz dela foi abafada por mais soluços.

— Pode tentar me dizer? — Júlia estava chocada com a atitude descontrolada pouco característica da irmã.

— Não, não! É tão horrível! Posso ir visitá-la na França? Preciso sair daqui. Max disse que tirará uns dias de folga para cuidar das crianças. Posso ficar com você por um tempo? Sei que é um momento difícil na sua vida, mas... Preciso de você.

— É claro que sim. Tem alguma coisa a ver com o Max?

— Não é o Max! Sou eu!

— Você está doente? — Júlia perguntou.

— Não! Não estou doente! Minha saúde está perfeita. Mas... Por favor, Júlia... Posso conseguir um voo amanhã e chegar no meio da tarde. Você me busca em Toulon?

— É claro — era conveniente para Júlia, de qualquer maneira, pois oferecia uma fuga da intensidade de Xavier. — Tem algo que eu possa fazer?

— Não, apenas me oferecer um refúgio para organizar os pensamentos. Não quero desmoronar na frente das crianças.

— Ligue assim que tiver agendado o voo e eu vou te buscar. O que quer que seja, tenho certeza de que podemos resolver juntas.

— Não, infelizmente, não podemos — Alícia afirmou. — Isso me destruiu e nunca será reparado. Enfim, Júlia, muito obrigada. Ligarei mais tarde.

Júlia ficou chocada e aflita ao saber que a irmã estava tão perturbada. Sentiu-se aliviada por se preocupar com ela. Significava que podia sentir e, quem sabe, pudesse sentir alguma coisa pelo marido novamente, fosse amor ou ódio. Ainda assim, se perguntava o que poderia ter acontecido para fazer Alícia, a mãe dedicada, entrar em um avião e deixar os filhos.

Xavier chegou algumas horas depois, dizendo que encontrara alguns amigos em Saint-Tropez e tinha ido tomar alguns drinques para celebrar. Enquanto ele falava, Júlia o olhou com desagrado. A fraqueza dele para o álcool e o fato de nunca saber quando parar haviam sido um dos espinhos do casamento deles. Júlia o acusara várias vezes de beber muito, mas ele ficava agressivo e negava.

Naquela noite, quando Agnès levou o jantar para o terraço, e Xavier encheu o copo de novo, Júlia decidiu não falar nada. Estava sem energia para brigar.

— Minha irmã vai chegar amanhã para ficar aqui alguns dias — ela o avisou, pegando uma tainha vermelha fresca.

Xavier ergueu as sobrancelhas.

— A perfeita Alícia nos honrará com sua presença?

— Não fale assim de minha irmã. Aconteceu alguma coisa com ela. Ela não me contou, mas estava muito chateada.

— Talvez tenha perdido uma das camisas favoritas do marido na pilha de roupa para passar — Xavier zombou.

Júlia não mordeu a isca regada a álcool dele, mas mudou de assunto.

— Hoje foi sua última entrevista? — ela perguntou, se referindo à mais recente, ao *Le Figaro*.

— Depende de mim — ele encolheu os ombros. — Recebi muitos pedidos, inclusive uma oferta para escrever minhas memórias. Estão prometendo muito dinheiro. O que você acha?

— Acho que não precisamos do dinheiro— Júlia respondeu, áspera.

— E a *Paris Match* quer fazer uma entrevista com nós dois.

— Não — ela disse com firmeza. — Eu avisei que faria uma entrevista por telefone e só. Por favor, não me coloque em nenhum plano de entrevista futuro.

— *D'accord* — Xavier concordou, sem sinceridade, e eles jantaram em silêncio.

Depois de um tempo, Xavier estendeu a mão sobre a mesa.

— Você não está feliz, né, Júlia? Por favor, diga o porquê.

— Talvez ainda esteja me adaptando — ela comentou apenas, sem querer continuar com a conversa.

Xavier apertou a mão dela e se serviu de mais vinho.

— Sim, talvez seja por isso. Você está muito diferente.

— Sim, estou. Sinto como se tivesse vivido uma vida inteira desde a última vez que nos vimos. Essas experiências mudam a gente, Xavier, é claro que mudam.

— Mas podemos voltar ao que era antes, não é, *chérie*? — ele suplicou. — Ah! Como nos amávamos! Era tão bonito. Podemos encontrar aquele sentimento de novo, eu sei disso.

Júlia suspirou.

— Espero que sim, Xavier, de verdade.

Mais tarde, ele a seguiu até o quarto e ficou parado, inseguro, à porta.

— Por favor, Júlia, me deixe ficar com você essa noite, mostrar como posso amá-la e lembrar como costumávamos ser — ele caminhou até ela e a tomou nos braços.

Embora não houvesse um pedacinho dela que o desejasse, juntou forças e permitiu que Xavier a acariciasse e beijasse, pensando que talvez ele estivesse certo e isso a ajudasse a se lembrar.

Depois de terem feito amor, Júlia ficou deitada ao lado dele sem dormir. O ato em si durara apenas alguns segundos e Xavier pegara no sono pesado logo em seguida. Se ela fosse brutalmente honesta, diria que sentira repulsa pelo toque e o cheiro de álcool dele. Como poderia? Sempre ansiara por estar perto dele, sentir o corpo nu do marido ao lado dela. Fazer amor havia sido uma parte forte do relacionamento.

Mas, naquela noite... Júlia se revirou sem descanso, desconfortável porque, enquanto Xavier fazia amor com ela, não conseguira parar de pensar em Kit. As mãos gentis e sensíveis dele, dispostas a lhe dar prazer, esperando que ela estivesse pronta antes de ele próprio se entregar... As risadas que geralmente vinham com a intimidade... A certeza de que podia ser ela mesma, de que Kit a amava por quem ela era...

Júlia interrompeu os pensamentos. Não havia por que se punir imaginando o que poderia ter acontecido. O destino decretara que não era para ser e a única coisa que ela podia fazer era aceitar.

Júlia ficou parada em frente ao portão de desembarque no aeroporto de Toulon e viu Alícia sair do saguão das bagagens. A irmã era uma versão exausta e pálida de si mesma. Júlia caminhou até ela e a abraçou.

— Oi, Alícia. Bem-vinda à França.

— Ai, Júlia, é tão bom vê-la... — Alícia conseguiu dizer, antes de explodir em lágrimas no ombro da irmã.

— Venha, vamos para casa, para você me contar o que aconteceu — Júlia sugeriu com delicadeza, levando Alícia para o carro.

Ao seguir em direção a Ramatuelle, Júlia deu uma olhada na irmã, que tinha o olhar perdido e as mãos cruzadas, tensas, sobre o colo.

— Podemos conversar agora? — Júlia perguntou. — Ou quer esperar até chegarmos?

— Xavier está em casa? — Alícia quis saber.

— Está — Júlia respondeu em voz baixa.

— Você já falou com o papai?

— Não — Júlia afirmou. — Não tive notícias dele. Na verdade, fiquei surpresa por ele não ter me ligado, já que o Xavier reapareceu.

— Talvez ele tivesse outras coisas na cabeça — Alícia murmurou.

Júlia percebeu a amargura na voz da irmã e resolveu não insistir. Seguiram em silêncio enquanto a estrada se inclinava para cima e a vista se descortinava à frente delas para revelar o Mediterrâneo azul em sua melhor forma.

Alícia, de repente, colocou a mão no braço de Júlia.

— Pare o carro aqui — ela disse. — Preciso sair.

Júlia estacionou em um recuo no topo do morro, que permitia que as pessoas parassem para admirar aquele lugar lindo. Alícia saiu imediatamente do carro e foi até a mureta que a separava da queda íngreme até o mar. Insegura, Júlia a seguiu. Parou ao lado dela e se debruçou sobre a mureta.

— É lindo aqui, né? — ela perguntou, com neutralidade.

— O papai me disse há três dias que eu fui adotada.

As palavras foram disparadas da boca de Alícia com uma determinação que contradizia sua intensidade emocional. Júlia percebeu que ficara boquiaberta.

— O quê?

— Sim, é verdade — Alícia respondeu com a voz entrecortada. — Fui adotada. A mamãe teve câncer quando tinha uns 20 anos, muito antes da doença que a matou aos 40 anos. Acharam que o tratamento com radiação a impedira de ter filhos. Assim, eles me adotaram. Então, a mãe não é a minha mãe, o pai não é meu pai e você, Júlia — ela disse ao se virar para encará-la —, não é minha irmã.

— Não! Eu... — Júlia balançou a cabeça, desesperada, se perguntando quando ia parar de passar por tantas provações. — Não pode ser verdade.

— Mas é. Papai me mostrou minha certidão de nascimento original. Parece que minha mãe, que se chamava Joy Reynolds, era uma adolescente de Aylsham que se meteu em encrenca. Ela me colocou para adoção e a mãe e o pai... Ou, devo dizer, George e Jasmine... Me levaram quando eu estava com duas semanas.

— Mas...

— E quanto a você? — Alícia leu os pensamentos da irmã. — É o que quer perguntar, não? Está tudo bem, Júlia, você é filha deles. Eu sou a única estranha no ninho.

— Mas eu não entendo, Alícia. Se a mãe não podia ter filhos, como eu nasci três anos depois?

— Aparentemente, é comum mulheres que não têm filhos e adotam um bebê acabarem engravidando. Tem algo a ver com os hormônios que o instinto maternal libera — explicou Alícia. — Max procurou na internet para mim ontem à noite e há centenas de histórias parecidas. Por isso, não se preocupe, Júlia, você é realmente sangue do sangue deles. Desculpe se a frase é amarga — Alícia estendeu a mão e segurou o braço de Júlia. — Não tive a intenção. É apenas porque não sou quem pensei que era. Não sei... Quem eu sou.

— Compreendo — Júlia concordou com sinceridade —, deve ser terrível para você. Eu sinto muito, muito Alícia. E, para ser franca, não entendo por que o pai quis lhe contar isso depois de todo esse tempo. Quero dizer, ele devia ter feito isso há anos.

— Eu sei — Alícia balançou a cabeça. — Acho que nunca me contaria, mas foi obrigado por causa de alguma coisa que Elsie lhe disse.

Um brilho de entendimento surgiu em Júlia. Por isso Elsie havia insistido para que ela não contasse a história dos seus genes da família Crawford para Alícia. Porque, é claro, não era a família de Alícia.

— De qualquer maneira — Alícia continuou —, não importa o porquê... Foi o que ele fez e fiquei completamente destruída — Alícia apoiou a cabeça nos braços e chorou. — Estou completamente perdida.

Era tão raro Alícia parecer vulnerável e arrasada que Júlia teve dificuldade para consolá-la.

— Eu entendo o choque que você deve ter sentido.

A irmã levantou o rosto e olhou para Júlia.

— Não Júlia, acho que não entende. Minha família é tudo para mim. Sempre vem em primeiro lugar, sempre. Lembra quando a mamãe morreu? Tentei cuidar de você e do papai. Mesmo estando triste, alguém tinha de assumir o lugar dela e fazer o espetáculo continuar. Eu aprendi a enfrentar as dificuldades. E, quer saber? — os olhos de Alícia estavam em chamas. — Tenho enfrentado as dificuldades desde então.

— Desculpe, Alícia, de verdade. Eu não percebi.

— Não, é claro que não percebeu — Alícia reconheceu. — Você e o papai estavam perdidos nos seus mundos, antes e agora. O problema é que vocês dois, minha família, eram o meu mundo. Eu queria ajudá-los, era tudo o que eu tinha para oferecer. O papai sumia para colher plantas e, depois, você partiu para a faculdade de Música, aliviada por se livrar de mim...

— Não é verdade, Alícia.

— Ora, Júlia, seja sincera — a voz de Alícia tinha um tom duro e desagradável. — Você estava ressentida comigo e eu estava fazendo o possível para cuidar de você. Acho que você está ressentida até hoje. Comigo, com a minha vida "perfeita", sempre tão competente... Você se sentiu diminuída pelos meus cuidados. Eu não a culpo — ela balançou a cabeça. — Foi escolha minha assumir esse papel, ele me ajudou a sobreviver, a enterrar minha dor. E tenho vivido nele desde então. Sempre pronta a ajudar todos: você, o pai, Max, as crianças e, agora — Alícia não conseguia falar de emoção —, eu descubro que era tudo uma grande mentira! Você, a mamãe e o papai não são minha família de verdade!

Júlia ficou em silêncio, acuada pela força da raiva e da dor da irmã. E, o que era bem pior, ela sabia que tudo o que Alícia dissera era verdade.

— Não era uma mentira — ela acabou por dizer. — Nós nos amávamos... *Ainda* nos amamos... Qualquer que seja nosso sangue.

Alícia descansou a cabeça na grade por um tempo e suspirou.

— Me perdoe, Júlia. Perdi o controle. O que um terapeuta chamaria das minhas "estratégias para enfrentar problemas" parece ter me abandonado. Sinto que minha vida desmoronou. Nada mais faz sentido. Tudo parece inútil.

Júlia arriscou tocar no ombro da irmã.

— É o choque. Prometo que melhora.

— Não acredito que a mãe não me deu à luz — ela sussurrou —, mas uma estranha.

— Mas aconteceu a mesma coisa com a nossa mãe... — as palavras escaparam antes que Júlia pudesse se conter.

Alícia olhou para ela com o rosto pálido lavado pelas lágrimas.

— O quê? Você está me dizendo que ela também foi adotada?

Júlia concordou.

— Também. Era o que Elsie tinha para me contar. E quase com certeza foi o que ela contou ao papai também.

— Meu Deus! — Alícia murmurou. — A mãe sabia que era adotada?

— Não. Elsie disse que, até onde ela sabia, Jasmine era filha dela e pronto. E eu acho que — Júlia acrescentou, com delicadeza —, na verdade, é o que importa, né?

Alícia não respondeu. Júlia tirou os cabelos loiros do rosto molhado da irmã.

— Eu sei que pensar uma coisa e descobrir outra pode afetar uma pessoa, mas não muda nada do que é importante. A única diferença entre você e a mamãe é que ela não sabia e, agora, você sabe.

Alícia, mais calma, olhou para o mar e suspirou.

— Saber sobre a mamãe de alguma forma me ajuda. Acho que só tenho de me acostumar emocionalmente.

— Sim — Júlia concordou. — É só isso. E não quero parecer condescendente, mas tive minha cota de choques no ano passado, por isso sei que você precisa dar tempo ao tempo.

— Sim — Alícia observou a baía. — Eu lhe disse uma vez que não sabia como lidaria com um problema real, como você fez... E olhe para mim — ela sorriu com tristeza —, estou um caco!

— Você é humana, Alícia — disse Júlia, percebendo que julgara mal a irmã e se sentindo culpada por isso. — Não seja tão dura consigo mesma.

— É. Foi o que Max disse — ela se virou para Júlia e sorriu. — Ele tem sido maravilhoso, tão compreensivo.

— Ele é um ótimo homem. E a venera.

— O problema é que estou tão acostumada a ser a pessoa forte e agora... Não sou. Deve ser um choque para ele, depois de tantos anos, me ver tão frágil.

— Talvez ele esteja gostando da oportunidade de cuidar de você para variar — Júlia sugeriu.

— Talvez... — Alícia abriu os braços para a irmã. — Preciso de um abraço.

Júlia a abraçou com força.

— Me desculpe pelas coisas que eu disse agora. Eu não queria — a voz de Alícia estava abafada no ombro de Júlia.

— E eu sinto muito por nunca ter visto o quanto você estava sofrendo por causa da mamãe também. Me comportei como uma criança egoísta quando você apenas estava tentando ajudar. Você tem sido maravilhosa comigo, de verdade, principalmente nos últimos tempos. Não sei como teria suportado sem você — Júlia descobriu que realmente se sentia assim.

— Bem, irmãzinha — começou Alícia, desfazendo o abraço —, eu preciso de você agora. Tudo bem?

—Tudo bem.

Naquela noite, Alícia jantou com Júlia e Xavier no terraço. Ela havia cochilado depois de chegar e parecia mais calma, embora ainda estivesse pálida. Xavier estava se comportando muito bem e, como a presença de Alícia neutralizava a tensão entre Júlia e ele, todos tiveram uma noite agradável. À meia-noite, Alícia bocejou e pediu licença.

— Sinto muito, pessoal. Não tenho dormido bem e, agora, bebi muito vinho para um estômago que passou os últimos dias vazio. Boa noite e muito obrigada por me receberem — ela segurou a mão de Júlia. — Estou feliz por ter vindo.

Xavier se retirou logo depois, deixando para Júlia a tarefa de desligar as luzes e trancar as portas. Era tão diferente da rotina com Kit, eles sempre dividiam os afazeres... Ao caminhar pela casa, ela pensou em Alícia e em como nunca tinha parado para ver a vulnerabilidade dela sob a superfície, como quando a mãe delas morreu. Alícia havia construído uma vida para se proteger da dor e, naquele momento, as paredes tinham desmoronado.

Kit dissera isso certa vez, ele percebera quem Alícia era de verdade e a entendia. Quando subia as escadas, Júlia desejou ter tido essa percepção. Pelo menos ela tinha uma chance de retribuir tudo o que Alícia tentara fazer e o carinho que demonstrara. Sentiu uma onda repentina de afeto e amor pela irmã enquanto ia para o quarto.

Xavier obviamente concluíra, depois da relação na noite anterior, que ocupava, de novo, o posto de marido, e estava espalhado na cama.

— Sua irmã parecia... — ele buscou as palavras — ...mais humana hoje. Embora eu mal pudesse esperar pelo fim do jantar para tê-la só para mim de novo, *mon amour* — ele indicou o relevo em sua cueca.

Quando Júlia se sentou na cama para tirar a roupa, ele a puxou e forçou a cabeça dela para baixo.

— Não, Xavier! — ela se libertou dele e balançou a cabeça. — Hoje não. Estou cansada.

— Mas, Júlia, você sabe o quanto eu gosto e como sua boca é macia. Fico tão excitado — ele tentou persuadi-la

Júlia o ignorou, se levantou e foi para o banheiro.

No dia seguinte, Xavier saiu mais cedo do que o de costume para outra entrevista e, assim, Júlia e Alícia aproveitaram juntas um café da manhã mais tarde. Depois, Júlia sugeriu que elas fossem para a parte mais calma da praia de Pampelonne, em Saint-Tropez.

— Fica mais fácil assim — disse Alícia ao se acomodar em uma das confortáveis espreguiçadeiras oferecidas pelo bar da praia. — Suponho que, se uma pessoa tem de descobrir que é adotada, é uma recompensa fugir para a casa de uma irmã que mora no sul da França. Estar aqui com você me ajudou muito. E você está certa: descobrir que sou adotada provavelmente não faz muita diferença.

— Não, Alícia, acho que não faz mesmo — respondeu Júlia, aproveitando o Sol no rosto. — E eu sinto muito por ter guardado ressentimento por tanto tempo, você estava apenas tentando me ajudar. Eu sempre achei que você era toda certa e, eu, toda errada.

— Quem me dera! — disse Alícia. — Passei os últimos vinte anos tão ocupada evitando meus sentimentos verdadeiros, que nem sei quem eu sou.

— Bem, talvez seja divertido descobrir — Júlia sugeriu. — E, quem sabe, você deva se concentrar em se colocar em primeiro lugar e não o resto do mundo.

— O problema é que preciso me sentir necessária— Alícia admitiu. — Se eu abrir mão disso, o que me resta?

— Ora, aqueles que a amam por quem você é e não pelo que você faz por eles.

— É mesmo? Você quer dizer que, se eu parasse de passar as camisas do Max e esquecesse o jantar das crianças, eles ainda gostariam de mim?

Júlia leu o temor nos olhos da irmã.

— Você sabe que sim. E, me desculpe pela sinceridade, mas talvez você ganhe mais respeito de todos se não satisfizer cada capricho que têm. E eu me incluo nisso — Júlia acrescentou. — Nunca se sabe, podemos até começar a mimá-la.

— Uau! Que boa ideia! — Alícia riu. — De qualquer maneira, a culpa é minha. Sempre projetei essa imagem de competência e, é claro, eu sou assim, Júlia. É minha força. Na maior parte do tempo, pelo menos — ela acrescentou.

— Sim, mas você também é amada por ser vulnerável e carente às vezes, como o resto dos seres humanos. E você não deveria ter medo de mostrar isso.

— Não — Alícia concordou, balançando a cabeça. — Você está certa. E a maneira como Max tem se comportado desde que tudo aconteceu...

Sabe, eu costumava pensar que tinha me casado com ele só porque ele "estava lá". Pensei, que, talvez — ela continuou e mordeu o lábio — eu apenas precisasse de alguém depois de você ter se mudado e porque o pai quase não ficava em casa. Mas isso me mostrou como ele é um homem bom. E como sou sortuda por tê-lo.

— Sempre há um lado positivo — afirmou Júlia. — E, ao menos, você viu que Max é muito mais capaz do que você pensava antes. Duvido que alguma das crianças esteja definhando sob os cuidados dele, né?

— Não, não estão — Alícia aquiesceu. — E, agora, deitada aqui sob o Sol, sem ninguém para me pedir nada, me sinto... Ótima!

— Que bom! Então precisa fazer isso mais vezes.

— Quer saber? — Alícia se deitou e fechou os olhos. — Vou fazer isso mesmo.

Mais tarde, durante o almoço de muçarela de búfala fresca e tomate acompanhado de uma caneca de vinho *rosé* local, Júlia contou para Alícia o que descobrira sobre suas origens. Enquanto tomavam café com leite, uma Alícia intrigada refletia sobre os detalhes da história.

— Então nossa mãe era da família Crawford?

— Sim. Filha ilegítima de lorde Harry — Júlia suspirou e completou —, não é irônico? Ela cresceu bem debaixo do nariz do pai e nunca soube.

— Por isso o papai achou que tinha de me contar sobre a adoção. Caso contrário, eu teria pensado que tenho sangue dos Crawford também. Eu poderia ficar vaidosa e começar a usar uma coroa no almoço e tal — brincou Alícia, rindo. — O que é interessante é que seu direito sobre Wharton Park é maior que o de Kit. Quero dizer, você é descendente direta de Harry, enquanto Kit é apenas um primo. Se a mamãe ainda estivesse viva, a propriedade não ficaria para ela?

— Alícia — Júlia alertou —, a mãe nasceu do jeito errado, como disse a Elsie com doçura.

— Não importa mais. Com os testes de DNA, tudo pode ser provado. Li sobre um caso desses há pouco tempo no *The Times*.

— Você está provavelmente certa, mas, como sabe, é o parente homem mais próximo que herda o título. Mesmo assim, acredito que, se tudo fosse descoberto na época, a mãe não estaria na fila para herdar alguma coisa.

Alícia olhou para a irmã.

— Bem, então a pergunta é: agora que estou fora da equação, você tem direito sobre uma parte da propriedade?

— Talvez — disse Júlia, tomando um gole de café. — Mas não é algo a que eu tenha tempo ou inclinação para investigar. E, certamente, não preciso do dinheiro.

— Não. Você e Kit são o quê...? — ela coçou o nariz enquanto pensava. — Primos em terceiro grau?

A expressão de Júlia se fechou.

— Algo assim — ela concordou. — Mas não é relevante agora, é?

— Não é? — Alícia quis saber.

— Por que seria?

— Bem — Alícia prosseguiu com cuidado —, há pouco mais de uns dias, você e Kit estavam juntos, por falta de um termo melhor. Você estava muito feliz e...

— Alícia, se não se importa, prefiro não falar sobre isso — Júlia interrompeu a conversa. — O Xavier voltou, portanto, ainda sou uma mulher casada. O que quer que Kit e eu fôssemos não é importante agora.

— Você falou com ele?

— Como eu disse, não quero discutir isso, combinado?

Alícia entendeu a deixa e o assunto foi encerrado.

[CAPÍTULO 56]

Na manhã seguinte, Júlia levou Alícia ao aeroporto.

— Foi maravilhoso — afirmou Alícia com carinho quando estava em frente ao portão de embarque. — Era disso que eu precisava. Admito — ela continuou, franzindo o nariz recém-coberto de sardas — que não quero ir para casa.

— Bem, volte quando quiser. Com ou sem a família — Júlia acrescentou. — E lembre que às vezes não tem problema pensar somente em si mesma.

— Lembrarei — Alícia afirmou, balançando a cabeça. — Obrigada, Júlia. Eu aprendi muito.

— Mesmo?

— Sim — Alícia estava à beira das lágrimas. Ela puxou a irmã e a abraçou. — É um novo começo para mim, não é? Para nós também?

— É sim — respondeu Júlia, com um sorriso. — Se cuide, Alícia.

— Você também.

Júlia dirigiu sem pressa para casa, pensando em Alícia e em como esperava que o novo e repentino entendimento e a igualdade no relacionamento delas continuasse. E no quanto havia desejado entrar naquele avião para a Inglaterra.

Ela também não queria voltar para casa. Embora aceitasse que Xavier estava fazendo o melhor que podia, e que ela devia continuar dando uma chance ao relacionamento deles, sentia uma tensão, um desconforto e uma irritação com relação a ele que não conseguia controlar. E, o pior de tudo, no lugar do grande amor que antes sentira por ele, não havia nada.

Júlia estacionou o carro e caminhou em direção à casa, respirando fundo e dizendo a si mesma que, naquela noite, ela faria o que fosse preciso para tentar melhorar a situação. Que escolha ela tinha?

Abriu a porta da frente e sentiu o aroma delicioso de carne fresca, manteiga na frigideira e ervas. Xavier estava na cozinha, em frente ao fogão, fritando dois bifes.

— *Voilà*! Você chegou. Decidi fazer o jantar hoje e dispensar a Agnès. Vá para o terraço e se sente, *chérie*, eu levarei nossas bebidas.

Surpresa e desconcertada, Júlia obedeceu. Ela nunca vira Xavier cozinhar em todo o tempo de casados. Ele saiu com uma garrafa de champanhe e serviu nas taças.

— A nós — ele disse.

— A nós — ela brindou e eles beberam.

Ele se sentou ao lado dela, segurou sua mão e a beijou.

— Mal podia esperar para sua irmã ir embora e nós podermos passar um tempo sozinhos. Quero dizer que entendo o quanto é difícil para você aceitar que estou de volta e me perdoar por minha participação na morte de Gabriel. Mas, eu juro, se confiar em mim, posso compensá-la. Você acredita em mim?

— Eu acredito, se é isso que você quer, Xavier.

Júlia se sentia culpada porque nada que ele pudesse fazer ou dizer removeria o torpor de dentro dela. Porém, tinha de continuar tentando. Não havia alternativa.

— Quero levá-lo a um lugar.

— Qualquer lugar, *chérie*, você sabe — ele respondeu, ansioso.

— Quero que você vá ao lugar onde Gabriel morreu. Um dia antes de você aparecer, eu plantei dois ciprestes, um para ele e outro para você. Queria que você fosse até lá comigo.

Houve um momento de silêncio antes de ele responder:

— É claro, o que você quiser.

— Quero ir amanhã.

— *Bien sûr, chérie*. Nós iremos.

— Obrigada, Xavier.

Pela primeira vez desde o retorno dele, Júlia adormeceu com a cabeça apoiada no ombro do marido.

Como sempre, quando eles estavam em casa sem compromissos, Júlia foi a primeira a acordar na manhã seguinte. Xavier quase nunca se levantava antes das 10h30 e ela aproveitava para ensaiar.

Às 11 horas, ele cambaleou para a cozinha. Júlia estava fazendo café.

— *Bonjour*, minha Júlia — Xavier a abraçou. — Hum, esse café está com um cheiro muito bom.

Júlia lhe entregou uma caneca.

— Por que não vai tomar um banho? Quero sair o mais cedo possível.

Xavier franziu as sobrancelhas.

— Para onde? Me ajude a lembrar.

— Ao lugar em que Gabriel morreu, onde eu plantei as árvores, lembra?

— Sim, sim, é claro. Não vou demorar.

Júlia controlou a irritação enquanto Xavier saía da cozinha. Ela entendia a relutância dele em voltar para lá. Seria tão difícil para ele quanto fora para ela. Mas ela precisava vê-lo demonstrar sofrimento. Vinte minutos depois, Xavier reapareceu na cozinha, vestido.

— *Alors*! Vamos lá.

Júlia dirigiu, como geralmente fazia, com Xavier sentado, passivo, ao lado dela.

— Vou a Paris amanhã concluir a rodada de entrevistas e, depois, tudo acabará — ele comentou.

Júlia não disse nada. Não iria se permitir reagir.

— E Olav disse ontem que o editor vai ligar para tentar me convencer a escrever um livro. Parece que nunca estive tão ocupado.

Mais uma vez, Júlia não respondeu. Ela estacionou o carro no recuo ao lado da estrada e, em silêncio, eles desceram pela encosta até chegarem aos dois ramos de cipreste, um ao lado do outro. Júlia levara água para regar as plantas.

Metade de seus pensamentos estava em Gabriel e, a outra metade, em Xavier, ao observá-lo desconfortável ao seu lado. Por fim, ele segurou a mão dela.

— O que você fez foi muito bonito. É um lugar de paz que surgiu de uma tragédia. Você acha que deveríamos arrancar o outro cipreste, já que ele me representa?

— Talvez. Eu...

O celular de Xavier tocou. Júlia o viu tirá-lo do bolso e examinar o número.

— *Pardon, chérie,* é o editor de Londres. Preciso falar com ele.

Júlia o observou se afastar para atender a ligação. Ela olhou para os dois ciprestes. Depois, arrancou o mais alto e o atirou o mais longe que pôde. Para longe do lugar que marcava a morte de seu filho amado e para longe de seu amor por Xavier.

O verão foi embora. Júlia percebeu a ironia de, enfim, ter o tempo que sempre quisera para ficar com Xavier, mas, naquela hora, ansiava apenas pelos momentos em que ele saía da casa.

Eles caíram em uma rotina: Júlia ensaiava pela manhã antes de Xavier acordar e, depois, ele assumia o piano pela tarde, enquanto Júlia ia à praia, para escapar da casa e tentar relaxar. Por mais que tentasse, com frequência encontrava seus pensamentos se voltando, involuntariamente, a Kit. Imaginava onde ele estaria, o que estaria fazendo... Desejava confessar suas dores para ele e ouvir seus conselhos calmos e sábios. Certa noite, no final de agosto, Júlia chegou à casa e viu Xavier na cozinha, fazendo uma lista.

— Acho que devemos dar uma festa, *chérie*. O que você acha?

Júlia ergueu as sobrancelhas.

— Que tipo de festa?

— Uma celebração da minha volta do mundo dos mortos, para que todo mundo saiba como estou feliz. Estou fazendo a lista de quem quero convidar.

— Se é o que você quer — Júlia achava a ideia grosseira e inadequada, mas estava muito exausta para discutir. — Quando está pensando em dar a festa?

— O mais cedo possível. Muitas pessoas partirão da Riviera logo. Estava pensando que o próximo sábado seria perfeito.

— Como quiser — Júlia respondeu. Ela pegou um copo, o encheu de água e foi para o escritório responder aos e-mails.

A noite de sábado chegou rápido e Agnès havia ajudado a preparar tudo. Xavier se comportava como um menininho agitado à espera do aniversário. Ao mesmo tempo, ela se vestia e passava rímel e não sentia a mesma euforia. Xavier convidara mais de cem pessoas, algumas das quais ela mal conhecia. Ela contara à Alícia sua apreensão com a festa.

— Mas Xavier está se esforçando, Júlia — Alícia argumentou. — Vocês dois sofreram tanto, por que é errado ele celebrar? É claro que não foi um final totalmente feliz, mas é melhor do que o que você teve ano passado — houve um instante de silêncio antes de Alícia acrescentar. — Me desculpe, querida, mas quando você vai perdoar Xavier por ele ter sobrevivido?

A conversa acontecera dois dias antes e, embora Júlia tivesse achado difícil ouvir aquelas palavras, ela sabia que Alícia estava certa. Prometera a si mesma que, naquela noite, ainda que seu coração estivesse fechado para Xavier, para sempre, ela faria um esforço e celebraria com ele. Olhou-se uma última vez e desceu para tomar uma taça de champanhe com ele antes de os convidados chegarem.

— *Chérie*, você está linda hoje.

Júlia o deixou abraçá-la. Ele pegou duas taças de champanhe de um garçom que estava parado no hall com uma bandeja, esperando os convidados.

— A nós — disse Xavier, batendo as taças — e a novos começos.

Ao beijá-la, os primeiros convidados tocaram a campainha e Xavier foi cumprimentá-los. Logo, a casa e o jardim estavam cheios de pessoas, a maioria em volta de um trio de jazz que tocava no canto do terraço.

Júlia fez o possível para interpretar a esposa feliz do marido que acabara de voltar. Xavier ofereceu um discurso emocionado à meia--noite, elogiando a bela esposa e o amor que sentiam um pelo outro. Ele disse o quanto haviam ficado arrasados por perderem o amado filho, mas garantiu a todos que teriam muito mais filhos no futuro.

À 1 hora, a festa estava a todo vapor e o champanhe ainda circulava. Júlia espiou Madeleine, que organizara o fatídico churrasco, caminhar cambaleando até ela, claramente entorpecida.

— Querida! — Madeleine abriu os braços e puxou Júlia contra seus grandes seios. — É maravilhoso ver que vocês dois estão juntos de novo — ela falou com seu sotaque texano. — Era algo que pensei que nunca veria.

— Eu com certeza pensei o mesmo — Júlia abriu um sorriso amarelo.

— E também nos sentíamos culpados. Quero dizer, eles foram à nossa festa antes do... Acidente.

— Não deveriam — Júlia respondeu, desconfortável. — Como você disse, foi um acidente.

Madeleine se afastou dela e a encarou com olhos vidrados.

— Querida, eu a admiro tanto. Você sabe perdoar!

— Perdoar por ter sido um acidente? — Júlia perguntou, um pouco desnorteada.

— Sim! Todos nós dissemos a Xavier que ele deveria passar a noite em nossa casa, mas, é claro, ele não nos ouviu.

— Por quê? — Júlia conseguiu articular.

— Porque, querida, todos nós sabíamos que ele não estava bem para dirigir. Não que algum de nós estivesse — ela acrescentou, se mantendo em pé sem estabilidade.

A informação começou a ser computada devagar pelo cérebro de Júlia.

— Está dizendo que Xavier estava bêbado?

— Com certeza. Mas você sabia disso! Ele nos disse, quando almoçou conosco há algumas semanas, que havia explicado tudo a você. E que você entendeu e o perdoou.

A expressão no rosto de Júlia deve ter sido captada por Madeleine e ela cobriu a boca com as mãos.

— Minha nossa, espero não ter dito nada de errado. Quero dizer, todos nós gostamos de uma bebidinha de vez em quando, né? Veja essa festa — ela balançou a mão pela multidão barulhenta e bêbada. — Aposto que a maioria não tem um motorista em casa! Isso poderia acontecer a qualquer um de nós e eu seria a última a jogar pedras. Você tem de volta o homem que ama — ela completou, carinhosa. — Venha nos visitar logo, querida. Combinado?

A festa continuou enquanto Júlia guardava o que conseguia na pequena mala que trouxera da Inglaterra. Xavier estava ao piano, entretendo os últimos convidados com seu brilhantismo. Ele não daria pela falta dela até mais tarde.

Ela deixou a mala perto da porta do quarto e andou na ponta dos pés pelo patamar da escada até o quarto onde ainda não tivera coragem de entrar. O cheiro dele a atingiu instantaneamente, fazendo surgir lágrimas em seus olhos. Ignorando as principais lembranças da vida do filho, Júlia foi até o berço dele.

Lá, sobre o travesseiro, estava Pomme, o adorado ursinho de pelúcia de Gabriel. Ela o pegou e o abraçou. Depois, foi ao guarda-roupa e pegou uma das camisetas do filho. Ao caminhar para a porta, mandou um beijo para a memória do que aquele quarto fora. Guardou seus dois tesouros na mala, desceu as escadas e saiu da casa.

[CAPÍTULO 57]

"Debruço-me sobre o braço do meu assento confortável e olho pela janela o mundo lá embaixo. Embora eu tenha viajado muito de avião, ainda sinto-me maravilhada com esse milagre e descubro que ele me ajuda a pensar com clareza.

Está quase de noite e, pelas informações em minha tela, vejo que estamos sobrevoando Deli. É uma massa de luzes piscantes, indicando as inúmeras vidas juntas no espaço sob mim. Cada uma com uma história para contar, com algum ponto do seu destino sendo tecido. A força de cada um dos pontinhos de vida me faz humilde e admirada.

As últimas luzes da cidade desaparecem enquanto o avião passa pelas regiões vazias do Himalaia e o mundo fica preto abaixo de nós. Nesse momento, penso com tristeza, eu estou no avião, livre para cruzar o mundo e pousar onde quiser. Queria apenas que alguém ajustasse meu plano de voo para mim. Há algumas semanas, estava tão certa de que, por fim, minha vida seguia na estrada certa, mas ela fora desviada do caminho, com violência, de novo. Agora, sinto que os destroços são tudo o que restou.

Pelo menos sei que tenho força para lidar com isso dessa vez. Não haverá autopiedade pelo que poderia ter acontecido. Disse um último adeus às memórias físicas de meu filho, sabendo que carregarei Gabriel e a dor de perdê-lo no coração para sempre.

E, quanto a Xavier... O pedestal em que sempre o coloquei desabou. Ao relembrar, vejo que rachou sem volta no momento em que ele retornou e contou sua história. O encerramento há alguns dias apenas confirmou o que eu já sabia: Xavier é um homem fraco e egoísta, que não se importa com ninguém mais do que consigo mesmo, nem com seu precioso filho. Ele me enoja.

Não me arrependo de dar as costas à nossa vida e afastar-me dele. Eu entendi que seria impossível ficar. E, agora, mais uma vez, volto ao passado para tentar descobrir meu futuro.

Depois do jantar, fecho os olhos e durmo, enquanto o avião me leva em segurança para o Oriente."

Quando Júlia saiu do portão de desembarque, ela viu seu nome em uma placa segurada por um funcionário bem vestido. Puxou a mala de rodinhas pela multidão até ele.

— Bem-vinda a Bangkok, senhorita Forrester. Eu levar você para o carro agora — ele pegou a mala e ela o seguiu para o ar quente, úmido e sufocante da cidade.

Instantes depois, Júlia estava instalada em uma confortável limusine. O motorista uniformizado tentou conversar em um inglês artificialmente formal, mas Júlia não estava interessada e ficou olhando pela janela enquanto o carro percorria a moderna estrada. Estava intrigada com a mistura de edifícios intercalados com o telhado dourado e brilhante de um templo tailandês e barracas de madeira malcuidadas, decoradas com varais de roupas. Achou estranho que, embora tivesse viajado muito e se apresentado tanto na China quanto no Japão, Bangkok nunca fizera parte da lista.

O carro parou com suavidade na entrada cheia de plantas do Oriental Hotel. Enquanto Júlia era auxiliada pelo porteiro para sair do carro, ela inspirou o cheiro característico da cidade, o doce perfume de flores exóticas cobrindo um sopro de legumes apodrecidos, e aquele aroma era familiar para ela. Quando entrou no lobby, uma bonita menina tailandesa lhe entregou uma guirlanda de jasmins.

— Bem-vinda ao Oriental Hotel, senhorita Forrester. Vou levá-la ao seu quarto.

— Obrigada — disse Júlia, admirando o elegante lobby com seu estonteante arranjo de orquídeas transbordando de um grande vaso e as enormes lanternas de estilo chinês penduradas no teto alto.

No quarto, ela abriu a porta para o terraço maravilhada com o majestoso rio, que se estendia até onde era possível enxergar. Estava cheio de barcos de todos os formatos e tamanhos, e a cacofonia era constante.

Júlia pediu um café para o serviço de quarto e se isolou no terraço, aproveitando o clima. Ela sempre adorara o calor, podia aguentar as condições mais úmidas e a temperatura estava perfeita.

Inclinou-se para a direita e viu que o hotel era um pequeno oásis de calma, ao lado dos hotéis vizinhos mais grandiosos. A parte mais antiga do prédio, a que seu avô devia ter conhecido, era chamada agora de Lounge do Autor, de acordo com o folheto de informações que ela estava lendo. Ficava em frente ao rio, a noventa metros dela, junto dos jardins tropicais bem cuidados e da piscina. Sua fachada bonita e colonial parecia pequena ao lado dos altos edifícios ao redor, mas Júlia conseguia pensar nela como se fosse uma barraca de madeira sobre estacas no rio... Como Harry devia tê-la visto.

Quando terminou o café, estava bocejando. Procurou na bagagem de mão o endereço que Elsie lhe dera e ficou olhando para ele. Ela precisava dormir primeiro, limpar a cabeça antes de enfrentar a última parte de sua jornada para o passado.

Júlia dormiu muito mais do que queria e acordou zonza às 16h45. Sentou-se no terraço com uma taça de vinho branco gelado, assistindo a Bangkok passar do dia para a noite. Abaixo dela, luzes brancas brilhantes decoravam as árvores do terraço de frente para o rio. O lugar já estava cheio de hóspedes jantando e Júlia percebeu que ela também tinha de comer. Pegou o elevador e desceu até o lobby, sorrindo surpresa porque a ascensorista já sabia o nome dela. Então, foi até o balcão da recepção.

— Sim, madame, em que posso ajudá-la? — outra bela garota tailandesa sorriu para ela.

— Por favor — Júlia lhe deu um papel —, estava pensando se poderia conseguir um carro para me levar a esse endereço.

— É claro. Não fica longe. Quer carro agora? — a garota perguntou.

— Não. Amanhã de manhã. Às 11 horas.

— Providenciarei tudo, madame. Posso ajudar com mais alguma coisa?

— Não, obrigada — Júlia respondeu e cruzou o lobby, parando em um canto para ouvir o quarteto de cordas tocar Schubert.

Ela foi conduzida a uma mesa com velas bem em frente ao rio, na parte mais afastada do terraço, e pediu outra taça de vinho. Olhou ao redor, para os hóspedes elegantemente vestidos, ouviu o ronco calmo dos barcos no rio e teve uma repentina sensação de tranquilidade.

Mesmo que conseguisse encontrar a avó, ou descobrisse que ela estava morta, como Elsie suspeitava, Júlia estava muito feliz por ter ido até lá. Era um lugar especial; era, pelo menos, o cenário perfeito para fazer uma avaliação e pensar racionalmente sobre o futuro. Sentiu-se acolhida pelos funcionários gentis e a atmosfera pacífica do lugar onde sua história havia começado.

Para sua surpresa, Júlia dormiu a noite toda, sem precisar dos comprimidos que sempre carregava para se livrar da confusão com o fuso horário. Comeu manga, mamão papaia e jambo no café da manhã, acompanhados de um café forte. Às 10h55, ela foi acompanhada para fora do lobby até o carro. O motorista se virou e sorriu.

— Endereço particular esse, não? — ele apontou para o papel.

— Acho que sim.

— Ok, madame, vamos.

Ela se sentou no banco de trás, desejando poder entrar em contato com Lídia por telefone antes de visitá-la. Porém, sem um sobrenome para procurá-la na lista telefônica, não fora possível. Elsie enviava as fotografias somente para "Lídia".

— Tem certeza de que é uma boa ideia? — Elsie perguntara quando Júlia havia ligado de Paris e dito que viajaria para a Tailândia para procurar a avó. — Mexer mais no passado, quando deveria estar olhando para o futuro?

Elsie podia ter razão, Júlia pensou, mas talvez tivesse de voltar às raízes antes de poder seguir em frente.

O carro desviou pelas ruas de Bangkok e Júlia observou que o motorista ergueu uma sobrancelha quando ela abriu a janela para respirar o ar e o clima. As calçadas superlotadas com moradores transbordando das casas, os becos cheios de barracas de comida ocupadas com os clientes e as ruas repletas de carros, ônibus antigos e *tuk-tuks* motorizados formavam uma cacofonia de atividades, um encontro desordenado do Oriente com o Ocidente, tão vibrante e vivo.

— Quase chegando, madame. Casa no rio, não? — perguntou o motorista.

— Não faço ideia, sinto muito. Nunca estive aqui antes.

— Não se preocupar, madame. A gente encontrar, ok?

Júlia balançou a cabeça.

— Sim.

Alguns minutos depois, ele saiu da rua engarrafada em direção a uma via residencial. Chegaram ao fim de um bolsão e o motorista apontou para um portão.

— Aquela é a casa que você procurar — ele disse.

— Obrigada.

Júlia fez menção de abrir a porta, mas o motorista já estava do lado de fora, dando um toque no quepe branco com um trançado dourado enquanto ela saía.

— Eu esperar? — ele sorriu.

— Sim, por favor. Não sei quanto tempo vou demorar.

— Sem problema, madame, demorar o que precisar. Eu ficar aqui — ele garantiu, com outro sorriso.

— Obrigada.

Júlia respirou fundo e seguiu pelo caminho. A casa era muito bonita, construída em estilo tailandês com paredes revestidas de madeira, uma varanda que contornava todo o andar térreo, coberta com um telhado no formato de um "V" invertido, que se enrolava nos cantos.

Ela subiu os degraus até a varanda. Como não encontrou campainha, bateu na porta da frente, esperou vários minutos e, depois, bateu de novo, e de novo. Quando estava indo embora decepcionada, a porta foi aberta.

Um par de olhos anciãos penetrantes apareceu na pequena fenda.

— Posso ajudá-la? — perguntou a voz com muito sotaque do homem.

— Sim, estou procurando pela Lídia.

Os olhos a examinaram e se encheram de medo.

— Quem é você? Por que quer ela? — ele perguntou, em tom acusador.

Júlia foi desarmada por essas perguntas, pois não queria revelar sua identidade até saber quem era aquele homem.

— Sou da Inglaterra... Uma amiga de Lídia me pediu para dar um recado a ela. Ela está? — Júlia perguntou.

O homem balançou a cabeça.

— Não, ela fora. Tchau, tchau — ele tentou fechar a porta, mas Júlia a segurou.

— Ela voltar? — questionou, caindo sem perceber no inglês misturado do homem.

O homem encolheu os ombros por trás da pequena abertura.

— Talvez.

— Ela está... Bem?

Júlia queria dizer "viva", mas achou que não seria adequado.

— Ela está bem — o homem afirmou, balançando a cabeça. — Agora, você vai embora, ok?

— Quando ela voltar, pode dizer que uma amiga de Harry quer vê-la? Estou hospedada no Oriental Hotel e vou esperar por ela — Júlia pronunciou devagar e com cuidado.

— Harry — o homem brincou com o nome na língua e, depois, concordou com a cabeça. — Ok, tudo bem.

Ele bateu a porta na sua cara e Júlia voltou para o carro.

Ela passou a tarde à beira da piscina, muito ansiosa por pensar que o velho homem podia não ter entendido o recado e não o passaria adiante.

Mas, pelo menos, sabia que Lídia estava viva. Por hora, havia pouco que pudesse fazer a não ser esperar e usar o tempo para pensar em sua vida. E encarar o que sentia por Kit.

Júlia sabia que seria pouco provável que seu casamento com Xavier tivesse sobrevivido depois de ela descobrir a verdade sobre o acidente, mas, deitada sob o calor do Sol tropical, se forçou a admitir que seus sentimentos por Kit também tiveram participação no fim do relacionamento. E o amor de Kit por ela, a força silenciosa dele e a falta de insegurança, carência e ciúmes a fizeram ver Xavier, e o tempo ao lado dele, com mais clareza.

Não havia dúvida de que Kit aparecera em sua vida em um momento inapropriado, quando todas as suas emoções e os sentimentos estavam confusos. Porém, ter encontrado tanta felicidade com ele, quando estava tão destruída pela dor de perder o filho e envergonhada por seguir em frente pouco tempo depois da morte do marido, era uma prova da força do sentimento que haviam compartilhado. Ela sabia que estava apaixonada. Na forma mais pura e simples.

Nos últimos meses, ela também aprendera uma das lições mais cruciais da vida: tudo dependia do momento certo. Se ela tivesse conhecido Kit em circunstâncias diferentes, em outro momento, talvez ainda estivessem juntos.

Mas ela não tinha como voltar para ele. A confiança fora quebrada. Kit devia se sentir como um brinquedo descartado, jogado no lixo, quando uma versão melhor e mais brilhante havia reaparecido. Sabia que, se a situação fosse contrária, ela se sentiria assim. Ela não tivera nem a delicadeza nem a coragem de falar com ele pessoalmente.

Não... O estrago estava feito e ela tinha de seguir em frente. Homens não eram tudo e ela precisava parar de depender deles para ser feliz. Naquela noite, sentada na varanda com uma taça de vinho, Júlia decidiu ligar para Olav e lhe pedir para marcar um cronograma de trabalho tão lotado quanto conseguisse.

Olhou para a vista divina das luzes brilhantes na água e, apesar de não querer, não conseguiu deixar de pensar no quanto queria compartilhá-la com Kit. Dizer a ele como se sentia confortável naquele país distante, protegida pelo cenário tranquilo e, ainda assim, emocionante... Como sentia pertencer àquele lugar. Igual ao avô.

Meu Deus, ela sentia saudade de Kit, era como se apenas metade dela estivesse ali. Independentemente de estar livre ou não para o amar, era insuportável de tão triste, pois era mais uma coisa maravilhosa que ela perdera no ano anterior. Júlia bebeu vinho demais naquela noite e se permitiu chorar por Kit pela primeira vez, desde que tivera de abandoná-lo.

Nos dias seguintes, Júlia preencheu o tempo refazendo os passos de Harry enquanto esperava por uma resposta de Lídia. Viajando rio acima para ver o palácio real, o Buda de Esmeralda e aproveitando a beleza desses lugares. Tomou o chá da tarde no Lounge do Autor, examinando as fotografias em sépia nas paredes, que mostravam o hotel como devia ter sido quando Harry e Lídia viveram seu caso de amor condenado entre aquelas paredes.

Verificava com regularidade para ver se o recepcionista tinha recados para ela. Não tinha. Ligou para Olav para avisar que estava pronta para aceitar o que ele oferecesse. E passava horas ao lado da piscina tentando definir onde gostaria de morar.

Ela estava, é claro, sem teto, a não ser que considerasse o chalé de Norfolk, o que ela não considerava. Além de ser inadequado às suas necessidades, era uma lembrança muito dolorosa de Kit.

Talvez um recomeço em uma capital anônima fosse a resposta. Um apartamento estéril que não significasse nada para ela, mas que fosse pelo menos uma base para onde voltar entre os recitais.

Londres... Paris... Nova York? O mundo, infelizmente, era sua casa de novo. Enquanto jantava solitária no terraço, Júlia decidiu que voltaria à casa de Lídia no dia seguinte. Depois, deixaria Bangkok para começar uma nova vida, mais uma vez.

— Madame Forrester — o gerente do café a chamou, assustando-a.

— Sim?

— Tem uma pessoa que quer falar com você.

Da escuridão, uma figura pequena e parecida com um passarinho apareceu: vestida de maneira elegante em seda tailandesa e cabelos bem negros presos em um coque baixo com duas orquídeas em um dos lados.

Ao se aproximar, Júlia sentiu que a reconhecia, embora tenha demorado um pouco para entender o porquê: estava olhando para muitos de seus próprios traços. Ela sabia que aquela mulher devia ter cerca de 80 anos, mas o tempo não marcara quase nenhuma ruga na pele cor de mel dela. Tinha olhos enormes, redondos e cor de âmbar, e Júlia podia imaginar com facilidade o quão linda ela devia ter sido aos 17 anos. A mulher uniu as pequenas mãos em um cumprimento tailandês tradicional de respeito e curvou a cabeça. Depois, levantou o rosto e sorriu.

— Eu ser a Lídia.

— Muito obrigada por vir me ver.

Júlia não pensou em nada melhor a dizer, estava petrificada com aquela mulher que se parecia tanto com ela.

— Por favor, se sente — ela acrescentou, apontando para a cadeira vazia à sua frente.

Lídia se acomodou e olhou para Júlia ansiosa.

— Então, você me dizer por que ir até minha casa e quase matar o menino da faxina de susto.

Júlia sorriu por dentro ao ouvir aquela descrição do velho homem que a recebera na porta de Lídia e disse:

— Desculpe, não quis assustá-lo.

Os olhos de Lídia brilharam.

— Ele dizer que ver um fantasma.

Júlia ergueu as sobrancelhas.

— Jura? Por quê?

— Ele achar que eu morrer na rua fazendo compras e ir visitar como uma jovem menina. Agora eu ver o porquê. Você parecer tanto comigo. Eu achar que ele estar confuso. Como você poder ser amiga de Harry, mas parecer comigo quando garota? — ela perguntou. — Eu não saber se esperar uma velha ou uma jovem.

— Eu não sabia o que dizer a ele. Lídia, você sabe quem eu sou? — Júlia sentiu uma onda inesperada e repentina de emoção ao fazer a pergunta.

Lídia a examinou.

— Você ser muito jovem para ser minha filha Jasmine. Então, você poder ser... Minha neta?

— Sim — Júlia confirmou com lágrimas nos olhos. — Jasmine era minha mãe.

Passaram-se alguns segundos até Lídia falar. Júlia a viu recuperar a postura.

— Desculpe por eu demorar para vir aqui, mas você entender meu choque ao ouvir o nome de Harry. Todos esses anos, não passar um dia em que eu não pensar nele. Ele estar vivo? — ela perguntou, com esperança e medo misturados nos olhos.

— Não, Lídia, ele morreu há muito anos. Sinto muito.

Lídia balançou a cabeça e colocou a mão sobre o peito, na altura do coração.

— Eu saber aqui — ela disse, apontando o coração —, mas ainda ter esperança. Como ele morrer?

Júlia balançou a cabeça.

— Não sei. Aconteceu antes de eu nascer. Mas, Elsie, minha avó... Ou, devo dizer, a mulher que eu pensei ser minha avó até algumas semanas... Disse que... Ele morreu de dor de amor.

Lídia colocou a mão dentro da cesta que carregava, tirou um lenço e assoou o nariz.

— Você me desculpar. Não ser digno, para uma senhora, chorar em público. Todos esses anos, eu sem notícias...

— Mas Elsie mandou fotos de minha mãe, não foi? Para mostrar que ela estava feliz e bem cuidada na Inglaterra.

Lídia acenou com a cabeça.

— Sim, muito gentil da parte dela. Mas, Júlia — Lídia falou, parecendo intrigada —, as fotografias ser mandadas pela babá de Jasmine, Elsie. Por que você chamar Elsie de avó?

Horrorizada, Júlia percebeu que Lídia nunca soubera que a filha não havia sido criado por lorde Harry Crawford de Wharton Park, mas pelo jardineiro e a esposa, em um pequeno chalé.

— Lídia, é uma longa história — Júlia sussurrou —, que eu mesma acabei de descobrir.

— Eu entender que vai demorar para explicar — Lídia a tranquilizou. — Bem, agora, contar de sua mãe. Ela ser tão bonita quanto você? Ela estar aqui? — perguntou com os olhos tão brilhantes de expectativa que Júlia não conseguiu mais segurar as lágrimas.

— Não... — Júlia balançou a cabeça, percebendo que sua odisseia de volta ao passado seria muito mais complexa e dolorosa do que queria reconhecer.

— Ah, minha nossa! Sinto muito. Minha mãe morreu há vinte anos, quanto eu tinha 11 anos de idade — ela contou, estendendo a mão para segurar a diminuta mão de Lídia instintivamente.

Lídia segurou a mão dela com força, o pequeno corpo tremendo de angústia. Sussurrou alguma coisa em tailandês e, depois, deu um longo suspiro.

— Eu achar — ela murmurou — que este não ser o momento para ouvir as muitas coisas que você ter a dizer. A gente dever conversar em um lugar privado, pois eu não querer outros vendo minha dor.

— Sim — concordou Júlia. — Sinto muitíssimo por trazer más notícias. Talvez eu não devesse tê-la procurado.

— Ah, não, Júlia, não pensar assim nem ficar culpada por contar o que o destino fazer com nós duas. Eu perder uma filha, você perder a mãe. Ser a vida e a morte — Lídia sorriu para ela. — E você dever lembrar que a mensageira das más notícias trazer boas notícias também. Porque você estar aqui. E você ser parte de mim e eu de você. A gente estar juntas, finalmente reunidas, no lugar onde eu conhecer seu avô e me apaixonar. Ter beleza nisso, não?

— Sim, tem sim — Júlia concordou com delicadeza.

O gerente chegou com uma bebida para Lídia.

— *Kop khun ka,* Thanadol. Deixar eu apresentar minha neta, Júlia. Ela cruzar o mundo para me encontrar.

As sobrancelhas de Thanadol mal se mexeram.

— É um prazer saber disso — ele sorriu. — Não estou surpreso, vocês são muito parecidas. Por favor, me chamem se precisarem de mais alguma coisa.

Ele se afastou e Júlia perguntou:

— Como você o conhece?

— Ah, eu trabalhar muito tempo aqui com o pai de Thanadol — Lídia explicou. — Muitos dos funcionários ter parentes que trabalhar antes deles. Ser como uma família, esse hotel, e as pessoas aqui me ajudar quando eu precisar.

— Quanto tempo trabalhou aqui?

— Dez anos, até conhecer meu marido — respondeu Lídia.

— Você se casou? — por algum motivo, Júlia estava surpresa.

— Sim e, mais uma vez, eu o conhecer aqui no hotel. A gente ficar juntos por quarenta anos. Eu estar com ele em seu último suspiro, há doze anos.

— Fico contente de saber que você conseguiu amar alguém e ser feliz — Júlia comentou, gentil.

— Júlia, não ser amor. Amor, só por Harry. Mas eu ter boa vida com meu marido. Ele ser muito bem-sucedido, com uma grande empresa, que eu ajudar a construir. E eu o amar por ele me amar.

— Você teve filhos?

— Não — Lídia balançou a cabeça com tristeza. — Eu quase morrer quando ter sua mãe. Depois disso, mais nenhum bebê.

— Sinto muito — disse Júlia.

— Talvez — Lídia ponderou —, se eu não ficasse tão doente quando Bill me encontrar, eu ficasse com Jasmine aqui. Mas... — ela suspirou. — Quando você tomar uma decisão sem volta, aceitar ser o único consolo. Eu aprender há muitos anos que não poder mudar o destino... Ou as outras pessoas.

— Não — Júlia concordou com sinceridade. — Eu entendo perfeitamente.

Lídia olhou para o rio, perdida por alguns instantes em seus pensamentos.

— Agora, querida Júlia — ela acabou por falar —, eu estar cansada e achar que devo ir para casa. Quanto tempo você ficar em Bangkok?

— Estava planejando partir logo, mas posso ficar por mais tempo, agora que você está aqui.

— Então, por favor, vir almoçar na minha casa amanhã — Lídia convidou. — A gente poder conversar muito mais lá. Uma pergunta: eu ter mais netos?

Júlia estava prestes a dizer que sim, que ela tinha outra neta. Porém, como muito de sua vida, não era mais verdade.

— Apenas eu — ela respondeu.

— E você ser o bastante — Lídia afirmou com carinho. — Um verdadeiro presente de Deus. Diga, minha neta, você ser mãe ou você trabalhar?

Júlia ignorou a primeira parte da pergunta e respondeu à segunda:

— Eu sou pianista.

Os olhos de Lídia se encheram de lágrimas antes de ela abrir um sorriso.

— Ah, Júlia! Sabe que a primeira vez que eu ver seu avô ele estar tocando piano lá no Bamboo Bar — Lídia apontou para o Lounge do Autor. — Eu achar que foi quando eu me apaixonar por ele. Ele ficar vivo quando tocar. Ser um dom especial para herdar. Agora — ela continuou, se levantando —, eu dever ir para casa.

Júlia ficou em pé sem saber qual forma de despedida seria adequada. Lídia facilitou a situação segurando na mão dela e beijando-a dos dois lados do rosto.

— Obrigada por me procurar — ela murmurou. — Tchau, minha neta. A gente conversar amanhã.

Quando Lídia foi embora, Júlia ficou sentada por um tempo, observando o rio. Depois, se levantou da cadeira, olhou para o céu e esperou, de verdade, que Harry estivesse em algum lugar observando o momento feliz que acabara de acontecer.

[CAPÍTULO 58]

No dia seguinte, carregada com algumas fotografias que trouxera, Júlia pegou a limusine do hotel até a casa de Lídia. Dessa vez, a porta da frente foi aberta para ela com um sorriso e um cumprimento em tailandês do "menino da faxina".

— Bem-vinda, *Khun* Júlia. *Khun* Lídia esperar por você na varanda. Eu vou levá-la.

Júlia o seguiu pelas salas escurecidas, com as janelas fechadas para o Sol forte, até um amplo terraço de madeira que se estendia para o rio sobre estacas. Era decorado com grandes vasos de flores e o cheiro doce de jasmins pairava no ar, lembrando Júlia, no mesmo instante, dos jardins de Wharton Park. Uma brisa vinda do rio deixava a varanda agradavelmente fresca e pequenos sinos de latão pendurados no teto produziam um barulho suave ao balançarem.

A casa ficava em uma pequena baía, numa parte larga do rio. Os barcos ainda sacudiam por lá e o ruído deles criava um barulho suave e reconfortante ao fundo daquele oásis de calma. Lídia apareceu em uma esquina da varanda, usando um velho chapéu de palha chinês e carregando um regador de lata. Sua expressão se iluminou ao ver a neta.

— Júlia! — ela abriu os braços.

— Bem-vinda à minha casa. Eu estar tão feliz por você estar aqui. Agora — ela acrescentou, colocando o regador perto de uma torneira e apontando para uma cadeira da mesa preparada para o almoço —, por favor, você se sentar e ficar à vontade. Você querer uma bebida?

— Seria ótimo. Obrigada, Lídia.

Os olhos de Lídia viraram para a porta, onde o menino da faxina esperava; alguns segundos depois, ele colocou um copo de água e um coco com um canudo em frente a ela.

— Eu ter cerveja e vinho, se preferir — sugeriu Lídia, ansiosa.

Júlia balançou a cabeça.

— Está perfeito — ela tomou um gole do líquido doce e grosso e sorriu. — É um sabor novo, mas eu gostei.

Júlia percebia a atenção que Lídia prestava nela e corou.

— Desculpe, Júlia, por encará-la. Para mim, ser estranho e maravilhoso ver o produto lindo vindo de mim e de Harry, e da minha filha com o seu pai aqui na minha casa — ela abriu um sorriso largo. — Eu estar feliz com o resultado, você ser muito, muito encantadora. Você herdar os melhores traços do seu lado tailandês e a altura e a postura dos ingleses. E, é claro, uma cor linda. Oh, as mulheres tailandesas fazer de tudo para parecer ter a pele clara e europeia.

— Eu quero ganhar um bronzeado — Júlia declarou e Lídia caiu na gargalhada. Era um som doce, parecido com os sinos que tilintavam na brisa.

— Sim, as pessoas brancas mal podem esperar para deixar a pele morena. Deve ser uma piada de Deus. Todos querem o que não podem ter — a expressão de Lídia ficou séria e ela se inclinou na direção de Júlia. — E, Júlia, não ter medo de me contar o que acontecer a Jasmine quando ela chegar à Inglaterra. Eu já deduzir sozinha. Eu entender, como a Lua alta no céu ontem à noite. *Khun* Bill e a esposa, Elsie, adotar meu bebê, não?

— Sim, Lídia, adotaram — Júlia confirmou, nervosa. — Não houve escolha na época.

— O Harry saber? — ela perguntou. — Saber que a filha dele estar crescendo tão perto?

— Minha avó — Júlia se corrigiu —, quero dizer, Elsie me disse que ele não sabia até algumas semanas antes de morrer. Ele foi entregar a Bill uma coisa como lembrança e viu Jasmine pela primeira vez. Foi quando descobriu... Porque ela era igual a você.

— Então minha Jasmine não crescer em Wharton Park, filha de um lorde inglês — ponderou Lídia. — Em vez disso, ela ser criada por um jardineiro e sua gentil esposa.

— Sim. Mas, Lídia — Júlia sabia que não podia ser poupada da verdade —, a esposa de Harry, Olívia, estava esperando um bebê também.

— Eu entender — os olhos dela escureceram. — Por favor, você acreditar em mim. Quando Harry estar comigo aqui na Tailândia, nunca dizer que ser casado. Se ele contar, eu nunca... — ela balançou a cabeça com veemência. — Parecer que eu e a esposa ser traídas por ele.

— Eu entendo como você se sente — Júlia concordou — e não sei por que Harry não contou para você. Talvez tivesse medo de perdê-la se você soubesse.

— Ele estar certo, me perderia — os olhos cor de âmbar de Lídia transpareciam raiva. — Quando Bill vir me ver em Bangkok, no nascimento de Jasmine, e me contar, eu quase morrer de novo com o choque. Mas, ao longo dos anos, eu entender melhor — o olhar dela ficou mais brando enquanto falava. — Entender que é possível amar duas pessoas ao mesmo tempo.

— Não, Lídia — Júlia a corrigiu —, não foi assim. Elsie me disse desde o começo que havia sido um casamento arranjado. Harry não teve escolha a não ser se casar com Olívia e tentar ter um herdeiro caso não voltasse da guerra. O amor não era considerado importante. Olívia era vista como uma esposa adequada e era apenas o dever dele. Você era a mulher que Harry amava e com quem queria ficar.

— E a esposa dele? Ela o amar? Ou aceitar o acordo? — questionou Lídia.

— Elsie trabalhou como dama de companhia dela por mais de quarenta anos e disse que Olívia adorava Harry — Júlia suspirou. — O sentimento dela era real, o que, é claro, piorou a situação quando ela descobriu sobre você.

— Ela descobrir? — Lídia cobriu a boca com as mãos. — Como?

— Ela encontrou sua última carta para Harry, com o anel de noivado no envelope. E, alguns dias depois, ela perdeu o filho. De acordo com Elsie, ela passou o resto da vida amargurada com o que Harry fez.

— Ai, ai! Que dor ser causada pelo nosso amor! — Lídia balançou a cabeça em desespero. — Eu sentir compaixão por essa pobre esposa. Ela contar a Harry que saber sobre mim?

— Nunca. Ela simplesmente fechou o coração para ele e colocou seu dever para com a propriedade em primeiro lugar. Elsie disse que os dois viveram tristes pelo resto da vida — acrescentou Júlia. — Olhando para trás, teria sido muito melhor se Harry tivesse voltado para cá e libertado Olívia. Mas, é claro, Wharton Park ficou muito bagunçada depois da guerra. Harry tinha dúzias de empregados que dependiam dele para viver. Embora Elsie dissesse que isso partiu o coração dele, ele teve de ficar na Inglaterra. Não teve mesmo escolha.

Lídia consentiu com a cabeça.

— Bill me explicar isso quando me encontrar aqui em Bangkok. Ele ser muito gentil. Eu achar que ele ser um homem muito bom. Ele salvar a minha vida.

— Bem, eu o adorava — contou Júlia. — Sempre que eu ia a Wharton Park, passava a maior parte do tempo nas estufas, vendo-o cuidar das flores. Minha mãe e eu crescemos cercadas pelos aromas da terra natal que nunca soubemos que era nossa.

— Isso ser um consolo — Lídia sorriu. — E eu mandar algumas orquídeas especiais com Jasmine, para Bill cultivar para ela. Ser muito raras, apenas algumas no mundo. Eu ver um dia no mercado de flores aqui de Bangkok um pouco antes de Jasmine nascer. Eu reconhecer e comprar para ela. Será que florescer para ele na Inglaterra?

— É mesmo? — Júlia se lembrou da pintura feita pela jovem Jasmine de uma orquídea rara que George, seu pai, havia visto. — Sim, acho que floresceu — ela sussurrou.

— E seu pai? Ele estar morto também? — Lídia perguntou.

— Não — Júlia respondeu com um sorriso —, ele está muito bem. Ele era louco pela minha mãe e os dois foram muito felizes juntos. Tão felizes que ele nunca teve outra esposa.

— E ele saber sobre a origem da esposa?

— Sim, mas descobriu há pouco tempo, como eu.

— Eu gostar de um dia conhecer o marido de minha filha — comentou Lídia. — Então você também ser filha única?

— Bem, não, eu... Tenho uma irmã, mas acabei de descobrir que ela foi adotada — Júlia explicou. — Acontece que minha mãe achou que não poderia ter filhos e adotou minha irmã, Alícia, ainda bebê. Ela é três anos mais velha que eu e foi uma surpresa quando eu nasci. Acho que meu pai nunca quis contar a verdade para Alícia, mas, quando Elsie lhe contou a história de como Jasmine chegou a Wharton Park, ele sentiu que devia fazer isso. Do contrário, ela acreditaria também ser neta sua e de Harry. Mas, ainda assim, ela é minha irmã — Júlia concluiu, enfática.

— É claro — concordou Lídia. — Agora achar que a gente dever almoçar, sim? — ela acenou para o menino da faxina, que desapareceu para dentro da casa. — Então, Júlia, você ser pianista? Eu poder ouvir você tocar em algum lugar?

— Sim, pode. Já toquei no mundo todo. Tive muita sorte — ela disse, com modéstia. — Fui descoberta na Royal College of Music, por um agente, quando tinha 19 anos de idade. Ele me ajudou a construir uma carreira.

— Júlia, a sorte não acontecer sem talento — Lídia a repreendeu. — Você dever ser excelente. E ainda ser muito jovem. Para onde você ir depois de Bangkok? Tocar em algum lugar?

— Não — Júlia respondeu quando Nong chegou carregando uma bandeja com duas tigelas de sopa fervendo. — O ano passado, bem, trouxe algumas mudanças difíceis — ela continuou. — Vou levar alguns meses para me apresentar novamente. E, para ser sincera, não faço ideia de para onde vou depois daqui. Por isso vim a Bangkok, para ter tempo e pensar.

— Bem, você precisar me contar tudo, pois eu ver em seus olhos que você estar angustiada. Mas, primeiro, aproveitar a *Tom Kha Gai* de Nong. Ser a melhor de Bangkok.

Depois da deliciosa sopa de coco leitoso e capim-limão, cheia de lascas de frango macio, Nong levou um prato de manga e mamão papaia para sobremesa.

— E agora, Júlia, contar sobre seu ano difícil.

— Bem...

Júlia ainda tinha de se preparar para dizer aquelas palavras.

— Perdi meu filho de 3 anos, Gabriel, em um desastre de carro, há um ano. Também pensei ter perdido o pai dele, Xavier, mas, na verdade, ele voltou para nossa casa na França há algumas semanas. Ele estava dirigindo o carro que matou nosso filho e desapareceu do local do acidente. Ele não conseguia me encarar e sumiu do mapa — Júlia franziu as sobrancelhas. — Há apenas uma semana, descobri que ele estava muito bêbado e não devia estar atrás do volante. Então — a voz dela se transformou em um sussurro —, eu o deixei e vim para cá.

Os olhos de Lídia se arregalaram de compaixão e ela segurou na mão de Júlia.

— Ser uma tragédia terrível para você. Eu, mais do que todos, saber que perder um filho ser a pior punição de Deus.

— Sim — concordou Júlia. — Não consigo imaginar nada pior.

— Não existir. Eu saber. O coração — Lídia disse, colocando a mão no peito — ficar vazio.

— Sim — Júlia murmurou —, não há consolo nem alívio para a dor.

— Não. Eu também ter de ficar de luto pela perda do espírito de minha filha nesse planeta. Eu sentir que ficar de luto por ela duas vezes — Lídia suspirou. — Porém, ser muito mais difícil para você. Você culpar seu marido pela morte do seu filho.

— Eu o desprezo pelo que fez, não apenas ao Gabriel, mas a mim também — revelou Júlia, incapaz de esconder a raiva em sua voz.

— Ser natural você se sentir assim. Mas, um dia, você dever perdoar ele pelo que ele fazer, pelo seu bem, Júlia. Eu saber que não ser bom carregar rancor. Ele devorar você, destruir você.

— Eu sei, Lídia, mas é tão difícil colocar em prática.

— Sim. Nós duas ser traídas por homens que a gente amar e confiar. Seu marido, ele parecer um homem fraco, mas homens ser assim — Lídia comentou. — Antes, eu pensar que Harry também, mas agora eu ver que talvez não. Ele dever ser forte para ficar na Inglaterra e cumprir com seu dever.

— Se servir de consolo, acredito, de verdade, pelo que Elsie me contou, que a decisão partiu o coração dele. Você realmente era o amor da vida de Harry.

— E ele da minha — Lídia declarou. — Você amar seu marido?

— Muito. Eu acreditava que ele fosse o amor da minha vida, até...

Lídia se inclinou para frente, na expectativa de saber o que ia escutar, e Júlia sentiu seu rosto corar enquanto tentava explicar.

— Quando eu pensei que era viúva, outro homem na Inglaterra foi muito gentil comigo. Ele cuidou de mim quando não havia mais ninguém. Com a ajuda dele, eu comecei a me recuperar e ver que poderia haver um futuro para mim. Para nós.

— Eu entender — Lídia ouvia com atenção. — E onde ele estar agora?

— Em Norfolk. Ironicamente, ele é o novo lorde Crawford — admitiu Júlia. — Ele mora em Wharton Park.

Lídia ficou olhando para ela por alguns minutos, tentando entender o que ela dizia.

— Mas, isso significa...

Júlia compreendeu o raciocínio dela e o interrompeu.

— Não, não somos parentes próximos. Harry não teve mais nenhum filho depois de o bebê dele com Olívia morrer. Kit e eu somos... Eu acho... Primos em terceiro grau.

Uma expressão de alívio apareceu no rosto de Lídia.

— Eu ficar feliz de saber, Júlia. Eu ver em seus olhos que você gostar muito desse homem. Você o amar?

— Pensei que, talvez, o que eu sentia fosse porque eu precisava dele. Mas, quando Xavier reapareceu e eu me tornei a mulher dele de novo, só conseguia pensar no Kit. E — ela confessou — ainda é assim.

— Mas, querida Júlia, por que você não voltar para ele?

— Porque... Ah, Deus! — Júlia levantou os cabelos que caíam sobre seus ombros, se sentindo desconfortavelmente quente. — É muito complicado. Nem falei com ele para explicar que Xavier tinha voltado. Ele teve de descobrir pelos jornais que meu marido ainda estava vivo. — ela balançou a cabeça, permitindo que a brisa em seu pescoço pudesse refrescá-la. — Tenho certeza de que ele nunca vai me querer de volta. Eu o magoei muito.

— Você dever perceber a ironia — disse Lídia, devagar. — Você estar apaixonada pelo lorde Crawford de Wharton Park e estar aqui comigo em Bangkok. Eu achar que nós duas chorar muitas lágrimas no travesseiro por aqueles que estar longe na Inglaterra. Talvez — ela continuou, balançando a cabeça —, Wharton Park ter uma maldição. Como um bebê desprotegido, que precisar ser alimentado e cuidado o tempo inteiro, e não pensar na vida de quem sacrificar por isso.

Júlia riu da imagem criada por Lídia.

— Na verdade, a propriedade será vendida em algum momento. Kit não tem dinheiro para pagar os empréstimos e a reforma custará centenas de milhares de libras. Logo, o "bebê desprotegido" terá pais novos e, espero, ricos.

— Ser difícil pensar que eu perder o amor da minha vida para uma casa — Lídia deu um sorriso triste. — Mas eu entender que ser mais do que isso. Ser a linhagem dele e ser triste saber que ela vai morrer.

— Sim, apesar da grande dor que ela causou, Wharton Park é muito bonita. Ah, Lídia, queria que você a visse... — sussurrou Júlia. — Eu sempre a amei, desde criança, e as semanas em que morei lá com Kit foram algumas das mais felizes da minha vida.

— Estar no seu sangue — Lídia balançou a cabeça, séria. —Se você ser um menino... Como neto de Harry, a casa ser sua?

— Talvez. Minha irmã disse que, hoje em dia, com exames de DNA, eu posso reivindicá-la. Mas eu nunca faria isso com Kit — Júlia disse com firmeza, sentindo que era hora de mudar de assunto. — Eu tenho outros parentes aqui na Tailândia? — ela perguntou.

— Oh! — Lídia bateu palmas. — Você ter muitos! Tias e tios e muitos primos, eu nem conseguir começar a contar. Alguns dos meus sobrinhos-netos e sobrinhas-netas ser muito bem-sucedidos — ela informou, orgulhosa. — Eles estudar na universidade e morar no Japão e na América. Apesar de eu vir de uma família simples de pescadores, todos nós ser muito inteligentes — ela sorriu. — Principalmente meu pai. Ele ganhar bolsa de estudos na Universidade de Chulalongkorn, em Bangkok, e se tornar um jornalista de sucesso e ativista político. Agora, eu poder ver as fotografias de Jasmine?

— É claro — Júlia as procurou na bolsa e se aproximou de Lídia, para explicar cada uma. — Esta é minha mãe com 5 anos. Esta é ela quando passou na prova para entrar no ginásio...

— Ela ser inteligente também! — comentou Lídia, sorrindo.

— Ela era sim. E esta foto mostra a formatura dela na universidade e esta é com o meu pai, e esta, com Alícia e comigo.

Lídia examinou as fotografias com cuidado, rastreando o rosto da filha em cada etapa da vida. Ela olhou para Júlia e questionou:

— Como ela morrer?

— De câncer no ovário. Parece que é muito difícil de detectar. Quando encontraram, já havia se espalhado pelo corpo todo e não podiam fazer nada.

— Eu entender. E Jasmine sempre acreditar que Elsie e Bill ser os pais dela?

— Sim.

Os olhos de Lídia brilhavam com as lágrimas.

— Tenho certeza de que foi amada.

— Ela foi, eu juro.

— Mesmo ela não tendo o que pensar quando eu a mandar para a Inglaterra.

— Não, mas, Lídia, antigamente era importante em que classe social a pessoa nascia. Agora, eu não acho que seja. As velhas regras desapareceram. E, na verdade, como eu e minha mãe não tínhamos o peso de nossa linhagem, ficamos livres para fazermos o que quiséssemos com nossas vidas.

Lídia concordou.

— Eu entender o que você dizer e ser verdade. Agora, até mesmo aqui na Tailândia, as mulheres estar mais fortes e aprendendo a ser independentes. E, apesar de eu nascer em uma época diferente, eu casar com um homem que me respeitar como igual. A gente ser parceiros e nossa empresa me deixar muito rica. Não ser o que eu esperar quando mais jovem, eu pensar que ia simplesmente casar e ter uma família.

— Acredite, no último ano, aprendi a viver um dia de cada vez e esperar o inesperado — disse Júlia.

— Então você saber, como eu, que tudo ser possível. E a gente dever olhar para o futuro e confiar em Deus, qualquer deus, para nos guiar. Eu achar que a gente ter muito em comum, não? Nós duas aprender a vida do jeito difícil, mas ficar sábias e fortes. E agora, querida Júlia — Lídia começou, segurando um bocejo —, eu precisar descansar. Você ficar à vontade para ficar aqui ou voltar amanhã e conversar mais.

Júlia percebeu que a avó estava bastante cansada.

— Eu volto amanhã.

— Quantos dias puder antes de ir embora. A gente ter muito assunto para colocar em dia — Lídia se levantou, beijou Júlia dos dois lados do rosto e segurou a mão dela. — Eu estar tão feliz por você me procurar.

— Eu também — afirmou Júlia ao devolver o beijo. — Será que Nong pode chamar um táxi para mim?

— Eu ter certeza de que ele já chamar — Lídia sorriu.

— Amanhã no mesmo horário? — Júlia confirmou.

— Sim.

— Tchau, Lídia — Júlia acenou e, acompanhada por Nong, atravessou a casa e saiu para pegar o táxi.

[CAPÍTULO 59]

Na semana seguinte, Júlia visitou Lídia todos os dias. Elas conversaram por muitas horas, uma descobrindo mais sobre a vida da outra. Júlia soube como a avó havia ajudado o marido a transformar um negócio de fabricação de tecidos de seda em uma empresa de milhões de dólares, que exportava para todo o mundo. Os desenhos de Lídia e as colorações incomuns estavam à frente de seu tempo e provaram ser muito populares no Ocidente. Seus tecidos para estofados agora enfeitavam algumas das casas mais bonitas do mundo.

— É claro que a empresa me dar o que eu mais queria, a oportunidade de viajar — acrescentou Lídia. — Eu a vender quando meu marido morrer e ficar muito rica... Mas eu ainda sentir falta daquela agitação.

— Você já foi à Inglaterra?

— Ah, sim! E sempre ficar no Oriental de Knightsbridge. Eles me dar bom desconto! Mas — ela continuou e tremeu involuntariamente — eu não gostar do clima inglês. Harry me chamar de flor de estufa e ele estar certo, eu não conseguir morar lá. Por isso eu sempre voltar para a minha terra natal. Este país, esta pequena casa onde eu morar pela primeira vez com meu marido, ser o meu lugar.

— Eu queria saber qual é o meu lugar — Júlia comentou, esperançosa.

Lídia lhe deu um tapinha na mão.

— Júlia, você estar em um ponto que muitas pessoas alcançar, quando as placas de direção desaparecer.

— Exatamente — Júlia concordou, pensando como aqueles dias haviam sido catárticos, enquanto ela aprendia a confiar em Lídia e abria seu coração para ela. As palavras sábias e gentis da velha senhora a acalmaram e consolaram. — Sentirei a falta de Kit pelo resto da vida, mas não consigo enxergar uma forma de voltar para ele. Ele não confiaria mais em mim. Bom, preciso encontrar outra placa de direção e segui-la.

— Não se preocupar, Júlia. Eu saber que ela estar dentro de você já. Talvez você só precisar de ajuda para ver — Lídia sorriu.

— Espero que você esteja certa — ela respondeu com tristeza.

Júlia sabia que sua permanência em Bangkok devia terminar e que ela tinha de decidir sobre para onde iria em seguida. Por isso, no final daquela tarde, ela reservou uma passagem para Paris. Olav estaria por lá por alguns dias e queria vê-la para discutir seu futuro. Ele também estava preocupado porque, sem ter um piano à disposição, os dedos dela podiam ter endurecido, impedindo o progresso que ela fizera nos meses anteriores. Ela poderia alugar uma sala de ensaio em Paris e recuperar o tempo perdido.

Incapaz de encarar outro jantar solitário no terraço, ela pediu o serviço de quarto e comeu na varanda. Assistiu ao ir e vir dos barcos no rio, aproveitando, pela última vez, sua localização privilegiada. Ela sabia que teria saudade da tranquilidade que sentia na Tailândia, das pessoas e do lugar em si. Porém, mesmo Lídia, com toda a experiência de seus 80 anos bem vividos, não podia lhe mostrar onde costurar o próximo ponto de seu próprio tecido. Era algo que Júlia precisaria descobrir por si mesma.

Ela passou a última tarde à beira da piscina, onde muitos dos funcionários a conheciam pelo nome. Ligara para Lídia e avisara que ia partir, e Lídia insistira em ir ao hotel para elas terem um jantar de despedida. Ela chegaria às 19 horas e Júlia tinha de ir para o aeroporto às 21h30.

Às 18 horas, Júlia tomou um banho, terminou de arrumar as malas e verificou o quarto. Ao passar pelo Bamboo Bar e descer em direção ao terraço para jantar, Thanadol a cumprimentou com o sorriso costumeiro.

— Boa noite, *Khun* Júlia, como está hoje?

— Triste — ela admitiu, seguindo-o pelo terraço. — É minha última noite aqui. Minha avó já chegou?

— Não, ainda não. Ela pediu para você esperar aqui.

Thanadol indicou uma mesa que já estava ocupada. Ao se aproximar, Júlia reconheceu a figura sentada. E seu coração começou a bater acelerado. Ele se virou, percebendo a presença dela.

— Oi, Júlia.

— Oi, Kit.

Sua voz não parecia lhe pertencer. Ele sorriu e indicou uma cadeira à frente dele.

— Não quer se sentar?

— Mas... Como...?

— Por favor, por favor, se sente e eu explicarei.

Júlia se sentou de maneira brusca, sentindo que suas pernas poderiam falhar.

—Pegue — Kit colocou uma taça de vinho tinto em frente a ela. — Beba, e relaxe.

Júlia deu um grande gole no vinho.

— O que você está fazendo aqui? — ela conseguiu perguntar.

— Bem, você sabe. Pensei em cruzar o mundo e visitar Bangkok só porque eu queria — ele respondeu, com um olhar brincalhão. — Que diabos você acha que estou fazendo aqui, Júlia?! Vim vê-la, é claro.

— Como soube que eu estava aqui?

— Não preciso entrar em contato com a Interpol se quiser te encontrar. Quero dizer, sua irmã mora um pouco mais à frente na estrada de minha casa — ele sorriu. — Mas, na verdade, foi Lídia quem me avisou onde você estava. Ela me ligou, sugerindo que eu aparecesse aqui antes de você se mandar. E, bem a tempo, parece. Espero que você não se importe.

A leveza com a qual Kit estava lidando com a situação foi um lembrete instantâneo de tudo o que ele era. Júlia abriu um sorriso.

— Não, é claro que não.

— Posso dar um passo adiante e, talvez, perguntar se você está feliz em me ver?

— Sim, estou.

— Ufa! — Kit enxugou a testa com dramaticidade. — Lídia me garantiu que você ficaria, mas, quando eu estava sobrevoando uma parte do Himalaia, comecei a suar frio, imaginando se isso não era a reencenação da fantasia de uma velha mulher. O que, para ser justo, podia bem ser. Há um paralelo entre a situação que ela viveu e a que você vive agora.

Júlia brincou com o copo, olhando-o fixamente. O coração dela batia tão rápido que ela estava perdendo o fôlego.

— Eu sei.

— Não faz bem o meu tipo percorrer o mundo atrás de uma mulher que me abandonou. Mas, dadas as circunstâncias, decidi que você valia a tentativa.

Júlia levantou o olhar.

— Kit, eu não queria deixá-lo, eu...

Ele cobriu os lábios dela delicadamente com um dedo.

— Eu estou provocando você, Júlia, não precisa dizer mais nada. Lídia, no seu papel de fada madrinha, explicou tudo para mim. E, depois, ela balançou a varinha mágica e apareceu uma passagem de primeira classe para Bangkok no tapete de minha porta em Wharton Park. Mas não uma passagem de volta, devo acrescentar, por isso, você terá de me emprestar dinheiro se quiser que eu vá embora.

— Ai, Kit... — os olhos dela se encheram de lágrimas quando percebeu o quão longe Lídia fora para lhe dar uma placa de direção. — Desculpe — ela disse, enxugando rapidamente uma lágrima do rosto.

— Não se desculpe. Foi bem fácil, ainda mais na primeira classe... Porém, muito mais porque eu a amo.

— Eu o amo também — Júlia sussurrou.

Kit se aproximou mais dela e examinou seu rosto.

— Não me diga que foi uma confissão vocal furtiva de que você compartilha do meu sentimento.

— Sim, foi — Júlia admitiu, sorrindo.

— Certo.

Foi a vez de Kit olhar para baixo, de repente incerto quanto ao que dizer.

— Você me ama mesmo, Júlia? — ele perguntou em voz baixa.

— Sim, Kit, eu o amo. Eu o amo... Loucamente. E fui infeliz por todos os dias desde a última vez em que nos vimos.

— Então sua velha vovó tailandesa não é a louca de pedra que eu pensei que fosse — ele comentou, pensativo.

— Não, não é. Ela está em total posse de ideias.

— Ao contrário de mim — admitiu Kit —, que acabei de fazer uma excursão maluca para o outro lado do mundo sem saber que reação esperar. Até agora... — ele acrescentou, com suavidade. Kit esticou a mão para segurar a mão de Júlia e ela atendeu ao gesto de bom grado. — Detesto cair em clichês, mas, por Deus, você está linda hoje, querida — ele sussurrou. — Acho que nunca fiquei tão feliz em ver uma pessoa na minha vida inteira — ele a beijou e Júlia respondeu com a mesma paixão. — Enquanto eu a tenho aqui, e caso você desapareça de novo, pensei que seria bom resolver tudo de uma vez e perguntar se gostaria de se casar comigo — Kit apontou para o espaço ao redor. — Pensando em sua história, não há um lugar mais perfeito para o pedido, de verdade.

— Ah, Kit, eu adoraria dizer que sim — Júlia riu ao perceber o quanto sua frase pareceria ridícula. — Quero dizer, assim que eu me divorciar!

— Ah, isso não está no roteiro, não é? Mas, ora, nada é perfeito — ele sorriu para ela e brincou com seu nariz contra o dela. Seus dedos se entrelaçaram. — Olha, a propósito, eu trouxe um presente para você.

— Jura? — ela perguntou.

— Sim — Kit procurou embaixo da cadeira e tirou uma planta negra. Colocou-a em frente à Júlia. — Pronto. É para você.

Júlia observou surpresa as pétalas muito escuras.

— Não achei que existissem orquídeas negras.

— Existem. Deus se esqueceu de fazê-las e, assim, Kit lhe deu uma mãozinha. Não se preocupe, querida, só precisa regá-la. Com isso, ela voltará ao belo rosa que tinha antes de eu começar a pintá-la — ele apontou para o pequeno rolo de papel colocado na lateral do vaso. — Essa fábula explicará tudo. De um jeito ou de outro, achei bem adequada.

Júlia pegou o papel, mas Kit a interrompeu.

— Leia mais tarde, minha flor de estufa, e, por favor, depois de ler, não comece a ter ideias além da realidade. Lembre, é um novo milênio e as regras para o comportamento de homens e mulheres mudou. Exceto uma — ele acrescentou, como se só tivesse pensado nisso depois.

— E qual é?

Kit olhou nos olhos dela e respondeu com simplicidade:

— O amor.

[CAPÍTULO 60]

Wharton Park

Janeiro

Apesar das horas de discussão à mesa da cozinha, e semanas gastas sobre montanhas de números, Kit decidiu que a propriedade de Wharton Park tinha de ser vendida.

— Mesmo com a melhor vontade do mundo, não temos como ficar com ela, querida — Kit afirmou enquanto os dois afogavam a tristeza com uma garrafa de vinho na biblioteca. — Sei que partirá seu coração, mas não consigo ver outra saída. Mesmo com uma doação da English Heritage não teremos dinheiro para o que precisa ser feito. É uma gota no oceano.

— Eu sei — Júlia respondeu, arrasada. — Se Xavier não tivesse voltado do mundo dos mortos e não estivesse atrás de metade do que eu tenho, provavelmente teríamos a quantia certa.

Ela tremeu e se aconchegou mais perto da lareira. A casa estava gelada, pois a caldeira havia parado de funcionar de novo. Kit acariciou o cabelo dela.

— Júlia, mesmo que você tivesse dinheiro, uma parte de mim ainda é antiquada e acharia difícil minha futura esposa fornecer a grana de que Wharton Park precisa. E devemos pensar na casa, entregá-la com graça para alguém que tenha meios de consertar tudo.

— Eu sei, mas isso não torna a despedida mais fácil. Wharton Park não é apenas uma casa. Foi onde nos conhecemos. E é o meu sangue. Se tivesse alguma coisa que eu pudesse fazer para salvá-la, eu faria — Júlia bateu o punho no piso da lareira. — Maldito Xavier! É a única vez na minha vida em que preciso de verdade de todo o dinheiro que nunca gastei! Não acredito que ele esteja sendo tão...

— Não precisa dizer — Kit comentou, compreensivo. — De qualquer maneira, vou falar com o corretor amanhã e a colocarei no mercado de novo. Sinto muito, Júlia, mas não temos escolha.

Dez dias depois, o corretor ligou dizendo que havia um comprador estrangeiro que faria uma oferta para comprar toda a propriedade pelo preço pedido. Se aceitassem a oferta, o comprador iria imediatamente para a Inglaterra assinar o contrato. Era uma oferta que os dois sabiam que não podiam recusar.

Júlia aumentou o fogo da lareira e arrumou um vaso com galantos na mesa. Era um esforço insignificante e relutante por causa do comprador, que deveria chegar em meia hora.

— Provavelmente algum horrível oligarca russo com sua amante oxigenada — Júlia comentou ao colocar com descuido algumas xícaras de café em uma bandeja.

Kit observou a petulância dela, sabendo que estava mascarando a dor. Perder Wharton Park seria um golpe muito maior em Júlia do que nele. Às 11h30, a campainha soou e Kit atendeu, abrindo a porta. Um motorista uniformizado estava atrás dela.

— A madame está aqui — ele anunciou, apontando para a limusine estacionada na frente da casa. — Ela gostaria de saber se vocês a acompanhariam para entrar.

— É claro.

Kit olhou para Júlia e ergueu as sobrancelhas enquanto o motorista descia os degraus até o carro.

— Meu Deus! — exclamou Júlia. — Quem a madame pensa que é? A rainha?

— Venha, querida, vamos acabar com isso, certo? — ele apertou a mão dela e foram até o carro. Os dois ficaram parados, juntos e desconfortáveis ao lado do carro, e o motorista abriu a porta para revelar a passageira por trás do vidro escuro. Júlia ficou paralisada e, depois, gritou de alegria.

— Lídia! O que você está fazendo aqui?

— Surpresa!

Lídia saiu do carro e abraçou a neta com carinho.

— Oh, ser maravilhoso eu ser tão velha e tão rica e usar as duas coisas para fazer truques de mágica para as pessoas! — sua risada fina preencheu a atmosfera estática de Wharton Park. Depois, se apoiando em Júlia, ela se virou e olhou para a casa pela primeira vez.

— Então, esta ser Wharton Park. Eu a imaginar muitas vezes na vida e ser muito mais majestosa do que eu sonhar — ela se voltou para Júlia com brilho nos olhos. — Não ser surpresa ela ter ganhado de mim! Agora — ela continuou, passando o braço livre pelo braço de Kit —, vocês me levar para dentro e mostrar tudo. E, depois, eu explicar.

Após Lídia ter feito uma visita guiada pelas muitas partes da casa e ter se declarado cansada demais para seguir adiante, eles voltaram para a biblioteca e a velha senhora pediu ao motorista que trouxesse uma garrafa do melhor champanhe de dentro da limusine.

— Eu querer brindar à casa que afetar a vida de todos nós. À Wharton Park!

Júlia e Kit bateram as taças com ela.

— À Wharton Park! — eles repetiram.

— Agora — disse Lídia ao se sentar —, eu querer explicar meu plano para vocês. Como eu contar em Bangkok, Júlia, meu marido me deixar uma mulher muito rica. "Muito rica" significar "muito rica" mesmo — ela reforçou. — É claro que, antes de conhecer você, Júlia, eu pensar em dividir o dinheiro com membros da minha família e instituições de caridade que eu apoiar. Mas, de repente, eu ter uma herdeira direta, então, eu mudar de ideia quando você partir de Bangkok e querer deixar a maior parte do dinheiro para você.

— Vovó, é muito gentil, mas...

— Silêncio, Júlia. Deixar eu terminar — Lídia a repreendeu. — Depois, quando a gente conversar na semana passada, você contar que

Wharton Park estar à venda porque você não ter dinheiro para pagar as dívidas e reformar a casa. Então, eu decidir que eu vou comprar. Ela vai ser minha — Lídia bateu palmas de felicidade.

— Você quer morar aqui? — Kit perguntou, confuso.

— Não, Kit. Júlia saber que eu detestar o frio. Vocês vão ser meus inquilinos. Vocês vão morar aqui e, com o dinheiro que eu pagar por Wharton Park, eu confiar que vocês pagar as dívidas e supervisionar a reforma para mim. E, é claro, essa tarefa também ser para futuras gerações da família — ela acrescentou com delicadeza. — Quando eu morrer, Júlia, Wharton Park ficar para você.

Houve um momento de silêncio, enquanto Kit e Júlia compreendiam o que Lídia estava sugerindo.

— Meu Deus! É muita generosidade sua, Lídia — Kit respondeu, percebendo que Júlia estava emocionada demais para falar.

— Bem, eu pensar que ser uma boa piada — os olhos cor de âmbar dela brilharam. — Uma pobre menina tailandesa, abandonada há muitos anos pelo dono dessa casa, comprar o lugar para a neta, quase sessenta e cinco anos depois. Vocês não achar engraçado?

Júlia concordou balançando a cabeça ainda pasma, em silêncio.

— Ser tudo perfeito — disse Lídia com um sorriso. — Quando Júlia casar com você, Kit, minha neta finalmente vai ser a lady Crawford de Wharton Park e a jornada que Harry e eu começar juntos, há muitos anos, vai ficar completa. Por favor, você dizer que gosta da ideia — ela olhou para Júlia com ansiedade.

Júlia, enfim, falou:

— Lídia, tem certeza de que é isso que você quer?

— Júlia, eu nunca ter tanta certeza de nada na vida. Kit, você se sentir bem com o meu plano? — ela quis saber.

— Lídia, todos nós sabemos que, por direito, essa casa é mesmo da Júlia — Kit se virou para Júlia e segurou a mão dela. — E eu ficaria muito feliz de permanecer aqui e fazer minha parte para ajudar Wharton Park a voltar à sua antiga glória. Eu também amo esse lugar. E sei o quanto você o ama, querida — ele acrescentou, tranquilizando Júlia com um olhar. — É mesmo uma oferta maravilhosa, Lídia.

— Tudo o que pedir é para, às vezes, eu ser convidada para ficar aqui e conhecer sua família inglesa. Seu pai, Júlia, e, é claro, Elsie, que cuidar da minha filha com tanto amor.

— É claro que sim — Júlia finalmente recuperou a voz —, quando quiser. Já contei a Elsie tudo sobre você e ela adoraria conhecê-la.

— Então — começou Lídia —, ter pouco mais a dizer. Você dizer se concordar, Kit, e eu assinar todos os papéis antes de voltar à Tailândia na semana que vem.

— Concordo, com certeza — respondeu Kit. — É uma oferta excelente.

— E você, Júlia? — Lídia questionou gentilmente.

— Eu amo tanto essa casa, seria muito difícil dizer não — a voz de Júlia estava embargada pela emoção. — Mal posso acreditar que vamos ficar aqui. Obrigada. Muito obrigada — ela se levantou e abraçou a avó com força.

— Tudo em troca de um favor, Júlia — Lídia avisou, segurando nas mãos da neta. — Eu querer voltar para a sala de visitas e ouvir você tocar para mim no belo piano de meu Harry.

Os três entraram na sala e Júlia se sentou em frente ao instrumento. Kit viu os olhos de Lídia se encherem de lágrimas quando as notas de abertura dos "Études", de Chopin, escorreram sem esforço dos dedos talentosos da neta. Ele percebeu que o ciclo se fechara; cada um deles com seu próprio lugar na história que se estendera por gerações, reunidos em Wharton Park, a casa que tivera um papel importante na trama do destino que eles e outros estavam tecendo. Tudo o que restava naquele momento, Kit pensou, era um novo início para o ciclo. Ele olhou para Júlia e soube que, juntos, eles construiriam um.

[EPÍLOGO]

Wharton Park

Dezembro, onze meses depois

"É véspera de Natal. Estou em pé ao lado da janela do quarto que divido com Kit, com vista para o parque. O cenário lá fora não é como no verão, mas, conforme o Sol nasce e faz a neve brilhar no estéril horizonte de inverno, ele tem sua beleza particular.

Viro de costas para a janela e volto para o quarto quente, meus pés afundam no carpete recém-colocado. Admiro o papel de parede, pintado à mão para copiar o original, e aproveito o cheiro fraco de tinta fresca.

No ano passado, Kit supervisionou essa transformação sozinho. Não posso levar crédito porque estava ocupada com outros projetos. Wharton Park está como era antes, mas, mesmo assim, tudo dentro e fora dela está passando por uma reforma, para proteger mais setenta anos dos Crawford, que viverão entre as suas paredes. Logo, será a vez de Kit seguir seu sonho, ainda abrigado pela casa, mas usando seu talento e experiência para ajudar as crianças do lado de fora.

Sou a nova lady da casa. No dia do meu casamento com Kit, usei o colar e os brincos que Olívia, e gerações de noivas Crawford, usaram antes de mim. São meus agora, para entregar à noiva do meu filho quando ele se casar.

Assim como foi com Olívia, Wharton Park sempre terá um papel importante em minha vida. Porém, eu aprendi, com as histórias do passado e a minha experiência, que tudo deve ter um equilíbrio. Usarei o dom que ganhei e darei valor a ele para criar e proteger minha família e meu talento, mas nunca permitirei que ele me destrua.

Alerta para qualquer barulho, eu deixo Kit dormindo e passo em silêncio pelo banheiro até o pequeno aposento, que já foi o quarto de vestir de Harry Crawford, mas nós o transformamos em um quarto de criança. Espio sobre o berço e vejo que o barulhento ainda está adormecido, com o polegar firme na boca em forma de botão de rosa. Todos dizem que ele se parece comigo, mas não acho. Ele se parece com ele mesmo.

— Hoje, Harry — eu sussurro para ele —, é um dia especial para você.

Ele fica deitado, inocente no sono, sem saber que membros de sua família (alguns dos quais viajaram desde o outro lado do mundo) irão se reunir para assistir ao primeiro rito de passagem dele, seu batizado na igrejinha da propriedade. Um dia, o último rito de passagem dele também acontecerá aqui e ele será colocado na cripta da família Crawford, junto aos antepassados, para toda a eternidade. No entanto, a história dele apenas começou a ser escrita e posso apenas esperar que ela tenha mais aventuras do que a de seu meio-irmão.

Ele nem sabe a ligação que oferece entre passado e futuro. Ou o peso da responsabilidade que sua entrada privilegiada na vida lhe dará. Eu jurei a ele que nunca o impedirei de viver a vida que escolher. Ou de ficar com a mulher que amar.

Eu carrego, gentilmente, entre meus braços, aquelas seis semanas de vida, deliciando-me com o momento sozinha ao lado dele. Depois disso, terei pouco tempo para aproveitá-lo, pois terei muito a fazer hoje. A casa está cheia de convidados, que vieram para passar o Natal em Wharton Park conosco. A árvore foi cortada do bosque e colocada no hall de entrada, decorada com luzes brilhantes e os mesmos enfeites usados há gerações.

Beijo a testa docemente perfumada, levanto o olhar e peço a Deus que o proteja, entendendo bem que os meus poderes como mãe são limitados e que tenho de aceitar isso. Em meio à dor e à felicidade da jornada que percorri nos últimos dois anos, eu aprendi a lição mais importante que a vida tem a oferecer e fico feliz por isso. Tudo o que temos é este instante."

[AGRADECIMENTOS]

A Mari Evans e toda a equipe da Penguin, que compraram o livro. A Jonathan Lloyd, meu agente, que acreditou em mim em momentos bons e muito ruins. Às "bruxas": Adriana Hunter, pelo *pub* "*oui*" e as vírgulas, Susan Moss, Rosalind Hudson, Helene Rampton, Tracy Blackwell e Jenny Dufton, cujo apoio generoso durante tempos difíceis me ajudou a continuar.

Na Tailândia, à incrível equipe do Oriental Hotel, principalmente *Khun* Ankhana, que foi generosa ao compartilhar suas memórias da vida em Bangkok em 1945, a Kitima, Thanadol, Lídia, Jack, Laor e Jeab. Na França, a Tony e Fiona Bourne pelo gim e pelo *forest fire*, e a Agnes Sorocki por me ajudar com o francês e pelas caronas até o aeroporto. E à maravilhosa Kathleen Mackenzie, minha fada madrinha, que estava sempre disponível quando eu ligava para ela e é a melhor pessoa que eu conheço.

Na Inglaterra, à fantástica Jacqueline Heslop e Sue Grix, e a Pat Pitt, minha digitadora. A Jonathan Walpole, cuja casa inspirou Wharton Park. Ao falecido Jack Farrow, sargento do Quinto Batalhão Real de Norfolk, cujo diário emocionante e detalhista da vida como prisioneiro de guerra em Changi me ajudou a criar um retrato preciso do sofrimento pelo qual nossos rapazes passaram.

A minha mãe, Janet, minha irmã, Georgia, e minha enteada, Olívia, que, ao longo dos anos, incentivaram-me a continuar. A Stephen, meu marido, que me ensinou tanto sobre a vida. Sem o amor e o apoio dele, eu não teria escrito este livro. E a meus filhos: Harry, que me ajudou a digitar as correções com tanta delicadeza, Isabella, cujo entusiasmo pela vida sempre me alegra, Leonora, a sensível e artística miniatura de mim mesma, e Kit, meu "bebê" obcecado por chocolate e pelo Stoke City. Eles estão acostumados com um olhar vazio quando me interrompem para fazer uma pergunta e tenho muito orgulho de todos.

E, por fim, a meu falecido pai, cuja paixão por viagens e interesse genuíno no mundo e nas pessoas eu herdei, felizmente.